アンヌ・プリショタ
サンドリーヌ・ヴォルフ
訳 児玉 しおり

西村書店

小さな妖精ゾエ、
そして、あちこちのすべての〈逃げおおせた人〉たちへ

OKSA POLLOCK, tome 1, L'Inespérée
Anne Plichota
Cendrine Wolf

Copyright © XO Éditions, 2010. All rights reserved.
Japanese edition copyright © Nishimura Co., Ltd., 2012
Printed and bound in Japan

オクサ・ポロック 1 希望の星　目次

OKSA POLLOCK

1

OKSA POLLOCK

主な登場人物

オクサ　オクサ・ポロック。もうすぐ13歳になる、この物語の主人公。空手を習い、忍者になるのが夢という、活発な女の子。

ギュス　ギュスターヴ・ベランジェ。13歳。オクサの幼なじみで親友。エキゾチックな風貌で女の子に人気がある。

テュグデュアル　テュグデュアル・クヌット。15歳。ドラゴミラの友人夫婦の孫。ゴシックファッションできめた、翳りのある少年。

ドラゴミラ　オクサの父方の祖母。通称「バーバ」。オクサのよき理解者。

パヴェル　オクサの父親。フレンチレストランのオーナーシェフ。

マリー　オクサの母親。夫のレストランを手伝う。

マックグロー　オーソン・マックグロー。オクサのクラス担任。

そのほか、ドラゴミラの秘密の工房で暮らす不思議ないきものたち――夫婦でドラゴミラに仕える、忠実な執事のフォルダンゴとフォルダンゴット（ユニークなフォルダンゴ語を話す）、頭部から背中にかけて金色のトサカがあり、頭の回転は遅いけれど、やさしい性格のヤクタタズなど――が登場。

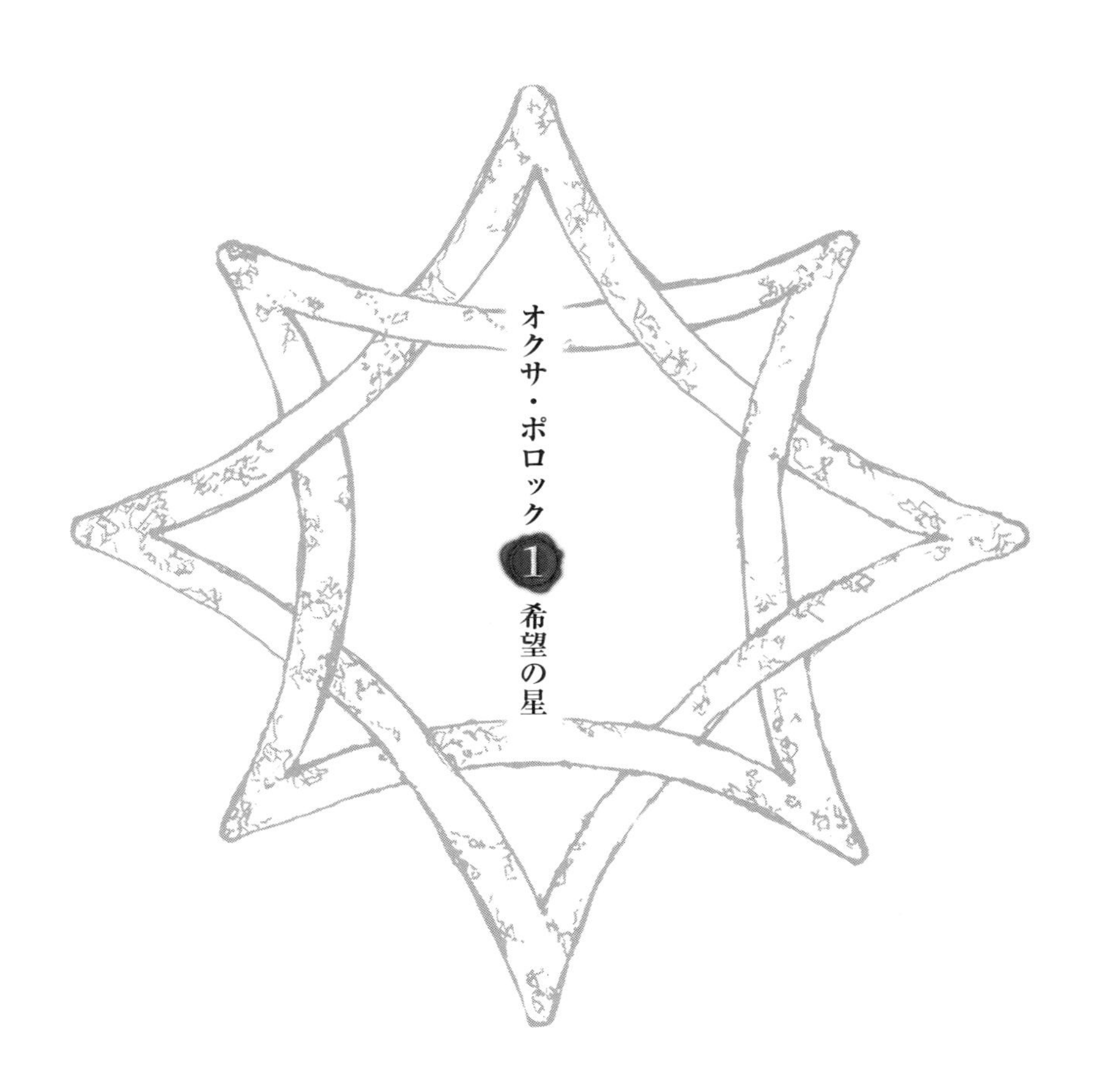
オクサ・ポロック
1
希望の星

Message

プロローグ

もし、その子が男の子だったら、この物語ははじまらなかった……。

パヴェル・ポロックは、苦しみをふり払(はら)うかのように勢いよく椅子(いす)から立ち上がり、赤ん坊(ぼう)が眠(ねむ)っているベビーベッドをのぞきこんだ。ぼくの娘(むすめ)。こんな小さな赤ん坊にすべてがかかっているなんて……。わかってはいても、つらいことに変わりはない。

それでも父親になった喜びに、彼(かれ)の瞳(ひとみ)は輝(かがや)いていた。涙(なみだ)のにじんだその目で、妻をふり返る。

マリー・ポロックは夫に向かって、にっこりほほえんだ。この人ったら、ほんとに心配性なんだから……。そんな夫が好きなのだけど。

とつぜん、ベビーベッドから、赤ん坊とは思えないほどの大声がしたので、二人はびくっとした。赤ん坊は目を大きく見開き、しわくちゃのかぼそい腕(うで)を力いっぱいにのばし、起き上がろうと必死にもがいている。

パヴェルは、あわてて赤ん坊を抱(だ)き上げ、心配そうに妻にたずねた。

「こんな感じでいい？　だいじょうぶかな？　痛くないかな？」

「だいじょうぶ、それでいいのよ」と、マリーはほがらかに答えた。「あら、お義母(かあ)さまがみえたわ。おはようございます！」

　パヴェルの母ドラゴミラは、何をするにも派手だ。今日も例外ではない。顔が隠(かく)れるほど大きな色とりどりの花の束を抱(かか)え、両手には、プレゼントの入ったカラフルな紙袋(かみぶくろ)をいくつも持っている。しかし、息子(むすこ)の抱いている赤ん坊を見たとたん、花束も袋(ふくろ)もすっかり床(ゆか)に放り出して叫(さけ)んだ。

「オクサ！　目が覚めたのね、かわいい子！　うれしくてたまらないわ」

　そして、パヴェルとマリーを順に抱きしめた。

「そろそろ、おむつを替(か)えなくちゃいけないかな……」

　パヴェルは、その役目が自分にまわってこないことを祈(いの)りながら、おそるおそる言った。

「わたしがやるわ！」と、すかさずドラゴミラが申し出た。「もちろん、マリー、あなたがよければだけど」とつけ加えて、すがるような目でマリーを見た。

　小さなオクサが手足をばたつかせるので、ドラゴミラはおむつを替えるのに苦労した。パヴェルはそばで、母親の動作をひとつも見逃(みのが)すまいと、注意深く見守っていた。

「オクサ……わたしたちの『希望の星』……」

　かすかに聞こえるほどの小さな声で、ドラゴミラがつぶやいた。パヴェルはびくっとし、みるみるうちに表情をくもらせた。

赤ん坊に服を着せ終えるのを待って、彼は母親を、病室から廊下へ連れ出した。

「お母さん！　口がすべったんでしょうが、ぼくに聞こえていないと思ったら大まちがいですよ！」

パヴェルは苛立っていた。

「何のこと、パヴェル？」

ドラゴミラは、ブルーの目で息子を見つめた。

「お母さんの考えてることはわかってます。ほかのみんなが考えていることもね。でも、その希望はけし粒ほどの可能性しかないじゃありませんか！」

「けし粒だって、可能性は可能性よ。わたしたちは絶対に希望を捨てないのよ。絶対にね」

ドラゴミラは押し殺した声で反論した。

「娘をあそこに連れていかせはしない」パヴェルは壁を背に、きっぱりと言った。「そんなことは絶対に許さない。これだけは覚えておいてください。ぼくは父親だ。娘にはふつうに育ってほしいんだ。できるだけふつうにね」

パヴェルとドラゴミラは、それからひと言も口をきかずに、長い間にらみ合った。口をきゅっと引きしめて疑り深そうに見つめ合っている二人を、看護師や入院患者たちが、ちらちら盗み見しながら通りすぎていく。

重い沈黙を破ったのはドラゴミラのほうだ。

「パヴェル、おまえのことは心の底から愛しているわ。でも、わたしたちと同じように、おまえもオクサも、あの地につながっているのよ。それはどうしようもないことよ。もし、針の先ほどでも故郷にもどれるチャンスがあるなら、絶対にそれを逃すわけにはいかない。〈大カオス〉以来、いまも悪の支配のもとで暮らしている人たちに、わたしたちは借りがあるのよ」

パヴェルは恨(うら)みがましく言い返した。

「お母さんのことは尊敬しています。でも、娘を関わらせないためなら、ぼくは何だってしますよ。あのことは忘れるべきだ。もう遅(おそ)いんですよ。すべては終わったんだ」

「パヴェル、わたしたちは運命をどうすることもできないわ。運命にしたがうしかないのよ」

ドラゴミラは、自分でもびっくりするほど厳しい口調で締(し)めくくった。

十三年後。ロンドンのビッグトウ広場――。

1　どの階もてんやわんや

オクサ・ポロックは、二階の自分の部屋いっぱいの段ボール箱の間をぬって、やっと窓ぎわまで来た。ブラインドを引き上げて冷たい窓ガラスに鼻をくっつけ、朝の活気に満ちた公園の様子をながめる。それから、ひとつ大きなため息をついた。

「ビッグトウ広場か……慣れなくっちゃね……」

黒っぽいグレーの目は、ぼんやりと宙を見ている。


ポロック一家は三世代で、数日前にパリからロンドンに引っ越してきたばかりだ。引っ越しは、オクサの父パヴェル・ポロックの急な思いつきのようだった。オクサに内緒で話し合いが何度ももたれたあと、ついにパヴェルは、いつもの重々しい調子で妻と娘に決断を伝えた。この十年間、人もうらやむパリの有名レストランのシェフだったが、やっと自分のレストランをオープンできることになった。……ロンドンに。

街の名前はつけ足しのようにさらりと発音されたので、オクサは、聞きまちがえたのかと思った。数秒ほど考えてたずねた。

「ロンドンって、あのイギリスの？」

パヴェルは、さも満足げにうなずいたが、娘があっけにとられているのを見ると言い足した。

「もちろん、おまえたちが引っ越したくなければ別だけど……。でも、一生に一度しかないチャンスなんだよ！」パヴェルは熱心に訴えた。

母マリー・ポロックはたいして迷わなかった。最近、夫は大きな心配事をかかえこんでいるようだから、引っ越して心機一転するのは、家族みんなにとってプラスになるだろう。

オクサは――十二歳ではたいした発言権はないにしても――パリを離れたくなかったし、それ以上に、祖母ドラゴミラや親友のギュス・ベランジェと離れるのはいやだった。この二人なしでは生きていけない……。ところが、祖母もベランジェ一家もいっしょにロンドンに行くと両親から聞いて、オクサは跳び上がって喜んだ。大好きな人たちも、みんないっしょに行くんだ！


窓から離れ、オクサはふり返った。両手を腰に当てて、ヒューと長い口笛を吹く。

「やれやれ……全部片づけるのに何ヵ月かかるか、わかりゃしない！　サイアク……」

部屋はどこも、たくさんの段ボール箱で埋まっていた。家はパリより狭かったが、玄関の階段とか、アーチ型の張り出し窓、鉄柵で囲まれた小さな中庭、窓のある地下室といった典型的なヴィクトリア調の家が見つかったのは、とても幸運だった。一階と二階はオクサと両親が使い、三階はドラゴミラが使うことになっている。オクサが記憶しているかぎりでは、祖母はずっと自分たちと同居していた。

オクサは、騒がしい物音がする天井を見上げた。

「バーバ（元はロシア語の「ババ」。「おばあちゃん」という意味）ったら、いったい何やってんだろう。縄跳びでもしてるのかな。まあ、いいや。学校に遅れないように、あたしも支度しなくっちゃ！」

オクサはひとり言を言いながら、クローゼットのほうに向き直った。新学期の初日に遅刻なんて、思っただけでもぞっとする……。

＊＊＊

ドラゴミラ・ポロックが使う三階の雰囲気は、二階とはまったくちがっていた。金褐色のカーテンがかかったきらびやかなバロック調のサロンは、足の踏み場もないほど散らかっていた。どれだけ散らかすことができるか、その才能を競い合っている不思議な生き物たちのせいだ。

体長二センチに満たない小さな金色の鳥が二羽、ばたばたと飛びまわっている。シャンデリアの周りを試験飛行したあと、鳥たちは戦闘機のようにものすごい勢いで急降下して、紫色のウールの絨毯の上を歩きまわる、しわだらけの巨大ジャガイモのような敵をやっつけようとしていた。

「軟体動物の独裁を粉砕しろ！　やつらの支配はもうたくさんだ！」

小さな鳥たちは、声をそろえて叫んだ。

「おい！　おれは足は短いが、軟体動物じゃないぞ！　おれはジェトリックスだ！　髪の毛だってイカすだろう？」

その生き物は、髪をかきあげながら胸を張った。

「爆弾投下だ！　抑圧された人民を解放せよ！」

そのかけ声とともに、小鳥たちは恐ろしい爆弾、つまりヒマワリの種をまきちらし、その種はジェトリックスの背中に当たって跳ね返った。

「抑圧された人民だって？」

ジェトリックスは不満げに、ヒマワリの種を拾っては食べ、文句を言っている。

その騒ぎに耐えられない鉢植えの植物たちは、葉をばたばた動かし、うめき声すらあげている。色あせた金色の円テーブルの上にある植物は、ほかのよりずっとデリケートらしく、葉を全部だらりと垂らして、震えていた。

「いいかげんにしなさい！」ドラゴミラが一喝した。「ゴラノフを見てごらん。かわいそうに、ストレスでこんなになってしまって」

そう言いながら、紫色のビロードのドレスの裾をたぐり寄せ、床にひざをついた。苦しげなため息をついている植物の葉を、おだやかなメロディーを口ずさみながら、優しくなでてやる。

それから、この騒ぎの張本人たちをじろっとにらみながら言った。

「こんなことを続けるなら、兄さんのところにやってしまうわよ。それがどういうことかわかっているでしょうね。恐ろしく長い旅になるわよ！」

この言葉を聞くと、不思議な生き物たちは急に静まり返った。今回、ドラゴミラが急な引っ越し――彼らにとっては無茶な引っ越し――を決めたときの、つらい旅路を思い出したのだ。彼らは移動が大の苦手で、列車、船、飛行機、車……こうした悪魔(あくま)みたいな発明品に乗ると、心臓も胃もひっくり返りそうになる。鳥たちは移動の間ずっと吐(は)き続け、植物たちは、葉緑素が消費期限切れの牛乳のように腐(くさ)って、あやうく中毒になりかけたのだ。

「ほらほら、みんな工房に行って！」と、ドラゴミラは命令した。「ちょっと出かけなければいけないのよ。今日は孫娘の新学期ですからね。フォルダンゴもフォルダンゴットも手伝ってちょうだい！」

青いサロペットを着た、人間に似た生き物が二人、少し足を引きずりながら駆(か)け寄って来た。一人は頭が産毛(うぶげ)でおおわれ、ぽってりした体形。もう一人は、レモン色の髪がひとふさ頭のてっぺんに立ち、体が針金のように細い。ただし、八十センチくらいの身長と、ぽっちゃりした顔、それにこのうえない優しさをたたえた大きな青い目は、共通していた。

「グラシューズ様のご命令は永遠の喜びです。わたくしどもの不変なる支援(しえん)をご確信ください」

二人は大まじめに言った。

ドラゴミラは、部屋のすみに立てかけた巨大なコントラバスケースに近づき、ふたをあけた。中は空っぽだ。ケースの奥(おく)の板に、手のひらをぴったりと押(お)しつける……。すると、その板がすうっと扉(とびら)のように開き、ドラゴミラはかがんで中に入った。

そこには、らせん階段があった。フォルダンゴとフォルダンゴットはそれぞれ植物をひとつずつ持ち、ほかの生き物たちをせきたてた。

みんながらせん階段をのぼって秘密の工房に入っていくのを見届けてから、ドラゴミラはコントラバスケースから出て、ふたを閉めた。

2　ポロック家の朝

「パパ、おはよう！　ママ、おはよう！」

一階のキッチンのテーブルについていた父パヴェルと母マリーは、オクサが入ってくると、湯気の立つティーカップから同時に顔を上げ、あんぐりと口をあけた。

「だよねぇ。あたしじゃないみたいでしょ？」

オクサは、ため息をついた。

「たしかに……顔以外はね。これが不敵の忍者オクサだなんて、信じられないよ。その変身ぶりは何と言うか……すてきだね。劇的な変わりようだけど」

パヴェルは、娘をしげしげとながめた。

「劇的といえば、そりゃ劇的だけど……」

オクサはぶつぶつ言った。そのしかめっ面を見て、パヴェルとマリーは吹き出した。オクサは両親をじろりとにらみ、声を荒らげて言い返した。

「何がおかしいの！　あたしの生活はがらりと変わったのよ。この格好をよく見てよ！」

「正真正銘のイギリスの中学生ね。わたしは似合うと思うわよ」

マリーは紅茶をひと口飲みながら、明るく言った。

オクサは、あらためて自分の格好をながめた。プリーツスカートに、白いブラウスに、マリンブルーのブレザー。こんな格好で人前に出るなんて、想像すらしなかった。

「制服があるのがわかってたら、イギリスへなんか来なかったのに」

オクサはネクタイをゆるめた。今日から通う中学校のスクールカラー、マリンブルーとワインレッドのツートンカラーだ。

「我慢しなさい、オクサ。制服は学校へ行くときだけじゃないの。それ以外はジーンズやスニーカーを好きなだけはけばいいんだから」

マリーは、きれいなハシバミ色の目でオクサをながめながら、ため息をついた。

「はい、はい、わかりました！」オクサは、降参というように両手を上げた。

「でも、パパたちの仕事のためにあたしが犠牲になったことだけは、忘れないから。これが愛する一人娘にする仕打ちなわけ？　トラウマになっても、あとで文句言わないでよ」

娘の大げさな言い方に慣れている両親は、顔を見合わせてくすりと笑った。

マリーは立ち上がってオクサを抱きしめ、しばらくじっとしていた。オクサは、こういう愛情表現を受けるには大きくなりすぎている。でも心の底では、こうされたがってもいるのだ。

「おいおい、ぼくはどうなるんだよ！　だれも、ぼくのことなんか考えてくれないじゃないか！　剃り残しのあるほっぺたにキスしてくれないし、優しく抱きしめてもくれない。いつだって、臭い犬みたいにひとりぼっちで放っておかれるんだ！」

パヴェルは、白髪まじりの髪にグレーがかったブルーの目。その目はやや悲しげで、いつも生まじめな顔つきをしていたが、母親のドラゴミラから受け継いだユーモアのセンスをいろいろな場面で発揮した。

いまもおおげさな身ぶりで嘆く夫を見て、マリーは弾けるような笑い声をあげた。

「ほらほら、ロシアの偉大な悲劇役者パヴェル・ポロックの登場よ！　あなたたち二人に囲まれているなんて、わたしは幸せ者だわ」

オクサは、両親のこうしたやりとりが好きだ。コミカルだけど、同時に胸がきゅんとなる。

パヴェルの携帯電話のアラームがうるさく鳴って、七時半を告げた。出かける時間だ。

オクサは、祖母のいる三階に向かって叫んだ。

「バーバ！　あとはバーバだけよ！」

ドラゴミラが階段の踊り場にあらわれると、三人はいっせいにため息をついた。

彼女は、ある種の威厳をそなえていたので、尊敬と親しみをこめて「バーバ・ポロック」という異名をとっていた。いつも背筋をぴんと伸ばし、顔はいきいきと輝いている。それでいて、傲慢な感じはまったくしない。血色がよく、強い光をたたえた濃いブルーの目が広い額によく映えている。銀色っぽい白髪の交じったブロンドの髪は頭の周りに編んで留めてあり、それがスラブ風の雰囲気（ふんいき）をかもしだしていた。ただし、いま家族がうっとりと見とれているのは頭や顔ではなくて、そのきらびやかなドレスだった。

「出かける用意ができたわよ！」

そう言って、ドラゴミラは、女王のようにおごそかな足取りで階段を下りてきた。黒ビーズで小鹿（こじか）のシルエットが刺繍（ししゅう）された紫（むらさき）のロングドレスが、花びらのように体全体をふわりとおおっている。

「バーバ、すっごくきれい！」

オクサは跳（と）びついて、キスをした。

そのどさくさで、ドラゴミラのイヤリングから小さな声がもれたのに、オクサは気づかなかった。止まり木の形に細工されたイヤリングには、小さな金色の鳥が二羽とまっており、さっきの戦闘（せんとう）ごっこのことを甲高（かんだか）い声で話していたのだが……。

「あっ、忘れるところだったわ。ちょっとだけ待っててちょうだい。すぐに下りてくるから」

言い終わらないうちに、ドラゴミラはくるりと背を向け、急いで階段をのぼっていった。

3
再会

ドアに鍵(かぎ)をかけると、ドラゴミラは、鏡に映った自分に向かって小言を言い始めた。

「とても外に連れていけやしない！　プチシュキーヌたち、静かにするって約束したでしょう。でないと、二度とかごから出してあげないわよ。いいこと？」

「はい、グラシューズ様、よくわかりました。くちばしにチャックします！」

二羽の鳥たちは声を張りあげながら、ドラゴミラの首筋にすり寄った。その頭を、ドラゴミラが指でとんとん優しくたたいてやると、喜んでまた金の止まり木にもどっていった。

すぐそばで、フォルダンゴがコホンとひとつ咳(せき)をして、ドラゴミラの注意をうながした。

「あのう、グラシューズ様……」と、両腕(うで)をからめてもじもじしている。

「どうしたの、フォルダンゴ？」

ドラゴミラがたずねると、フォルダンゴは目を大きく見開いて言った。

「アボミナリの神経が断裂(だんれつ)しました」

ドラゴミラはコントラバスケースの中に入り、秘密の工房に通じるらせん階段を急いでのぼっていった。

秘密の工房では、身長八十センチくらいの生き物が小窓に向かって立ち、狂ったように窓ガラスを引っかいていた。そして、うなりながらふり返り、周りにいる者をじろりとにらんだ。

その生き物は、足が短く、手が長く、頭は骸骨のよう。体は灰色がかった皮膚でおおわれていて、吐き気のするような臭いをまき散らしている。するどい二本の歯をむきだした大きな口からは、虹色に反射する白い液体がしたたり落ちていた。

「アボミナリは、ゴラノフという名称の植物に噛み傷をほどこしました。わたくしどもは妨害を試みましたが、手足に軽傷を負いました」と、フォルダンゴが説明した。

フォルダンゴとフォルダンゴットは、引っかき傷だらけの腕を見せた。ドラゴミラは怒りに震えた。痛がっているゴラノフを見ると、その怒りは倍増した。ゴラノフの茎からは茎汁がゆっくりと流れ、鉢植えの土に広がっている。

「アボミナリ！　なんてことするの！　いったいどういうつもり？」

アボミナリは段ボール箱の上に跳び乗り、よごれた爪を突き出した。

「おまえを呪ってやる！　みんな呪ってやる！　おい、ばあさん、おまえなんかおれの主人じゃない！　おれの主人が迎えに来たら、おまえはもう威張れなくなるぞ」

「もう五十年も同じことを言っているけど、おまえの主人とやらは、来たためしがないじゃない」

うんざりしたようにドラゴミラが言うと、アボミナリの顔は怒りで真っ赤になった。

「おまえは、おれにとっちゃあ何の価値もないんだぜ！　腐ったゴミの山だ！　胸くそ悪い、肉にたかるハエのくそだ！」

これを聞いて、工房のすみで縮こまっていた生き物たちは屈辱に震えた。ドラゴミラが近づくと、アボミナリは床に跳び下り、後ろからフォルダンゴに跳びかかって首を絞めつけた。

「ばあさん、言っとくけどな、おれにさわるとこいつを殺すぞ。おまえとこいつらみんな、ずたずたにしてやる！」

ドラゴミラは、あきれはてて天井を見上げた。そして、ドレスのひだから長さ十五センチくらいの真珠色の筒を取り出し、アボミナリに向けた。

「緑のハネガエル！」

こう唱えて、筒にそっと息を吹きこむ。すると、反対側から緑の火花が出て、パチンと音を立てた。と思う間もなく、半透明の羽を持つ緑色の小さなカエルが二匹あらわれ、アボミナリのほうへ飛んでいった。カエルたちは、かぼそい脚でアボミナリをしっかりとつかみ、床から一メートルほどの高さに持ち上げて、フォルダンゴを放させようと揺さぶった。

フォルダンゴは、どさりと床に落ちた。ドラゴミラは、引っかかれたり噛まれたりしないように右腕をまっすぐに伸ばし、アボミナリの首の皮をつかんだ。しかし、檻の扉を開けようとしたとき、腕をひどく引っかかれた。

「このお返しは、あとでちゃんとさせてもらいますからね！」

檻に鍵をかけながらぴしゃりと言うと、ドラゴミラは、フォルダンゴとフォルダンゴットにゴラノフを手わたし、優しくたのんだ。

「わたしは出かけなくちゃいけないから、この薬用クリームをゴラノフの葉とあなたたちの腕に塗ってちょうだい。痛いのが少しはおさまるはずよ。すぐ帰ってきますからね」

「わたくしどもの服従は不変です。お帰りを熱望しています」

フォルダンゴたちはまだショックから立ち直っていなかったが、気丈に答えた。

部屋を出る前に、ドラゴミラは編んだ髪を直した。

「さあ、これでいいわ。でも、あのアボミナリのことは、何とかしないと」

「お義母様、だいじょうぶ？　何か気にかかることでも……まあ、お怪我？」

マリーが驚いてたずねた。

「たいしたことないわ。段ボール箱をあけようとしてハサミと格闘したのよ。私の負けね」ドラゴミラはにっこりと答えた。「さあ、もう出かけないとね」

ポロック一家はそろって、オクサが通うことになったフランス人学校へ向かった。

＊＊＊

オクサは、聖プロクシマス中学校の三年生（フランスでは小学校が五年で、中学が四年ある）のクラスに転入する。見かけは平気そうにしていても、心の中は不安でいっぱいだった。オクサの夢は、冒険家か不死身の忍者になること。嫌いなものは、ポロねぎ、ピンク色、虫、それから目立つこと。転校生が学校で目立たないはずがない。

オクサはブレザーのポケットに手を入れて、前の日に祖母のドラゴミラからもらったお守りにさわった。小さくて平べったい革の財布だ。中に、リラックス効果があるという種が入っている。

「もし緊張して胸が苦しくなったら、これを持ってそっとなでるといいわ。そしたら、空が明るくなって、道がしっかり見えてくるのよ」と、祖母は言った。

その言葉を思い出していると、大きな雨粒が落ちてきて歩道をぬらした。

「あらら、今日は空が明るくならないみたい……」

オクサは暗い気持ちになりながら、つぶやいた。


「オクサ！」

ふり返ると、両親に付き添われた男の子が、濃いブルーの目を輝かせて走ってきた。

「ギュス？　見ちがえちゃった！」と、オクサは笑いながら言った。

「おまえだって鏡を見たのか？　プリーツスカートのオクサ・ポロックなんて、ジョーダンみたいだぜ！」と、ギュスも思わず吹き出す。

「ジャケットにネクタイのギュスターヴ・ベランジェだって！」オクサは言い返した。「あたしのこの格好を見てよ！　あんたは、けっこうイケてる！」

ギュスは、長い前髪をかきあげながら言った。

「一応、ほめ言葉としとこうか。このシャツの首、サイコーに苦しいんだけど、なるべく気にしないようにしないとな」

「ネクタイ、ゆるめたほうがいいよ。血が止まって、顔が真っ赤になるんじゃない？」

オクサのこのアドバイスを機に、二人は冷やかしごっこをやめ、歩道に投げ出していたリュックを拾った。

二組の家族は、おしゃべりしながら学校へ向かった。雨はいつのまにかやんでいる。


「オクサ、どうしてた？　一週間ぶりだな？」

「絶好調！　このプリーツスカートだってはけるし……。今日までプリーツスカートをはかなかったなんて、信じられない！」わざとそう茶化してから、オクサは続けた。「家の中はめちゃめちゃ。何か探そうと思ったら、段ボール箱三十個は開けないといけないんだから。でも、だいじょうぶ。住んでるとこはすごく気に入ってる！」

「ぼくもさ。ここにこうしているのがウソみたいだよ。あわただしい引っ越しだったし。うちのあたりって、すごいよ。ほんとよその国って感じ。地球の反対側に来たような気がするよ」

ギュスの父親でパヴェルの昔からの友人、ピエール・ベランジェは、パヴェルが共同経営の話をもちかけるとすぐに承知し、二人でフレンチレストランを開業することになった。ベランジェ一家のほうが少し先にロンドンに越してきて、オクサの家からやや離れた中華街の近くに落ち着いていた。


「同じクラスだといいな」と、ギュス。

「うん……じゃなかったら、大騒ぎしてやる。それとも、ヒステリーの発作を起こしてやろうかな。床をころげまわって、泡吹いて、白目をむいて、近づいてくるやつみんなのふくらはぎを噛んでやる！」

「いいね！　おまえって変わってない。模範的な中学生の服装をしてたってさ。進歩してないって言ったほうがいいかもな」

オクサは急に赤くなって、ギュスに跳びかかった。

「恩知らず！　これまで、あんたのためにどれだけ苦労したか、わかってんの？　女の子のこと全然わかってないんだから！」

「おまえだって頭が変だよ！　だいたい過激なんだ！」

乱暴に揺さぶられながらも、ギュスは笑いすぎて涙をこぼした。

オクサは手を放すと、肩をすくめた。

「それって、あたしのせいじゃない。遺伝よ！　ポロック家の人間は、生まれつき過激なんだ。ロシアの血筋なんだろうけど……。まあ、大騒ぎとヒステリーの発作はちょっと考えとく。とにかく、いっしょのクラスになれさえすればいいんだから！」

4 聖プロクシマス中学校

校門の重厚な木製の扉は開かれていた。石畳の中庭につながる見事な石造りのアーチの下に、山高帽をかぶった守衛が二人立ち、生徒と家族にあいさつしている。

オクサとギュスがおずおずと校門をくぐると、視線を感じた。ひとかたまりの女の子がギュスを見ながら、ひじをつつき合ってささやいている。ギュスが通ると女の子が魔法にかかったようにおしゃべりをやめてふり返るのは、パリと同じだ。ギュスは照れて赤くなり、頭をかいた。

家族は、中庭の奥に集まっている保護者の輪に加わった。二人はしぶしぶ、生徒の集団のほうに歩いて行った。

「やれやれ……原始人はまだいるのか」

男子の大きな声が聞こえた。

「だれのこと？」

オクサは、声がしたほうをふり返った。男の子がじっと見つめている。褐色の大きな目が印象的で、ブロンドの髪はカールしていた。

「おはよ！　ぼくはメルラン・ポワカセ。きみたち、転校生？」

彼はおおげさな動作で、握手の手を差し出した。

「そう！　ロンドンに来たばっかり。あたしはオクサ・ポロック」

オクサも反射的に手を差し出した。

「ぼくはギュスターヴ・ベランジェ。ギュスって呼んでいいよ」

「オーケー、ギュス！　あいつだよ、原始人っていうのは」メルランは、大柄で目つきのきつい女の子をそれとなくあごで示した。「本当の名前はヒルダ・リチャード。ちょっとでも彼女に関わったやつは、忘れられない思い出をもらうことになるのさ」

「どんな思い出？」と、ギュスが心配そうにたずねた。

「待ちぶせとか、あざをつけられるとか、侮辱される思い出さ。まあ、そういうこともあるさ……ようこそ、聖プロクシマスへ！」

「ギュス、言っとくけど、あんたと同じクラスじゃなくて、あの子と同じクラスになったりしたら、大騒ぎしてやるから！」

＊＊＊

聖プロクシマス中学校のリュシアン・ボンタンピ校長は、教師全員が並んだところで、壇に上がってマイクを軽くたたいた。ほおが丸々として体格がいいうえに、黄緑のネクタイにオレンジ色のポケットチーフという派手な色使い……。まるで起き上がりこぼしのピエロのようだ。

ところが、新学期の始まりにふさわしいあいさつを述べ始めると、校長の口調は、物腰のやわらかそうな外見とはちがって、厳しく威圧的だった。

「……では、みなさんがお待ちかねのクラス分けを発表します。このロンドンのフランス人学校では、毎年、各学年を水銀組、水素組、炭素組という三つの化学元素の名前のクラスに分けています。下の学年から始めます。まず、一年生の水銀組……」

順番に名前が呼ばれ、制服に身を包んだ生徒たちがクラスごとに列をつくっていった。二年生のクラスの最後にきたとき、ボンタンピ校長の声が急にわななないた。

「ウィリアム・アレクサンドル」

黒づくめの服の青ざめた女性に付き添われて、男の子が前に進み出た。校長は、やりきれないといった感じで彼の肩に手を置き、耳元で何事かささやいた。

「校長先生の息子?」と、オクサはメルランにたずねた。

「いや、二週間前にテムズ川で死体が発見された数学の先生の息子だよ」

「ええっ、こわーい!……自殺?」

「ちがうよ。殺されたんだ。恐ろしい殺人事件だよ。新聞でも騒がれてた」

メルランは、秘密を打ち明けるようにささやいた。

「かわいそうに……」

オクサは、言葉を呑みこむようにやっとそれだけ言って、心の動揺を抑えようとした。それから、クラス分けの発表だけに集中した。

「では、三年生の水素組。担任はマックグロー先生です」校長は、背の高いやせた男性を自分の横に並ばせた。

「名前を呼ばれた生徒は前に出るように。ベック・ゼルダ……ベランジェ・ギュスターヴ……」

ギュスは、「はい！」と大きな声で返事をした。オクサにちらりと目を向け、にこっとしてから、マックグロー先生の前の列に加わる。

オクサは、どきどきし始めた。大きな目が神経質にまばたきを繰り返し、校長が名前をひとつひとつ読みあげるたびに、心臓のどきどきする音が中庭の壁に反響するような気がした。

オクサは心細くなり、両親を目で探した。ほんの数メートル先にいる。父親が両手のこぶしをにぎって励ますような仕草をしたので、オクサは小さく手をふって応えた。となりにいる母親と祖母が、にっこりと笑いかけてきた。そのとき、祖母のドレスの上を何かが動くのが見えた。ほんの一瞬だったが、刺繍された小鹿が追いかけっこをしている！　たぶん、強いストレスのせいだろう……。いまは妄想なんてしてる場合じゃない。早く読み終わってよ。あたしを水素組に入れて！　お願いだから、ポロックって呼んで……ポ・ロ・ッ・クって！

オクサは目を閉じ、骨が折れそうなほどしっかりと手を組んで祈った。アルファベットが頭の中で混じり合い、呼ばれる名前がごちゃごちゃになって耳鳴りのようにひびいた。ポロックのＰは過ぎてしまった……と思った。

「プロロック・オクサ」と校長が読みあげ、目でその生徒を探した。

マックグロー先生が校長のほうにかがみこんで、耳打ちした。

「失礼……ポロック、ポロック・オクサ！」と、校長は「ポ」を強調して言い直した。

オクサの心臓は喜びで跳ね上がった。しゃっくりするように「はい！」と返事をし、ほっとした表情で両親を見やった。それからギュスの横に並んで、こうつぶやいた。

「聖プロクシマスに来たんだ……」


***

三年水素組の生徒は、マックグロー先生に引率されて、恐ろしく長い廊下を歩いた。オクサとギュスは圧倒されて、きょろきょろしていた。

「すごいね、ここ」オクサがギュスにささやいた。

学校は、十七世紀の修道院を改修した建物で、独特の雰囲気を持っていた。荘厳な入り口ホールの壁には、色あせた紋章がえがかれ、オクサの読めないラテン語の文字がきざまれていた。中庭に面して回廊があり、教室は、二、三階の回廊に沿うように配置されている。御影石の細い列柱とステンドグラスがはめこまれた交差アーチ形の窓は、原形のまま保存され、その窓から、かすかに色づいた自然光が差しこんでいた。

「見ろよ！　見張りがいっぱいいるぞ！」

ギュスが目で示したところには、通路に沿って十体ほどの石像が並んでいた。たしかに、生徒を監視しているようにもみえる。

すぐに、マックグロー先生の厳しい声が飛んだ。

「静かに！　初日から一時間の居残りをしたい者がいたら、申し出なさい」

　生徒たちは急にしゅんとなり、階段を上がっていった。

　生徒たちは二階の明るい教室に入った。壁が解剖図で埋まっている。木製の机は二人がけだ。艶出しワックスのいい匂いがする。

「座りなさい！」高飛車な口調で先生が言った。

「どこに座ってもいいんですか？」生徒の一人が質問した。

「どこでもいい！　もちろん、この教室内なら、だがね」先生は皮肉っぽく答え、「かばんは机の下に置くように。あとでロッカーに案内するから、おやつ、体操着、本、お守り、ぬいぐるみなど、役に立つものなら何でも入れてけっこう」と、鼻先で癇にさわるような笑いをもらした。

「午前中は校則や時間割りについて説明し、それから各教科の先生を紹介します。わたしはマックグロー。数学と理科を教えています。このクラスの担任という役目は単なるおまけ。つまり、子どもっぽいつまらないことで、わたしの手間をとらせないように。一年生じゃないんだから、自分の在り方と行動に責任を持ってください。まじめで意味のあることにしか聞く耳を持ちません。いいね？　きみたちのほうは、規律に従い、必死になって勉強すること。この学校もわたしも、なまけ心や凡庸は許しません。凡庸が許されるのは、それが最大の努力をした結果である場合のみ。きみたちが最高の力を出す、ベストをつくすことしか期待していません。わかったね？」

　遠慮がちなささやきが教室に広がった。オクサは、ギュスのとなりで小さくなっていた。望みはただひとつ、この先生とできるだけ関わり合いにならないこと。問題があったら、だれかほかの人に言おう……。

オクサは気分がすぐれなかった。いまの話で不快なプレッシャーをかけられたせいもあるが、それだけではない。この先生は、本当に人を居心地悪くさせる……。

実際、マックグロー先生には、くつろいだ会話を始める気など、さらさらないようだった。むしろ駆け足で逃げ出したくなるような冷淡な調子で、こう続けた。

「わたしのほうは自己紹介をしたから、今度はきみたちの番だ。名前と得意な科目、もしあれば好きなことを。ほかに、クラスメートやわたしに知らせておきたいことがあるなら、何でもいいから簡潔に言ってください。自分の生活をすべて披露しようなどと思わないように。……きみから始めてもらおうか?」

ギュスは、最初に指名されたのを光栄に思うどころか、もじもじした。

「えーっと……ギュスターヴ・ベランジェです。一週間ほど前に、両親とロンドンに越してきました。どっちかというと、数学が得意です。マンガとテレビゲームが好きです。空手とギターを六年続けています」

「どっちかというと数学……か。うれしいね」と、先生は応じ、次の生徒を指した。

先生が順番に生徒の自己紹介を聞いている間に、オクサは、この先生をひそかに観察した。背が高く、やせていて、シックだが陰気な雰囲気をただよわせている。褐色の髪をポマードで後ろになでつけているせいか、細かいしわとインクのように真っ黒な目が目立つ。まるで上下を溶接でもされているかのようにきつく結ばれた、薄いくちびる。地味な黒いスーツ。チャコールグレーのワイシャツは首まできっちりとボタンが留められ、突き出たのどぼとけが、声の調子が変わるたびにせり上がる……。

とくにオクサの注意を引いたのは、右手の中指にはめられた銀の指輪だった。らせん状にねじれたリングに、青味がかった見事な灰色の石がついていて、石に反射する光が動いているように見える。骸骨のような細い指には重すぎる、大きな指輪……。

「きみの番だ」

オクサをじっと見つめながら、マックグロー先生は小さな声で言った。好奇心をふくんだきつい視線を受けると、オクサは体の内側が締めつけられるように痛み、気分が悪くなった。

緊張をほぐすため、母親に教わったように深呼吸をしようとしたが、胸がつまった。何分の一秒間か、恐怖で顔がひきつった。

「オクサ・ポロックです……」

大きく息を吸い込んで肺に空気を入れようとした。少しだけ酸素が入ったようだ。

「オクサ・ポロックです。天文……」

酸素が足りない！　うろたえたオクサはまた息を吸い込もうとした。

だめだ！　パニックになっちゃいけない……。

オクサは気力をふりしぼって、何でもないことのようにふるまおうとした。だが、できない。空気は肺にとどまったままだ。空気のかたまりが大きすぎて出ていかない。オクサはあわてて制服のネクタイをゆるめた。

「ポロックさん、名前はもうわかったから、先を続けなさい」

マックグロー先生は、いらいらした口調で言った。

しかし、その声は真綿(まわた)に包まれたように、オクサにはほとんど聞こえなかった。酸素不足で息がつまる一方、心臓は早鐘(はやがね)のように打っている。胃をこぶしでたたかれたかのように、強い痛みを感じた。何とかこらえようとしたが、痛みと恐怖に体も心も支配されていた。

だれか助けてくれないかと、周りを見まわした。しかし、むだだった。みんながオクサを見ていたが、何が起きたのかわかっていないようだ。

オクサは力つきてギュスの腕につかまり、床(ゆか)にたおれこんだ。

5　悲惨(ひさん)な一日

オクサは小さいときから、学校から帰ってくると祖母ドラゴミラのところに行くのが習慣だった。仕事でいそがしい両親に比べ、祖母には時間があったからだ。

ドラゴミラはたよりになる存在だった。二人は、一日にあったいろいろなことを語り合った。まじめな話もしたし、オクサが悩んでいること、うれしかったことなども話した。

その日も、オクサが帰宅すると、パリ時代と同じく家は静まり返っていた。これまでで最悪といっていいほど悲惨な一日だっただけに、オクサは腹立たしさを覚えた。

「ママ？　パパ？　だれもいないの？」

大声で呼んでみたが、返事はない。いるはずはないんだ。レストランの開店準備で大いそがしなんだから……。

オクサはため息をつきながら、リュックを階段の上がり口に乱暴に置いた。それから、散らかってはいるがくつろげる、ロココ趣味の祖母の部屋に上がっていった。

いつものように、バーバ・ポロックはオクサを質問攻めにした。

「学校はどうだったの？　くわしく話してちょうだい！」

ドラゴミラは、オクサの好きなおやつを用意して待っていた。クッキーとラズベリー、特製のスパイスティーだ。

祖母の顔を見ると、オクサはやっと落ち着いた気分になった。お気に入りのソファにたおれこむように腰を下ろした。それは、すりきれたピンク色の一人がけのソファで、オクサはそこに丸まって座るのが好きだった。祖母が一日かけて整理した広口瓶や、箱がつまった棚や、仕切り棚や、本で、壁はぎっしりと埋まっていた。

「バーバ、だいじょうぶよ、楽しかった」

オクサは、明るい調子をつくろって言った。

「わたしの愛しい子、顔色が悪いわよ。疲れきっているみたいね。初日からそんなに勉強したの?」

そう言ってから、ドラゴミラは急に話題を変えた。

「おなかすいた?」

「ぺこぺこ」

オクサは、チョコレートクッキーをむさぼるように食べた。

「食べながらでもいいから、早く話してちょうだい。どうだったか知りたくて、うずうずしているのよ」

「う〜ん、学校の建物はすごい。信じられないくらい。バーバならきっと気に入ると思う。担任はマックグロー先生といって、数学と理科の先生なんだけど、すご〜く厳しいの。ぼろを出さないように気をつけないと……ヤバそう」

気まずい沈黙があった。ドラゴミラは続きを待った。

「それから……ええっと……ギュスと同じクラスになったから、それ以上望むことはないけど! ほんと、よかった……。それ以外には、これといったことはなかったな」

オクサは苛立ちを隠そうとした。

「ギュスとあたしは、すっごく感じのいい男の子と知り合いになったの。メルランって子で、ロンドンには五年住んでて、頭もよさそう。ほかの生徒もみんな感じいいけど、一人だけ、女の子で猛犬みたいなのがいるの。あれは神経が二本しかなさそう」

「こっちにおいで……」

じっとオクサの様子を観察していたドラゴミラが、優しく言った。孫娘の見かけだけの明るさをまったく信じていないようだ。それからオクサの手を取って、赤いビロードのソファのところに連れていき、その上を占領しているものを急いで片づけた。

「ちょっと待ってて……」

ドラゴミラは部屋の奥へ行った。そこには、ものであふれた巨大な棚と、つやつやした木の仕事机があった。彼女は三十年間もハーブ薬剤師をしていて、この机の上で植物学と薬草を熱心に研究していたのだ。

ドラゴミラはブレスレットについた鍵をひとつはずし、すりガラスのはまった書棚をあけた。本の代わりに、何百という細首の小瓶が並んでいる。彼女はそのうちの一本を取り出した。

「ほら、これで気分がよくなるわ。〝大変な日〟のためのアロマ・オイルよ」

「バーバ、大変な日じゃなかったんだってば……」

「しーっ！　しゃべらなくていいわ」

オクサは逆らわずに、祖母に身をゆだね、こめかみに心地よいマッサージをしてもらい、部屋の四すみから乳香の香りの煙が渦を巻いてのぼるのを、じっと見つめていた。部屋は、骨董品や小さなテーブルや円テーブル、深紅や色あせた金色のいくつかのソファで埋まっている。煙が天井のメダル形の化粧漆喰のほうにのぼっていくにつれ、オクサの気持ちはしずんでいった。バーバはまちがっている。今日は大変な日どころか、とんでもなくいやな日だったのだ。新学期初日のまだ生々しい記憶にオクサは苦しんでいた。その日の朝、教室で起きた出来事に、オクサは無理やり引きもどされた。

＊＊＊

意識を取りもどしたとき、オクサは教室の床に長々と伸びていた。額は汗にまみれ、血管がどくどく脈打っていた。おなかが痛いのは、おそらく、たおれたときに椅子で打ったせいだろう。顔がいくつか、オクサをのぞきこんでいた。心配顔のギュスが、かたわらにひざまずいている。メルランは眉間にしわを寄せて、「だいじょうぶ？　だいじょうぶ？……」とささやいていた。となりの席に座っていたゼルダもひざまずいていたが、どうしていいかわからないようだった。マックグロー先生はいらいらしているらしく、冷たく言い放った。

「ポロックさん、きみは非常に感受性が強い。極端に感受性が強いんだね」

なぐさめにもならない先生の言葉に反発するかのように、オクサは大変な努力をして起き上がった。怒りと恥ずかしさと苛立ちで、心が沸き立っていた。

「先生、救急車を呼んだほうがいいでしょうか？」

生徒の一人が、おろおろして言った。

マックグロー先生はその生徒をさげすむように見ると、皮肉な口調で答えた。

「どうせなら、保健省の緊急特別班を呼んだらどうかね？　ポロックさんにたずねてみないといけないかな？　ポロックさん、保健室にお連れしないといけないかね？　それとも、このハードな一日、最後までもちこたえられそうかね？」

ギュスはあぜんとして、先生をにらみつけた。しかし、先生は無視した。オクサは、クラスメートたちの助けでなんとか席につくと、わきあがる怒りと痛みを忘れようとした。


「だれかほかに気絶しようという人は？　希望者はいませんか？」

マックグロー先生が言うと、驚いたことに手が上がった。

「ポロックさん？」

予期せぬ反応に、先生はまごついたようだ。皮肉な調子は消え、声は震えを帯びていた。ひどい言い方をしたのを悔いているのだろうか。

「言いかけたことを終わらせたいと思います」

オクサの声は単調だったが、きっぱりとしていた。そのとき、鳥肌が立つような冷たい風が教室に吹きこみ、半開きになっていた窓が大きな音を立てた。生徒はみなびくっとしたが、先生だけはオクサにじっと目を向けていた。

オクサはあわてる様子もなく、こう続けた。

「オクサ・ポロックです。ロンドンに来たばかりです。好きな科目は理科と数学。天文学とローラーブレードも好きだし、ギュスと同じで空手を六年やっています。それだけです」

生徒の半分はあきれ、あとの半分は尊敬のまなざしでオクサを見つめた。しかし、大量のビタミン剤が効いてきたかのように、オクサが体の奥で深い喜びを感じていたことは、ほかの生徒にはわからなかった。

「ありがとう。では、続けよう。もう、かなり時間をむだにしたな」

マックグロー先生は平然として言った。

休憩時間を告げる鐘が鳴ったとき、オクサはほっとした。この教室をやっと出られる！　やっと！　あと一分でも長くいたら、大声で叫びだしてしまいそうだった。まったくオクサらしくなかったが、それが本音だ。

ギュスは、中庭の天使像の足元に背中を丸めて座りこんでいるオクサを見つけ、自分もそばにしゃがんだ。オクサが悲しそうにしているのを見ると、抱きしめてやりたくなった。しかし、そうする勇気はなかった。

「だいじょうぶ？」ギュスは優しくたずねた。「心臓発作でも起こしたのかと思ったよ。急に固まってたおれるんだもんな……怖かったよ」

「あんなに気分が悪くなったのは、初めて。周りがぐるぐるまわって息ができなかった」

「どこか痛かったの？　それとも、みんなの前であがったのか？」

オクサは答えなかった。ギュスはいぶかしく思ったが、気の利いた言葉を思いつかず、オクサをちらりと見てこう言った。

「だいじょうぶ。心配するなよ。もう過ぎたことだしさ！」

「うん。そうだよね」と、オクサは答えた。

＊＊＊

オクサは、真っ暗な自分の部屋で、天井に張られた青白い星の飾り(かざ)りを見つめながら、ベッドに横たわっていた。眠(ねむ)ろうとしたが、だめだった。祖母のマッサージのおかげで頭痛は消えていたし、おなかの痛みもほとんど感じなかった。

オクサの具合を心配して、ギュスが電話をくれた。そのとき、同じクラスになったことをもう一度、二人で喜び合った。よかった！　ギュスの電話のおかげで気分が少しよくなった。ギュスのような友だちを持って幸せだ。それにしても、なんという一日。これから毎日こうじゃないといいけど……。


もう十二時になるというのに、ちっとも眠くない。オクサは枕元(まくらもと)の電気をつけ、ベッドに座り、不安そうに周りを見た。段ボール箱から出したまま、まだ片づけていないものが、机の上に山積みになっている。もう使っていないのに捨てられない小物やおもちゃだ。なかには、何年か前までいちばんのお気に入りだった赤毛の人形もあった。幸せな子ども時代はもう遠い昔だった。

オクサは肩をすくめ、ため息をついた。半開きの目でその人形をいつまでも見つめていたが、そのうち目を閉じた。この日の最も不快な出来事――新学期初日に人前であがったこと――を思い出していた。そのときに感じた不安はまだ残っていて、気分が滅入った。

オクサは目を開け、それから……ぎょっとした。人形の髪の毛が、魔法の力か何かにひきつけられたように逆立っている！　夢を見ているのでないかと、何度かまばたきをした。するとまた信じられないことが起きた。人形が、オクサの心臓の鼓動に合わせてゆらゆら揺れているのだ。それからふっと宙に浮き、オクサのほうにやってきた。オクサがとっさに起き上がったので、掛け布団が落ちた。思わず手を前に出すと、手のひらから小さな炎が起こり、人形の頭めがけて飛んでいった。

「なに、これ？」

オクサはあわてふためいた。目の前で化学繊維の髪が燃え始め、パチパチと音を立てた。ぞっとして、思わず人形をつかんだ。これが第一のミス。焼けたプラスチックのせいで、指に刺すような痛みが走った。

叫びそうになるのをこらえて、人形を放り出した。それから、炎を消そうと息を吹きかけた。これが第二のミス。

炎はさらに燃え上がり、壁の木板に燃え移った。鼻にツンとくる煙が立ち始め、オクサは心臓がどきどきしてきた。その朝に祖母が花を飾った花瓶をつかんで、中の水を炎にかけることしか思い浮かばなかった。

　ぼやは消えた。

　オクサはぼうぜんとし、へなへなとベッドにたおれこんだ。ひどく気分が悪くなり、おなかも痛みだした。痛さのあまり体をよじると、吐き気と目まいを感じた。

　オクサは目を閉じた。しだいに意識が遠のき、いま起きたことをすべて忘れさせた。


***

「ええっ、そんな……」

　オクサは顔を枕に押しつけながら、うめいた。

　オクサは目を覚ましたばかりだ。最初に目に入ってきたのは人形だった。昨夜の異常な出来事でいちばん被害をこうむったのは、この人形だ。ひどいありさまだ。目はひとつなくなり、スポンジのつまった体は裂け、赤毛は焦げて茶色だ！

「いったい、あたしは何をしたんだろう？　大好きな人形を燃やしちゃった！」

　オクサは体をよじりながらうめいた。ただ、自分のしたことははっきりと覚えていた。

　目覚めてみると、それが夢でなかったことは明らかだ。夢でもないし、頭が変になったわけでもない。現実に起きたことだ。焦げて髪の毛がなくなり、溶けてひきつったほほえみを浮かべた哀れな人形が、机の上に横たわっていた。オクサはその人形を長い間見つめながら、そんなことをした自分に恐れおののいた。

でも、本当は、オクサは興奮でどきどきしていたのだ。

6　大変な朝

コン、コン！

「朝ごはんをいっしょに食べましょう」

オクサはびくっとした。ドアをノックしたのは祖母ドラゴミラだ。両親は、レストランの開店を間近にひかえて毎晩遅くまで働いているから、まだ眠っているのだろう。

「バーバ！　すぐ行くから！」

自分が怪物にでも変身したのではないかと思ったオクサは、クローゼットを開けた。扉についている鏡に自分を映し、顔のあちこちをさわりながら注意深く調べた。目は同じ、黒っぽいグレー。頬骨は高く突き出ている。形のよいくちびる。少しだけ不ぞろいな歯。笑ったり、ふくれっ面をしたりするとすぐにできるえくぼ。おかっぱの髪……。何も昨日と変わっていない。目の下に隈ができていて、いつもより疲れた顔ではあるけれど。

オクサは急いで、プリーツスカートとブラウスを着た。髪をさっととかし、顔をぬらしただけ。

洗面所には一分といなかった。

キッチンへ行こうとして、ある考えが浮かび、急に回れ右をした。部屋はあんな状態だ！　焼け焦げた壁と人形を絶対にだれにも見られちゃいけない。

部屋にもどると、太い黒のフェルトペンを探した。昨夜、机の上のものが燃えないようにすべて床にはらい落としたとき、どこかに落ちたはずだ。やっとクローゼットの下にあるのを見つけた。段ボールの切れ端でプレートをつくり、部屋のドアにかけた。

部屋整理中
いかなる理由でも入るべからず ☠
違反した場合は恐ろしい報復あり！☠ ☠

朝食の間じゅう、オクサは黙っていた。ショック状態だ。自分があの信じられない現象を引き起こしたのか？　夢にさえ見たことがないのに……ぼうぜん自失！

ドラゴミラが、オクサのネクタイを締め直しながら言った。

「わたしの愛しい子、うるさいことは言いたくないけれど、顔色が悪いわよ。よく眠れなかったのね？　心配事でもあるの？　それとも具合がよくないの？」

「よく眠れなかったの、バーバ……」

「ちょっと待ってなさい。いいものがあるから」

ドラゴミラは急いで三階の自分の部屋に上がり、数分後に、小さな瓶を持って下りてきた。

「これを飲んでごらんなさい」

「なに、これ？　また、バーバのへんてこな薬？」

「ラムズイヤーの秘薬よ」とドラゴミラは答え、瓶の中身をごく小さな茶こしで漉しながら、歌うように言った。「これはね、目の下の隈をとるのによく効くのよ。これで今日の夕方まではだいじょうぶ」

オクサは、なみなみとつがれたカップを受け取り、効果がありますようにと祈りながら、ひと息に飲んだ。

「うえ〜。こんなまずいもの、飲んだことない」と、思わず顔をしかめた。

「さあさあ、朝ごはんを食べて。遅れますよ」

「遅刻なんてしたことない、でしょ？」

たしかに、オクサは遅刻をしたことがなかった。人並みはずれて足が速いからだ。天敵に追いかけられるガゼルや、超能力を持った不思議な人間に変身することを想像するだけで、足にひとりでに力が入る。

オクサが想像のなかで好んで変身するのは、並はずれた能力を持つ忍者。ドロンと消える術や異常に発達した聴覚と視覚を、眠っている間に身につけた、と想像するのだ。こうした超能力は本や映画から思いつくのだが、きっかけは日常生活にあることが多い。いらいら、うまくいかないこと、口げんか……そんなとき、オクサは自分が超能力を持っているんだと想像する。もちろん、それですべての問題が解決するわけではないが、困難を乗り越えたり、気分を切り変えたりするのには大きな助けになった。

しかし、オクサは現実から隔離されたバーチャルな世界に生きているのでは、断じてない！　彼女は聡明な女の子だ。日常生活のなかの空想の位置づけというものをわきまえていた。

とはいえ、今朝はいつもとは勝手がちがう。空想が現実の生活に入ってきた。指のやけどがその証拠だ。たしかにオクサは、昨夜やったようなことができたらと思ったことが、何度もあった。だが、それが本当になってしまうと、胸がむかつくような目まいと激しい動悸におそわれた。

ともあれ、いまは、稲妻のように敏捷な忍者であるオクサには重大な試練が待っていた。人生で最初の遅刻をしたくなかったら、超人的な速さで学校に行かなければならない！

少しだけ息を切らせながら学校に着くと、生徒たちは教室に入ろうとしていた。

ふうっ、試練を克服できた！

オクサは、その日の最初の授業、クレーヴクール先生の歴史・地理があるマルコポーロ室を探した。回廊を歩いていると、オクサの教室の向かいの教室に入ろうとしている四年生が何人かいた。教室の前まで来たとき、いきなり肩をぶつけられた。

「痛いっ！」オクサは思わず叫んだ。

「ちゃんと前見て歩けよ、能なし！」ぶつかった男子が言った。

「あんたがぶつかってきたんじゃない！」オクサは腹を立てた。

「まっすぐ歩けないんなら、幼稚園にもどれ！　気をつけろ、ガキ！」

そう言いながらまたぶつかってきたので、オクサはよろめいて柱に当たった。

その男子は友だちといっしょになって、にやにやしながら通りすぎていった。オクサは彼が遠ざかるのを見ていた。濃いこげ茶の髪の毛で、体格はがっしりしている。背はオクサより頭ひとつ分高いし、体重も十五キロは重そうだ。驚いたことに、その子はふり向いて、憎しみのこもった目でオクサを見つめた。オクサは肩をすくめると、教室に入っていった。

「おい、もうちょっとで遅れるところだったじゃないか」ギュスが、あいさつもそこそこにオクサに話しかけた。「無遅刻のおまえが初めて遅刻してたら、その目撃者になれたのにな。残念だ！」

「おはよう、ギュス！　危なかったー」

オクサは肩をさすりながら言った。

「どうしたの？　ころんだの？」

「四年生の男子に出会いがしらに突き飛ばされちゃった。痛かったあ。あの野蛮人！」

「そいつ、あやまった？」

「まさか！　そのうえ、あたしをガキあつかいして笑ってたよ、あのばか……」

「忘れろよ。考えるのもばかばかしい」と、ギュスはなだめた。

「うん……それにしても痛い！」

クレーヴクール先生が教室に入ってきて、授業を始めた。チャーミングで優しい先生だ。背が低く、葦のようにやせて、にこにこしている。するどいけれど心地よい視線は、マックグロー先生のぞっとするような厳しさと対照的だ。

オクサは、この最初の歴史の時間に文字どおり没頭した。二時間の授業を終える鐘が鳴ったとき、がっかりした声を発したのはオクサだけではなかった。先生はにっこりした。

「また明日会いましょう。十時から十一時まで。明日は地理ね。では、今日一日、楽しく過ごしてください！」と、先生は明るく言った。


たしかにオクサにとってはいい一日だった。休憩時間になると、すでにいくつかのグループができていた。メルラン・ポワカセがオクサに話しかけてきた。ギュスはゼルダ・ベックが一人でベンチに座っているのを見ると、彼女を手招きし、クラス全員に分けられるほど大きな自分のチョコレートクレープを分けてあげようと言った。ゼルダはにっこりして、快くその申し出を受け入れた。

「知らない人ばかりで、どうしていいかわかんない。一ヵ月くらい前に両親と越してきたばかりなの」

「ギュスとあたしもそう！」と、オクサはうれしそうに言った。「イギリスなのにみんなフランス語をしゃべる学校にいるって、変な気がしない？　まだフランスにいるみたい。別の国にいるのが信じられない気がするよ。二階建てのバスとかタクシーとかを見ると、ここは外国なんだって思うけど……」

「そうそう、わたしも。まるで観光客みたいだけど、あの赤いバスが走ってるのを見たり、イギリスの警官とすれちがったりすると、ついうっとり見とれちゃう！」

「そのうち慣れるさ」と、ギュス。

「そうだよ！　あの蛍光ピンクのゼリーが好きになったら、本当のイギリス人になったっていうことさ！」と、メルラン。

四人は笑いだした。仲良くなれたことがうれしかった。オクサがギュスのほうにちらっと視線を向けると、ギュスは笑い返してきた。友情ほど励まされるものはない……。

7　すばらしい発見

その日オクサは、前夜の信じがたい経験をギュスに話そうと何度も思った。昼の休憩時間に二人きりになろうとしたが、人がいっぱいで騒がしい食堂は、打ち明け話には向かない。そのあとずっと授業があったので、結局、最後までチャンスはなかった。それはオクサにとっては、かえって好都合だったかもしれない。ギュスに話す前に、試しておきたいことがあったからだ。

　家に帰ったとき両親はいなかったので、オクサはまたちょっと不満だった。そこで、その日の夕方も祖母と過ごした。ドラゴミラはオクサの顔色がいいのを見て、喜んだ。

「バーバの秘薬って、すごい！　今日は一日じゅう、ぴんぴんしてた！」

「わかっているわ、わたしの愛しい子」

　オクサは、秘密を祖母に話したくてたまらなかった。バーバならわかってくれるだろう。バーバは何でもわかってくれる。でも、今回のことはこれまでとはまったくちがう。いまのところは黙っておいたほうがみんなのためだ……。

　あれをやって見せたとして、父親がどう反応するかを想像したら、ぶるっと体が震えた。オクサが知っているとおりの父親なら、驚きと恐怖で叫びだすだろう。オクサに外出するなと言うかもしれないし、娘のことが心配でたまらなくなるだろう。そうなったらサイアクだ……。

　祖母とのおやつも、両親といっしょの夕食も、「いい週末を」と言ってくれたギュスとの電話もさっさとすませ、オクサは自分の部屋に引き上げた。幸いにも、立ち入り禁止のプレートのおかげで、だれも留守中に入らなかったようだ。よかった！　だれかに部屋を見られていたら、部屋がこうなった理由なんて説明できなかった……。

　いつもの習慣で、オクサはいきなり忍者のポーズをとった。両手を胸の前に構え、前の足を直角に折り曲げ、後ろの足を伸ばした姿勢だ。それから頭をゆっくりと左から右へまわし、敵や危険を察知しようと目を細めた。

「ヤーッ！」

オクサは気合をこめて、低く言った。

チェックが終わると、すばやくふつうの姿勢にもどった。

「異常なし！　よし、それじゃ、とりかかろう！」

オクサは、体にエネルギーがみなぎるのを感じながら、ベッドのすみに座り、勉強机の椅子の背もたれにかけた服をじっと見つめた。神経を集中させ、思ったとおりになるかどうかをじりじりして待った。しばらくすると、服は見えない力によって放り投げられた。オクサは、驚きと歓喜の混じった声をあげた。

次の標的は机だ。鉛筆立てにおとなしく立っていた鉛筆たちが、ロケットのように天井に向かって飛んでいった。オクサは再び驚きの声をあげた。それから、段ボール箱にひとつひとつ視線を移していくと、箱から次々と中身が吐き出された。あらゆるものがオクサの意のままになり、昨日苦労して片づけた部屋は、たちまちめちゃくちゃになった。

「夢みたい」

オクサはつぶやき、念力で次々と小物をひっくり返した。

まだ整理していなかった段ボール箱をベッドの下から出そうとして、オクサはふと、アニメのフィギュアをしまった場所を思い出し、それを使って自分の不思議な力を試そうと考えた。ガラクタでいっぱいの整理棚のいちばん上にある箱だ。椅子を引き寄せてその上にのったが、つま先立ちしても、腕をいっぱいに伸ばしても、あと十センチくらい届かなかった。

オクサはいらいらした。

「あとちょっとなのに！　オクサ、おまえの筋力で箱をつかめ！」

とつぜん、背が伸びた……いや、やすやすと手が箱に届く高さに達したのだ。しかし、忍者の技や筋肉のおかげではない。椅子の上に浮いているのだ！　たしかに、足をばたばたさせても椅子にさわらなかった。

「えっ、どうなってるの？」

そう思ったとたん、オクサは床にどさりと落ちた。

フィギュアの箱もオクサといっしょに落ちてきて、体の上に中身が散らばった。

「なに、これ！　すごい！」

オクサは、おしりをさすりながら叫んだ。

また椅子の上に上がり、やはり手の届かない別の箱をとろうとした。腕を伸ばし、目指すものに意識を集中させた。

同じことが起きた。足が下から押されているみたいだ。

「サイコー！」と、床にしりもちをつく前に叫んだ。

何度もしりもちをつくのも苦にせず、オクサは、そんなことができる能力を確実なものにしておこうと、十回くらい同じことを繰り返した。くたくたになりながらも、頬を紅潮させて恍惚感にひたり、オクサは最後にベッドの上に落ちた。

「いったい、どうしたっていうの？　こんなばかなことって……」

　でも、神経がぴりぴりして、考えるどころではない。

「そうだ！　そうしよう！」

　オクサは起き上がって、鏡の前に立った。

「やるわよ！」

　箱に届こうとしたときの気の持ち方を思い出そうとした。腕を伸ばそうとする努力、筋肉が伸び、そして固くなり、箱に届きたいという強い願望を持つ。いや、願望ではない。苛立ちとじりじりする思いだ。そうだ！　あの箱に届かないときはすごくいらいらして、ほとんど怒りを感じた。どうしても届かないといけない……それしか考えていなかった。

　オクサは目を閉じ、自分が宙に浮くさまを頭にえがいた。しばらくすると、足が床でないものに支えられている感じがした。オクサはゆっくりと目を上げて、鏡を見た。

　前と変わらずに立っていた。ただし、床から一メートルのところに。

8　頭が変になりそう！

パリと同じようにロンドンでも、ギュスが朝起きて最初にすることは、パソコンの電源を切ることだ。寝る前にどうしても、少なくとも一時間はゲームをしないと気がすまない。そしてモニターの前で眠くなると、無意識にベッドにもぐりこみ、画面が部屋の壁に乳白色の光を投げかけているのをそのままにして、眠ってしまうのだ。

この土曜日は奇妙な感じがした。ギュスは引っ越すのは初めてだ。不安を抱いていたときから、何光年もたったように感じた。

引っ越しはいまや、いやでないどころか、楽しい出来事といってもいいほどだ。一週間もすると、すべてがなじんできた！　病気になりそうなほど心配していたのに、こんなに満足しているのが信じられないくらいだ。ポロック一家、とくにオクサがいてくれるおかげでこんなにすばやく適応できたのは、言うまでもない。母親が言ったように、あらゆる幸せのチャンスはつかむべし、ということだろうか……。

ギュスは朝ごはんを食べに行った。両親とも起きていて、ギュスの頬に湿ったキスをした。

「ママたちの愛情はわかるけどさ……」

ギュスは、パジャマの袖で頬をぬぐいながら言った。

友人から「バイキング」と呼ばれている父ピエール・ベランジェは、堂々たる体格で、いつも黒い服を着ていた。いくぶんグレーがかった金髪が額にななめにかかり、丸い顔の一部を隠している。ジャンヌ・ベランジェは、聖母マリアのような卵形の優しい顔立ちで、髪は黒くて短い。すらりとした体形が、生き生きしたこげ茶の目とマッチしていた。


三十歳で子どもができないとわかったとき、二人のショックは大きかった。ジャンヌは悲しみに打ちのめされ、立ち直れなかった。ピエールはといえば、仕事で気をまぎらわせ、家には寝に帰るだけだったのに、よく眠れなかった。

ある春の日、二人は選択を迫られた。この残酷な現実に身をまかせるか、行動を起こすか。

翌日、二人は養子縁組みの手続きを始めた。中国に何回か行くうちに――そこで親友パヴェルの未来の妻になるマリーに出会ったのだが――少しずつ希望がわいてきた。

それから二年後のこと、中国の孤児院で〝奇跡〟ともいえるギュスに出会い、フランスに連れてきた。ギュスはそのとき一歳になったばかり。わかっているのは、実の母親がまだ年若い上海娘で、オランダ人学生と恋に落ちたということだった。妊娠に気づいたとき、男はすでにオランダに帰国しており、彼女は中絶する勇気も、田舎にいる家族に話す勇気もなかったという。出産すると、育てることのできない赤ん坊を彼女は孤児院にあずけた。

ジャンヌとピエールは、ベビーベッドの中で一人で遊んでいた小さな男の子に、ひと目ぼれした。おたがいにひと目ぼれだった。男の子は、ジャンヌとピエールを見ると、つたない足取りで二人のほうに歩いてきて、「ママ、ママ」と言った。保母たちはびっくり仰天したそうだ。そんなに小さな子どもが他人にこれほどの関心を見せたのは、初めてだったという。それまでに何人もの親候補が来たにもかかわらず……。

ピエールとジャンヌは、息子が朝食をとるのをながめた。いかにもユーラシアン（ヨーロッパ人とアジア人の混血）らしい、ブルーで切れ長の目、すべやかな黒髪、長くて華奢な指……魅力的な少年だ。

女の子はその魅力を知っている。幼稚園のころから、数えきれないほどの女の子がギュスに夢中になった。ところが、そういうことに気づくのはオクサのほうで、ギュスはといえば、そうした女の子がいることをオクサが知らせると、とまどって赤くなるだけだった。

「ちょっと、ギュス、あんたって鈍感なの？」

「なに？　ぼくがなんかした？」

ギュスはまったく気づいていないかのように、そう答える。そんなとき、オクサは何も言わず、肩をすくめてため息をもらすだけだった。とにかく、ギュスのルックスは最高だし、シャイなところを女の子は「かわいい」と思うのだ。

しかし、ほかの女の子たちよりはるかによくギュスのことを知っているオクサには、ギュスの本当の長所がわかる。誠実で、よく気がつき、謙虚で、親切で、頭がいいこと……。数えあげればきりがないが、オクサにとってのギュスは、ただ〝親友〟という二文字に集約される。

＊＊＊

ギュスの家から通りを二つ行ったところにあるビッグトウ広場の小さな家で、オクサは爪を噛みながら、電話の横でじりじりしていた。彼女は、暗記しているギュスの電話番号を三十秒おきに押し、最後の番号の前でやめてしまう。驚くべき発見を死ぬほど話したいのに、何かが思いとどまらせた。

ギュスのことを信用していないのではない。彼に打ち明けたくてうずうずしているのだが、この秘密は自分にとっても十分にショッキングなのだ。気が動転し、矛盾した感情に引き裂かれながら、話すのは早すぎる、まだ心の準備ができていない、と認めざるをえなかった。

オクサは、母親が昨夜帰ってきてから書き散らしたメニューの下書きがあったので、それでも読もうと考えた。そこに、ちょうど父パヴェルが寝室から出てきた。

「そんなところで何してるんだい？」

パヴェルは心配そうにたずねた。オクサはびくっとした。

「なんにもしてないけど……だれかが起きてきて、昼ごはんをいっしょに食べてくれるのを待ってたの」と、何げなさそうにぼそぼそ答えた。「風の吹きすさぶこのホールで、もう四十八分半も待ってた」

「ママのせいだよ！」と、パヴェルはいたずらっぽい目つきをして言い訳をした。「パパの性格は知ってるだろ？　パパ一人だったら、夜明けには起きてたよ！」

この〝重大な〟告白に、オクサはくすっと笑った。

「そうさ……夜明けが朝の十時くらいだとすればだけどな！」

パヴェルはおおげさにため息をついたが、オクサはかすかに笑っただけだった。

「どうかしたの？　今朝は二人ともとっても楽しそうじゃないの！」

まだ眠そうなマリーが階段の上にあらわれた。

「楽しんでるのはオクサだよ。ぼくをいじめて楽しんでるんだ」と、パヴェル。

「かわいそうに……」マリーはオクサにウインクしながら言った。

三人はキッチンに行き、表面的には何げない雰囲気（ふんいき）のなか、ボリュームたっぷりの朝食をとった。だが、オクサの心はずしりと重かった。バターを塗（ぬ）った分厚いパンを食べながら、心は恐れおののいていた。何度も自分の秘密をぶちまけそうになった。立ち上がって重々しく告げるべきだろうか？　それとも話のついでにというように、さらりと言うべきだろうか？　実演して見せるべきか？　流しの横にかけてある布巾（ふきん）を宙に浮（う）かせるとか！　棚（たな）にきれいに並んでいるスパイスの瓶（びん）にちょっとしたいたずらをするとか……。

おもしろいアイデアだが、オクサにはそんなことはできなかった。何もできないし、何も言えない。いまはまだ……。

「ママ、あたし、お風呂に入る！」
「いいわよ」
熱いお湯に体をしずめ、湯気でくもったタイルをじっと見つめながら、オクサは混乱した頭を整理しようとした。ひどく疲れているんだけれど、エネルギーがみなぎっている気がする。事態は複雑だ。驚くべきことが起きた。それは、わかる。超能力を持つのがずっと夢だった。でも、怖い……。

オクサは頭をバスタブのふちにのせ、目を閉じた。すると、奇妙な音が聞こえてきた。最初は遠くかすかだったのが、すぐにびんびん耳にひびくようになった。オクサはおびえ、上半身を起こして、いまやはっきりと聞こえる音の正体を知って震えた。女性の恐ろしい叫び声だ！

体を固くし、耳をすまし、バスルームから出るべきかどうか迷った。それからすぐに、叫び声が家の中や外から聞こえるのではないとわかった。自分の体の中から聞こえるのだ！　その声は心の中にひびきわたり、オクサは全身、恐怖で動けなくなった。

やがて、声は、やってきたときと同じように、とつぜん消えた。オクサは一瞬ぼうぜんとし、あたりを見まわしてから、鼻まで湯の中につかった。

やっと心臓の鼓動が落ち着いたリズムをきざむようになったとき、湯気でくもってよく見えない壁のタイルに金色に反射するものが見えた。バスタブから何かが反射しているのかと思って、オクサは湯の中で手を動かしてみた。しかし、反射は動かず、その見事な色も変わらなかった。

オクサは目を閉じた。再び目を開けたとき、反射は消えていた。

「もう少しちゃんと眠ったほうがいいかも……まぼろしを見るなんて……」

オクサはひとり言をもらした。それにしても、現実のことのようにはっきりと見えたのに！

「だいじょうぶかい、オクサ？　ちゃんと生きてるか？」

父親がドアの前にやってきて、声をかけた。いつものことだ。オクサが一人で風呂に入れるようになってからというもの、入浴中に何回もやってきて、「だいじょうぶか」とたずねるのだ。

「だいじょうぶよ、パパ。おぼれかけてるだけだから」と、オクサはわざとまじめに答えた。

「それにドライヤーも持ってる。バスタブの中で髪を乾かしたいの。あっ、バブルバスの入浴剤(にゅうよくざい)の代わりに漂白剤(ひょうはくざい)を入れちゃった！」

「いいさ、いいさ。そうやって、愛する娘を気づかうかわいそうな父親を、からかえばいいさ！」

「あーあ、愛される娘はつらい！」

オクサは、にやりとしながら言った。

「なんかあったら、呼ぶんだぞ」

「だいじょうぶよ、パパ、心配しなくても」

「心配してるんじゃないよ！」

オクサは我慢(がまん)できず、くすくす笑った。「典型的なロシア的過剰(かじょう)さね」とつぶやいてから、再び湯にもぐった。

しばらくして、オクサはバスタブから出た。バスローブをはおったとき、へその周りにくっきりとした青あざがあるのに気づいた。こんな内出血が起きるようなことをどこかでしたかな、とオクサは考えた。少し痛かったが、それにしても、あざの大きさと色の鮮(あざ)やかさは並大抵(なみたいてい)ではない。新学期の初日に気分が悪くなってたおれたときかな？　まるでげんこつでなぐられたみたい。たしかにあのとき、たおれる前になぐられたみたいに感じたけど……。

不思議だ。顔を近づけて見てみた。

バーバに見せよう、バーバなら、薬用クリームかなんか持ってるかも。


オクサは服を着て、急いで祖母のところに行った。オクサを部屋に招き入れたドラゴミラは、鮮やかな色のロシア刺繍(ししゅう)がくっきり浮き出た、紺色のビロードの部屋着を着ていた。

「バーバ、すごくきれい！」

「ありがとう、わたしの愛しい子(ドゥシュカ)！　気分はどう？」

「だいじょうぶ。それより、おなかに大きな青あざがあるから、見てもらおうと思って。バーバなら、これを治(なお)すクリームかオイルを持ってるでしょ」

「見せてごらん……」

オクサはTシャツをめくり上げた。ドラゴミラは、はっとして口を手でふさいだ。

「いつからできてたの？　どうしてもっと早く言わなかったの？　ほかにだれかに見せた？」

「待ってよ、バーバ。こんなたいしたことのないあざに大騒(おおさわ)ぎしなくても……。できたのはつい最近というか、さっき気がついたばっかり。三日前にころんだの。そのときに打ったのかもしれない。あれっ、最後の質問はなんだっけ?」

ドラゴミラは黙っていた。ふだんはおしゃべりなのに、めずらしいことだ。ぼうぜんとしながらも、うっとりしているように見える。それから目を輝かせて、わけのわからない言葉をつぶやいた。たぶんロシア語だろうと、オクサは思った。

「ねえ、バーバ。クリームある?」

オクサは催促した。ドラゴミラはわれに返り、もごもご言った。

「はい、はい、あるわよ」


オクサが自分の部屋にもどっていくと、ドラゴミラはすぐに秘密の工房に入った。羽はたきで棚のほこりをはらっていたフォルダンゴとフォルダンゴットは、女主人にうやうやしくあいさつをした。

ドラゴミラは、気もそぞろに二人のしわだらけの頭を軽くたたいてから、仕事机についた。パソコンのスイッチを入れ、電子メールを開き、熱に浮かされたように文字を入力した。


レオミド、大変なことが起きました。

印がありました。まちがいありません。

できるかぎり早く来て!

仲間たちにも知らせます。

　　妹より、思いやりをこめて

ドラゴミラは急いで「最重要」にチェックをつけ、「送信」をクリックした。胸がどきどきし、手が震えた。顔に笑みが広がり、目は不思議な光で輝いている。うめきとも歓喜のほとばしりともいえないため息が、口をついて出た。

「グラシューズ様、何か心配事の苦痛でございますか？」

フォルダンゴたちが駆け寄ってきた。

答える代わりに、ドラゴミラは、工房の真ん中にあるテーブルの周りをまわりながら、踊りだした。床から一メートルの高さに浮き上がり、腕を上げて手をたたきながら回転し、歌を熱唱した。しわだらけのジャガイモのような体形のジェトリックスが、テーブルによじのぼって、体を激しく左右にふり、豊かな髪をふり乱した。このとつぜんの熱狂におののいているゴラノフは別として、植物たちはみな、リズムに合わせて葉を動かした。

バーバ・ポロック以外は、このお祭り騒ぎの理由をだれも知らなかった。それでも、みんなすぐさま女主人に調子を合わせた。秘密の工房のパーティーだ！

「わたしの大切なフォルダンゴたち、印があらわれたのよ！」

「印があらわれた？　印があらわれた？　どういうことですか？」

とさかが金色でしわの寄った生き物がたずねた。ほかのみんなはうんざりしたようにため息をついて、目をくるっと上に向けた。

「ヤクタタズ、あとで教えてやるよ」と、ジェトリックスが言った。

「最高の豪華さです！　希望が可能性になった……そうなのですか、グラシューズ様？」

フォルダンゴが叫んだ。

「わからない。まだ、わからないわ」ドラゴミラは考えこむような様子で答えた。「いまからとても大事なことをしなければいけないから、じゃましないでおくれ」

生き物たちは、秘密の工房の壁にしつらえられた自分の住処にそれぞれ帰っていった。

ドラゴミラはパソコンの前に座り、親代わりのアバクムと、ヨーロッパじゅうに散らばっているごく親しい仲間たちに電子メールを送った。それが終わると、狭いらせん階段を下り、コントラバスケースから出て、ていねいにふたを閉めた。そして、ざわつく心を静めるかのように赤いソファに横になり、やわらかい三つのクッションに頭をのせて、思案にふけった。

9　二つの対決

月曜日の朝、オクサとギュスは、ローラーブレードをはいて全速力で飛ばしていた。オクサはずっと心がざわついていた。胸にしまってある秘密が時間がたつにつれてふくれあがり、窒息しそうだった。すべてをギュスに打ち明けたい誘惑にかられて、何度、電話やパソコンに近づきそうになったことだろう。

「もう爆発しちゃいそう……」

前夜、オクサはベッドにたおれこみながら、悲痛な声をあげたのだった。

幸いなことに、祖母ドラゴミラの調合した特別な薬のおかげで、ぐっすり眠ることができた。その薬はパセリとワイン、蜂蜜、ヤクタタズの唾液を混ぜてつくった「黄金妖精秘薬」というものだ。ヤクタタズの唾液？　バーバ流のじょうだんだろう……。

今日、オクサは、マックグロー先生の授業に二つも耐えなければならない。九時からの数学と十一時からの理科だ。何という残酷な週明け！　だが、それさえ乗り切ればあとは気楽だ、と自分をなぐさめた。少なくとも明日までは……。ああ、マックグローって、何ていやなやつなんだろう……。

学校に着くと、オクサとギュスはローラーブレードをロッカーにしまった。ぎこちなく笑いながらギュスに熱い視線を投げかけてくる女の子の一団が、二人を待っていた。

「気取り屋のばか女たち……」

オクサはつぶやいた。ふだんなら、こういうことをおもしろがるオクサなのだが、今日はなぜか、いらいらした。女の子の媚に鈍感なギュスが「なに？」という顔をした。

そこにメルランがやってきた。

「おはよう！　バスから見てたけどさ、矢のような速さで飛ばしてたね！」

「だってさ、オクサって、足にスケートをはいて生まれてきたんだから」

ギュスは、オクサを横目で見ながら答えた。

メルランは感心して、ヒューと口笛を吹いた。

オクサは頬が赤くなるのを感じて、背を向けた。それからプリーツスカートを直しながら、早口に言った。

「もう行かないとね」

ベント先生の一時間目の英語の授業は、あっという間に終わった。三年水素組の生徒は全員そう感じていた。


九時になると、生徒たちは重い足取りで理科室に向かった。いちばんに教室に入ってマックグロー先生にあいさつしたのは、ギュスだ。先生は壁に釘を打っていた。

「静かに席について！　それがきみたちにできればだがね……」

あいさつ代わりにそう言うと、先生は、生徒たちが席につく間に、暗い渦巻をあらわしたような、奇妙なホログラムのような絵を壁にかけた。

絵が固定されたことをたしかめると、先生は、まるで恐ろしい犯罪者でも探すかのように、暗い目つきで生徒一人一人を見つめた。何を疑っているのか、常に生徒を詮索しているような目つきだ。このぞっとするような〝犯人探し〟のあと、彼はくるりと背を向け、黒板にその日にすることを書き始めた。

重い沈黙は、とつぜん、鉛筆が床に落ちる音で破られた。

マックグロー先生の動作がぴたりと止まり、ふり返りもせずに言った。

「ベックさん！　きみの鉛筆をコントロールするために、手伝いがいるかね？　それとも一人でできるかね？」

「すみません、先生」

かわいそうに、ゼルダは床に落ちた鉛筆を拾いながら、おどおどとあやまった。

思わず顔を見合わせる生徒もいれば、あわててうつむく生徒もいた。オクサは、ゼルダをなぐさめようとほほえみかけた。ゼルダは、長い栗色の髪を後ろにふりはらいながら、涙のにじんだ目をオクサに向けた。

「ノートを開いて、この練習問題を写しなさい」と、先生は命じ、黒板に向かったまま問題を書き続けた。

しばらくすると、また書くのをやめてふり向いた。ゼルダは動揺したせいで、今度は椅子にかけていたリュックを落としてしまったのだ。

「ベックさん、どうしてもわたしの授業をじゃましたいようだね。お返しに、きみの今日のスケジュールを変更してあげよう。二時間の居残りだ！」

「先生、わざとじゃありません！」

　ゼルダは、目に涙をためて抗議した。

「おやおや、涙と泣き言でわたしを懐柔しようとしても、むだだよ。そういう甘えには、いっさい同情しない」

「たしかにね」

　オクサがつぶやいた。

　すると、マックグロー先生はオクサのほうに向き直った。

「ポロックさん、みんなに聞いてほしいコメントでもあるのかね？」

　オクサは一瞬、凍りついた。それから深く息を吸いこみ、勇気を出して言った。

「床にかばんが落ちたという理由で二時間の居残りは、厳しすぎると思います」

　教室は水を打ったようにしんとした。みんなきまり悪そうにしている。

「ポロックさん、きみの発言は英雄的だが、わたしの代わりに判断してもらわなくてもけっこう。二時間の居残りは当然。きみが口をはさむことではない。さあ、授業にもどろう。これ以上の中断は無用だ」

　先生は居丈高に言うと、再び黒板のほうを向き、続きを書き始めた。

　やりすぎよ……。オクサは、この冷酷な男の仕打ちに激しい怒りと苛立ちを感じた。この男を懲らしめる手段を自分は持っている。絵を頭の上に落とすとか、机の上の本のページをばらばらにしてやるとか、やりようはいくらでもある。

　この思いつきは、しだいにオクサの心を占めていった。すると、先生が手に持っていたフェルトペンが文字どおり飛び、天井に当たって床に落ちた。手がすべったのか、それともオクサの仕業か？　ともかく、ペンが落ちる乾いた音に先生の顔はひきつった。みんなは息を呑んだ。

　愉快でたまらないオクサが思わず体を動かした拍子に、椅子の脚がワックスをかけた床をこすり、キイキイ音を立てた。ギュスが「気をつけろ」という視線をオクサに投げて寄こしたのと、先生が体をこわばらせたのと、ほぼ同時だった。のどの奥からしぼりだしたような恐ろしいどなり声がひびいた。

「ポロックさん！」

　オクサの心臓が跳ね上がった。先生は背中を向けたままだったが、彼が激怒しているのは明らかだ。

「ポロックさん！」と、とどろくような声で繰り返した。「ただちに教室を出なさい！」

　オクサの顔から笑みが消え、うろたえた表情に変わった。体じゅうの血が凍りついたようになり、耳がつーんとして聞こえなくなった。生徒たちはあぜんとした。マックグロー先生がなぜオクサを責めるのか、だれにもわからなかった。

　オクサは、動揺を隠そうとして先生のほうには目も向けず、堂々と出ていった。

いったん外に出ると、気持ちがなえた。教室を締め出されたことに怒りと不安を感じた。オクサは、中が見えるように上のほうがガラス窓になっている教室の壁に沿って、しばらく廊下をうろうろした。教室を出るようにと言われはしたが、どこへ行ったらいいかわからなかった。

「椅子の脚が床をこすっただけなのに……まったく、厳しすぎるよ……」

オクサは、いらいらと爪を噛みながら、廊下をさまよい歩いた。ちょうどトイレの前を通りかかったとき、男子トイレから出てきた生徒に出くわした。じょうだんじゃない！　オクサを突き飛ばしたあの四年生の乱暴者だ！

「おい、生意気なガキ！　なんで男子トイレの周りをうろついてんだ？」

彼は、獲物を追いつめるライオンのようにオクサの周りをゆっくりとまわりながら、吐き捨てるように言った。

すくんだオクサを彼は乱暴にトイレに押しこんだ。オクサは急いでいちばん奥の個室に駆けこみ、すみっこに縮こまったが、そんなことをしてもむだなことはわかっていた。戸を閉める余裕はなかった。

オクサは、罠にかかったネズミのように、この野蛮人のなすがままになっていた。何が目的なんだろう？　どうしてあたしを標的にするんだろう？

野蛮人が近づいてきた。

「ここにいたんだな！　偉そうにするのをやめたのか？」毒矢のようなするどい黒い目でオクサをにらみ、どなった。「教室から追い出されたんだろ？　世紀の天才だと思い上がっているようだが、みじめなやつだ！」

「なに言ってんの？　わけがわからない！」オクサは、あっけにとられて言い返した。「あたしがあんたに何かした？　人ちがいじゃないの？　ほっといて！」

「どうしておれが、おまえを放っておかないといけないんだ？」

野蛮人は意地悪く答えた。

この陰険な質問にぼうぜんとし、オクサはさらに個室の奥のほうに身をすくめた。体が震えだし、目がかすんできた。そのうち、自分がこのなんとも滑稽な状況に置かれていることに、しだいに腹が立ってきた。

「おまえがおれの周りをうろうろしているのが、目ざわりなんだよ。おまえみたいな生意気なガキは、じゃまなんだ。ほかのやつより偉いとうぬぼれているやつには、ここがぴったりの場所なんだよ」

野蛮人は、大きなぶよぶよした口から、ののしりの言葉を吐き続けた。

オクサは悔しさのあまり、下くちびるを強く噛んだ。金属のような血の味が口の中に広がった。野蛮人はオクサの腕をつかみ、個室の外に引きずり出した。オクサはうめき声をあげた。おなかのあたりにうずまいていた恐怖の嵐が、すさまじい怒りに変わった。このままでは許さない！

とつぜん、ほかの個室のドアが壁に打ち当たって大きな音を立てた。オクサはびくっとした。続いて、トイレのドアというドアが激しく開いたり閉じたりし始め、壁の漆喰がはがれ落ちてきた。ものすごい音だ。

あっけにとられて見ていると、野蛮人が背中をドンと小突(こづ)いた。オクサはふり返った。彼は、この事態が異常で危険だということをわかっていないらしい。

オクサは、野蛮人を近づけないために腕を前に伸(の)ばしながら、こてんぱんにやっつけてやりたいと、彼を見つめた。次の瞬間(しゅんかん)、低いうなり声が聞こえ、野蛮人の体がけいれんを起こした。何が起こったのかよくわからなかったが、その結果は明らかだった。目に見えない力が働いたのだ。野蛮人の体は床から浮(う)き、四メートルも離(はな)れた手洗い場にたたきつけられた！　それからタイル貼(ば)りの壁ぎわに落ち、うめき声をあげた。まるでノックアウトされたように床にたおれ、鼻血を出していた。

オクサは恐ろしくなり、あわてて走り寄った。

「あたしは何もしてない！　あんたにさわってもいない……あたしじゃない！　誓って言うけど、あたしじゃない！」

野蛮人は苦労して立ち上がり、頭をふって、しきりに弁解するオクサをぞっとするような目つきでにらんだ。ズボンは尻までずり落ち、だぶついた白い肉が見えていた。

彼は短く刈った黒い髪をさっとなで、ズボンを引き上げた。それからこぶしをにぎりながら、おおいかぶさるようにオクサのほうに近づいてきた。

そのとき、ボンタンピ校長が入ってきて、二人を厳しい目つきでにらんだ。

10　心は荒れ模様

「この騒ぎはなんですか？　学校じゅうに聞こえていますよ」

　ボンタンピ校長がどなった。

「すみません、先生。入り口のドアが閉まらなかったんです。それでそのままにしておいたら、風が入ってきてトイレのドアが全部、バタンバタンと音を立てたんです」

　野蛮人が弁解した。

「なるほど」校長は周囲をさっと見まわし、すみで小さくなっているオクサを見て言った。「ポロックさん、男子トイレで何をしているんですか？　授業中ですよ！」

　それから、鼻をハンカチでふいている野蛮人のほうを見た。校長は二人を交互に見やり、半ば怪しみ、半ば心配そうにたずねた。

「二人ともここで何をしているんだね？　けんかかね？」

　オクサは何も言えないでいた。野蛮人は、そんなオクサにからみつくような視線を向け、しばらく黙っていたが――その間、オクサは絶望的な気持ちでいた――やっと笑いながら答えた。

「けんかですって、まさか！　鼻血が出たので、ルメール先生にトイレに行く許可をもらったんです。オクサ・ポロックとは廊下で出会いました。鼻血の始末を手伝ってくれると言うので、ついてきてもらったんです」

オクサはあきれた。この話のなかで真実はただひとつ、オクサの名前だけだ！　でも、なぜあたしの名前を知っているんだろう？　どうしてこんな嘘をつくんだろう？　さっきのショックで脳のどこかがやられたんだろうか？

「ポロックさん、本当ですか？　けんかをしてたわけじゃないんですか？」

「けんかはしていません」オクサは野蛮人と目を合わせないようにして、しかめ面で答えた。

「こんな大きな男の子と、けんかなんてできません」

もちろん、本心はちがった。野蛮人とだってけんかできる！　ほら、このとおりに……。

「たしかに、きみがボクサーみたいなことをするとは想像できないね！」

ボンタンピ校長は、オクサが思っていることとは反対のことを言った。それから野蛮人に向かって、「きみは保健室に行きなさい」と命じた。

「その必要はありません。教室にもどります。もう、だいぶよくなりました」

野蛮人はオクサには目もくれず、姿勢を正してトイレから出ていった。

その姿が見えなくなると、校長は質問を続けた。

「ポロックさん、こんな時間に廊下で何をしていたんですか？　きみもトイレに行くところだったんですか？」

「いいえ、わたしは……あの……マックグロー先生に、教室から出るように言われたんです」

とっさに嘘がつけず、オクサはぼそぼそと小声で言った。

「出ていけと？　それはまた、どうして？」

ボンタンピ校長は、眉(まゆ)をひそめながらたずねた。

「わかりません」

オクサは、聞き取れないほど小さな声で答えた。

「わからないとは、どういうことです？」

「教室を出なさいと言われました。それだけです」

「おかしなことですね……」

校長は口ごもりながら、オクサを観察した。こんなかよわそうな生徒が、マックグローのようなタイプの先生に教室を出ていけと言われるようなことをするだろうか？　彼は、どうしてそんな厳しいことを言ったのだろう。三年生の、しかも転校生に……。

「ついてきなさい」

校長はオクサの肩(かた)に手を置いた。理科室に行こうとしているのがわかると、オクサは絶望的な気持ちになり、「ああ、助けて……」と、思わずもらした。

ボンタンピ校長は耳がいいらしく、このつぶやきを聞き取った。

「なぜ『助けて』なんですか？　マックグロー先生は、そんなに怖(こわ)い先生なのかね？」

「いいえ、ちがいます」

オクサは、あわてて嘘をついた。

列柱のある回廊を校長先生のあとについて歩きながら、オクサは気が気ではなかった。いまにも爆発しそうな怒りと不安が、毒のように血管の中に広がっていく。トイレでの事件でただでさえ動揺しているのに、そのうえさらにマックグロー先生の怒りを買うのはごめんだ。

とつぜん、校長が立ち止まり、回廊の石の手すりにつかまって中庭のほうへ身を乗り出した。顔を上げ、空を見てつぶやいた。

「おやおや、大変なにわか雨になりそうだ……」

その言葉どおり、黒い雲が広がり、あたりは急に暗くなり始めた。朝の十時だというのに、まるで夜のようだ。教室には電灯がつけられ、廊下にもその明かりがもれてきた。オクサは、背中がぞくっとした。とたんに激しい雨が降りだした。


二人は理科室に着いた。校長はドアを軽く二度たたくと、中に入った。生徒たちは、先ほどのオクサと同じように椅子が床をこする音をさせて起立した。あーあ、マックグローによけいに怒られるだろうな、とオクサは思いながら、なるべく目立たないようにすることにした。超能力でそうできないものだろうか？

「校長先生、なにか……」

「マックグロー先生、この生徒が廊下で迷子になっていたので、連れてきたんですよ」

校長は、男子トイレのことには触れずに言った。

「校長先生、ポロックさんは迷子になったんじゃありません。わたしが教室から出ていくように言ったんです」と、マックグロー先生はつっけんどんに言った。

「なんですか？　雨の音がひどくてよく聞こえない」と、校長は問い返した。

マックグロー先生は、雨の音に負けないように、前よりも大きな声で同じことを繰り返した。怒りを隠せないのが傍目にわかるほど、顔が真っ青だった。

「ポロックさんは追い出されるようなことをしたんですか？」ボンタンピ校長は静かにたずねた。

「もういいじゃないですか、校長先生。ポロックさん、席につきなさい」

教室にもどってきてから初めて、オクサとマックグロー先生の視線が合った。その陰険な目つきは、頬を打つ平手打ちのようだ。オクサは、何かのとがった破片が頭蓋骨に突き刺さるような痛みを感じた。


とつぜん、雷鳴がとどろき、墨をこぼしたような空に稲妻が走った。電灯がすべて消え、あちこちの教室から悲鳴があがった。

「なんとまあ！　ヒューズが飛んだか！　最悪だ！」

ボンタンピ校長が叫んだ。

オクサは、学校全体が暗くなったのを幸いに教室を出た。ドアは開いたままになっていた。中庭に面した回廊に強風が吹きこんでくる。オクサは手すりに近づき、恐怖と驚きの入り混じった思いで空を見上げた。真っ黒な雲のすきまから繰り出されるすさまじい稲妻が、一定の間隔で中庭と石像を照らし出す。ほかの生徒たちも、争って教室から出てきた。

「土砂降りだ！」オクサの横にいた生徒が叫んだ。

「世界の終わりだ！」別の生徒が、教室に駆けもどりながらどなった。

オクサは、この天変地異ともいえる光景から目を離せないでいた。自分の感情にぴったりだった。怖くはあったが、稲妻に引き裂かれた真っ黒な空と彼女の感情は、まさに調和していた。

「こんなすさまじい雷なんて、見たことないよ」

だれかが横で言った。ふり向くと、メルランだった。

「すげえな！」メルランは、みんなに聞こえるような大声で叫んだ。「ちょっと下がったほうがいいよ。危ないから！」

しかし、嵐は長くは続かなかった。数分後には雨がやみ、雲が切れて、真っ青な空になった。思わぬ中断に興奮した生徒たちは教室にもどり、授業が再開されたが、ざわざわと落ち着かなかった。オクサも席にもどった。野蛮人とボンタンピとマックグローの三人に助けられたような形になったことに気づき、オクサは授業が終わるまで一ミリも動かないと決めた。

＊＊＊

休憩時間は、二つのことに話題が集中した。ひとつは雷のこと。その跡はまだ生々しい。水びたしの中庭には割れた屋根瓦の破片が散らばり、でこぼこの石畳のあちこちに水たまりができている。もうひとつはオクサのことだ。校長先生に付き添われて教室にもどるオクサを大勢の生徒が見ており、この一件はあっという間に噂になった。

「おい、気が気じゃなかったぜ！」と、ギュスが言った。「何が起きたのか、だれにも、さっぱりわからなかった。なのに、なぜかおまえが怒られた……まったく、変だよな！　それに、目立つのが嫌いなのに、有名になっちゃったね……」

「ほんと、サイアク！」オクサは、みじめったらしく答えた。

「どうして？　マックグローに反抗したのはほめられて当然じゃないか」と、メルラン。

「ブラボー、オクサ！　みんなが思っていたことをきみが言ったんだ！　マックグローはやりすぎだよ」と、別の生徒が話に加わった。

「これで少しはおとなしくなるよ。校長先生だって不満そうだったじゃない。あんたは何もしてないんだし」ゼルダも、なぐさめるように言った。

「あんたもよ……」

オクサがこう言ったのももっともだった。マックグローがフェルトペンを〝うっかり落とした〟のは不器用だったから、とオクサは言いそうになった。しかし、良心の呵責がないわけではないので、黙っていることにした。

「あいつはひどいよ！」

メルランは憤慨して、また文句を言った。

ギュスが、気の毒そうにちらりと見たので、オクサはますます身をすくめた。

オクサは、残りの時間を極力目立たないように過ごし、午前中最後のマックグロー先生の授業もふくめ、熱心に聴いた。先生は授業の間じゅう、オクサがいないかのようにふるまったので、一度も視線を合わさずにすんだ。しかも、だれにも不愉快な注意をあたえなかった。生徒はみんな、とまどいながらもほっとして、この小康状態を歓迎し、奇妙な先生の授業に熱心に取り組んだ。

「ポワカセさん、ポロックさん、残って教材を片づけてください」

終業のベルが鳴ると、マックグロー先生が言った。オクサは、がっかりしたようにギュスを見た。今日の午前中はさんざんだったうえに、なかなか終わってくれそうにない。

「がんばれよ。食堂で待ってるから」

ギュスはオクサにささやいた。

オクサは、実験台の上に散らばっている試験管を集め、メルランはピペットを洗った。

「アインシュタインがどういうことを考えていたか、知ってる?」

メルランがとつぜん言った。オクサは、気分転換に会話を楽しもうとした。

「ううん、知らない」

「それが、けっこうすごいんだ。アインシュタインは相対性理論で知られてるけど、すごく先取りしてたんだ。たとえば、太陽エネルギーを利用できることも早くに知ってたんだぜ……」

「きみの言うとおりだよ！」

マックグロー先生の声が教室にひびいた。オクサは固まり、メルランはうろたえた。二人とも先生が入ってきたのに気づかなかった。

彼は、ほがらかな表情で問いかけてきた。

「アインシュタインのどういうところが好きなんだね？」

偉大な科学者の名前が出ただけで、厳格なマックグロー先生は、中学生の意見にも耳をかたむける、思いやりのある熱心な教師に変身していた。

「とくに光に関する研究に興味があるんです」

メルランは、赤くなって答えた。急に先生が関心をもってくれたことに驚くとともに、不安も感じた。

マックグロー先生は、話の続きをうながすようにメルランをじっと見つめた。

「アインシュタインの研究について、どういうことを知っているんだね？」

メルランは迷ったが、先生の好奇心に輝く目にうながされて、こう続けた。

「アインシュタインは、光が音波や分子の流れに匹敵することを証明しました……」

「きみはそういうテーマに関心があるんだね。わたしも、その偉大な科学者と光電効果に非常に興味があるんだ。わたしはCIAで仕事をしたことがあるんだが、アインシュタインの理論から引き出せる応用は無数にある。とくに軍事面でね……」

感情をこめ、大きな手ぶりをしたために、先生の机の上に置いてあった、青味がかった液体の入った瓶が宙に飛んだ。オクサはとっさに反応してしまった。瓶は床から二メートルの高さのところで口を上にして止まり、それから、机の上の元の場所にもどった。ほんの一秒半くらいの間に起きたことだった。もちろん、だれも瓶に手を触れていない。

この失敗に、オクサはくちびるを噛んだ。メルランはピペットを洗い続けていたので、何も気づかなかった。しかし、マックグロー先生のほうは……。

しまった！　先生はオクサを、平然と見つめている。平然と！　彼は全部見た！　オクサにはわかる。それなのに、彼はまるで、たったいま見たことが当然であるかのように驚きもせず、そこに立っていた！

「よかったら、今度いっしょにアインシュタインの話をしよう。きみたちはもうそろそろ行きなさい」と、マックグロー先生は言った。

オクサは、あたふたとリュックを取って出ていった。メルランが、すぐあとを追ってきた。

11　石像の隠れ家

ギュスが何とかして二人きりになろうとしていることを、オクサは知っていた。オクサが食堂に着くとすぐに、ギュスがささやいた。

「何があったんだ？　おまえ、ちょっと変だよ」
ところが、食事が終わったとたん、オクサは「トイレに行かなくちゃ」と言って逃げた。嘘だった。トイレには少し前に行ったばかりだった。嘘と見抜いているギュスはオクサを引き止めようとしたが、遅かった。

新学期初日、聖プロクシマスに前からいるメルランは、迷宮のように複雑な校内をギュス、オクサ、ゼルダの三人に案内してくれた。とくにオクサの印象に残ったのは、こわれた石像が置いてある場所で、四人はそこを「石像の隠れ家」と呼ぶことにした。

ギュスから逃げてきたオクサは、どこに行ったらいいかわからなかった。しかし、この隠れ家の敷居をまたぐとすぐに、一人になるための理想的な場所だとわかった。元は修道院の独居房だったというこの部屋には、いかにも隔離された場所にふさわしい独特の雰囲気がただよっており、オクサのいまの気持ちにぴったりだった。ステンドグラスから光が差しこむだけの薄暗いこの場所で、オクサは名も知らぬ聖人の胸像にもたれて、一時間近くを過ごした。

あのおぞましいマックグローの一件で、オクサは不安にさいなまれていた。彼の手からフェルトペンを飛ばすなんて、ばかなことをしたものだ。自分の超能力に夢中になってしまった。

その超能力がもたらした結果といったら……。オクサは事件を思い起こし、自分の軽率さと結果の重大さに気づいた。計画的にやったことではない。本能のままに行動してしまい、それをコントロールすることができなかった。サイアクだ！

「あたし、なんてことしたんだろう？」

オクサは絶望してつぶやいた。

野蛮人の事件にはもっと当惑した。トイレで脅されたとき、彼の腹に強烈なパンチを食らわせて、四メートルくらいぶっとばしてやりたいと思ったことはたしかだ。だが、そう思っただけだ。なのに、自分は何もしないのに、それが実際に起こった！　どうしてだろう？　どうしてあんなことになったのだろう？　あいつの鼻から血が出ているのを見たし、タイル貼りの壁にあいつの体がたたきつけられるのも見た。ひどい暴行だ！　死んでいたかもしれない！　あいつを殺したかもしれない……。そう思うと、オクサは体が震えた。


地面に座ったまま、ひざにひじをつき、恐れと悲しみにかられて、オクサは深く息を吸いこんだ。割れたステンドグラスを通して赤味を帯びた光がひとすじ差しこみ、ほこりとともにその不思議な場所の一角を照らしていた。そこは、汚れの目立つ小さな手洗い場だった。

オクサは、自分が何かに挑戦するように手洗い場を見つめているのに気づいた。気持ちがその小さな蛇口に向かっていた。よくは見えないが、蛇口がさびついていて使えないようだ。オクサは奇妙な欲望がわいてくるのを感じた。蛇口を開けたいと思うだけで、開けることができるだろうか？　何の役にも立たないことだが、遊び心と好奇心には勝てなかった。

オクサはじっとして、思考とエネルギーのすべてを集中させた。

蛇口は長くはもたなかった。しばらくすると、水が噴き出してそこらじゅうに飛び散り、渦巻のようになって、しまいにはオクサの足元に降ってきた。オクサは、複雑なアラベスク模様をえがいている水しぶきに手を伸ばした。手のひらに水しぶきが当たって、制服の袖に跳ねた。信じられないことだが、これは現実以外の何ものでもなかった。

12　恐ろしい仮説

「オクサ、待てよ！」

ギュスは、最後の授業が終わるとすぐにローラーブレードをはいて帰ろうとするオクサを、追いかけてきた。その日は、オクサに逃げられてばかりいた。

オクサは心が痛んだけれど、聞こえないふりをした。それでも、ギュスを引き離すのを少し手加減した。矢のように飛ばしながらも、目の端で、ギュスがついてきているのをたしかめた。こんなことをするのはひどいし、卑怯だ。それはわかっている。でも、悪いと思いながらも、オクサはほかにどうすることもできなかった。

セント・ジェームズ公園まで一気にすべり、柳の木の下に腰を下ろした。そばをゆっくりと流れている小川に、鴨が浮かんでいる。うらやましい。鴨には、悩みの種のマックグローも、学校生活を台無しにする野蛮人もいない……。

数分後、苛立った様子でやってきたギュスを見て、オクサは言った。

「あっ、来たの？」

「来たよ。会えてよかったなんて、言わないでくれよ。信じないからな！」ギュスは辛辣に答えた。「でも、サンキュ。待っててくれて」

「ごめん……傷つけるつもりはなかったんだけど。今日はなんか変なの」

「わかってるよ。おまえの親友がだれなのかを忘れないでいてくれたら、それでいいんだ」

ギュスは不満そうに言いながらも、表情を和らげた。それから、オクサをちょっと押すようにして、横に腰を下ろした。

「ここに来るんじゃないかと思ったんだ」


二人はしばらくの間、草の上を跳びはねるリスと、リスにピーナッツをやる子どもたちをながめていた。

「去年のクラス旅行でこの公園に来たときのこと、覚えてる？　一年後に、すぐ近くに住むことになるなんて……」ギュスは、しんみりした調子で続けた。「こんなに長いことちゃんと話さないのも、めずらしいよな。同じクラスだからまだいいけど、そうじゃなかったら……」

オクサは恥ずかしかった。たしかに、ギュスに対する今日のオクサの態度はよくなかった。オクサは気後れし、ギュスが続けるのを待った。

「だいじょうぶ？」ギュスは、草をいじりながらたずねた。

「あんまりだいじょうぶじゃない」と、オクサは白状した。

「当たり前だよ。短い間にいろいろ変わったもんな。全部、新しいことばっかり。国も家も、学校も……そのせいだよ」

「そうじゃないの、ギュス……」

　気まずい沈黙が何分か続いた。

「そうか……」オクサを横目で見ながら、ようやくギュスが口を開いた。「その理由を知るためには、うまく聞き出さないといけないわけか」


　オクサは、自分の考えが堂々めぐりをしているような気がした。秘密をかかえていることがつらくなり、それを告白したくてたまらない。それなら、何を迷うことがあるだろう？

　オクサは爆発寸前だった。

「ギュス！　何があっても、あたしたち、ずっと友だちだよね？」

「う、うん、もちろん」

「誓う？」

「誓うよ！」

　オクサは、自分がこれからしようとすることで胸がいっぱいになり、深く息を吸いこんだ。

「あそこのベンチのそばに落ちてる松ぼっくり、見えるよね？」

「うん」

「よく見てて」

松ぼっくりは、最初はおずおずと、それから思い切ったように起き上がり、十メートルほど先に飛んでいった。リスがそれを捕まえようと走り寄った。ギュスは驚きの声をあげ、松ぼっくりと、それからオクサをかわるがわる見た。だが、デモンストレーションは始まったばかりだ……。

松ぼっくりは、まるでだれかが拾い上げたように地面から離れ、垂直に上がっていった。リスはそれを捕まえようと跳び上がったが、オクサはついリスに意地悪がしたくなって、松ぼっくりを大きな木のいちばん下の枝まで飛ばした。それから、今度は枯れ葉の山にねらいを定めた。枯れ葉は竜巻のように宙に舞い上がり、公園の庭師が叫び声をあげた。

「あれがおまえの仕業だなんて言うんじゃないよな？」

ギュスは、押し殺した声で言った。

「どうして？　疑ってんの？　見てて！」

今度はギュスのリュックが標的だった。ギュスは弾かれたようにぴょんと立ち上がり、地面の五十センチ上に浮かんでいるリュックをつかんだ。

彼は心配そうにあたりを見まわし、ささやいた。

「どういうことなんだ？」

「わからない」

「そうか……不敵にも重力の法則に逆らいながら、どうしてそれができるのかわからないって言うんだな。ぼくにそう思いこませようとしてるのか？」

「ああいうことをしたいと心で念じているだけよ」

「それなら、ぼくだって、ああいうことがしたいよ。でも、いくら念じたって、できやしないだろ。もう少し説得力のある答えをくれよ！」

「こんなふうに？」

オクサは、ヒンズー教のヨガ行者のように地面から二十センチほど浮いた。ギュスは仰天してオクサをじっと見つめ、手を引っぱって乱暴に地面に引きずり降ろした。

「ジョーダンじゃないよ。だれかに見られたらどうすんだよ？」

オクサは表情をくもらせた。

「そうだね。見られたくない……」

「なあ、どうしてそんなことができるようになったんだ？」

「ぜんぜん見当もつかないんだ」

やっと打ち明けられることに安心し、オクサはここ数日の間に起きたことを話し始めた。自分の部屋での実験。マックグローへのいたずら。野蛮人との対決……。ギュスはひと言も口を差しはさまずに、最後まで熱心に耳を傾けた。

オクサが話し終わると、ギュスは木の幹にもたれ、ピューと口笛を鳴らした。

「まるで夢みたいなすごい話だな。こんなことが現実に起きるなんて、思いもしなかった！」

ギュスはまたオクサを見たが、今度はその目は興奮で輝いていた。

「でも、用心しないと。でないと、面倒なことになる。ほかの人とちがうってわかってる？」

オクサは大きくうなずいた。

「そんなに昔のことじゃないよ。おまえみたいな人がどうなったか、知ってるか？　生きたまま焼かれたり、死体がからからになるまで木にぶらさげられたりしたんだぜ！」

「ギュス、おおげさに言わないで。いまは二十一世紀よ！　ともかく、ありがとう、安心させてくれて……」

「おまえのこと知ってるから、忠告するんだ。キレやすいからな……」

その点ではオクサも同じ意見だった。小さいころから、ギュスは抑え役だった。「オクサ、気をつけろ！　そんなことしちゃいけないよ……用心して……オクサ、だめだって……」。何度、歯止めの役割を果たしてくれたことだろう？　腹は立ったけれど、いつもギュスが正しかったことは認めないわけにはいかない。

＊＊＊

オクサとギュスが公園をあとにしようとしたとき、ちょうど六時の鐘が鳴った。家に帰る時間だ。二人は、隠し事のない関係を取りもどしたことにほっとし、出口に向かった。

ローラーブレードをはくときになって、オクサの顔が急にくもった。

「どうしたの？」と、ギュスは心配そうにたずねた。

「話したくなかったんだけど、ほかにもあるの……」オクサは言いよどんだ。

「ほかにもって？」

「あいつは、みんなが思ってるような人じゃない……」

「だれのこと？」

「マックグロー。説明するのは難しいんだけど……」オクサは、ギュスを見ずにぼそぼそとつぶやき、それからひと息に言った。「あいつは数学の先生でもないし、理科の先生でもない。あれは仮の姿よ」

「なに、ばかなこと言ってんだ！」

　オクサの顔はまじめだった。

「最後まで聞いて。よく考えたんだけど、そうすると合点がいくの。第一に、マックグローはあたしに会う前に、あたしのことを知っていた。これはたしか。校長先生が中庭で生徒の名前を読みあげたときのこと、覚えてる？　あたしの名前をまちがって読んだとき、マックグローは正しい名前を校長先生にささやいてた。それって、変じゃない？　第二に、マックグローはあたしを教室から追い出した。表向きは、あたしが椅子で音をさせたのが理由になってる。でも、本当はフェルトペンを飛ばしたからじゃない？」

　ギュスは、いぶかしそうにオクサを見つめた。

「第三に、あることが起きたの……決定的なこと」

　ギュスの目つきはいっそういぶかしげになった。

「何をしたんだ？」

「わざとやったんじゃない！　誓うわ！」

「オクサ、何を、し・た・ん・だ？」

ギュスは、音を区切るように発音しながら問いつめた。


オクサは、理科室での瓶の事件を細かくギュスに話して聞かせた。

「ばかだな！」ギュスは頭をかかえた。

「つい、反射的にしちゃったの！　マックグローはただ、あたしを見つめただけだった。驚きもせずに！　ギュス、あいつはなんかおかしいわ。あいつがあの学校にいるのは、何かを、またはだれかを、探しているからよ。いいかげんなことを言ってるんじゃない……」

「わかってるよ。おまえはそんなことしないさ」ギュスは皮肉な調子で言った。「節度あるポロック家の一員だもんな。それで、どういう結論を出したんだ？」

「マックグローはＣＩＡで働いたことがあるって言ったでしょ。考えてもみて。あたしの持ってるような超能力がＣＩＡとかＫＧＢといった情報機関にとってどういうものか。マックグローはあたし自身より先に、あたしの超能力のことを知ってたのよ。全部お見通しなのよ！　誓ってもいい。どうしてそれがわかったのか、なぜあの学校にいるのかわからないけど、あたしと関係があるような気がする。被害妄想って思うかもしれないけど、怖いの……」

「怖い？　どうして？」

「わからない！　わかっているのは、あたしがふつうの人とちがうってことだけ！」オクサは苛立たしげに言ったが、ふいにギュスにたずねた。「バッタの話、覚えてる?」

「バッタ? いったい何の話?」

「だいぶ前にあったじゃない! 科学者が、バッタの脳をむしばむ小さいうじ虫について研究したって話……」

「ああ! 思い出した。水に飛びこむバッタだよね。泳げないから死んでしまう。長いこと自殺だろうっていわれてたけど、昆虫が自殺するはずないから謎だったんだよな。でも、脳の中にうじ虫みたいなのが入りこんでいたせいだとわかった。その虫が繁殖期になると、バッタを水ぎわに誘い出すもんだから、バッタは水に落ちておぼれてしまうんだ。それから虫は、バッタの死骸を破って出てきて、水の中に卵を産むんだ。……でも、それがマックグローとおまえにどういう関係があるのさ?」

「ひょっとしたら、あたしのクローンをつくるとか、あたしを実験台にしようとか、たくらんでいるのかも。バッタのようにあたしの脳を解剖して、どうしてああいうことができるのか調べたいのかもしれない。それがわかったら、いろいろ応用できることがあるんじゃない?」

ギュスは、オクサの仮説に引きこまれた。その自信たっぷりな話しぶりにまごつきながら、彼女をちらりと見た。オクサは、ローラーブレードのローラーを指先でまわしている。

オクサは、気持ちがぴんと張りつめ、血が体内で沸き立っているような感じがした。いま、よく冷えたレモネードが飲めるなら、大金をはらったっていい!

そのまましばらくの間、二人は押し黙ったままでいた。

ギュスが沈黙を破った。

「よく考えると、おまえの仮説はつじつまが合うな……。でも、それが本当なら、大ピンチじゃないか！」

「何とかしてマックグローのことを調べなきゃ。ね？」

オクサは期待をこめて言った。

「いいよ。でも、あせっちゃいけない。冷静になって、あいつの挑発に乗らないようにしなきゃ。おまえの説が当たっているとしたら、あいつは、おまえの秘密をあばこうとあらゆる方法でしかけてくるはずだ。ぼくたちのほうは、マックグローがどこからやってきて、ここで何をしようとしているのか探るようにしよう。ぼくも力になるよ！」

ギュスはオクサの手を引いて、起き上がるのを手伝った。そして、知りたくてたまらなかった最後の質問をした。

「このことをだれかに話した？」

「ジョーダンでしょ？　こんなこと、だれに話せる？」

「知らないよ！　親とかおばあさんとか……」

ギュスは言い返したが、自分だけに話してくれたのがうれしく、同時にほっとした。

「話してない！　こんなこと、だれにも言えないもの！」

ギュスは、その言葉をどう解釈すべきかすぐにはわからなかったが、少し考えてから、それはオクサが自分を特別にあつかってくれているのだと思うことにした。

「だいじょうぶだよ。ぼくがいるじゃないか」

ギュスは、オクサを安心させるように言った。

オクサが無事、家に帰り着いたことを見届けてから、ギュスは帰宅した。自室に入り、どさりとベッドにたおれこむ。心臓はどきどきし、神経はぴりぴりした。不安と、それから胸の高鳴りを覚えた。なんてショッキングな告白……。
ギュスにとって、オクサは姉か妹のような存在だった。いや、それ以上だ！　自分の分身だ！　親の次にギュスのことをよく知っている。ギュスもオクサのことが手に取るようにわかった。今日まではそうだった……。
しかし、今日オクサが見せたものは、想像すらできないことだった。現実とは思えない。オクサは魔女（まじょ）なのか？　超自然的存在なのか？　妖精（ようせい）なのか？
信じがたいけれど、本当なんだ。彼女は、それら全部を合わせたようなものなんだ！

13　優しい夜

ギュスと別れて家に帰ると、オクサはすぐ二階に上がった。体の筋肉のひとつひとつ、神経の一本一本がほぐれていき、緊張が解けるようだ。自分の部屋の落ち着いた雰囲気のなかにいると、何も怖いことは起きないし、外の危険から守られているような気がした。ドアを閉めたとたんに安心感に包まれる……とくに今日は。

学校から帰るとまっ先に、プリーツスカートとブレザーを、すりきれたジーンズと派手なオレンジ色のTシャツに着替えた。それから、髪をくしゃくしゃにし、ベッドに少し横になり……じっとしていられずに部屋を出た。

三階に行く階段をのぼろうとしたとき、玄関のドアがバタンと閉まる音が聞こえた。母親が帰ってきたのだ。オクサは急いで一階に降りた。母親が家にいるのはうれしい。

「ハーイ、オクサ！　今日はどうだった？」

「ふうっ……ぐったり。でも、だいじょうぶ。ちゃんと生きてるでしょ！　バーバの部屋に行くところ」

「それより、ママとおやつでも食べない？　いつもおばあちゃんのところに行ってるみたいだけど、今日はパパやお友だちもいっしょだから、じゃましないほうがいいわ」

母マリーは、ハシバミ色の瞳でオクサの目をのぞきこんだ。

「えっ、バーバの仲間？　じゃあ何時間もおしゃべりだね。遠慮しとこう」

オクサ一家がパリに住んでいたころ、祖母ドラゴミラはときどき友人たちを招いて、コーヒーのような真っ黒な紅茶を飲みながら、何時間も自分の部屋に閉じこもっていたものだ。この習慣はロンドンでも続けられるらしい。

「そうね。今夜は人数が多いわよ」と、マリーは笑いながら言った。「でも、わたしたちには関係ないわ。こっちにいらっしゃい！　あなたの好きな肉のピロシキを温めて、たまには二人でおしゃべりでもしましょう！」


キッチンのテーブルについて、二人はオーブンから取り出したばかりのピロシキを六つつまみ、サラミを食べ、カマンベールチーズで締めくくった。オクサは、母親と二人だけの時間を——しかも好物をほおばりながら——過ごせることが、うれしかった。何ものにも代えがたい、おだやかで貴重な時間だ！　オクサは幸せな気持ちで何度もマリーを見つめ、彼女も、やわらかいほほえみを返してきた。

「レストランのほうは、準備、進んでる？」

学校のことをいろいろ話したあと、オクサはたずねた。

マリーは、常に夫のパヴェルといっしょに働いてきた。パリにいたときは、パヴェルが調理場を担当し、マリーは給仕人のまとめ役として店内を切り盛りしていた。「ビロードの手袋をはめた鉄の手」――パヴェルは妻の能力をほめて、そう表現した。今度は自分たちのレストランを開店するのだから、もっといそがしくなるにちがいない。オクサはそのことを心の底では残念に思っていた。夜に家族がそろうことはほとんどなくなるだろう……。

「工事はあらかた終わっているわ。でも、パパはああいう人だから、オープンまでに何もかも間に合わせるのは無理だと思ってるみたい。なにしろパパが四六時中監視(かんし)しているものだから、職人たちはうんざりしてるの。本当に同情するわ。ピエールがいてくれるからまだよかったけど……彼はパパほどキリキリしていないからね。彼が共同経営者になってくれて、心配性のパパはどんなに助かってることか……。パパが、いつかは気持ちをゆったり持ってくれるだろうって期待はだんだん薄(うす)くなっていくけど、ありのままを受け入れてあげなくちゃしょうがないわね。だって、そういうパパが好きなんだものね」

オクサは力強くうなずいた。

「授業はどう？　いま、どんなことをやってるの？」

マリーは話題を変えた。

母親が興味を示してくれたことに気をよくして、オクサは急いで学校の荷物を取りに行った。

引(ひ)っ越(こ)しの段ボール箱は全部片づいた。あとは、パリの家とはまったくちがう――こぢんまりして居心地のいい部屋、お湯がよく出ない配管、上げ下げ窓といった――典型的なイギリスの家に慣れるだけだ。

とはいえ、オクサの気持ちは複雑だった。自分が好きな家具も物も人も、ここにはみんなそろっている。だが、知らない街、なじみのない環境、しかも、いまのところは敵意に満ちた環境にいる。少なくとも学校はそうだ。ビッグトウ広場のこの家は快適だし、ロンドンもすてきで、大好きだ！　たくさんある公園や美術館もすばらしい！　気さくさと好奇心、風変わりなところと上品さとが違和感なく共存している〝ブリティッシュな〟生活様式も好ましい。そういうところは全部いいんだけれど……。

慣れるまでには、もう少し時間がかかりそうだ。

＊＊＊

階下にもどったオクサは、暖炉のそばに座っている母親を無意識に観察している自分に気がついた。

マリー・ポロックは、乳白色の肌をした背の高い女性だ。細身のわりに骨格はがっしりし、前向きで落ち着いた性格をしている。忍耐力もあり、もの静かな第一印象とは反対に、内に秘めた無尽蔵のエネルギーが感じられる。いつも洗練されたラインでモノトーンの、シンプルで目立たない服を着ているが、その夜は、ブルーグレーのシルクのワンピースをまとい、髪をゆるく後ろでまとめてとてもきれいだった。

しかし、その額（ひたい）にしわがきざまれていることにオクサは気づいた。たぶん疲（つか）れているのだろう。ここ数日で、家からは引っ越しの痕跡（こんせき）がまったくなくなった。ポロック家が引っ越したばかりだとわかる人はほとんどいないだろう。ここまでするのに、母親は大変な労力を使ったはずだ。中国で暮らした数年間が、マリーの性格と趣味（しゅみ）に大きな影響（えいきょう）をあたえていた。彼女は、サロンをアジアンテイストの独特な雰囲気にした。同じ造りの周囲の家々が、レースとか、花模様の壁紙（かべがみ）とか、レザーやタフタのひじかけ椅子（いす）とかで飾（かざ）られているのとは、まったくちがっていた。

暖炉のわきには、中国の高級官吏（かんり）をかたどった灰色の石像がどっしりと居座り、この家全体ににらみをきかせている。赤い漆塗（うるしぬ）りの低いテーブルには、アネモネを生けた大きな花瓶（かびん）がのっていて、その下には竹製の敷物（しきもの）が敷（つ）いてある。天井（てんじょう）には、黄色い油紙でできた巨大なランプシェードのかかった照明が吊り下げられ、京劇の面や書やオクサの写真で飾られた壁に、金色の光を投げかけていた。

一、二階も祖母ドラゴミラの暮らす三階も、ポロック家のインテリアは、外観とくっきりしたコントラストをなしていた。オクサは、自分たち家族にふさわしいこのコントラストが好きだった。それに、いまの自分の生活にもふさわしい。

金や銀の糸で浮（う）き出し模様を織り出した黒い長椅子に、オクサはマリーと向かい合って座った。学校で習ったことを話すと、マリーは熱心に耳をかたむけた。

オクサは、その場で数学と英語の練習問題を終え、母親の隣に来て体をすり寄せた。長い髪をひとふさ、そっとつかみ、肩のくぼみに頭をのせ、彼女が昔からつけている白リンドウの香水の香りを吸いこんだ。

五分もたたないうちに、一日の疲れや母親の温もりに触れた安心感で、オクサは眠りこんだ。

目が覚めたとき、オクサはサロンの長椅子に寝そべったままだった。蓮の花を刺繍した布団をかけられ、頭にはクッションが当ててあった。窓から広場の街灯の光が差しこんでいる。

「ママ？」

返事はなかった。オクサは、目覚めたばかりの少しもうろうとした頭で起き上がった。ランプをつけて時計を見ると、夜の九時だった。たった一時間しか眠っていなかったのか。自分のベッドに行って眠ろうか？　それとも、起きて何かしようかな？

手持ちぶさただったので、消えていた暖炉に火をおこそうと、小さな炎の玉を投げた。

「やった！」

勝ち誇ったように、両手のこぶしをにぎった。

そのとき、目の前のテーブルに紙が置いてあるのに気づいた。母親からの伝言だった。

あなたが眠ってしまったから、起こすのがかわいそうで。ピエールを手伝いに、ちょっとレストランに行ってくるわ。ぐっすりおやすみなさい。愛してるわ。

ママより

まだぼんやりした頭で、オクサは学校の荷物をかき集めて自分の部屋に行った。それから、パジャマのズボンとTシャツに着替え、すぐに寝るかどうかまだ迷いながら歯をみがいた。

「そうだ。バーバにおやすみのキスをしに行こう」

土曜日におなかに薬用クリームを塗ってもらって以来、祖母には会っていない。あざの治り具合を見ようと、反射的にTシャツをめくり上げた。

「えーっ！　なに、これ？」

クリームはよく効いたらしく、あざは、前日には青から黄色に、そして茶色になり、黒っぽく変わっていた。いまはほとんど目立たなくなっている。しかし、へその周囲にはあざが残っており、長さ五センチほどの八つの角がきれいにそろった星形に変わっている。紫色のフェルトペンと物差しでかいたみたいに、輪郭がくっきりして、少しだけ腫れているが、まったく痛みを感じなかった。

オクサはいぶかしく思い、祖母の部屋に続く階段をのぼった。

14　重要会議

オクサは廊下に立ち止まって、聞き耳を立てた。さまざまな声が入り混じって聞こえた。どうやら深刻な議論を闘わせているらしい。低い声もあれば、興奮してつい甲高くなる声もある。心配そうな言葉の断片がドアを通して聞こえてきた。

「変なの。久しぶりに会ったのがうれしくてたまらない、って感じじゃないなあ」

オクサはドアに近づき、鍵穴からのぞいてみた。三つ編みを頭にぐるりと巻いて背中を向けている女性は、祖母ドラゴミラだ。父親パヴェルがその横で固くなっている。正面にいるのはオクサの知らない女の人で、眉をひそめてパヴェルを見つめている。

ドラゴミラの兄レオミドと思われる声が、聞こえた。

「でも、考えてみる必要がある。みんな、そう思っているんじゃないかな……」

オクサは、大好きなこの大伯父にキスするためだけにでも、中に入りたくなった。

パヴェルの声がひびいた。

「ぼくにやれと言っていることがどういうことなのか、わかってるんですか？　数週間前にとつぜん、問題――そう呼んでおくことにしましょう――が起きたとき、できるだけいい条件で逃げるために、ぼくはするべきことをすべてした。お母さん、あなたは知っているでしょう？　ただただ家族を守るために、そうしたんです。誤解しないでくださいよ。帰還することについては、いつもおおっぴらに反対してきたんですからね」

悲劇を演じるのに長けた父親ではあるが、こんなに真剣に話すのを、オクサは聞いたことがなかった。みんな、何を話してるんだろう？　何をたくらんでるんだろう？　逃げるって、どういうこと？

「ぼくたちにはみんな、家族がいる。みんな、本物の〈外の人〉になったんじゃないですか」
パヴェルが押し殺した声で続けた。
「そのとおりよ。でも、わたしたちはみんな、以前にどういう人間だったか、どこから来たのかを忘れてはいないわ。パヴェル、あなたはドラゴミラの息子よ。それがどういう意味なのか、わかっているでしょう」と、女の声がした。
「それに、急いでここに引っ越してきたけれど、これは猶予期間でしかないことをよく頭に入れておきなさい。わたしたちには安全な場所などないの……どこにもね」と、これは祖母。

オクサは、続きを聞くことができなかった。いま聞いたばかりのことで頭が混乱してきたからだ。そのうち、想像力が働き始めた。そうか！　父親と祖母は、ある陰謀の首領なんだ！　秘密結社か、スパイ集団の！　そうだ！　東ヨーロッパから来たスパイにちがいない！　最悪の場合はロシア・マフィアのメンバーかも！

そんな！　ロシアのマフィアだけはやめて……と、オクサはくちびるを噛みながら思った。ライバル同士のギャングが血みどろの争いをする光景が、頭に浮かんできた。

ますます好奇心がわいて、オクサは鍵穴に片目をつけた。すると、何かが通りすぎるのが見えた。ええっ！　なに、これ？

叫び出さないように手で口をふさいだ。オクサはびっくりして、あとずさりし、幻を見たのではないかと目をこすった。夢を見てるんだ！　そうよ、これは夢！

手の甲をつねってみると、痛みで顔がゆがんだ。夢を見ているのではない。ということは、いま見たものは現実なのだ……。ちらっと見ただけだが、オクサを驚かすには十分だった。オクサは階段の一段目に腰を下ろし、目を閉じて、いま見たものを頭に思いえがこうとした。その生き物は、丸くて大きな目をしており、鼻はつぶれ、耳はぴんと突き出ていて、口は信じられないほど大きい。丸々とした体には青いサロペット……。人間とはほど遠い生き物だ。

息を深く吸いこみ、立ち上がって、再び鍵穴から中をのぞいた。さっきとまったく同じ生き物が、グラスをたくさんのせたトレイを持って祖母の横に立っていた。これで、幻を見たという可能性はすっかりなくなった。

オクサが急いでその場を離れようとしたとき、雷がとどろいた。雨混じりの突風が開いた窓から吹きこみ、電灯がジージーと音を立てて、ちらちらし始めた。と思うと、パリンと音がして、電灯が消えた。鍵穴からのぞくと祖母の部屋も薄暗くなっていたが、おかしなことに、だれもあわてる様子はなかった。部屋のすみっこの天井すれすれのところで、何かが急に部屋を明るく照らし出したときも……。

オクサは光源に目をこらした。信じられないことに、それはオレンジがかったタコで、体を震わせながら、光る無数の吸盤をものうげに動かしている。あっけにとられて身動きもできず、オクサは鍵穴の向こうに神経を集中させた。

「コホン！　グラシューズ様、ある情報が知られなければなりません」

例の生き物が、小さな声で言った。オクサは、いぶかしげに眉間にしわを寄せた。グラシューズ様だって？　だれのこと？　みんな頭が変なんじゃないの？

その生き物は、祖母の注意を引こうと何度も咳ばらいをしたので、息がつまりそうになったらしい。ところが、祖母が生き物の突き出た両耳をつかんでぐいっと引っぱってやると、咳はぴたりと止まった。生き物は深くおじぎをした。

「窒息からフォルダンゴを救ってくださったグラシューズ様は、敬虔な気持ちをもって感謝されるべきです。しかし、鍵穴から人がのぞいていることを理解なさらなければなりません」

ドラゴミラとパヴェルは、無言で顔を見合わせた。それから、うろたえたパヴェルがうなずくと、ドラゴミラが立ち上がってドアを開けた。オクサは、生き物が警告を発したのを聞いてとっさに階段を何段か下りていたが、隠れる時間はなかった。

「かわいいオクサ、いらっしゃい！」

ドラゴミラが震える声で呼んだ。

「バーバ、ちがうの！　何も見てないし、聞いてない！　ほんとよ！　おやすみを言いたかっただけなの……」

「もちろん、わかってますよ。怖がらないでいいから！　おまえが知っている人たちにごあいさつなさい」

ドラゴミラはそう言って、有無を言わさずオクサの腕を引っぱり、いつもより強く彼女を抱きしめた。戸口でオクサを待っていた父親は、神経質にキスをした。目は異様な光をたたえ、つらそうにしている。つらそうな表情はいつものことだが、どこか苦しげにさえ見えた。

「パパ、だいじょうぶ？」

「だいじょうぶだよ。だいじょうぶさ」

パヴェルは、むきになって答えた。

＊＊＊

三人は部屋に入った。そこには、ある種の熱気が充満していた。その熱気は、やわらかい部屋の明かりと、オクサをじっと見つめているほかの三人の顔に浮かんだ不安の色によって、いっそう強調されていた。彼らは、オクサが入っていくと、いっせいに立ち上がった。

「レオミドおじさん！　おじさんもいると思ってた！」

オクサは、キスしようと腕を広げて待っている大伯父のところへ走り寄った。

「元気かい？　大きくなったねえ！」

大伯父に会うのは半年ぶりだった。オクサは大きくなったが、レオミドのほうはまったく変わっていなかった。背が高く、やせていて、繊細な顔立ち。透き通るようなブルーの目に、真っ白な歯が輝く明るいほほえみ。真っ白な髪は後ろにまとめて、プラム色のリボンで結わえてある。深紅のピンストライプの入った黒いビロードのフロックコートに、完璧なカットのウールのズボン……とてもシックだ。

「すごくエレガントね！」と、オクサは思わずため息をついた。

レオミド・フォルテンスキーはドラゴミラの兄だ。以前はオーケストラの有名な指揮者だったが、いまはウェールズの荒海のそばで暮らしている。彼の妻はオクサが生まれる前に亡くなっており、キャメロンとガリナという二人の子どもがロンドンに住んでいる。レオミドはほとんど外出しないので、この伯父が祖母の部屋にいるのはめずらしいことだった。

「やあ、オクサ！」

「アバクムおじさん！」

オクサは再会の喜びいっぱいに、腕に飛びこんだ。

アバクムは、祖母ドラゴミラの親代わりだ。この人も数週間前にフランスから引っ越してきて、ロンドンから五十キロほど離れたところにある、古い農家を改修した家に住んでいた。その家は、何年も前からアバクムが所有していたものだ。生き生きとしたまなざしに、がっしりとした体つき。もう八十歳近いはずで、背中がやや丸くなっているものの、背が高く、きれいに刈りこまれた短いあごひげを生やしている。顔立ちから英知がにじみ出ており、生来ひかえめなのに、どこにいても目立った。理由はわからないが、人をひきつける独特の存在感があるのだ。

アバクムは、ドラゴミラを、生まれてからずっと見守ってきている。パリで開業していた薬草の店もいっしょにやっていた。植物学にかけては、ドラゴミラに負けないほど博識だ。

アバクムにキスし終わらないうちに、以前にバスルームで聞いた女性の恐ろしい叫び声が、再びオクサにおそいかかってきた。オクサは青ざめ、おびえたまなざしをアバクムに向けた。アバクムも、急にひどく気分が悪くなったようで、顔がゆがみ、気ぜわしく両手で耳をおおった。しばらくすると、叫び声は聞こえなくなった。

「アバクム、だいじょうぶ？」

ドラゴミラが心配そうにたずねた。

アバクムは落ち着きを取りもどし、オクサから目を離さずに答えた。

「ありがとう、ドラゴミラ。ひどい中耳炎にかかっていて、激痛が走ることがあるんだよ。そんな痛みはないにこしたことはないんだがね」

「中耳炎ですって？　そんなもの、どこでもらってきたの？」

アバクムは謎めいた笑みを浮かべた。

「神のみぞ知る……かな。ま、そんなつまらないことより、オクサにわれわれの仲間を紹介しようじゃないか」

「そうね。オクサ、こちらはメルセディカ・デ・ラ・フエンテ。スペインから来た古い友人よ」

ドラゴミラが目を向けると、女性が小さく会釈した。

「こんばんは、オクサ。あなたに会えて光栄だわ」

メルセディカは背が高く、やせていた。顔は卵形で、青味がかって見える真っ黒な髪を複雑なシニョンに結っている。あざやかな赤のスーツを着ており、衿が高いので、高慢な感じがした。髪と同じように真っ黒な瞳が、強い好奇心をたたえてオクサを見つめていた。

「テュグデュアル」

アバクムは、オクサが会ったことのないもう一人の客の名前を呼んだ。

奥のソファのひじかけに脚をのせてくつろいでいた少年が、立ち上がって近づいてきた。大人びて見えるが十五歳くらいだろう。全身、はっきりとゴシックファッションとわかる黒い服に身を包んでいる。ズボンの上にスカートをはき、ぴっちりしたシャツの上にはシルバーチェーンや十字架のペンダント、ほかにも小さなアクセサリーをいくつか着けている。顔は青白く、頬がこけ、あちこちにつけたピアスばかりが目立つ。濃い紫のアイシャドウでふちどられた両目は、漆黒の長い前髪に半分隠れていて、絶望と憎悪のようなものをたたえていた。

この暗い感じの独特な雰囲気を持った少年から、オクサは目を離せなかった。ところが少年は、凍りつくような冷たさで「やあ」と言ったきり、ソファにもどっていった。

オクサは、自分がTシャツとパジャマのズボンでいることに気づき、さっと顔を赤らめた。こんなときに服装のことを気にするなんて場ちがいなのに、気にしないようにしようとすればするほど、恥ずかしさがつのった。

「テュグデュアルは、親しい友人のナフタリとブルン夫妻のお孫さんよ。しばらくアバクムの家に滞在しているの」

ドラゴミラは、オクサに助け船を出すように言った。

みんながオクサを見つめていた。顔に笑みを浮かべてはいても、オクサは居心地が悪かった。注目の的になるのは決して気持ちのいいものではない。しかも、もっと手に負えない、心配なことがある。何かとんでもないところに足を踏み入れたような気がする……。

なんか重苦しい……と、オクサは心の中で思った。あの奇妙な生き物がオクサに気づいた瞬間から、逃れられない歯車が動き始めたようだ。もうあともどりはできない……。

「じゃあ、おじゃましました。バーバ、また明日ね」

ばかげたこととはわかっていたが、その場を逃れようとして、オクサは言った。

「オクサ、もうちょっとここにいなさい。おまえに話したいことがあるし……」

パヴェルがあわてて引きとめた。

15 エデフィア

「あたしに話したいこと？　あたしに？　重大なこと？」オクサは不安になった。

「重大かどうかはわからないが、とにかく大事なことだ」パヴェルは答えた。

「その前に、ひとつ質問があるんだけど、いい？」迷いながら、オクサは言った。

「なあに？」ドラゴミラは心配そうな顔で、オクサをうながした。

「のぞいちゃいけないことはわかってたけど、バーバ、あたし、ここであるものを見たのよ」

ドラゴミラは、立ち上がってとなりのミニキッチンに行き、オクサの言う〝あるもの〟を連れてきた。オクサは叫び声をあげ、思わず身を引いた。

「オクサ、わたしのフォルダンゴを紹介するわ」祖母は言って、オクサの反応を見てつけ加えた。「怖がらないで。危害を加えたりはしないから」

「夜のあいさつがあなたになされます、グラシューズ様の孫娘様」

その生き物は、オクサにおじぎをしながら言った。

「なに、これ……パパ、こ、これは……何なの？」

オクサは父のほうを向き、つっかえながらたずねた。

「おばあちゃんのフォルダンゴだよ」

「えっ？」

「フォルダンゴ。言ってみれば執事のようなものさ。おばあちゃんには、フォルダンゴとフォルダンゴットの二人がついている。家事やそのほかのいろんな用事をしてくれるんだよ」

パヴェルは、かすかにほほえみながら説明した。

「うそっ！　バーバ、どこで見つけたの？」

「話せば長くなるのよ……。こっちに来て座りなさいな」

オクサは、赤いビロードのソファに座った父親のとなりに腰を下ろし、祖母や客たちと向かい合った。フォルダンゴが進み出て、飲み物をすすめた。好奇心にかられたオクサは、フォルダンゴをもっと近くで観察しようと差し出された飲み物を受け取ったが、その生き物にさわることまではしなかった。

「この生き物ってすごい！　宇宙人……だよね？」

「いいや、宇宙人じゃないよ」

パヴェルが答えた。

「じゃあ、ロシアで捕まえたの？　草原に住んでる生き物かなんか？」

「グラシューズ様の孫娘様、宇宙人も草原の生き物も、わたくしどもの種族でも同類でもありません。想像は過ちのなかをただよっています」

フォルダンゴは、その大きな丸い頭を激しく横にふった。


ドラゴミラは黙ったまま、何か問いかけるように客一人一人を見まわした。全員が、承諾するかのように目を伏せた。バーバ・ポロックは深く息を吸いこんでから、口を開いた。

「ねえ、わたしの愛しい子、わたしのフォルダンゴたちは宇宙から来たのでもなければ、ロシアから来たのでもないの。ここにいるわたしたちと同じで、遠い国から来たのよ。パパとテュグデュアルとおまえは、こちらで生まれたんだけどね。それ以外の人たちの故郷は、エデフィアなのよ」

「エデフィア？　聞いたことない！　どこなの？」

「エデフィアはわたしたちの国よ。地球のどこかにあるんだけど、地図には載っていないの」

「バーバ、それって、別世界ってこと？」

オクサは驚きながらも、夢中になってたずねた。

レオミドとアバクムがほほえんだ。

「そうでもあるし、そうでもないの」と、ドラゴミラは言葉を探すように言った。「その国は〈外の人〉には見えないように、光の幕で守られているのよ」

「〈外の人〉?」オクサがさえぎった。

「〈外の人〉というのは、エデフィアの外に住む人たちのこと。それに対して〈内の人〉というのは、エデフィアに住む人たちのことよ。だれにも見えない別の世界を想像してごらんなさい」

「想像はできるわよ。だれだって想像はできるけど、信じるのは難しいわ」

オクサは、ふうっと息を吐いた。

「それは当然でしょうね。信じるには時間がかかるでしょう。それでも、なるべくわかりやすく説明してみるわね。……エデフィアは、地球ができてからずっと存在しているのだけれど、〈外の人〉には見えない太陽光線の幕で保護されているの。なぜかって? わたしたちが理解したかぎりでは、エデフィアの中の光はこの世界の光より速度が速いの。エデフィアと外の世界の境界を越えることはできないのだけれど、その境界を見ることはできる。それはね、外の世界には存在しない色を生み出すものすごい速さの光を、わたしたちの目が遺伝的に見ることができるからなのよ。未知の色なのよ……」

「未知の色って、どういうこと? 色はもう全部、わかってるはずでしょ?」

オクサは、あっけにとられて言い返した。

祖母は目を伏せた。自分の語り始めた話に心が揺らいでいるようだ。

「バーバの言ってることって、おかしい！　すごくばかばかしい！　あたしをからかってんの？」

オクサは、信じられないというように顔をこすった。その疑いを否定するかのように、そこにいた全員が押し黙っていた。オクサは、手をぎゅっとにぎりしめている父親に向き直った。

「パパ？」

「おばあちゃんの言ってることは真実だよ」パヴェルは、言いにくそうにつぶやいた。「まったくの〈外の人〉でぼくたちの起源を知らないママは別として、ここにいるみんなは、程度の差こそあれ、エデフィアと関係があるんだ。エデフィアで生まれていなくても、われわれが〈逃げおおせた人〉と呼んでいるコミュニティーの一員なんだよ」

「〈逃げおおせた人〉って？」

「〈逃げおおせた人〉というのは、エデフィアからの避難民という意味だ。ぼくたちが望もうと望むまいと、ぼくたちの置かれた状況にぴったりの名前じゃないかい？」パヴェルは苦々しく言った。「ぼくだって、自分の中にあるエデフィアから受け継いだ部分を認めるのに、かなり時間がかかった。長い間、ぼくは自分の出自から目をそむけようとしてきた。いまでも、受け入れることができたかどうかわからないけどね……。長い間、ほかの人とちがうと認めることを拒否してきたんだ。でも、ほかの子どもたちとちがう、ほかの人たちとちがうことは明らかなんだ。それを認めないわけにはいかなかった……」

「あたしも。あたしだってほかの人とはちがう！」

オクサは思わず、ほとんど叫ぶように言った。

全員の視線がオクサに集まった。好奇心のあまり、オクサは、秘密を守るという自分に課した誓い（ちか）を忘れてしまい、すぐに自分の軽率さを後悔（こうかい）した。

「つまり、何かちょっと特別なことができるということなの？」

ドラゴミラは、身を乗り出すようにしてたずねた。

「ええっと……ちょっと特別なこと……そう言ってもいいかもしれないけど……」

オクサはひざにほお杖（づえ）をついた。息が苦しい。オクサの言葉にすべてが静止し、すべての視線が集まった。アバクムが励（はげ）ますようにオクサを見つめた。

オクサはおずおずと言った。

「ええっと……宙に浮（う）くことができるの。そんなに高くはないけど、信じられない！　サイコーよ！　それから、神経を集中させたら、ものを動かすことができる」

「〈磁気術〉ね。すばらしいわ！」ドラゴミラが叫んだ。

「小さな火の玉を投げることもできるけど、どうやったらできるのか、よくわからない。手のひらから出ていくみたいだけど……」

オクサは、自分の話にみんなが熱心に耳をかたむけていることに気づき、口をつぐんだ。

「それから？」パヴェルが優しくうながした。

「離（はな）れたところから髪（かみ）の毛を立たせることもできる……」

オクサは、最初の不思議な体験を思い出しながらつけ加えた。目に興奮の色が浮かんでいる。

しかし、オクサをだれよりもよく知っているドラゴミラとパヴェルは、オクサがそのことで苦しんでいることに気づいていた。眉間にあらわれた二本のしわがそれを物語っている。

いろいろな場面が記憶のなかによみがえってきて、オクサは後ろめたい気持ちになった。マックグローのことを話すべきだろうか？　野蛮人のことは？　話したくてたまらなかったが、「ダメ！　それだけはやめろ！」という本能の声が聞こえた。

その声に対して疑問がわいてくるのをふりきるように、オクサは言った。

「エデフィアについて、もう少しくわしく聞かせて！」

＊＊＊

ドラゴミラはソファに座り直した。

「もちろんよ、かわいいオクサ。……まず初めに、エデフィアは五つの地方から成る、アイルランドくらいの大きさの巨大な太陽エネルギーセンターとでも言っておこうかしらね。太陽光線の幕で保護されたその土地では、動物と植物と人間の生活は、豊かで調和が保たれ、理想的な条件のもとで発展してきたのよ。それがわたしたちの文明の基礎を成し、国民の生活様式を決定してきたの。国民は、たがいに関係の深い四つの種族に分かれている。森人、匠人、官人、不老妖精の四つね」

「不老妖精？」

オクサは目を見開き、祖母の話の腰を折った。

「とても不思議な種族よ。不老妖精はエデフィアの全能の女神たちで、〈妖精の小島〉というところに住んでいるの。わたしは、エデフィアの東西南北の方位の起点になる場所に建てられた〈クリスタル宮〉に住んでいたのよ。これはクリスタルをくりぬいて造られた屋敷のことで、グラシューズとその家族、そして〈ポンピニャック〉のためのもの……」

「〈ポンピニャック〉って、なに？　それにグラシューズって？」

オクサがまた口をはさんだ。

「〈ポンピニャック〉はそう、政府のようなものかしらね。グラシューズは……」

「宇宙人……じゃなかった、フォルダンゴがバーバにつけた名前でしょ！」

オクサは、部屋のすみに目をやった。コントラバスケースの前に、あの生き物があぐらをかいておとなしく座っている。

「グラシューズというのは、エデフィアの君主のことなのよ」ドラゴミラは、孫娘をじっと見つめながら言った。「あらゆる能力を持っているの。不老妖精と意思の疎通ができるのは、グラシューズだけなの。グラシューズは妖精たちとともに、エデフィアに実りをもたらす太陽光線の恵みと雨を保障するのよ。実りをもたらしていた、と過去形で言うべきかしらね……。その肥沃な土地のおかげで、わたしたちは調和のとれた、平等で豊かな暮らしができたのよ。グラシューズは国のバランスを守り、維持する役目を果たしてきたの。動物、鉱物、そして植物の生命の根源である光と熱と水のすばらしい力を持っているのが、グラシューズなのよ」

ドラゴミラはここで言葉を切った。視線が揺らぎ、呼吸の乱れに鼻の穴がピクピク震えていた。

「こんなことを話したのは久しぶりだわ」

ドラゴミラは、遠くを見るような目でつぶやいた。部屋にいた人たちはみな、バーバ・ポロックへの尊敬の念からか、じっと動かずに沈黙を保っていた。

この雰囲気に圧倒されて、オクサは、その場にいる人を一人一人見つめた。

レオミドとアバクムは、鏡に映った一人の人間のように、同じように両手を組んでひざにのせ、なつかしさのあまり、ぼうぜんとした顔をしていた。エレガントなメルセディカは、右手の甲の皮膚を赤いマニキュアをした指で弱々しくこすりながら、うなずいていた。最も動揺しているのはパヴェルだった。オクサのとなりに座っているので、オクサには、こめかみの血管がぴくぴく動いている、険しい横顔しか見えなかったが、顔をひきつらせ、やっとのことでつばを飲みこんでいる。謎めいたテュグデュアルだけが、周りで起きていることに無関心なように見えた。相変わらずだらしなくソファに座り、リズミカルな雑音を発しているｉＰｏｄに夢中だ。


「バーバ……それなら、バーバはグラシューズなの?」

オクサは小声でおそるおそるたずねた。

ドラゴミラがうなずいたとき、オクサは、横で父親の体が固くなったのを感じた。この力強い無言の同意で、オクサの家族の運命は決定的なものになった。

「おととい言っていた、おまえのおなかのあざのことを覚えているかい?」

ドラゴミラの声は、こみ上げる感情で震えていた。

「青あざのこと？　バーバに見せようと思っていたの！」

「わかっているわ、わたしの愛しい子。青あざは消えたのでしょう？　その代わり、おへその周りに八つの角を持った星形の印ができたのでしょう？」

　オクサはびっくりし、とっさにおなかに手を当てた。強烈な好奇心がわいてきた。強い不安の混じった好奇心だ。いったい、どういうことなんだろう？

「バーバ、どうしてわかったの？」

「わたしも五十年以上前に同じあざがあったからよ。わたしの母やそれより前の人たちと同じように、その光栄にあずかったのよ。でも、〈逃げおおせた人〉になったとき、それは消えてしまったの。オクサ、いま、おまえがそれを引き継いだのよ」

「バーバ、それどういうこと？　ねえ、どういうことなの？」

　興奮と不安で、しだいにオクサの声が震え始めた。息苦しくなってあえぎながら、祖母をじっと見つめた。

「そのあざは、次のグラシューズになるべき女の子を示しているのよ」と、ドラゴミラはうめくように答えた。「それは、オクサ、おまえなのよ！　おまえが、未来のエデフィアのグラシューズなのよ！　わたしたちの、『希望の星』なのよ……」

16 語られない秘密

ドラゴミラは口をつぐんだ。頬は紅潮し、目は涙でうるみ、いま言ったことが自分自身でも信じられないといった様子だ。重苦しい沈黙が広がった。

オクサは、強烈な竜巻にからめとられたように感じた。あたしが、女王？ 超能力を持つ人たちの国、見えない国の女王？ 想像もできない……。ひょっとしたら本当かもしれないと考えただけで、オクサの神経は高ぶった。あたしが？ そんな、ばかな！ ばかげてる！

「どうしてみんな、ここにいるの？ 何が起きたの？」

オクサの声は震えていた。ドラゴミラのブルーの目は、涙できらきら光っている。

「逃げなくてはならなかったの。わたしは十三歳だった。当時は、わたしの母マロラーヌが国を治めていて、次のグラシューズがわたしだという印があらわれたばかりだった。じきに、その訓練が始まろうとしていたのよ……」

「訓練って、なに？」と、オクサが口をはさんだ。

「国を治めるというのは、急ごしらえではできないこと。とくにそんな若さではね！ いろいろ学ばなければいけないことがあるの。教育は現役のグラシューズが担当し、準備が整うまで国を治め続けるのよ。グラシューズ見習いは、生まれつきの才能のほかに、第一に自分の精神をうまくコントロールできるようにならないといけないの」

　ドラゴミラはオクサの手を取った。

「おまえもよ。自分の力を方向づけ、コントロールすることを覚えなければ。いまはおまえの能力は混乱していて、制御されていない。力のおよぶ範囲や使い方もよくわかっていないでしょう？　これまでのグラシューズと同じように、学ばなければならないのよ。エデフィアでは、訓練の開始は儀式でおおやけにされる。その儀式で、未来のグラシューズはケープを受け取るの。不老妖精によってつくられるそのケープは、とてつもない能力をグラシューズに授けるのだけれど、そのなかには〈エデフィアの門〉を開ける能力もふくまれているのよ。でも、〈外界〉に行くことができるこの能力は、〈語られない秘密〉なの……いえ、だったというべきね。というのも、母のマロラーヌが不用意だったために、その秘密をにぎる唯一の人間は彼女であるべきなのに、だれかがそれを奪い取ってグラシューズの秘伝が破られてしまったとたんに……」

　ドラゴミラは、喉を締めつけられたように、急に口をつぐんだ。つらい記憶がよみがえってきたのだろう。背を丸め、顔に疲れをにじませ、目にいっぱい涙をためて、椅子からのろのろと立ち上がった。そして、壁にかけてある二枚の絵をはずし、手をさっとふると、部屋の明かりがすべて消え、部屋は真っ暗になった。

「バーバは何をしてるの？」驚いたオクサがささやいた。

「あっちを見てごらん。何が起きたのか、いまにわかるよ」パヴェルが答えた。

ドラゴミラは椅子にもどり、絵を取りはらった正面の壁をじっと見つめた。テレビの画面と同じぐらい鮮明(せんめい)な映像があらわれた。まるで、ドラゴミラの目が映写機であるかのように。

「信じられない！　すごい！」

「彼女には〈カメラ目〉という能力があるんだ。つまり、自分の記憶や考えを映写して、ほかの人に見せられるんだよ」と、レオミドがひそひそ声で説明した。

「これからおまえに見せるのは、わたしの最も恐(おそ)ろしい記憶、いまでも頭を離(はな)れない記憶ですよ。でも、かわいいオクサ、見てちょうだい……」

ドラゴミラの声は、震えていた。

＊＊＊

壁に映し出されたのは、円形の広間だった。真っ赤なツタのからまる半透明(はんとうめい)の柱に囲まれ、まぶしい光がガラスの天井(てんじょう)と窓から差しこんでいる。中央には、ダイヤモンドをカットしてつくられた低いテーブルがあり、果物の入った大きな脚(あし)つきの器がきらきらと反射していた。広間の奥(おく)に、背の高い女性が見える。無数の植物や巨大な花の前に立っているその高貴な女性は、すらりとした体形で、黒い髪(かみ)が背中に波打っている。

とつぜん、大きな物音とすさまじい叫(さけ)び声が聞こえてきた。映像が揺(ゆ)れ、あちこちに動いた。エデフィアで起きたことをドラゴミラの目を通して見ているのだと、そのときオクサは理解した。

祖母の記憶の生中継だ！

背の高い女性は、ゆったりとした黄色のドレスをひるがえして広間を横切り、ドラゴミラのところに来た。

「お母様、これは、なに？　何が起きているの？」

若いドラゴミラの声らしい。

ドラゴミラの母親、グラシューズ・マロラーヌのすらりとした姿がより間近に見える。とても美しい人だ。しかし、顔は青白く、目はうろたえていた。

「ここにいなさい。怖がらないで！」

ドアが乱暴に開いた。押しとどめる護衛を荒々しく押しのけて、数人の男が入ってきた。

「マロラーヌに会いに来た！」

こうどなった男は、片手を前に差し出しただけで護衛を一人、壁にたたきつけていた。

マロラーヌが叫んだ。

「オシウス！」

男たちの一団から、小柄でがっしりした男が進み出た。広いひだのあるゆったりとしたズボンをはき、上半身は、やわらかい革でできた軽そうな鎧で保護されている。目は自信に満ち、ぞっとするような冷たさをたたえていた。

このとつぜんの侵入に衝撃を受けているらしいマロラーヌは、悲しそうな目をしてドラゴミラのほうをふり返った。それから、男に近づいた。

「オシウス……あなたなの……〈ポンピニャック〉の第一公僕であるあなたが、この陰謀の首謀者なのね！　裏切り者！」

「どうして『裏切り者』などと言われるのですか、グラシューズ様？　わたしが〈語られない秘密〉を知りえたのは、まさにあなたの不注意が原因だということをお忘れか！」

オシウスは強く言い返した。

「たしかに、わたしの不注意でもあるわ。でも、あなたがその秘伝をわたしから盗もうと策略をめぐらさなかったなら、こういうことにはならなかった。それに、〈ポンピニャック〉全員の意見に反してわたしがあなたに寄せた盲目の信頼、そしてあなたのどん欲な野心も、今日のわれわれの破滅を導いた原因ですよ。あなたがしでかしたことを見てごらんなさい！」

マロラーヌは、不安げな群衆の叫び声がこだまするバルコニーのほうを指差し、声を荒らげた。

「あなたの裏切りによって、統治砂時計が破壊されたのよ！　その衝撃はエデフィアの境界にまで達し、影響があらわれ始めているわ。不幸なことに、その罰を受けるのはわたしだけではないでしょう。明るさが弱くなってきたのがわかるでしょう？　気温も……。国民はパニックに陥っています。こんな大混乱が生じたのはエデフィア史上、初めてのことよ！」

「たしかに！　グラシューズ様、あなた自身が原因だと自慢されるがいいでしょう。わたしの目的はエデフィアの破滅ではありません。それどころか、わが国を世界の中心にしたい！　あなたは門を開けることができる。わたしは〈外界〉に行きたいんだ！」

オシウスは挑戦するようにマロラーヌをにらんだ。

「それは無理な相談よ！　わかるでしょう？」

「あなたのその頑固さは、とんでもないエゴイズムと無分別の証拠だ。〈内の人〉がみな我慢できなくなるのも、時間の問題ですな」

「〈内の人〉みんなですって？　自分の名前を堂々と出して話しなさい、オシウス！　〈外界〉に行きたいのはあなたであって、国民ではないわ！　わたしに反逆したのはあなたであって、国民ではないのよ！」

「グラシューズ様、あなたはまちがっている。わたしだけだなんて、とんでもない！　わたしの側についた者たちを見れば、あなたは驚くでしょうね……。とにかく、今日は大事な日だ。好むと好まざるとにかかわらず、わたしとわたしの仲間のために門を開けてもらいます。選択の余地はないんだ！」

「好むと好まざるとにかかわらず、ですって？　オシウス、わたしが好むはずないでしょう？〈外界〉であなたが何をしたいかはお見通しよ。あなたが関心があるのは権力だけ。それをわたしは認めたくなかった。人間はだれでも変わることができる、あなたの祖先が犯した過ちの責任をあなたに負わせるのは公正ではないと、無邪気にも思っていたのよ。みんなの反対を押しきって、わたしはあなたにチャンスをあたえた。そのツケは高かったようね。あなたを〈外界〉に出したら、エデフィアを永久に滅ぼすことになるどころか、〈外界〉をも滅ぼすことになるでしょう！　わたしたちの能力は、それを持たない人を服従させるためにあたえられたのではないわ。それは常に守られてきた原則よ」

マロラーヌは言葉を切り、息を整えた。それから、オシウスに反発するように言った。

「ところで、〈語られない秘密〉がもはや秘密でなくなったいま、まだ門をあけることができるとどうして思うのです？　統治砂時計の破壊とともに、わたしの門をあける力は消えたかもしれない。歴代のグラシューズと同じように〈ケープの間〉でわたしがどんな宣誓をしたか、教えてあげましょうか？」

グラシューズ、おまえだけが
この秘密を守りぬくのだ
おまえ以外のだれも知ることはない
なぜなら、内の人であれ、外の人であれ
人間のなかには、善と悪があるから
秘密が失われたら
おまえの命はない

マロラーヌが吐き捨てるようにこう言うと、オシウスは一瞬、たじろいだ。そして、少しの間考えてからこう言った。

「グラシューズ様、陽動作戦ですな！　策略をめぐらそうとしているだけだ。あなたがゆずり渡す力によって門は開くのでしょう？　あなたにできないとしたら、この子ですな」

オシウスは大股でドラゴミラに近づいた。

「いいえ！　ドラゴミラは何の役にも立ちません！〈ケープの間〉に入らないかぎり、エデフィアの門をあけることはできないのだから！　この子にその力はないわ。ケープだけがそれをあたえられるのよ……」

オシウスは、はっとして立ち止まった。ぞっとするような冷笑が顔から消えた。

「日没まで時間をさしあげましょう。その期限を過ぎても協力を拒み続けるなら、恐ろしいことになるでしょうな。あなたと、あなたの身近な人たちにとってね。いずれにせよ、エデフィア随一の権力者であるこのオシウスが〈外界〉に行くのを数時間待ったとしても、どうということはない」

そして、壁から映像が消えた。

17　大カオス

壁に再び映像があらわれた。

マロラーヌとドラゴミラが閉じこめられた大広間は、重苦しい雰囲気に包まれていた。バルコニーに背を向けたひじかけ椅子に男が一人座り、二人を監視している。

〈カメラ目〉がやや方向を変えると、二十歳（はたち）くらいの若者が二人、くちびるに人差し指を当て、バルコニーを乗り越えて入ってくるのが見えた。一人は少し猫背（ねこぜ）で、もう一人はやせている。

若者が吹（ふ）き矢のようなものを吹くと、椅子に座っている男がたおれた。

「アバクム！　レオミド！　もう来ないのかと思ったわ……。何かわかったの？」

体を起こしながら、マロラーヌが小声でたずねた。

猫背のアバクムの顔がくもった。

「グラシューズ様、われわれが想像したより事態は深刻（しんこく）です。オシウスは、四つの種族や〈ポンピニャック〉に仲間を大勢潜入（せんにゅう）させています。彼に同調する裏切り者たちは、エデフィア全土に集結しています」

「お母様、あいつは今夜、ドラゴミラを誘拐（ゆうかい）するつもりだよ」

レオミドが口をはさんだ。

「なんですって？　ドラゴミラはまだ訓練中だと言ったのに！　〈ケープの間〉でケープを受け取るまでは門をあけることができないのを、オシウスは知っているわ！」

「そのためにドラゴミラを手に入れたいのですよ。ケープを受け取る瞬間（しゅんかん）を待ち望んでいるのです。そうしてドラゴミラに無理やり門を開けさせれば、〈外界〉に行けるというわけです」

今度はアバクムが説明した。

「わたしはオシウスとは行かない！　門を開けてやるなんて、絶対にいやよ！」

まだ少女のドラゴミラの声がひびいた。

ドラゴミラは母親のほうを向いた。マロラーヌの表情が〈カメラ目〉に映った。

「〈ケープの間〉は消滅したわ……」

マロラーヌがつぶやいた。二人の若者は、あぜんとして顔を見合わせた。

「〈語られない秘密〉があばかれると、誓いが反故にされた。それで〈ケープの間〉は消えたのよ。ドラゴミラが〈ケープの間〉に入るのを待たなければならないとオシウスに信じこませるために、嘘をついたの。時間をかせぎたかったのよ」

「すると……門は閉まったままなのですか?」

アバクムが口ごもりながら言った。

「ドラゴミラには門をあけられないけれど……最後の手段があるのよ」

マロラーヌは暗い声で答えた。アバクムがおののきながら、彼女をじっと見つめた。

「グラシューズ様、その代償は?」

その質問に、マロラーヌは答えなかった。

「この子を救わなければいけない。それがいちばん大事なことよ。〈外界〉に行かせるのです。エデフィアの未来はこの子の肩にかかっているのだから!」

「そんなこと、いやだわ!」

マロラーヌは泣き叫ぶ娘のほうに向き直り、目に涙をためて見つめた。

「そうしなければいけないのよ。なんとしてでもオシウスから逃れないと! ……娘を連れていって! 早く!」

アバクムはドラゴミラを捕まえた。背中におぶってバルコニーの手すりを越えるやいなや、男が何人か部屋に入ってきた。〈カメラ目〉は、床から二メートル以上の高さに浮き、両腕を広げているマロラーヌの姿をかろうじてとらえていた。彼女は、ものすごい速さで錐のようにくるくる回転してすさまじい気流を起こし、近くにあるものをことごとく吹き飛ばした。テーブルの上の果物が飛び散り、壁やオシウスの手下たちに当たって砕け散った。手下たちはふらふらになり、柱にしがみついてやっと立っていられる状態だった。

その間に、ドラゴミラはアバクムに連れていかれた。階段を二階ぶん下りると、二人は狭い出入り口をすりぬけ、暗い通路に出た。そこには人が何人かいた。

「マロラーヌ様はどこだ?」

一人がたずねた。アバクムが答えた。

「レオミドといっしょに上にいる! わたしたちに合流できるといいんだが……。だが、もう一刻もむだにできない!」

ドラゴミラとアバクムは手を取り合い、数人の味方に守られながら、悲鳴がひびく廊下と平行する通路を走った。通路の壁はマジックミラーのようになっていた。向こう側からこちらは見えないが、こちらからは向こう側の戦闘の様子が見えるのだ。空中に飛ばされ、壁に当たってくずれ落ちる者、宙に浮いたまま敵をなぐったり蹴ったりする者。恐ろしいのは、革の防護服でそれと見分けのつくオシウスの手下たちだ。アバクムとレオミドがさっき使った吹き矢のような筒から恐るべき物質を吹き出す。それを受けた者は反撃する間もなく、喉を押さえてたおれた。

「あれは、なに？」

オクサが小声でたずねた。

「〈黒血球グラノック〉だよ……」

パヴェルは、その答えがオクサの理解に何の助けにもならないことに気づかず、耳打ちした。

とつぜん、アバクムたちは、閉じられたドアに行き当たった。

「通路はここで終わりだ。これからは隠れることができない！　ドラゴミラを見つけられないようにしなければ。さあ、行こう！」

アバクムは取っ手に手をかけながら叫び、ドアを開けた。

彼らは突進した。ひどい混乱状態にあったので、だれにも気づかれていない。

急に〈カメラ目〉が床に近づいた。ドラゴミラがころんだのだ。映像が回復すると、床にたおれ、痛さのあまり身をよじっている男が映し出された。右腕が信じられない速さで腐っている！　皮膚が緑色に腫れて、白っぽいほこりのようなものが噴き出ている。男は強烈な痛みを感じているらしく、すさまじいうめき声をあげている。そのとき、ドラゴミラはアバクムに引き起こされ、必死の逃走が再び始まった。

クリスタルの塔は混乱の極みに達していた。長い階段を、人々が押し合いへし合いしながら下りていく。ひどい傷を負った男や女が床のあちこちに横たわり、その叫び声が死体で埋まった廊下に響きわたっていた。とつぜん、どなり声が聞こえた。革の防護服を着た巨体の男が、あの不思議な小さな筒をふりかざして行く手をはばんでいる。

「裏切り者め！」アバクムがののしった。

「ドラゴミラをよこせ！　痛い目にあわせたりはしない。門を開けるのに必要なだけだ。その子をわたしに引きわたせば、おまえたちはみんな助けてやる！」と、その男は言った。

「ドラゴミラには門は開けられないんだ！　まだそんな力はない！」

すると、男は突進してきた。護衛の一人が間に入り、男の黒い筒から発せられたものをまともに受けた。映像が急に赤くなったところを見ると、血がドラゴミラに跳ねかかったようだ。彼女は金切り声をあげ、血をぬぐい取ろうと目をこすった。男のほうも何かの攻撃を受けたらしく、竜巻のようにくるくるまわり始めた。しかし、その仲間が行く手をふさいでいる！

「もうおしまいだ……」

「いや！　まだひとつ抜け道がある！」アバクムは、下のほうの階に張り出した小さな壁のくぼみを指差した。「さあ、小さなグラシューズ様！　飛び降りてください。お父様が下にいらっしゃいます！」

ドラゴミラは迷わずそうした。護衛が何人かそれに続いた。〈カメラ目〉の映像から、ドラゴミラが飛び降りてゆっくりと下におりていることがわかった。ふわふわと浮いているらしい。

すぐに景色の動きが止まり、ドラゴミラの声が聞こえた。

「お父様、お怪我はないですか?」

優しい目をしたやせた男が、ドラゴミラと、彼女を背負ったアバクムをじっと見つめていた。

ドラゴミラの父、ヴァルドだった。

「無事でよかった! 妻と息子はどこだね?」

「あなた、ここですよ!」

〈カメラ目〉がその声のするほうに回った。マロラーヌとドラゴミラの兄レオミドがそこにいた。

二人とも汗が吹き出し、髪は乱れ、服は破れて煤と血にまみれていた。マロラーヌは息を切らしてあえぐように言った。

「レオミドとわたしで何とかしようとしたのだけれど……オシウスは反逆を前々から準備していたようで、匠人や官人を何十人か味方につけているわ。彼らは、わたしたちには太刀打ちできない鉱物の武器を持っている。とうてい、かないません。逃げなければ! ドラゴミラを〈外界〉に行かせなくては!」

＊＊＊

ドラゴミラたちは、ヴァルドが手わたした農民風の服を急いで身に着けた。

「これも忘れないように!」麦藁帽子を投げてよこしながら、ヴァルドが言った。「マロラーヌ、ドラゴミラ、これは、きみたち二人の分だ!」

帽子は、養蜂家がかぶる、スミレの花のついたものだった。一行は、ひもの長さを調節してかばんをななめにかけ、橇のようなものに近づいた。それにつながれた巨大な鶏が二羽、足で地面を蹴っていた。ぶんぶんうなる蜂の巣箱を積んでいるために、興奮しているのかもしれない。

「二手に分かれていくことにしましょう。でないと、反逆者たちの目につくでしょう。グラシューズ様のご家族はわたしといっしょにジェリノットの橇で、さあ」

アバクムは、二羽の巨大な鶏を指差した。

「日没前に、サガの湖で会いましょう。みなさん、お気をつけて。日が暮れるともう手遅れですからね。幸運を祈ります！」と、マロラーヌ。

マロラーヌが別れる一行の一人一人に真心をこめてあいさつすると、彼らは人ごみの中に消えていった。橇のそばに残ったのは五人だけだった。マロラーヌ、夫のヴァルド、アバクム、レオミド、それにドラゴミラだ。ドラゴミラがそこにいることは、映像に、彼女を見つめるほかの四人の顔が映し出されていることでわかった。

戦いの喧騒がしだいに近づいてきた。ヴァルドが叫んだ。

「早く！　急ごう！　もういっときもむだにできない！」

壁の映像が急にぼやけた。ドラゴミラが、顔を隠そうと帽子を深くかぶったためだろう。彼女の視線は、いまいちど、立ち去ったばかりの半透明の円柱形の建物に向けられた。上のほうの階は火に包まれ、少し前にマロラーヌが立っていたバルコニーから炎が吹き出していた。

橇は、ごくふつうの格好をした人々や奇妙（きみょう）な生き物が通る道に入った。それからとつぜん、橇が軽く揺（ゆ）れ、ばかでかい鶏が羽を動かすと、宙に浮いた。

「止まれ！　止まるんだ！」

険しい顔つきの男が三人、宙に浮いており、巨大な鶏に引かれた橇の行く手をはばんだ。手には、〈クリスタル宮〉で反逆者（フェロン）たちが使っていたのと同じような筒を持っている。そのうち二人は、帽子を深くかぶって顔を隠しているアバクムとレオミドに筒を向けた。

「気をつけて。あのオシウスに買収された連中にちがいないわ」

マロラーヌがささやいた。

「おまえたちはだれだ？　どこへ行く？　この荷物は何だ？」

リーダーらしき男が太い声で問いただした。

アバクムは軽い咳（せき）ばらいをしてから、落ち着いた声で答えた。

「わたしたちは〈緑マント〉の森人（もりびと）です。わたしの名はペル・ボグ。いっしょにいるのは母と見習いたちです。蜂蜜が全部売れたので、帰るところです。巣箱が見えるでしょう？」

男たちが近づいてくると、ぶんぶんと、蜂がすさまじい羽音を立てた。マロラーヌが足でこっそりと巣箱を蹴っているのを、〈カメラ目〉がとらえた。男たちはあとずさった。

「ミツバチはちょっといま、興奮しているのでね」

森人ペル・ボグことアバクムが言うと、リーダーの男が威圧的（いあってき）に返した。

「この地区を通る者すべてを検問するように言われているんだ」

とつぜんマロラーヌが立ち上がり、巣箱のうちひとつのふたを開けてドラゴミラに叫んだ。

「身を守りなさい！」

ひどい混乱となった。ミツバチが一人の男に殺到し、顔をおおいつくす。男はあばれ、叫び出す。大きく開いたその口にミツバチがなだれこみ、男の口をふさぐ。数秒後には、男は何メートルも下の地面にたたきつけられた。

この間に、レオミドは橇の革ひもを取りはずし、それで二人目の男を激しく打った。その打ち方があまりに激しかったので、まるで熊の爪に引き裂かれたかのように、革の防護服と兜は真っ二つに裂けた。男の顔はミミズ腫れになり、頭には深い傷ができて血がほとばしり出た。この男もまた、なすすべもなく落ちていった。

この騒ぎに乗じて、マロラーヌは筒を使って三人目の男を攻撃した。黄色がかった物質が飛び出して男の胸に当たる。すると、その酸のようなものは革の保護服、さらに皮膚を侵し、肺に達して数秒で肺を溶かした。人間というより、もはやその残骸でしかないものが落ちていった。

アバクムが手綱を引くと、鶏が羽ばたいた。ドラゴミラが帽子をとったので視界が開けた。

「なんという冷静さでしょう、グラシューズ様！」アバクムが震える声でつぶやいた。

「ミツバチのおかげよ」と、マロラーヌが答えた。

「グラシューズ様にお仕えできますことは光栄です」ミツバチたちが巣箱をがたがた揺らしなが

ら、声をそろえて言った。

「もうすぐだ！」レオミドが知らせた。

〈カメラ目〉は地平線のほうに向いた。空は不思議な、見たこともない色をしている。言いあらわしようのない神秘的な色だ。

「エデフィアの国境ね、きっと……」

オクサがつぶやいた。祖母が前に言った「未知の色」の意味が、やっとわかった。

水面がきらきら光っている湖が見えた。それを取り囲むうっそうとした森のはずれに来ると、巨大な鶏は下降し始め、橇を着陸させた。

「見て！　ナフタリがもう着いているわ！」

ドラゴミラは、幹の直径が四十メートルはありそうな巨大な木のほうへ走っていった。

エメラルド色の目をした男が、十人くらいの人とともに近づいてきた。さっきまで戦い、〈クリスタル宮〉から逃げてきた人たちだ。

「〈千の目〉を出てきたときは困りました。あのオシウスがわたしのことを見抜いたんです。やつらに捕まりそうになりました！　急ぎましょう。連中は近くにいますよ」

ナフタリがみんなを急き立てているとき、ドラゴミラの目は、近づいてくる赤い鳥にひきつけられた。

「おまえの不死鳥よ。印があらわれたときに、わたしの不死鳥の灰から生まれたのよ」

マロラーヌの声には疲れがにじみ出ていた。ぐったりとし、顔はひどく青ざめていた。

「これはみんなわたしのせいなのよ。わたしの無責任さのために、恐ろしい不幸がエデフィアをおそい、わたしたちを〈大カオス〉に導いたのよ。〈ケープの間〉を支配していた力は失われた。それは、わたしがグラシューズの秘伝をもらしたときに、バランスと、そしてあらゆる生き物の尊重という、この国の二つの基本を破壊してしまったからなの」

マロラーヌは、古びてはいるが重厚なロケットペンダントのついた細い鎖を首からはずした。

「このペンダントは歴代グラシューズのものです。おまえの命がかかっていると思って、これを肌身離さずにつけていなさい」と、ドラゴミラの首にかけながらささやいた。「不老妖精と歴代のグラシューズの魂がひとつになると門が開きます。でも、その力をおまえに授けることで、不老妖精とグラシューズの魂はさまようことになるでしょう。それらを救う力と呪いを解く英知を見つけるのはおまえですよ。勇気を持ち、正しい選択をすることによって、おまえは出口を見つけるでしょう。そうすれば、〈ケープの間〉はわたしの過ちを許してくれるはずです。決して、わたしが言ったことを忘れないように。解決策はおまえのなかにあるのよ。エデフィアの希望を背負っているのは、ドラゴミラ、おまえなのよ」

「でも、お母様、わたしはお母様といっしょにいたい！」

ドラゴミラは泣きじゃくった。マロラーヌも泣きながらすがるように言った。

「わたしを信じなさい！　忘れないで……」

不死鳥がすぐ近くに来て、ドラゴミラの足元に降り立った。ドラゴミラはしゃがんで、そのすばらしい羽をなでた。とつぜん彼女はふり向き、〈カメラ目〉がその視線を追った。十人ほどの男がものすごい速さで巨大な木を目指して飛んでくる。

「行きなさい、ドラゴミラ！　早く行きなさい！」

マロラーヌが命じた。

不死鳥が、そこにいたすべての人の心を刺しつらぬくような悲痛な歌を歌い始めた。すると、神秘的な色の壁に光るアーチがあらわれ、忍び寄ってきた黄昏を背景に光り始めた。

「さあ、あなたたちは門を抜けて！　ドラゴミラを離さないで！　ほかの人たちはドラゴミラたちを守るのよ！」

マロラーヌは力のかぎり叫んだ。

「お母様！　いやよ！　わたしたちといっしょに来て！」

今度はドラゴミラの叫び声がひびいた。

＊＊＊

アバクムとレオミドはドラゴミラを抱きかかえ、光のアーチに向かって走った。ナフタリは三人を追い越して飛んでいき、アーチに届くと急に消え、あとに従った仲間の一人は反逆者の攻撃を受けてたおれた。ほかの人たちも光のアーチに達すると消えていった。ドラゴミラを追いかけようとする反逆者の行く手をはばもうとしたヴァルドを〈カメラ目〉がとらえた。ヴァルドは勢いよく飛ぼうとしたとき、とつぜん硬直し、地面に落下した。

少し離れたところでは、マロラーヌがあのオシウスと素手で戦っていた。顔の側面に血が流れているところを見ると、マロラーヌは頭をやられているらしい。とつぜん、彼女は宙に浮き、反逆者（フェロン）の首領オシウスに猛烈（もうれつ）な蹴りを入れ、どさりとその上に落ちた。たがいの攻撃によってふらふらになり、力つきた二人は、ヴァルドの血まみれの体のそばに、ひざまずいて向き合った。二人がおたがいに恐るべき攻撃をしかけたのが、〈カメラ目〉の映像を見ている人には明らかだった。二つのシルエットがたおれ、草むらのなかに消えた。

「お母様ーっ！」ドラゴミラが叫んだ。

アーチはもうすぐだ。

「さあ、つかまって！」レオミドが叫んだ。


ドラゴミラの記憶（きおく）を映す壁は、恐ろしく長いすべり台を降りるかのように猛（もう）スピードでくるくるまわる黒い渦（うず）のようなものを映し出していた。長い降下が終わると、ドラゴミラの視線は揺れながら、荒涼（こうりょう）とした不毛な風景を見せていた。レオミドの歯がガチガチ鳴っているので、非常に寒いところにちがいない。

「ここはどこなの？」

恐怖（きょうふ）におののくドラゴミラの声がひびいた。

「小さなグラシューズ様、わたしにわかっていることは、ここが、〈外界〉だということだけです。どこかはわかりません」

アバクムが答えた。

映像がぼやけた。まるで、ドラゴミラの目にたまった涙でぼやけてしまったかのように。

18 おののき

教室のステンドグラスから差しこむ光が壁に映し出す色とりどりの模様を、オクサはながめていた。昨夜、オクサは、これまでの人生で最も強烈で、想像をはるかに超える時間を過ごした。疲れているにもかかわらず、いまオクサの心はしっかりと目覚め、恍惚感と苦しみとに引き裂かれている。いろんな感情が心のすみずみにまで押し寄せ、いっぱいになってあふれだしそうだ。

この自習時間は本当にありがたい！　地理の教科書に顔を向けてさえいれば、集中力がないと叱られることもなく、空想したり、心を自由に解き放ったりできる。オクサはずっとエデフィアのことを考えていた。強い好奇心がむくむくとわきあがってきた。

オクサは、ギュスには黙っていることができなかった。ものすごく大事な話があると言うと、ギュスはいぶかしそうな、しかし待ちきれないといった視線を投げかけてきた。

昼食後、二人きりになれるチャンスをうかがい、うまく二階の清掃用具室に忍びこんで、その狭い空間にうずくまった。「石像の隠れ家」はすでに占領されていたからだ。

ほうきとモップにはさまれて、オクサは明らかになった新事実を、くわしく、熱に浮かされたように話した。一時間、少しも休むことなく話し続けた。話し終わると、ぐったり疲れたが、秘密を打ち明けたことにほっとして、熱っぽい目でギュスを見つめた。

「すっげえな！　ウソみたいな話じゃないか！」ギュスは甲高い声をあげ、前髪をかきあげながらたずねた。

「どんな気持ち？　どんなふうに感じてる？」

「よくわからない……」オクサは正直に答えた。「あたしの超能力が遺伝だとわかっただけでも、大変なことよ。不思議な気持ちだし、安心もした。でも、なんだか腹も立つ。もし、あたしがあの印をバーバに見せなかったら、だれも、何も教えてくれなかったわけでしょ。一生、何も知らないまま過ごしていたかもしれない」

　オクサは口元をきゅっと引きしめ、続けた。

「わかる？　いままでずうっと秘密にしてたのよ！　もっと早く話してくれてもよかったのに。しかも、ママには何も知らせていない。ひどいでしょ？」

「知ってても、どうにもならなかったかも……」

「そういうことじゃない。信頼の問題よ！　あたしたちがどこから来たか、どうしてこうなのかを知るのって、大切なことじゃない？」

ギュスは、はっとして目を伏せた。自分の身にも当てはまることがあったからだ。

オクサは自分の無神経さに気づき、くちびるを噛んだ。ギュスが養子であることを、あからさまに思い出させてしまった……。


「ごめん、ギュス。そういう意味じゃなかったの。あたしって、どうしようもないね」

「いいよ。心配しなくても」ギュスはきっぱりと言った。「結局、おまえもぼくと同じように何も知らなかったんだもんな。その気持ちはわかるよ。両親がぼくの出生の秘密を話してくれたとき、ぼくは七歳だったけど、うれしかった反面、やっぱり腹が立った。ぼくは長い間、父親にも母親にも似ていないと思ってた。周りもずけずけとそう言ったしね……。その理由がやっとわかったから、うれしかったんだ。肩の荷が降りたような気がしたよ。自分が両親とちがうということは謎でも何でもなくなったし、自分に誇りが持てるような気もした。いまでも、他人には話しづらいけどね……。うまくいかないことがあると、そのことを考えるんだ」

「腹が立ったのはどうして?」

「すごく時間をむだにしたような気がしたからさ。本当のことを知って、よくわかって、すごく安心したから、なんでもっと早く話してくれなかったんだろうって、親を恨んだよ。もっと前にこういう気持ちになりたかったって。すごく腹が立って……そのあと何ヵ月か落ちこんだんだ。覚えてるかな、小学二年生のときのこと」

「うん、覚えてる。あのころは、完璧に自分の殻に閉じこもってたよね」

「自分じゃなくて怒りを閉じこめてたんだよ。ぼくはもともと、感情を外に出すタイプじゃないだろ？　でもあのときは、何もかもいやになって、内にこもっちゃって、参りそうだった！　あの日、ベッドに座ってテレビゲームをしてたんだ。あのときのことは一生忘れないだろうな……。パパがやってきてぼくの前に座り、手からゲーム機を取りあげた。そして真正面からぼくの目を見つめ、話し始めた。そのとき、そういうことを知るのに〝いい機会〟っていうのはないんだとわかったよ。五歳でも、十歳でも、十五歳でも、動揺するし、苦しむし、人生が変わる。それが、おまえにも起こったんだ」

オクサは、長い間ギュスを見つめた。ギュスが自分のことをこんなに話すのは、めったにないことだ。ギュス自身、びっくりしているようだ。また前髪をかきあげると、居心地悪そうに、棚の上にあったクリップを曲げ始めた。

「とにかく、おまえの話は、あらゆる想像を超えてるよ。エデフィアがどんなところなのか、実際に見てみたいよ。〈外界〉の古い友だちを忘れずに、おまえが君主――って言っていいかどうかわからないけど――になったときは、ぼくを招待してくれよな」

「ヤァーッ！　恐るべき忍者、グラシューズ・オクサ様って呼んで！」

オクサは、うっぷんを晴らすように叫ぶと、床から一メートルばかり浮き上がり、〈カメラ目〉で見たマロラーヌのように足を横に蹴り上げて、カンフーのポーズをとった。しかし、清掃用具室はそういう運動にはあまり適しておらず、蹴り上げた足の先の洗剤が床に散らばった。

ギュスが吹き出した。

「悪いけど、あまりよく訓練された攻撃ではないですな、オクサ殿。もっと修行しないと」


***

清掃用具室から出ると、運悪く、同じクラスの生徒たちに出くわした。そのなかには、あの恐ろしい「原始人」ことヒルダ・リチャードと、手下のアクセル・ノランもいた。二人は、攻撃をしかける絶好のチャンスだと思ったらしい。

「へぇー、こんなところにいたの、チョーおりこうさんと忠犬くんが。ごみ置き場に二人でこってさ、ロマンチックなデートにはちょっと臭いんじゃない？　アクセル、どう思う？」

「まあな……でも、こいつら二人より臭いってことはないぜ」

アクセルが、にやにやしながら答えた。

オクサは、むらむらと怒りがわいてきて、ヒルダのほうにぐっと体をかたむけた。いまにもなぐりかかりそうになったが、なんとか自制した。

「おい、ハイエナ！」この様子を見ていたメルランが、どなった。「そろそろ字を読めるようになれよな。ドアに書いてあるのが読めないのか？　『清掃用具室』だぜ。『ごみ置き場』じゃないんだ。でも、ごみ箱ならよく知ってるだろう？　おまえの家みたいなもんだからな！」

「ほっといて！　クラスいちばんのふりなんかやめてよ」

「メルランは、ふりなんかしてない。ほんとにそうじゃない」と、オクサ。

「もういいよ、オクサ……」メルランは恥ずかしくなった。

原始人たちは、軽蔑するようにメルランをじろりと見ると、くすくす笑いながら遠ざかっていった。


「サイコー。すぐにみんなに広まるね」

オクサは、こぶしをにぎりしめたままつぶやいた。

「まったく、あの二人ならやりかねないな。全校生徒に何か知らせたいときは、あの二人はたよりになるよ。でも、こんな部屋に入るなんて、きみらもどうかしてるぜ」

「ちょっと話があったの。『石像の隠れ家』はもう取られていたし……」

オクサは言い訳した。

「いい隠れ家はみんな知ってるからな。ところでさ、人の秘密を嗅ぎまわるなんてことしたくないけど……あそこに隠れて話さないといけないほど重要な話って、なんなんだよ?」

あわてたオクサは、ギュスに応援を求めた。しかしギュスは、石畳をひとつひとつ細かく観察するかのように床から目を離そうとしなかった。

「まあね……ちょっと家族のこと、それだけ……」と、オクサがしぶしぶ答えた。

「ずいぶん長い話だったんだね」メルランは食い下がった。

「ちょっと込み入った話だったから……さあ、もう行かなくっちゃ！」

「ロッカーに寄ってから、きみたちに追いつくよ。待ってて！」

そう言ってメルランが早足で行ってしまうと、やっとギュスが顔を上げた。

「ピンチを脱出するのを助けてくれて、ありがと！」

オクサは恨みがましく言った。

「おまえ、うまくやったじゃないか」

ギュスは、ほほえみながら言い返した。

オクサは歯をむきだしてイーッとしてから、笑顔になった。

「とにかく、完璧な反逆者の代表的な例をあの二人に見たね。そう思わない？」

「あのハイエナとハゲワシのこと？」

「そのとおり！　そうだ、こんな本のタイトルはどう？　『ハイエナとハゲワシ――グラシューズ・オクサと勇敢なギュスの英雄的冒険』。悪くないでしょ？」

仲直りをした二人は、ひそひそと続きを話した。高ぶる気持ちを抑えきれないオクサの話しぶりに、ギュスは引きこまれた。

「おい、ぼくはばかじゃないんだぜ。こんなこと、人にしゃべるわけないだろ。気が狂ってると思われて、拘束衣を着せられて病院に入れられちまうよ！」

ギュスがこの秘密を絶対に守ると誓ったので、二人は、これまでになく強い絆で結ばれたような気がした。

午後の授業にオクサとギュスはまったく集中できず、先生の話を半分も聞いていなかった。オクサは気が高ぶって落ち着かず、良心が咎めながらも、教科書で〈磁気術〉の練習をしないではいられなかった。そういうことを、いまはこっそりとやることができる。

「笑わないでよ。ほかの人に気づかれるじゃない」

オクサはギュスに文句を言った。

「なんだよ、よく言うよ！　ぼくのせいで気づかれるって？　まったくずうずうしいよな」

ギュスは、吹き出しそうになるのを必死にこらえながら言い返した。

＊＊＊

自宅の玄関を入るとすぐに、オクサは、何かおかしな雰囲気を感じた。テレビの音に混じって、父パヴェルと祖母ドラゴミラの大きな声が聞こえてきた。オクサはそっとリュックを置いて靴をぬぎ、半開きになっているサロンのガラス戸の前に立った。

「パヴェル！」と、ドラゴミラが大声で呼んだ。「来て！　始まるわよ！」

部屋には、BBCニュースのテーマ音楽がひびきわたっている。

「みなさん、こんばんは」アナウンサーの声だ。「今夜のトップニュースです。アメリカの有名なジャーナリスト、ピーター・カーター氏の遺体が今朝、ロンドンのホテルで発見されました。ロンドン警視庁によると、被害者は、肺が完全に溶けたために死亡したとのこと。謎めいた事件です。ごくわずかな量ですが、不審な物質が発見されました。現段階ではこの物質が何であるか判明していませんが、現在進められているさらなる分析によって明らかになると思われます。

……続いて、政治です。現在わが国を訪問中のポーランド首相は……」

テレビの音が消え、急にしんとなった。オクサはどきどきした。めいっぱい息をひそめようとして、苦しくなった。

ドラゴミラが話し始めたので、やっとふつうに息ができるようになった。

「なんてこと！　ピーター・カーターが殺された！　ロンドンで！　そんなばかな……」

喉を締めつけられたような声だ。

「どういうことなんだろう？」

パヴェルの声が続く。

「まったくわからないわ。ねえ、パヴェル、わたしたちの仲間の一人かもしれないわね」

「何が言いたいんです？」

パヴェルは冷たくたずねた。

「おまえは認めたくないだろうけれど、カーターがどんな死に方をしたか、聞いたでしょう？」

「〈肺溶解弾〉を受けたんだ」

パヴェルの声はしずんでいる。

「つまり、わたしたちの仲間の仕業だってことよ！」

「わかってますよ、お母さん。死んだのは気の毒だけど、カーターはぼくたちにいろいろ厄介なことをしたし、彼がロンドンにいたってことは、ここでもそれを続けようとしてたってことでしょう。こんなことを言うのはひどいけど、この事件を起こした犯人は、われわれから大きな危険を取り除いてくれたんです」

その口調には、どこかあきらめの響(ひび)きが感じられた。

オクサは恐怖(きょうふ)で固まった。自分の身内が殺人を犯した……でも、どうして？

冷や汗(あせ)でびっしょりになったオクサは壁にもたれかかった。とつぜん、祖母の〈カメラ目(フェロン)〉が映したある場面を思い出した。グラシューズ・マロラーヌが発射した物質が反逆者の肺を溶かした光景だ。ピーター・カーターもまったく同じようにして殺された！　これは悪夢だ。目が覚めるはずだ。目を覚まさなければ……。

しかし、オクサはちゃんと目覚めており、いましがた聞いたことにおののきながら、サロンの前の廊下(ろうか)で石のように身動きできないでいた。壁に体を押しつけたまま、オクサは少しずつ前進し、階段までたどりついた。それから、物音を立てないように階段を上がり、自分の部屋に入ってベッドに身を投げ出した。

頭が燃えるように熱い。祖母は「わたしたちの仲間の仕業だってことよ」と言った。

どうしてバーバの仲間があのジャーナリストを殺したんだろう？

19

揺(ゆ)れるポロック家

その週は奇妙(きみょう)な感じで過ぎていった。信じられないことだが、みんな、ふだんどおりに暮らしていた。自分の一族が未知の国から来たことを知り、しかも、そのうちの一人が残虐(ざんぎゃく)な犯罪者かもしれないと知って、オクサは激しい衝撃(しょうげき)を受けた。それなのに、まるでなにもなかったかのように時間が過ぎていった。

オクサは、完全に放っておかれていると感じていた。父親は、もうすぐ開店するレストランの工事しか頭にないらしい。いろいろと心配事をかかえているが、それはいつものことだ。母親は夫にぴったり寄り添(そ)って、ストレス解消役を我慢(がまん)づよく務(つと)めている。二人ともほとんどの時間をレストランで過ごし、パリにいたときとはちがって、交代でオクサの世話をすることさえなかった。ここ数日間でオクサが両親を見たのは、せいぜい二時間あまりだ。オクサは、心に毒が広がっていくような苦々しさを感じていた。

＊＊＊

金曜日の夜、オクサは祖母に会いに三階に上がったが、だれもいないようだった。親代わりのアバクムのところに何日か滞在すると聞いていたが、二日前には帰ってきているのをオクサは知っていた。それで、よけいにいらいらした。

バーバまであたしのことを無視しようとするなら、もうおしまいだ！

土曜日の夜、オクサは、ドラゴミラの部屋のドアに耳をくっつけてみた。すると、フォルダンゴがハミングしているのが聞こえたので、思い切ってドアをノックした。

「おや、グラシューズ様の孫娘様。訪問は不意ですが、あなた様を見ることの喜びは、わたくしの確信です」

「フォルダンゴや、だれなの？　オクサなら、部屋に入れてやってちょうだい」

それはドラゴミラの声だったが、弱々しく、しわがれていた。フォルダンゴは、きちんとオクサにおじぎをし、わきに寄った。

ドラゴミラは、スコットランド風の分厚い掛け布団にくるまり、ソファに横になっていた。顔の青白さとは対照的な派手な色の枕に、頭をのせている。三つ編みにした長い髪はだらしなく床に落ち、目は半ば閉じられていた。

「お入り、わたしの愛しい子」

オクサは祖母のところに走り寄り、やわらかく抱きしめた。二人は久しぶりに会ったことを喜び合い、しばらくそのままでいた。

「バーバ、元気じゃなさそう。病気なの？」

ドラゴミラは、このうえなく優しいまなざしでオクサを見つめた。

「そうよ、病気なの。でも、たいしたことはないから、心配しないで。ただ、休養が必要なの」

ドラゴミラは、そう言うとすぐに目を閉じ、頭を少し横に向けた。

この様子は、あのジャーナリストの死と関係があるにちがいないと、オクサは確信した。自責の念？　後悔（こうかい）のための胸の痛み？　この優しい祖母が犯罪に関係するなんて、考えられない。でも、この風変わりな元ハーブ薬剤師（やくざいし）が実は滅（ほろ）びた帝国（ていこく）の君主だったと、いったいだれが想像できただろう？　とすれば、酸を使った殺人狂（きょう）だったとしても不思議じゃない。殺人狂のほうがまだ信じやすいかもしれない……。

はっきり言えるのは、この事件について、祖母がだれよりも前から何かを知っていたということだけだ。「わたしたちの仲間の仕業だっていうことよ！」と、祖母は言った。それなら、だれだろう？　パパ？　アバクム？　レオミド？　……考えられない。しかし、この一週間というもの、オクサの生活は考えられないことだらけだった。


「オクサ、わたしは休養しなければいけないの」

ドラゴミラは、疲（つか）れきった声で繰（く）り返した。

部屋を出る前に、オクサはこうたずねないではいられなかった。

「どうしたの、バーバ？　お願いだから言って！」

ドラゴミラは一瞬（いっしゅん）、ためらった。顔をそらせ、しわがれた声でこう言った。

「あの思い出は、わたしのような年寄りにはつらいことなのよ。あの様子を見たり、母の言葉を聞いたりするのは、胸が張り裂(さ)けそうにつらいの。おまえがああいうことすべてを受け継(つ)いだという現実、それを受け入れるのには、時間がかかるでしょう。何日かしたら、何もかもうまくいくわ。わたしもしゃんとするわ。心配しないで」

「バーバ、ひとつだけ教えてもらえる？」

ドラゴミラはうなずいた。

「これからどうなるの？　つまり、あたしにあの印ができたことで……」

「わたしの愛しい子(ドウシュカ)、それは今度話しましょうね」

「本当にそうしてくれるといいけど……。おじさんたちに、ちょっとあいさつだけしてもいい？ここにいるんでしょ？」

オクサは、もう少し事情を知りたいという望みをあきらめきれずに、ねばった。

「ああ、まだいるよ。こんにちは、オクサ」

ふり返ると、部屋の奥(おく)にある大きなコントラバスケースのそばに、二人がいた。

「招待してもらえるんなら、おまえの家族といっしょに夕食をごちそうになるよ。でも、おばあちゃんは休ませてあげないとね」

レオミドが、オクサの頬(ほお)にキスして言った。

オクサはしぶしぶ立ち上がり、祖母にキスをして部屋を出た。ところが、階段のとちゅうで思い直し、駆(か)け上がった。ドアをノックすると、レオミドが開けた。

「おじさんたちに教えてほしいことがあったの。月曜日から何も話せなかったじゃない！」

オクサは怒ったように言った。

「あとでな、オクサ。あとで」

レオミドは、うつろな目をしていた。


しかたなくオクサは自分の部屋にもどったが、気持ちはいらいらしていた。

「すごーく重大なことをいっぱい言っといて、あたしが何か質問しようとすると、だれも相手にしてくれない。知りたいことがたくさんあるのに……。なによ、鼻先でぴしゃりとドアを閉めて知らん顔するなんて！　もう、たくさん！」

オクサは、床にころがっていたリュックを蹴りつけながら、ぶつくさ言った。

後ろにだれかいるような気がしてふり向くと、父親がドアの枠にもたれていた。オクサをじっと見つめている。

「パパ？」

パヴェルは絶望したように手で顔をなで、くるりと向きを変えた。

「パパ！」

オクサはあとを追った。しかし、サロンのソファに頭をかかえて縮こまっている父親の姿を目にすると、回れ右をして部屋にもどった。

オクサの神経は完全に参っていた。ベッドに寝ころんだまま、怒りに燃える目を向けて、その力で机の上にあるものを全部はらい落とし、壁に貼ってあるポスターを全部びりびりに引き裂いた。こわし、ずたずたにし、細かく切りきざむと、今度はその残骸を全部、意思の力で宙に浮かせた。悲しさと苦い思いに打ちのめされ、オクサは顔をおおった。

目をあけると、パヴェルがすぐそばの床に座りこんで、壁にもたれかかっていた。

「斬新なインテリアだね？」

宙にふわふわ浮かんでいる破壊の残骸をながめながら、パヴェルは力なくほほえんだ。

「ああ、パパ！」

オクサは起き上がってパヴェルの腕の中に跳びこみ、顔を肩にもたせかけた。

「パパ……どうしたらいいのかわからない……わけがわからないの」

「あまりにも急だったよな。おまえが、心の準備をする間もなく、あんなふうにいきなり知ることになってしまうなんて……残念だ。ぼく自身は、もっとあとになってからのほうがいいと思っていた。でも、もう起きてしまったことはしかたがない」

「パパ、それだけじゃない」

オクサは、熱っぽい視線を向けた。しかしパヴェルは、その言葉を無視し、自分の言いたいことを続けた。

「少し待つんだ。我慢してくれ。ぼくたちだって途方に暮れている。どうしたらいいかよくわからないんだ。みんなが同じ意見でもないんだ。まちがったことをしないように、ぼくたちはじっくり考えないといけないんだよ」

「さっぱりわからない。何について同じ意見じゃないの？」

「ぼくたち自身がはっきりした考えを持つまでは、それ以上のことは言えないんだ」

「あっ、そう！　パパたちのせいでトラウマになっても、文句は言わないでよ！　言っとくけど、あとで、あたしが完全なノイローゼになったとき、これは思春期に起きた出来事のせいだって精神科の先生に言っちゃうから。ものすごい精神的なショックを受けたのに、家族はあたしのことを完全に放っておいた、って言うからねっ！」

オクサは急に元気を取りもどすと、そうまくしたてた。


パヴェルは一瞬とまどってから、大声で笑いだし、それがオクサにも伝染した。自分の髪が父親にくしゃくしゃにされるのを目の端で見ながら、オクサも大笑いした。

「じゃあ、こういうこと？　パパたちがありがたいアドバイスをくださるまでは、あたしの疑問はどこかにしまっておく。だって、あたしは、賢くて分別ある大人に服従するただの子どもだもんね」

オクサの挑発するような調子に、パヴェルはとまどった顔をした。自分の無力さを隠そうともしない。オクサは急に父親がかわいそうになり、とりあえずは妥協することにした。

「約束はできないけど……努力してみる」Tシャツの裾を指にくるくる巻きつけながら言った。

「あっ、忘れるとこだった！　レオミドおじさんとアバクムおじさんが、あたしたちといっしょに晩ご飯を食べるって！」

「そりゃあいい！」娘との休戦に気をよくして、パヴェルがうれしそうに言った。「おいで、ディナーの名にふさわしい料理をいっしょにつくろう。待てよ……ママに知られないうちに、この部屋を少し片づけておいたほうがよくないかい？」

二人は四つんばいになって、オクサが怒りの〈磁気術〉を使って放り投げたり、こわしたりしたものを集め始めた。パヴェルは壁に大きな焼け跡があるのに気づいたが、それはあえて口にせず、どうにかこうにか貼り合わせたポスターを、壁に留めるだけにしておいた。火に油を注ぐことはない……まさにそのとおりなのだ。

20　オクサの暴走

マリー・ポロックは、何かが起きたことに気づいていた。ほかの人たちとちがうのは、それが何かを知らなかっただけだ。

ドラゴミラの友人たちがやってきた週の初めに、すべては始まった。月曜日の夜、パヴェルとオクサが三階から降りてきたのが、夜中の十二時を過ぎていたことに気づいた。翌朝、娘を平日に夜ふかしさせたことで夫に文句を言いかけた。しかし、夫の顔を見ると、その勇気は消えうせた。ひどく悩んでいるように見えたからだ。マリーはさりげなく聞き出そうとしたが、こうと決めたら断固として沈黙を守る夫の口からは、何も引き出せなかった。


その夜の夕食の席は、陰気で奇妙な、ぴりぴりした雰囲気に包まれていた。

レオミドとアバクムが食事に加わった。二人はふだんなら陽気に食事をするのだが、その日はどこか心配げな様子だった。ドラゴミラが急に寝こんだことで、思っている以上に二人は心を痛めているのだろうか。だいたい、レオミドがここにいることからしてふつうではない。いままで二日以上はこの家にいたことがないのに、今回はもう一週間近くいる……。

「お義母様は降りてこないのかしら？」

マリーがついに沈黙を破った。

「まだ元気が出ないようだよ、マリー」

レオミドが優しく見つめながら答えた。

「重大なことを隠していらっしゃるんじゃないでしょうね？」

マリーは軽くほほえみながら、さらにたずねた。

「心配しなくていいんだよ。だいじょうぶ。ちょっと体が弱ってるだけだから」

今度はパヴェルが答えた。

パパたちったら、よく言うよ！

オクサは不満だった。父親に怒りのまなざしを向けながら、椅子の上でごそごそ動いた。アバクムとパヴェルは眉をひそめ、椅子の上で固くなっていた。

「今夜は、みんなどうしちゃったの?」

マリーはいぶかしそうだ。

「疲れだよ、マリー、疲れてるんだよ……」

レオミドは、なだめるように言った。


オクサはというと、まったく疲れていなかった。怒りと不満といらだちがごたまぜになって煮えくり返り、神経がぴりぴりしていた。さっきの父親との話し合いで少しは気が静まったものの、満足するにはほど遠かった。答えてもらえないたくさんの疑問に、オクサは欲求不満を感じ、それを隠すのに苦労した。マロラーヌはどうなったのか? どうしてほかの人たちといっしょに門を通らなかったのか? 不死鳥の話は何だったのか? エデフィアに帰ろうとした人はいるのか? どこにあるかわかっているのか? 〈逃げおおせた人〉は何人いたのか? だれがジャーナリストを殺したのか? どうしてだれもこうした疑問に答えてくれないのだろう? なぜママに嘘をつかなきゃいけないのか? どうして?

そう、「どうして」という疑問しかない。「なぜなら」という答えはない。

パヴェルが目の端でオクサを観察していた。反抗心がむらむらとわいてきた。

オクサは、母親がグリーンサラダを用意しているのを見ていた。背中を向け、調理台に少しかがみこみ、ドレッシングを混ぜる腕の動きに合わせて、肩が激しく揺れている。いくらなんでもママには言うべきよ。ママに知らせないなんて、ひどい……。

とつぜん、抑えていた欲求不満がはじけた。行動に移さなければ！　認めたくはなかったが、オクサは心の底では、この奇妙な一週間、自分によそよそしかった父親に仕返しをしたくてたまらなかったのだ。

目の前のテーブルをじっと見つめた。すると、真ん中に置いてあるナイフやフォークが、すべて円をえがいてまわりだした。もちろん、オクサは手を触れていない。指が、その奇妙なダンスのリズムをとるようにテーブルをトントンたたいているだけだ。男三人は、あわててナイフとフォークをつかみ、マリーがもどってくる前に皿の横にきちんと置いた。

しかしオクサは、これでやめるつもりはなかった。別なことをしようと決めた。もう少し派手なことを。

ヒントをくれたのは、母親だった。彼女は、キッチンの入り口の小さな円テーブルに置いてあるアロマキャンドルに火をつけようと、立ち上がった。それから、ライターで最初のキャンドルに火をつけた。二本目はオクサがやった……ごく自然に。椅子に座ったまま、手を開き、キャンドルの芯めがけて小さな火の玉を投げたのだ。

マリーはライターを持ったまま、眉をひそめてぼうぜんとしていた。

「レオミド、わたしにも疲れが伝染したようだわ」

反対に、オクサにはますますエネルギーがみなぎってきた。三本目のキャンドルにも火がついた。さらに、十くらいの炎が気の狂ったホタルのように、頭上をむちゃくちゃに飛びまわり始めた。だが、そういう無秩序はオクサの趣味に合わないので、少し手を加えることにした。炎はいったん天井すれすれの高さに集まり、次いで、両親の頭をめがけて一直線におそいかかり、あと数ミリで髪の毛に触れるというところで急ブレーキをかけた。

レオミドとアバクムは、平静を保とうとしたが、うろたえた視線を交わさずにはいられなかった。レオミドはオクサの向うずねを足で蹴り、アバクムはたしなめようとオクサの片手を取った。しかし、むだだった。オクサは、「あたしはまだ子どもなんだから、いつだって、何だって好きなことをするのよ」とでも言いたげに、半ば満足した、半ばせせら笑うようなほほえみを二人に投げかけ、宙に浮く炎のダンスを指先で指揮し続けていた。

マリーは、レオミドとアバクムが自分の頭上を見つめているのに気づき、顔を上げた。男たちは息を止め、最悪の事態に備えた。

彼女は顔を伏せ、自分の皿をじっと見つめた。それから、いま見たものを頭から追いはらおうとして目をぱちくりさせ、目をこすってから食事を始めた。このすきに注意をそらそうと、アバクムが最近のニュースのことを話しだした。

オクサはそんな話にはまったく興味を示さず、ひたすら次は何をしようかと考えていた。何でもやりかねないほど異常に興奮していた。

あたりを見まわし、いい標的を見つけた。水道の蛇口だ。趣向を変えるのだ。火の次は水だ。

二つとも四大元素に入る。すばらしい！

人差し指でこっそりと丸をつくりながら、流しの蛇口をじっと見つめた。しばらくすると、ちろちろと水がもれ始め、やがてもっと見ごたえのある水量になった。流しの近くにいたレオミドとパヴェルにざぶりと水がかかったので、マリーは叫び声をあげた。パヴェルはさっと立っていって蛇口を閉めようとしたが、水が勢いよくほとばしり出るのでなかなかうまくいかない。頭からつま先までびしょぬれになった。

髪とシャツから水をしたたらせながら、パヴェルは怒りにまかせてどなった。

「オクサ、もうやめろ！　たくさんだ！」

マリーは驚いて夫を見た。

「まあ、パヴェル、オクサは何もしていないじゃないの。水もれでしょ」

オクサはここぞとばかりに、にっこりとほほえんだ。

みんなはパニック状態だ。とくに父親は……撃沈！

もっと前に言っておけばよかったのよ……と、オクサはむかむかしながら思った。父の警告をものともせずに、オクサは華々しく幕を閉じることにした。フィナーレはパンの入ったかごだ。テーブルの真ん中に置かれているかごは五十センチほどの高さに浮き上がり、中身をすべてパヴェルの皿に落とした。みんな、あぜんとした。

「いったい、どうなってるの？」

21　はらうべき代償(だいしょう)

マリーが乱暴に立ち上がったので、椅子(いす)が後ろにたおれた。

「いったいどういうことなのか説明してもらえるかしら？　この騒(さわ)ぎは何なの？　笑いごとじゃないわよ。おもしろくも何ともないわ」

レオミドは困ったことになったと思いながら、あいまいな笑みを返した。

「マリー、ちょっとこっちに来てくれるかい？」

打ちひしがれたようにパヴェルが言った。死人のように青白くなって妻の腕(うで)をつかみ、サロンに連れていった。レオミドとアバクムは、じろりとオクサを見た。二人の沈黙(ちんもく)は、どんな咎(とが)め立ての言葉よりも厳しい。

「ごめん……なさい……」

オクサはうつむいた。

「まったくだよ、オクサ」

アバクムは、のろのろと椅子から立ち上がり、レオミドとともにキッチンを出ていった。まるでオクサ一人を残して、自分がしたことの責任に向き合わせるかのように。

オクサが自分の部屋に引きあげたとき、両親はまだサロンで話をしていた。とぎれとぎれに聞こえる会話は、オクサを安心させるにはほど遠い。話し合いは、しだいに激しい口論に変わっていった。

オクサはパソコンの前に座り、電子メールを開いた。

ギュス、ひどいドジしちゃった。
ママにもバレちゃって、いま、パパがママと話してるんだけど、
全然うまくいってないみたい。けんかしてる。
ママの前であれをやっちゃったの。あたしって、ばか。
どうなってるか見てくる。あとで報告するね。
じゃあ、明日。

最大級のばか、オクサより

祖母の部屋の前で盗み聞きしてひどい目にあった傷がいえないうちに、オクサは今度はサロンのドアの前に座りこんでいた。ドアは閉まっていたが、声が大きいので、両親のやりとりはすっかり聞こえた。

「オクサはエデフィアの君主の継承者なんだ。あの子には印がある……」

「なるほどね。それなら、わたしはティンカーベル（「ピーターパン」に登場する妖精）よ！」

マリーは、けたたましく笑った。

「マリー、じょうだんじゃないんだ。嘘なんかつけないよ。オクサには超能力がある。自分でもいくつか使い方を知っているんだが……すごい可能性があるんだよ。だれよりも偉大な、驚くべき力を持っているんだ」

「やめてよ！　あなたのばかばかしい話を聞いてると、わたしまで変になるわ！　エディフィアも何もかも！」

「エデフィアだよ……」

「仮にいつかその話を信じるとしても、なぜ、いまごろになって言い出すの？　結婚して何年たつと思ってるの？　覚えていないいんなら教えてあげるわよ。十八年よ！」

パヴェルは深いため息をついた。

「おいで。見せたいものがあるんだ。お母さんのところへ行ったら、少しはわかるよ」


ドアが開いた。しかし、熱くなっている二人は、みじめに廊下で縮こまっている娘に気づかずに前を通り過ぎた。オクサは、無視されたことでいっそう悲しくなった。

三階の廊下で待っていたドラゴミラは、二人を招き入れた。オクサはあとを追って三階に上がり、階段の最後の段に座りこんだ。しばらくして、髪の毛が逆立つような悲鳴が聞こえてきた。

「あっ、ママ、フォルダンゴを見たんだ」と、オクサはひとり言を言った。部屋からは、さっきのサロンと同じくらい激しい声が聞こえてきた。

「あなたたちはみんな、映画の見すぎなのよ！　もうこんなことはやめて、現実にもどってください！」

オクサは悲しげにつぶやいた。

「ママ、これが現実なの……」

＊＊＊

目を覚ますと、オクサは自分のベッドにいた。頭が少ししっかりしてくると、疑問が押し寄せてきた。バーバの部屋の前で寝てしまったんだろうか？　だれがあたしをここに運んだんだろう？　パパとママの話し合いは？　パパはうまく説明できたんだろうか？

キッチンに朝ごはんを食べに行くと、もっと大事な疑問がわいてきた。

「ママはどこ？」

オクサは自信のない声でたずねた。

みんなキッチンにいた。パヴェル、やっと部屋から出てきたドラゴミラ、レオミドにアバクム……全員そろっているので、よけいに母親の不在が目立った。

「ママはおばさんのところへ行ったよ」

疲労と心労でげっそりしたパヴェルが答えた。四人とも、オクサを同情と非難の混ざった目つきで見ている。

「ママはあたしのこと、怒ってるの？　そうでしょ？」

オクサがつっけんどんに言うと、パヴェルは目をそむけながら、折りたたんだ紙をわたした。

「ちがうよ。ママが怒ってるのは、おまえのことじゃないよ」

オクサは紙を広げて読んだ。


かわいい娘、オクサへ。ジュヌヴィエーヴおばさんのところへ、何日か行ってきます。もろもろのことを、冷静に考えなければいけないと思っています。すぐに帰ります。ママがあなたを愛していることを、決して忘れないでね。

ママより

「オクサ、おまえがしたことは重大なことよ。おまえのママに対しても、わたしたちみんなに対してもね」

ドラゴミラが、追い討(う)ちをかけるように言った。

「わかってる、バーバ。ごめんなさい。あたしがばかだったの、ごめんなさい！」

オクサの目に涙(なみだ)がにじんだ。

「おまえが悪かったと思っているのは、わかってるよ。やってしまったことはしかたがない。でも、おまえのママはひどいショックを受けた。ママには、あまりにもとつぜんだったんだよ」

レオミドが、いらいらした調子で言った。

「あたしにとっても、とつぜんだった。もし、もっと早くあたしとママに言ってくれてたら、少しはましだったかも」

　オクサのこの手厳しい指摘に、四人は押し黙った。オクサの言うことにも一理ある。

「どういうつもりだったんだい？　どうしてあんなことをしたんだい？」

　アバクムは、ほかの三人とはちがって、優しくオクサを見つめていた。

　オクサはすぐには答えなかった。音を立てて爪を噛み、首をかしげ、それから堰を切ったように話し始めた。

「信じられないようなことを知らされたと思ったら、そのあとはみんなどこかに行っちゃって、だれもあたしの疑問に答えてくれない。家にはだれもいないし、たまにいるときだって、だれも話しかけてくれない。まるで、あの夜に聞いたことを一人で何とかしなさいって言われてるみたいだった！　それに……いろんなことができるのをみんなに見せたいのに……みんな完全に無視してたでしょ。見せてくれとも言わなかったじゃない？　ああいうことがあたしの人生を変えようとしていることすら、わかっていない！　大人だけでひそひそ話ばっかりして、ママのこともあたしのことも、心配なんかしてないのよ！　パパたちが想像できないくらい怒りがわきあがってきて……ふくらんで、窒息しそうだった。椅子に座ったまま、周りを見まわすだけで、ものを全部こわすことだってできたのよ。何か隠していることがあるのかってママがたずねて、みんなが嘘をついたとき、もう抑えきれなかった。ひとりでにそうなってしまって、もう止めることができなかった」

「いまはどういう気持ちなんだい？」アバクムが優しくうながした。

「いま？　あたしがどういう気持ちか、本当に知りたいの？」

「うん」

「じゃあ、雨が降ってるのが見える？」

みんなは窓のほうを向いた。広場に雨が激しくたたきつけていた。雷が窓を震わせている。

「今日の天気のような気持ち。涙があふれておぼれそう。悲しい。悲しくて……腹が立ってる。怒りが爆発しそう……」

オクサは震える声で言った。


四人は、気まずそうに顔を見合わせた。オクサを遠ざけ、気づかってやらなかったことで、不安に陥れてしまったのだ。いまは、そのことを後悔していた。だれも苦しみを和らげてやれないまま、抑えきれずに感情が高まってあふれてしまったことは、オクサを見さえすればわかった。レオミドが言ったように、やってしまったことはしかたがない。

オクサのひきつって青ざめた顔は、見ていて恐ろしいくらいだった。目に涙がたまり、こぼれそうになっていた。爪には全部、痛々しいほどの噛み跡があった。笑っていたかと思うと急に泣き出したり、ひどく興奮していたかと思うと急に黙りこんだりと、ここ数日の間オクサが送り続けていた苦しみのサインは、いまならパヴェルたち四人には痛いほどわかる。しかし、彼らを最も驚かせたのはオクサの怒りだ。いままで目にしたことがないほど強烈で燃えるような怒りだった。

パヴェルはオクサに近づき、かがんで肩に手をかけた。

「これまでのことは、ぼくたちも悪かった。お願いだから、怒らないでくれ。おまえの言うとおり、ぼくたちはおまえの疑問を無視した。でも、おまえが知らなければいけないことは、だんだんに説明するよ。まだ早すぎるんだ」

パヴェルは、できるかぎり優しく言った。

「早すぎる⁉　パパたちは、言わなくてもいいことまで、もう言っちゃったのよ。どうせあたしにはわからないだろうって、ほったらかしにする権利なんかないよ！」

オクサはまた逆上して叫んで、荒々しく立ち上がると、テーブルをこぶしでドンとたたき、怒りに燃える目を一人一人に向けた。

四人が沈黙したまま反応しないのを見ると、怒りの奔流が傷ついた心から体じゅうに流れ、あふれるような気がした。男子トイレで野蛮人に対して感じた、そしてそのあとの激しい雷雨のときに感じたあの感覚と同じだ。気を静めようと目を伏せたが、むだだった。オクサはぼうぜんとして、目の前のココアの入ったカップがテーブルから浮き、ドラゴミラに中身をひっかけたあと、壁にたたきつけられるのを見た。衝撃でカップは割れ、ココアの茶色の筋がくっきりと壁についた。

「パパたちが、あたしにさせていることをよく見て！」

オクサはくるりと向きを変えると、キッチンから出ていった。

パヴェルが急いであとを追い、玄関ホールでオクサを捕まえた。大きな姿見がいまにもカップと同じ運命をたどりそうだった。

「この家のものを全部こわそうっていうのか？」

「ほっといてよ、パパ。みんな、ほっといて！」

オクサは、腕を締めつける父親の手から逃れようと、むちゃくちゃにもがいた。乱暴にふりはらった拍子にバランスを失って床にたおれると、怒りが十倍になった。

「おとなしくして、よく聞くんだ！　いま、ぼくたちはみんなつらい。どうしたらいいか全然わからない。ぼくたち全員にとってすごく難しい問題なんだよ。お願いだから、これ以上ことを厄介にしないでくれ！」

パヴェルのどなり声がとどろいた。

「子どもに話すには難しすぎるってこと？　それなら、あんなこと、あたしに言わなきゃよかったのに！　ママのことは、パパたちのせいよ！　みんな大嫌い！」

オクサは、喉が切れそうになるほど声を張りあげた。息がつまり、全身が震えだした。レオミドとアバクムはどうしていいかわからず、つらそうにオクサを見ていた。ドラゴミラはというと、目を閉じ、青白い顔をしたままじっとしている。

パヴェルは、娘が起き上がるのを助けようと手を差し出した。オクサは、それを無視して自分で起き上がり、二階に駆け上がった。自分の部屋に跳びこむと、こらえていた嗚咽が堰を切ってあふれだした。入室禁止の表示板をドアにかけ、オクサはベッドにどさりとたおれこんだ。心はずたずただった。

＊＊＊

フォルダンゴが目の前にいるのに気づいて、オクサは、はっとした。フォルダンゴは、でっぷりした体のわきに腕をだらりと下げ、ベッドのそばでじっと待っていた。

「グラシューズ様の孫娘様、恐怖はあなたの精神から除外されるべきです。グラシューズ様の召使いは、恐れをひきおこす計画をしておりません」と、やや甲高い声で言った。

オクサは、フォルダンゴを見つめたまま起き上がった。

「怖くなんかない！　ちょっとびっくりしただけ。何か用事なの？」

フォルダンゴが激しく首をふったので、オクサはぎょっとした。

「グラシューズ様のフォルダンゴは、この家の方たちが交換された言葉を耳に受けました。グラシューズ様の孫娘様は、怒りのつまった心の燃焼に出会われました。そして魔法が洪水となりましたが、その怒りが生んだエネルギーを服従させるための防波堤の組み立てを〈逃げおおせた人〉はだれもできませんでした」

「あたしは大きな過ちを犯したのね？」

「過ちは人間性によってふくらみます。グラシューズ様の孫娘様は、心の中にたくさんの種類の割り当てを隠し持っていることを理解されています。今後は、〈外界〉と〈内界〉の構成を分けて人生の態度を実行されなければなりません。過ちは修復を実行することはできませんが、受け入れを必要としています。グラシューズ様の孫娘様は、もはや乳児の無知は持っていません。思春期の力強い年齢に入門されます。そこでは行為が代償の支払いをともなうのです」

「つまり、責任をとらないといけないということね……」

オクサはつぶやいた。

「グラシューズ様の孫娘様は、フォルダンゴの言葉の明確な受理をなされました」

フォルダンゴはそう言ってうやうやしくおじぎをすると、ドアまであとずさりし、考えこんでいるオクサを残して出ていった。

22 「極秘」あつかい

パヴェル・ポロックは自分自身がひどく動揺していたので、たっぷり一時間もたってから娘をなぐさめに行った。彼はオクサのベッドの端に座り、髪を優しくなでた。

「ごめんなさい、パパ……ごめんなさい」

「いいよ、もう忘れたよ」

「バーバがカップで怪我をしていないといいけど」

「さっき見たときは、顔に陶器の破片がいくつか突きささっていたな。まるでヤマアラシみたいだったよ」

「やめてよ、パパ。おかしくも何ともない」

オクサは笑いをこらえていた。

パヴェルは、娘をからかうことができてほっとしながら、優しさのこもった悲しい目つきでオクサを見つめた。二人はしばらく黙っていたが、オクサが先に口を開いた。

「パパたち、離婚するんでしょう?」

正面の壁をじっと見つめながら、オクサがたずねた。

「離婚だって？　まさか！　そんなことはしないよ。ママのことは心配しなくていいよ。ママはすごいショックを受けたけど、しっかりしてるからだいじょうぶだ。それに、おまえを愛していることはまちがいない。うまくいくよ、見ててごらん」

「そう思う?」

オクサは父親のほうに向き直ってたずねた。

「ああ、そう思うよ！　みんなを代表して、おまえに気を配らなかったことをあやまる。これからは気をつけると誓うよ」

パヴェルは、右手を上げ、宣誓のポーズをしてみせた。

「でも、明日からまた学校だけど、人前ではおまえの能力を使わないと約束してほしい。おまえ自身、想像もつかないほどの力を持っているんだからな。使いたい気持ちはわかるが、そんなことをしたら危険な目にあうだけだ」

「わかった……」と、オクサはつぶやいた。

「ついやってしまったらどういうことになるか、おまえにわかるようにひとつ例をあげよう。ぼくたちと同じように、おまえにも言えることだよ。テュグデュアルを覚えているね？」

「うん。バーバの部屋にいたときほとんどしゃべらなかった、変わった男の子でしょ？」

　オクサは最初の出会いのことを思い出し、くちびるを噛んだ。

「そうそう。あの子は、〈逃げおおせた人〉の仲間で匠人出身の、ナフタリとブルンの孫息子なんだ。小さかったころは、もの静かで無口、恥ずかしがり屋で内向的な男の子だとみんな思っていた。でも、見かけだけで判断するのはよくないよ。なぜかというと、無愛想で無口な外見の下に、テュグデュアルはひどい苦悩をかかえているんだ。その理由を説明しよう……。ナフタリとブルンはね、自分たちの出自を黙っていることにした。彼らの子どもたちは長い間エデフィアのことを知らなかったから、孫たちももちろん知らなかった。ところが、匠人の新陳代謝には思春期の男の子の脱皮があるんだ。あるとき、体じゅうにかさぶたができて、それが落ちると新しい皮膚が形成されるんだよ」

「ヘビみたい！」

　オクサはびっくりして声をあげた。

「うん。象徴的な意味があるのかな……ともかく、驚きだよ。ナフタリとブルンは、息子たちのときは、匠人には避けられないこの経験を、異国の食べ物を食べて病気になったということにしてうまく乗り切った。でもテュグデュアルのときは、そううまくはいかなかった。というのは、彼は十三歳のときから、ティーンエージャーにありがちなことだが、魔法や黒魔術を信じるグループに入っていたからなんだ。仲間といっしょにオカルトっぽい儀式をしたり、不思議な力を得られるというおかしな飲み物をつくったりしていた。ちょうどそのころ、テュグデュアルは自分に空中浮遊、念力、千里眼といった超能力があることに気づき始めたが、もしそれと時期が重なっていなかったら、たいした害はなかったはずなんだ」

「そういう超能力があることを自分一人で発見したの？　あたしみたいに？」

オクサがたずねた。

「そうだ。それから二年間、テュグデュアルはこのことを家族のだれにも話さなかった。ところが彼は、それを仲間といっしょにつくった秘薬のせいだと思いこんだ。秘薬とは何の関係もないということを知らなかった」

「わかってきた。その中にはものすごく気持ちの悪いものが入っていたんでしょ？」

オクサは口をはさんだ。

「そのとおり。聞いたところによると、テュグデュアルと仲間たち――いや、彼を中心とした教派の信者と言ったほうがいいかな。彼はほかの仲間よりずっと若かったが、超能力があるということで一目おかれ、グループの絶対的なリーダーになっていたからね――が飲んでいたのは、生け贄としてささげた鶏や羊の血で、何リットルも飲んでいたらしい。それに混ぜていたのが、ワラジムシをつぶしたものや、ヒキガエルの心臓、すりつぶしたネズミの肝臓、あやしげな野草とか……」

「やめてよ、パパ、もうたくさん……」

　オクサはさえぎった。

「おまえにもわかるだろうが、その〝魔法の薬〟は、まったく魔法とは関係がない。でもテュグデュアルは、自分がすごい魔術師になりつつあると思っていた。生まれつき備わった超能力のおかげで、彼のことを崇拝する仲間に絶大な権力を持ち、望むものすべてを仲間に要求することができたんだ。埋葬を終えたばかりの墓から土を持ってくるとか、大学の医学部で解剖される死体の髪の毛を取ってくるとか、そういう異常なことをさせることが多かったそうだ。彼自身、怖いものは何もなかった。超能力があるもんだから、あらゆる悪事を働いた。テュグデュアルの脱皮が始まったのは、黒猫を生贄にした夜の集まりの翌日だった。例のおぞましい魔法の薬を黒猫にふりかけると、テュグデュアルはその猫に引っかかれて――まあ、当然なんだけど――腕に深い傷ができた。翌朝目が覚めたら、体じゅうがかさぶたにおおわれて、皮膚がぼろぼろになって落ちてきた。テュグデュアルは猫の引っかき傷が原因だと思った。怖くてしかたなくて、精神錯乱状態になった。たった十五歳だったんだよ」

　オクサはじっと耳をかたむけている。

「両親はあわてふためいて、救急病院に連れていこうとした。幸いにも、行く前にナフタリとブルンに連絡したから、彼らは断固として思いとどまらせたけどね。数時間後、家族全員が自分の出自を知り、何とかしてそのショックに耐えようとした。と同時に、急いでフィンランドからスウェーデンに移住することになった。テュグデュアルはというと、皮膚はすぐに元どおりになったものの、心のほうは、病的なことをしていた間、ずっと自分の正体だと思いこんでいたものにひどく侵されていたわけだ。だから、本当のことがわかったとき、むしろそちらのほうが受け入れやすかったんだ。エデフィアの匠人であるほうが、気味の悪い偽魔術師よりずっといいだろう？　それでも彼は落ちこんでいた。とくに、何の役にも立たない血の入った秘薬を飲みこんだ記憶にね！　そこに、暗黒の世界に引き寄せられるもともとの性質も加わって、テュグデュアルは、自分自身にとっては危険な、周りの人にとってはつかみどころのない存在になった。彼の両親の手には負えなくなった。それで、いまから一ヵ月前に彼はアバクムのところにあずけられたんだ。アバクムは、テュグデュアルのようなケースに対応する能力と手段を持っているからね。テュグデュアルは根っからの悪人じゃない。もしそうなら、アバクムはあずかったりしないさ。ぼくも、みんなと同じように、彼は正しい方向に進んでいると思ってるよ」

オクサはヒューと口笛を吹き、心もとなげにうなずいた。

「ひどい話。でも、それとあたしとどう関係があるの？」

「おまえのような軽率なやつとの関係かい？」パヴェルは、おおげさに不満そうな顔をした。「それは、決して能力を乱用してはいけないということだよ。とくに〝極秘〟あつかいの超能力の場合はね……。テュグデュアルの話から教訓を引き出さないといけないよ。ぼくたちの言うことを信じて、注意をよく聞いてくれるね？」

「わかった……」

オクサは、ぼんやりしながら答えた。


***

ところが、翌朝、ローラーブレードで学校に向かっているときのこと。いろいろなことで頭が爆発しそうになっていたオクサは、何もわからない〈外の人〉に見咎められずに自由に空を飛べたらという空想にとらわれた。すると急に、ローラーブレードの勢いと宙に浮く彼女自身の能力が合わさって、地上から三十センチくらい浮いたのに気づいた。歩道の上をローラーブレードですべりながら、浮いているのだ！

「ウソみたい！　でも、厄介なことにならないうちに地面に降りたほうがいいかも」

オクサは周囲を見わたし、自分を抑えることにした。

でも、残念ながら、その殊勝な考えは長続きしなかった。四年生の野蛮人が、彼と同じくらい〝感じのいい〟取り巻き連中といっしょに校門の前に陣取っていた。

「サイコーの週明け。ママは家出、口げんかに神経発作に、今度は野蛮人……完璧ね」

オクサは、通りの反対側のベンチに腰かけてローラーブレードをぬぎ、精神を集中させた。無事に学校に入るために、大急ぎで対策を考えなければならない。

「おやおや、おれの大好きな能ナシじゃんか！」

校門を入っていく生徒たちにまぎれこもうとしたとき、野蛮人が通せんぼをしながらわざとらしく言った。気づかれないように入ろうとした試みは失敗に終わった。

「おまえのことが気に食わないんだよ。おわかり?」

オクサの顔に熱い息を吹きかけながら、野蛮人が顔をしかめた。

「あたしもそう。あんたのことが気に食わない」

オクサはつぶやきながら、第二の作戦に移った。

オクサが大きなグレーの目で野蛮人をぐっとにらみつけると、彼は思わず身震(みぶる)いした。オクサは心の中でにんまりし、冷たく野蛮人のネクタイを見つめると、ネクタイが少しずつ太い首を絞め始めた。野蛮人はぼうぜんとオクサを見つめ、締(し)めつけるネクタイと首の間に指を入れようとした。首とこめかみの血管が膨張(ぼうちょう)し、呼吸が苦しそうだ。目がうるみ、必死に首のまわりを引っぱった。しかし、オクサの命令にしか応じないネクタイは容赦(ようしゃ)なく締めつけるばかりだった。

やっとオクサは満足し、締めつけを解いた。

「あたしもそう。あんたのことが気に食わない」

真(ま)っ赤(か)になった野蛮人をちらっと見やり、オクサは繰(く)り返した。それから、堂々と中庭に入っていった。

23

危険を冒(おか)さずして得るものなし

ギュスはロッカーに寄りかかり、オクサの知らないきれいな女の子と話している最中だった。話に夢中になっているらしく、となりのロッカーにローラーブレードを入れているオクサに気づかない。少し気を悪くしたオクサは、そのまま教室に行った。

数分遅(おく)れて、ギュスが入ってきた。

「おはよう！　元気？　おまえんちのチャイムを押したら、お父さんが出てきて、もう出たって……。どこにいたのさ？」

「あんたのすぐあとに着いた。でも、お取りこみ中だったみたいだから」

オクサは机から目も上げず、咎(とが)めるような口調で答えた。

「ああ……」ギュスは、いかにも屈託(くったく)なさそうに肩をすくめた。「それで？　親とはどう？」

「たぶん離婚(りこん)になると思う。ママは出ていっちゃったし……」

「なんだって？」

会話はそこでとぎれた。ベント先生が入ってきて、授業が始まったからだ。

オクサは、授業にほとんど集中できなかった。苦悩——自分が原因なのだが——に周りを包囲され、ひとりぼっちだと感じた。こんなに悩んでいるのに、ギュスはオクサの存在に気づかないほど熱心にほかの女の子と話していた。あたしに愛想がつきたのか？　裏切り者！　それに、あのいやなマックグローは言いがかりをつけてくるし……何もかもうまくいかない。

わいわい騒がしい休憩時間には、家族の問題のようなデリケートな話はできない。オクサとギュスは二人きりになろうとしたが、友だちに声をかけられるのでできないでいた。

昼の鐘が鳴ると、二人は大急ぎで食堂に行き、オクサは前日の出来事をおおまかに伝えた。

「自分を恨むわ、ギュス、ほんと。ほかのみんなのことも……とくにパパをね！」

給食の間、ギュスは、オクサの心にあふれる深い悲しみを推し量ろうとした。目に涙をため、打ちひしがれて声をつまらせるこんなオクサは、いままで見たことがなかった。かよわそうに見えた！　くぐもった声で話す悲しみや自己嫌悪の感情が、彼女をおおう固い殻を溶かしたのだろうか？

ギュスは、オクサをなぐさめ、以前のようにはつらつとしたオクサを取りもどすためなら何でもしたいと思った。だが、どうしたらいいかわからない。何年か前にギュスが落ちこんだとき、オクサはどうしたんだっけ？　わかっているのは、自分よりもオクサのほうが友だちをなぐさめるのがうまいということだ。ぼくは役立たずだ。どうしようもない役立たずだ。親友を助けることもできないなんて……と、ギュスは心の中で自分の頬をたたいた。

正面に座ったオクサがミントソースを添えた妙な肉料理を食べるのを、ギュスはじっと見つめていた。そのうち、ふっと二人の視線が交差した。すると、オクサがさっきより元気そうなのがわかった。それでこそ、オクサだ！　行く手に立ちはだかる障害や試練を、より強くなるために利用するのがうまい。

オクサはギュスに、必死で合図を送っていた。だが、ギュスのほうは自己嫌悪にがんじがらめになっていて、何のことかわからないようだ。やっとオクサを見つめて、「なに？」と言うように口を動かした。オクサは、食堂の奥のほうに黙って目を向けた。ギュスはやっと反応し、オクサの言おうとしていることを理解した。ボンタンピ校長とマックグロー先生が同じテーブルについているのだ。

数分後、ギュスとオクサは急いで給食のトレイを片づけ、友だちをまいて外に出た。

「見た？　マックグローが校長先生と食事してたじゃない」

「うん、めずらしいよな。それで、なに考えてんだい？」

「校長室に侵入したらどうかな？　校長先生なら、ほかの先生たちの書類を持ってるはずだから、マックグローのことがわかると思うんだ」

オクサの提案にギュスはぎょっとした。

「ちょっと待てよ……校長室に入って、書類を調べるっていうのか？」

ギュスは、この危険な会話をだれかに聞かれないかと心配になり、周りを見まわした。それから、小さく叫んだ。

「おまえって、怖いものなしだな！」

「ギュス、危険を冒さないと何も得られないじゃない。どこで情報を手に入れるっていうの？　マックグローに直接、教えてもらえって？　『すみません、マックグロー先生。先生がどこから来られたのか、正体は何なのか、諜報機関でまだ働いていらっしゃるのか、教えていただけませんか』って？」オクサは挑発するように言った。「まさかそれはできないでしょ。ギュス、ほかに方法はないんだって。でも、気が進まないんだったら来なくてもいいけど……」

　数秒間、ギュスは無難な選択肢のほうにひかれた。しかし、友情のために理性を失ったギュスは、一生後悔することになるだろうと思いつつ、オクサについていくことにした。

「考えたんだけど、あんたは廊下で見張りをしてて。校長室には、あたしが入る。この時間ならみんな食事中だから、先生も監視員も食堂にいる。人数をかぞえたの。じゃまは入らないはず」

「はずねぇ……」

　たしかにわくわくする冒険ではあるが、危険でもある――ギュスは、自分を呪いつつも、ぶつぶつ言った。

「でも、もしだれか来たら？」

「そしたら、あたしに教えてよ。見張りの役目はそうでしょ？　咳をするとか口笛を吹くとか、何でもいいから」

　オクサはつっけんどんに答えた。

「じゃあ、なんでぼくが、校長室の前の廊下にいるのかって問いつめられたら?」

オクサは、考えこみながら、頭をかいた。それから急に、中庭のすみのほうに行った。バラがたくさん植わっている花壇(かだん)の柵(さく)を迷うことなくまたぐと、うつくしい白バラを一本折り、もどってきてギュスの前にトロフィーのようにふりかざした。

「クレーヴクール先生のロッカーにこのバラを置いておこうと思って、職員室を探していたんですって言えばいいじゃない。大好きな先生だからって」

「なんだって? そんなこと、言えるわけないじゃないか」

ギュスはトマトのように赤くなった。

「もっといいアイデアがある?」オクサはからかうように言った。

「わからないけど、なんか見つけるよ。安心しろよ!」ギュスは言い返した。

「いいわ。とにかくバラは持ってて。役に立つかもよ!」オクサは、にやっと笑った。「さあ、行こう。早くしないと」

二人は三階に向かった。職員室は、校長室のちょうど向かいにあった。ギュスがここにいる口実を見つけるには都合がいい。

「ちぇっ、鍵(かぎ)がかけてある!」オクサは悪態をついた。「何とかして開けないとね……」

「どうやって?」

鍵がかかっていることで侵入作戦が決定的に中止になればいいのに、とギュスは思った。

だが、〇・五秒後にその期待は消えた。

「これよ」

オクサは人差し指を見せて、ギュスの鼻先でいたずらっぽくふった。それからくるりとドアに向き直り、差し錠から数センチ離れたところで、人差し指を時計の針と反対方向にゆっくりとまわした。

錠が動いた。ほんのかすかだが、オクサは確信した。まちがいない。

オクサが取っ手をまわすと……ドアは開いた。歓声をあげるのをこらえ、勝利の印にギュスのほうにこぶしをにぎって見せた。ギュスはかすかにほほえむと、前髪をさっとかきあげた。動揺しているときの仕草だ。オクサは部屋に入り、ドアを閉めた。

「ベント、クレーヴクール、マルティーノ……ああ、あった、マックグロー」

オクサは、ボンタンピ校長のキャビネットの引き出しにかがみこんでいた。こげ茶のファイルを抜き出し、パラパラとめくる。

「しまった。メモするものを何も持ってこなかった」

オクサは部屋の中を見まわした。きれいに整頓された濃い色の木製机の上には、きちんとそろえてある書類、電話、ランプ、パソコン、メモブロックがあったが、鉛筆は一本もない。左の壁ぎわには本がつまった棚、右にはファクシミリとプリンターと……コピー機がある！

「やった、これさえあればだいじょうぶ！」

オクサは低く叫んだ。

スイッチを入れ、マックグローのファイルに入った十枚ほどの紙を、読まずにコピーする。読むのはあとでもできる……。そのコピー機は古い型のものらしく、一枚目のコピーが出てくるときにかなり大きな音を立てた。オクサはうろたえた。それからすぐ、「だいじょうぶよ、オクサ」と、小声で自分を励ました。

オクサは紙をガラスに当て、息を止めてふたを力いっぱい押さえたが、音を抑えることはできなかった。さらにコピーをしようとしたとき、ギュスが激しく咳きこむのが聞こえた。これって合図？　合図だ！

24　マックグロー作戦

オクサが一枚目をコピーし始めたとき、ギュスはいやな予感がした。コピー機の音はオクサにはシューとしか聞こえなかったが、ギュスには、飛行機が離陸するときのエンジン音のように感じられた。廊下は薄暗いので、コピー機から出る青白い光がドアのすきまからもれ、廊下の壁に光の縞を投げかけている。不安になったギュスは歯を食いしばり、両手をからめ、だれかがあらわれるのではないかと廊下の両端に交互に目をくばった。

とつぜん、一方に電気がつくのが見えた。だれかが階段をのぼってくる。頼むから二階に行ってくれ……。でも、そうじゃなかったら？　ギュスは、額と背中に冷や汗がすうーっと流れるのを感じた。その場に釘づけになり、口の中が急にねばねばしてきた。

足音が三階まで上がってくるかどうかを確認する前に、ギュスは咳をし始めた。喉が締めつけられ、渇いていたので、ものすごい咳きこみになった。大変だ！　こんなばかな咳をしたら、わざわざ注意を引くようなものだ！　オクサ……なんてことをしてくれたんだ！

監視員のジェイクが廊下の端にあらわれた。ギュスの顔から血の気が引いた。

校長室の青白い光とコピー機のうなり声がやみ、鍵がカチャリとかかる音が聞こえた。オクサが中から鍵をかけたのだ。ギュスが合図をしたら出てくることになっていたのに、オクサは作戦を変えたらしい。中にとどまらざるをえなくなったので、ギュスが何とかこのピンチを乗り切ってくれると期待しているのだろうか……。

でも、いったいどうしたらいいんだろう？　ぼくをここに連れてくるなんて、あいつも頭がどうかしてるよ！　ギュスはパニックに陥っていた。

「そこで何をしているんだね？」

ジェイクは厳しい監視員ではなかったが、こう質問されると、ギュスはひどくあわてた。

「あのう……マックグロー先生を待ってるんです……あっ、いえ……クレーヴクール先生です。ちょっと歴史の授業のことで質問があったので」

はっきりしない、かぼそい声だったが、やっとそれだけは言えた。

「それより、そいつを先生にあげたいんだろう？」

ジェイクは、ギュスが手に持っているバラを指差してからかった。

「これ？　いいえ、ちがいますよ……」

自分をひどく間抜け（まぬ）だと感じながら、ギュスは答えた。

「まあ、どっちにしろ、ここにいてはいけないよ。質問があれば授業中に。いいね？　じゃあ、教室にもどりなさい」

「わかりました！」

しかしギュスは、一人でこの場を去るのをためらっていた。すると、階段のほうから声が聞こえてきた。マックグロー先生と、それにクレーヴクール先生もいるようだ。ヤバい！　ギュスは良心の呵責（かしゃく）を感じながらも、中庭に下りる反対側の階段へと、おとなしく歩いていった。


校長室の中で、オクサはギュスと監視員の会話を聞いていた。ギュスがピンチに追いこまれたことがわかると、オクサはコピー機のスイッチを切り、マックグローについての書類を全部コピーできたことに満足しながら、急いで書類を片づけた。コピーを丸め、それをブラウスの下に隠してスカートのウエスト部分にはさんだ。そのころには、廊下はがやがやと騒（さわ）がしくなっていた。もう外には出られない！

どきどきしながら、オクサはいくつかの可能性を考えた。机の下に隠れて、校長のひざから数センチのところで午後じゅう身動きせずにいる。矢のように部屋を出て、だれかわからないくらいすばやく走って逃げるか。それとも、窓から外に出るか……。

そうこうしているうちに、ボンタンピ校長の声が近づいてきた。校長室のドアがいまにも開こうとしていた！　慎重に行動しろという内なる声を無視してオクサは窓を開け、後ろ手にカーテンを閉めた。窓の桟によじのぼって、その上にしゃがみ、窓を自分のほうに引き寄せるようにして少し閉めた。目の前には校舎に無数についているガーゴイル（古い西洋建築物の屋根や外壁につけられた怪物の形をした彫刻）のひとつがあり、足場にちょうどよさそうだ。しかし、下を見て、自分が三階にいることを急に思い出した。わあ、高い！　新たな試練だ！

目を閉じ、自分のいる高さに気持ちを集中させた。自分で招いたピンチを克服しなければならない。約二秒間、自分の内面に完全にどっぷりとつかってから、オクサは自信を持って左足を伸ばし、足場を探るように踏み出してみた。よかった！　足場はしっかりしている。だが、集中力をゆるめてはいけない。

オクサは、ふつうに地面を歩くように片足を置き、それからもう片方の足を出した。この空中浮遊は危険をともなう。失敗したら大変なことになるだろう。十メートルも下に落ちてしまうのだから！　このいやな思いがオクサの頭をかすめ、足取りが乱れた。

「だめ！　そんなことは考えるんじゃないの！」オクサはつぶやいた。

勇気をふるい、もう一度下を見て、だれもいないことをたしかめた。いまはだれもいない。生徒たちはみな食堂にいる。でも、それも少しの間だ。いま、降りなければ！

今度は降りることに精神を集中させ、右足を出した。落ちていく感じはまったくしない。石畳(だたみ)の地面に足が触れるまで、オクサは自分が羽になったと想像することにした。

ものの数分もすると、生徒たちがどっと中庭に出てきた。

＊＊＊

「もう、だめかと思ったよ。心臓が止まりそうだった……。だいじょうぶ？　どうやって降りてきたんだい？」

ギュスがオクサの耳にささやいた。

オクサは鳥が飛ぶように、両腕(うで)をばたばたさせた。

「あそこから？」

ギュスは三階を見上げ、びっくりして言った。

「イエス、サー！」オクサは満面の笑みを浮かべた。「ほら、これ、見てよ！」

そう言いながら、スカートのウエストにはさんである紙を見せた。

ギュスは、ヒューと口笛を鳴らした。

「二人で何をたくらんでるんだい？」メルランが近づいてきた。「空中から脱出しようっていうのかい？　空から見た聖プロクシマス中学がどうなのか教えてよ。きっといいだろうな」

オクサの目をじっと見つめながら言って、歩き去った。

「なんで、あんなこと言うわけ？　メルランはあたしを見たのかな？」

オクサがギュスにささやいた。

「そんなこと、考えたくもないな……さあ、時間だ。行かないと」

ギュスがささやき返した。

「すぐ行く。ちょっとロッカーに入れとくものがあるんだ」

おなかにくっついている紙が気持ち悪い。だがそれ以上に、オクサはメルランの思わせぶりな言い方に不安を感じた。


ルメール先生の授業は、心地よいけだるさをオクサにあたえてくれた。空中浮遊にあまりにも精神を集中させたので、オクサはエネルギーを吸い取られたようになっていた。ところが、先生のおだやかな声のおかげで興奮がおさまり、落ち着きを取りもどすことができた。

ギュスのほうは、オクサが石畳にたたきつけられてぐちゃぐちゃになる姿を想像して、背筋がぞっとした。


マックグロー先生の前の授業は、いつもあっという間に終わってしまう。一時間後、生徒たちは深いため息をつきながら、理科室に向かった。オクサの努力と決心にもかかわらず、彼女が目をつけられるのに十五分もかからなかった。

「ポロックさん！」と、マックグロー先生がどなった。「申し訳ないが、地球上にもどってきてもらえるかな？　きみが天文学の専門家なのはみんなわかっている。でも、失望させてすまないが、いまは数学の授業だ。いちばん前の空いている席に来なさい。そうすれば、少しは授業に身が入るだろう」
オクサは物思いにふけっていた。マックグローがじゃまするまで、コピーした書類に何が書いてあるのだろうかと考えていたのだ。ああ、なんて一日……。彼女は、教壇と先生の机から数センチしか離れていない席に、あきらめの視線をやった。だれも座りたくない場所だ！　しかし、逆らうわけにはいかない。オクサは首筋まで真っ赤になりながら、その言葉に従った。

オクサが腰をかけるとすぐに、教室のドアが開いてボンタンピ校長が入ってきた。全員が起立した。

「マックグロー先生、ちょっとよろしいですか？」

「もちろんです、校長先生」マックグローはうなずいた。「ポワカセさん、わたしがいない間、クラスをまかせるよ」

「わかりました、先生」メルランは不安そうに言った。

マックグローが出ていって十秒もしないうちに、三年水素組の生徒たちは騒ぎ始めた。メルランは、初めは「騒ぐと全部の責任がぼくのかよわい肩にかかってくるんだぞ」と、クラスメートを説得しようとしたが、メルランの言い分よりも、大騒ぎできるチャンスを生かすほうがいいとみんなは判断したらしい。がやがやという騒ぎのなかで、紙つぶてを投げる生徒もいれば、机の周りを競って走りまわる者もいた。

アクセル・ノランという生徒が、教壇に立てかけてあったマックグローのかばんにぶつかった。

そのとき、オクサの頭にある考えが芽生えた。この鞄の中には、個人的な書類とか、マックグローに関する興味深いものが入っているにちがいない！

騒ぎに便乗して、オクサは席を立った。たおれたマックグローのかばんを起こし、だれにも気づかれないように注意しながら中をのぞいた。財布（さいふ）が見えた。あまりに大胆（だいたん）な行為（こうい）に自分で驚（おどろ）きながらも、手を入れて財布をつかんだ。そんなことはするべきではない……しかし、彼女の重要な調査の前には、そんな建前はどうでもよくなっていた。オクサは席にもどり、体を丸めて財布を開けた。急がなければ！

数秒後、オクサはまた席を立ち、床（ゆか）にころがっているかばんを拾って財布を元にもどした。この大騒ぎなら、生徒たちは何も気づかないだろう。オクサは、先生の机の横にいる口実をつくるために、メルランに協力することにした。一人より二人のほうがいい……。

「気をつけて！　マックグローが来るわ！」

オクサは大きな声で叫（さけ）んだ。

みんなは大急ぎで席にもどった。しばらくして、実際にマックグロー先生が帰ってきてドアを開けたとき、教室は模範的（もはんてき）で勤勉なクラスにもどっていた。

25　おかしなリスト

「オーソン・マックグロー、アメリカ合衆国ウィスコンシン州ミルウォーキー出身、一九六〇年生まれ……」

ギュスはオクサのベッドに腰かけている。やっと！　という気分だった。

その日の午後は、二人には恐ろしく長かった。授業が終わるとすぐ、二人はローラーブレードを全速力ですべらせ、戦利品を調べるためにオクサの家に来た。ハアハア息を切らしながらオクサの部屋まで駆け上がり、マックグローに関する書類をベッドに広げた。

「ということは、四十九歳か……」と、オクサは計算した。「ちょっと聞いてよ。フランクリン・ルーズベルト通りの十二番地に住んでるんだって。アメリカ人にぴったりじゃない？　結婚してて、十五歳の息子がいる。きっと、写真に写ってた人たちね」

「写真？」ギュスが口をはさんだ。

「そう。財布の中に、女の人と小さな男の子の写真があったんだ。たぶん、ワシントンの議事堂の前で撮ったんだと思う。あと、ここに書いてあるのは……やっぱり、メルランに言ってたとおりね。十年間、CIA付属の科学研究所の研究者で、光電効果や光についてNASA(アメリカ航空宇宙局)といっしょに仕事をしてたんだって。すごい! この卒業証書のリストを見てよ!マックグローって、すごい頭脳の持ち主!」

オクサはその長いリストをギュスにわたし、自分は書類を調べ続けた。

とつぜん、オクサは甲高い声で叫んだ。

「これ、見て! マックグローは、アメリカの連邦政府の仕事を二年間したんだって。ほらね、あいつはスパイだって前に言ったでしょ」

ギュスは大きなため息をつき、できるだけひかえめに言った。

「オクサ、政府の仕事をしてる人がみんなスパイだとは限らないだろ」

「みんながそうとは限らないけど、いい隠れ蓑にはなるよね。そうじゃない?」

「ともかく、こんな経歴の人が中学校で数学と理科を教えてるなんて、おかしいよな。それはぼくも認めるよ」

リストを手にしたギュスが言った。

「でしょ? NASAから中学校の先生に転身なんて、理由がわからない。まるで宇宙人ね!」

ギュスは笑いだした。

「NASAで……宇宙人か……たしかに。こいつはいいや、さえてるじゃないか」

二人は、オクサがコピーした十枚ほどの書類を順番に分析していった。しかし、ほとんどの書類はごくふつうのお役所的なものだったため、オクサは少しがっかりした。唯一の個人的な書類は、マックグローの手紙だけだ。中学教師への応募動機をきれいな字で書きつづっている。

「ちょっと聞いてよ。『個人的理由から』聖プロクシマス中学校に応募したんだって。個人的な理由よ、ギュス。『若い世代を教育することの高揚感』を再発見したいって書いてある。何なの、これ!」オクサは憤慨した。

「ちょっとおおげさすぎるよな」とギュスは顔をしかめて言った。

「ていうより、怪しくない!?」オクサはかなり興奮していた。

ギュスは手紙を受け取り、注意深く読んだ。オクサの疑惑は当たっている。反論できない。手紙を置いてベッドにごろりと横になり、ギュスは伸びをした。それから、大きな危険を冒してコピーした書類を、あぐらをかいて一枚一枚調べ続けているオクサを、賞賛と不安の入り混じった気持ちでながめた。たいしたもんだ。自分で決めたことをちゃんとやりとげた! しかも、彼女はいま、とてもつらい状況にいる。なんとか乗り切ってくれるといいんだが……。

オクサのほうは大いに喜んでいた。期待したほどの情報はなかったが、あの大胆な行動がうまくいったことに大満足だった。校長室に忍びこんでマックグローの書類を探り当てた。こっそり彼の財布の中も見た。プロ並みの仕事だ。ちょっとどきどきしたし、いっぱい冷や汗が出たけれど……。とくに、あのとんでもない、無謀な三階からの脱出は……。

「あいつの財布の中身を見たのか? なにかおもしろいものあった?」

ベッドに横になったまま、ギュスがたずねた。

オクサは顔を上げずに答えた。

「ううん。ふつうの財布に入っているものしかなかった。クレジットカード、運転免許証、レシート、書きなぐった電話番号……たいしたものはなかった。あとは、カードに変な文章が書いてあっただけ。『おまえがわたしより強いと思うなら、それを証明するべきだ』って」

「変なの……」


二人はしばらくの間、黙っていた。ギュスはオクサの言ったことについて考えながら、うなずくように頭をふった。オクサのほうは、この大変な一日の緊張感からなかなか解放されないでいた。あんなことを自分がやってのけるなんて、考えもしなかった。想像や空想の段階を超えてあんなことができたのは、うれしかったし、怖くもあった。結果的にはたいして成果のないことのために自分が負った大きなリスクや、もしボンタンピかマックグローが気づいたらどうなっていたかについて考えた。いや、そんなことは考えないほうがいい。やっている間よりも、やったあとのほうが怖いのだ。こんなことをしていると、いつか問題が起きそうだ……。

「どっちにしろ、名人芸だったな！」沈黙を破ってギュスがほめた。

「かなり怖かったけどね」オクサは、素直に白状した。

「おいおい、オクサ。校長室に入って書類をコピーするなんて、そりゃいいことじゃないさ。でも、特別な状況だったんだよ。マックグローは怪しい。これで証拠ができたんだ。別に悪いことをしたわけじゃない。書類をちょっとコピーして、財布をのぞいただけじゃないか。そんなにたいしたことじゃないよ。何も盗んでないしさ！」

「う、うん……」

オクサは、噛んでぎざぎざになった爪を情けなさそうに見つめている。

「ちょっと待てよ……財布から何か盗ったんじゃないよな？」

ギュスはベッドから飛び起きた。

「これ……」

オクサは観念したように、角がすり切れた八つ折りの紙をポケットから出した。

「なんてこった！」ギュスは手で顔をおおったが、好奇心にかられてたずねた。「……で、何が書いてあるんだ？」

オクサは紙を開き、手のひらの上でしわを伸ばした。二人は、中を見ようとかがみこんだ。

G・L　54／04／19　カゴシマ（日本）67／10＋68／08
G・F　60／06／09　ロンドン（イギリス）73／09＋74／05＋75／01
J・K　64／12／12　プルゼニ（チェコ）77／04＋78／02
H・K　67／12／01　マンタ（フィンランド）79／11＋80／10
A・P　79／05／07　ミールダルスヨークトル（アイスランド）91／01＋92／06
C・W　88／03／16　ヒューストン（アメリカ）99／12＋01／05＋01／10

Z・E　96／04／29　アムステルダム（オランダ）08／07
O・P　96／09／29　パリ（フランス）09／05

二人はとまどって顔を見合わせた。それから、アルファベットや数字がどんな意味を持つのか解読しようと、もう一度よく見た。

「何かのリストみたいだな。イニシャルと日付がある」

ギュスはそう言って、さらに注意深く見る……と、とつぜん、叫び声をあげた。

「あれっ、変だな、おふくろの生年月日がある。それに、生まれた町の名前も」

オクサは驚いて、ギュスが指差した行を目で追った。

「ここだよ、ほら、『J・K　64／12／12　プルゼニ（チェコ）77／04＋78／02』」

「お母さんの旧姓は、なに？」

いぶかしく思ったオクサがたずねた。

「Kで始まるカロさ。おやじと結婚する前は、ジャンヌ・カロという名前で、チェコスロバキアのプルゼニで一九六四年十二月十二日に生まれたんだ。でも、どういう成り行きで、おふくろの名前がマックグローのつくったリストに載ってるんだろう？」

「それより、どうして、だよね？」

二人は、不安をたたえた目で顔を見合わせた。

ギュスは、最後の行を指差して、うっと声を詰まらせた。

「これ、おまえじゃないか？　『O・P　96／09／29　パリ（フランス）09／05』」

オクサの顔から、さっと血の気が引いた。

「やっぱり……ばっちり的中ね」

「数字が年月日を示しているとしたら、おまえの場合、二〇〇九年五月って……？」

「つまり、そのころ、マックグローはすでにあたしのことを知っていたんだ。あいつはあたしのために聖プロクシマス中学に来たってわけ。言ったとおりでしょ！」

オクサは、自分の立てた仮説がいま証明されたことに、ある種の満足感を覚えたものの、現実にそうなってみると、背筋がぞくっとした。頭がくらくらして息が苦しくなり、ベッドにどさりとたおれこんで、天井をにらんだ。

26　家族の物語

ここ二週間、オクサは母親にも祖母にも会っていなかった。母マリーはまだ妹のところに行ったままだったし、祖母のドラゴミラは田舎のアバクムの家に静養に行っていた。ビッグトウ広場の家にはオクサと父の二人しかいなかったので、急に家がだだっ広く感じられた。

父パヴェルは仕事の時間を組み直して、レストランにいる時間を少なくした。

彼にとっては、仕事よりも家族のほうが大切だった。朝は娘より早く起き、ちゃんと食べさせようと、ついつい豪華な朝食を用意した。娘が学校から帰ってきたときにはもう帰宅していて、何かと世話をやいた。夜は二人で過ごした。まだ夏が終わって間もないというのに、暖炉に火を入れ、寝るまでサロンにいた。熱心に宿題をみてやったりしながら、彼は、娘の日常生活に関わる喜びを再発見した。

オクサのほうも、ごくまじめに勉強に取り組もうと決心した。いろいろ失敗はしたけれど、両親に誇りを持ってもらえる娘であることを証明したかった。実際、勉強に集中した成果が見えてきた。テストの成績は優秀で、オクサは得意だった。

「刀の刃のように研ぎすまされた精神と、生気みなぎる肉体。完璧な忍者だ！」

ギュスは、オクサの肩をおおげさにどんとたたいて、ほめた。

「『研ぎすまされた精神』は大急ぎで言わなきゃね。あたしのみじめさを見てよ」

オクサは言い返した。

オクサは、自分の超能力のことを考えた。父親が言ったように、それを不用意に使うことはよからぬ注目を集める恐れがあったし、利口とは言えない。それでも、何度かミスをした。とくに、ギュスに近づきすぎる女の子に対しては。つい下心があると思ってしまうのだ。

なかでも、オクサが「陰謀家」と名づけた美人の女の子には、我慢がならなかった。ギュスがまたその子とおしゃべりしているのに出くわしたとき、オクサは苛立って、遠くから、その子のブラウスのボタンを弾(はじ)き飛ばしてやった。周りからじろじろ見られるのに耐(た)えられなくなり、その子は大急ぎで逃(に)げた。ギュスはぼうぜんとし、オクサにしかめっ面(つら)を向けた。

「なんであんなことするんだよ。ひどいじゃないか！」

「あの子って、いらいらするのよ。いつだって、あんたの周りをうろうろして……」

「うろうろして？　オクサ、それだけでやったなんて言うなよな！　サイテーじゃないか！　周りをうろうろされるのをぼくが気に入ってたら、どうする？」

最近の出来事に加え、このギュスの言葉を思い出して、オクサは真剣(しんけん)に考えこんでしまった。パチパチと弾ける暖炉の火を前にして、ソファに丸まって座っていると、いままでにないほど打ち解けて父親と話し合ったせいか、気持ちがほぐれてきた。「マックグロー文書」と呼ぶことにした、あの怪(あや)しい書類のことは打ち明けなかったけれど……。

以前、オクサが一度、マックグローという教師が生徒を執拗(しつよう)にいじめるのだと話したとき、父親はくわしい話も聞かずに、学校時代に変な先生に出会ったことのない人はいない、と言って笑いとばした。「おおげさに考えすぎないように」となだめ、「居心地の悪い状況(じょうきょう)にあってもそれを克服(こくふく)するように」と、励(はげ)ましてくれたものだ。

「居心地の悪い状況ねえ……。パパがそういう状況にいたらどうするか、見てみたいけどね」

そのときオクサは、そう皮肉(ひにく)った。

パヴェルは、オクサがどういう超能力を使えるのかたずね、いくつか実演してみせてくれるようにとたのんだ。実際に目にすると感激し、あらたまった調子で娘をほめながらも、使い方に用心するようにと念を押した。それを聞くのは愉快ではなかったけれど、その忠告が正しいことはオクサにもわかっていた。

「すごいよ、オクサ。でも、たのむから用心してくれよ。ぼくはいつも、そいつを使わないようにしていた。使いたいと思ったことが一度もなかったわけじゃないが、周囲に気づかれるのが怖かったんだ」

「我慢してたってこと？」

「いや、我慢じゃない。絶対に人に知られたくないんだ。自己防衛の本能さ。おまえの場合はちがうかもしれないな。おまえの能力はもっとすばらしいし、もっとすごい。なにしろ、グラシューズ様だもんな」

パヴェルは、悲しそうにオクサを見つめた。疲れたようなほほえみが、顔の彫りをいっそう深く見せている。

「パパ……パパはロシアにいるときに、自分の超能力に気づいたの？　ロシアで生まれたんだったよね？」

「そうだ。そのころはソ連って言ってたけどね。正確にはシベリアで生まれたんだ。おまえのおばあちゃんのドラゴミラとレオミドとアバクムがエデフィアから放り出されたとき、彼らは、それまで見たこともないような土地に立っていたんだ。シベリアは、〈内の人〉にとってはひどいところだった。温暖で植物の繁った豊かな土地から、いきなり寒くて荒涼としたシベリアだ。その落差はひどかっただろうな。おばあちゃんはおびえていたらしい。考えてもごらん。それまで調和のとれた豊かな土地で、両親と幸せに暮らしていたんだよ。それが数時間のうちに、カオス、逃亡、孤独、そしてシベリアだ。シベリアのことは少しは知ってるよな？」

「強制収容所があったところね。囚人の収容所がいっぱい……」

パヴェルは驚いて、愉快そうにオクサを見た。

「ぼくにとっては、それが最初に頭に浮かぶことじゃないけど……。おまえの見方とぼくの見方は少しちがう。シベリアは生まれ故郷だからな。だけど、おまえの言ったことはまちがいじゃない。強制収容所がシベリアにつくられたのは偶然じゃない。何百キロ行ってもだれにも会わないんだ。動物とか自然の精でないかぎりはね。そこでは自然が支配者だ。自然はすばらしいが、生も死も何もかも決めてしまう非常に残酷な支配者だ。アバクムとレオミド、まだ子どもだったおばあちゃんは寒さに凍えながら、何日もさまよった。エデフィアでは、気温は二十度より低いことはなかったし、雪も降らなかったそうだ。彼らのショックがわかるだろう？　アバクムは、草の根っこや木の実や、川で釣った魚を二人に食べさせた。レオミドの〈火の玉術〉のおかげで三人は体を温めることができた。あそこで生き延びるには火が不可欠だからね」

パヴェルは言葉を切り、オクサをちらりと見てから続けた。

「数日後、おばあちゃんたちは一人の男に会った。森のはずれの、ぽつんと離れた小さな村に住む、偉大な力を持つシャーマンだった。冬が近づいていた。そのメチコフという名のシャーマンは、三人に住処をあたえ、寒さがゆるんだらすぐに大きな街に案内すると言って、凍てついた厳しい冬の間、保護してくれた。アバクムと彼は、すぐに兄弟のように仲良くなった。二人はとても似ていたんだ。二人とも、自然の声を聞き、理解し、意思を通じ合わせる能力があったからな。この二人のおかげで、おばあちゃんは植物の力を学んだ。すばらしく優秀な生徒だったそうだ。春が来て、レオミドだけがシベリアを発つことに決めた。彼はヨーロッパ大陸を横断してイギリスまで行き、そこで、おまえも知っているように有名な指揮者になった。十二年後に、そのシベリアの小さな村でぼくが生まれた」

「じゃあ、パパのお父さんは、そのメチコフっていうシャーマンなの？」

オクサの父は、やわらかくほほえんだ。

「いや、メチコフじゃない。彼は百歳を過ぎていたからね！　ぼくの父親はメチコフの孫だよ。生活は苦しかったけど、みんなとても幸せだった。ぼくが八歳のときまではね。それから、何もかもだめになった。ぼくの父さんはＫＧＢに殺された。政治情勢がとても難しくなりつつあったから、急いでその村を去らなければならなかった。アバクムもぼくたちといっしょに来た。彼は、おばあちゃんを守るとマロラーヌに誓い、彼女が大人になり母親になっても、その誓いを守ったんだ。冷戦時代でソ連全体が国民の牢屋みたいだったから、国を脱出するのは難しかった。命を危険にさらさなければ出国できなかったんだ。おばあちゃんとアバクムは、当時、けっこう超能力を使ってたよ。それに助けられた。でも、レオミドがいなかったら、脱出は成功しなかっただろうね。彼がオーケストラといっしょに世界じゅうを演奏旅行していて、サンクトペテルブルク——当時はレニングラードといっていたが——に来たとき、ぼくたちは非合法にソ連を脱出したんだ」

「どうやって脱出したの？」

「まあ、お聞き。レオミドは、ぼくたちをオーケストラの団員ということにしたんだよ。それはすごく危険で勇気のいる行動だった。自分の自由や生命すら危険にさらしたわけだからね。問題は、ぼくをどうするかだった。オーケストラに八歳の子どもがいるなんて、おかしいだろう？　結局チェロをひとつ犠牲にして、そのケースにぼくを隠したんだ。ＫＧＢは、大人が一人隠れられるくらい大きいコントラバスのケースは注意深く調べたけど、それより小さいチェロのケースは調べなかった。本当に危ういところをなんとか逃げられたんだ……レオミドのおかげでね。彼は〈逃げおおせた人〉のなかでも、この世界によく溶けこんだ人だな……」

「パパたちだって！」

「ぼくたちもそうだけど……でもね、ぼくたちはちょっと特別な環境にいたんだよ。シベリアでの八年間、ぼくは、おばあちゃんやアバクムのように超能力を隠さない人たちや、父や祖父、曽祖父というすばらしい三人のシャーマンに囲まれて過ごした。それに、シベリアの小さな村に隔離されたような生活だったから、ぼくが持っていた世界観がどんなものか、想像がつくだろう？　生まれた村がぼくには世界そのものだった。すばらしい生活だった。それがずっと続けばいいと思っていたんだ……。そのあと出会った人たちを通して知ったことは、いいことばかりじゃなかった。社会に溶けこむのはとても難しかった。おばあちゃんとアバクムにとっては、もっと大変だっただろう。二十一年間も外の社会から隔離されて生きてきたんだからね。それでも二人は見事にやりとげた。ぼくはすごいと思うよ。カメレオンのように自在に、しかもごく自然に新しい世界に溶けこんだんだから。二人は人をよく観察して、それをまねしたんだ。その努力というのは、ものすごいものだったと思うよ」

パヴェルはまた言葉を切り、それから遠くを見るような目つきをした。

「レオミドは、〈外の人〉として生きるためには、ぼくたちのそばを離れなければいけないと早くに見切りをつけたんだと思う。彼は、エデフィアに帰る望みをとっくに捨てていた。でも、おばあちゃんとアバクムは、ある意味ではエデフィアにいるのと同じような生き方を続けていた……気温は三十度くらいちがっていたけどな。ぼくたち三人は、レオミドとは正反対のことをしていたんだ。魔法、超能力、いつもぼくたちといっしょにいた不思議な生き物たち……あの村の人たちは、ぼくたちをあるがままに受け入れ、尊重してくれた。それがふつうだった。ぼくは、世界じゅうが自分たちと同じだと思っていたんだ。ところが、村から出たとたんに、用心して行動しなければならなくなった。ふつうの〈外の人〉がどういう生活をしているのか、さっぱり知らなかったんだから」

「ふつうの人を見たことがなかったの？　あっ、ごめんなさい。パパがふつうの人じゃないっていう意味じゃないんだけど……」

「わかってるよ。気にしないでいい。ふつうの〈外の人〉、つまり、ぼくたちが自分たちとちがっているということを理解できない人のことだよな。ともかく、それからは、ぼくたちの能力は絶対に明かしてはいけない秘密になった……そのことは、苦い経験からすぐにわかったけどね」

「どういうこと？」

「レオミドは、スイスの山の中の静かな町に、ぼくたちを住まわせるように手配してくれた。そして、おばあちゃんはすぐに、ぼくを学校に入れた」

「学校に行ったのは、そのときが初めてだったの？」

「いいや、シベリアの村にも学校はあった。それに、両親がいろんなことを教えてくれたしね」

「そういえば、言葉はどうしたの？　前はロシア語をしゃべっていたのよね？」

「そういう現実的なことに気づくってのは、おまえらしいね。たしかにロシア語をしゃべっていたよ。ロシア語が母国語だった。でも、それだけじゃない。フランス語も、英語も、ドイツ語も、中国語も、スペイン語も、スウェーデン語も……」

「えっ？　ジョーダンでしょ、パパ！」オクサが叫(さけ)んだ。

「ぜんぜん！」と、パヴェルは言い返した。「ぼくら〈内の人〉は〈マルチリンガ〉という能力を持っているんだ」

「なに、それ？」

「数時間で、その国の言葉を完璧に話せるようになる能力さ。超高速で超効果の『言語浴』みたいなものかな。エデフィアではそんな能力にはだれも気づかなかったけれど、〈外界〉に出た者はそれを発見して、すぐに試したのさ。その能力がどれだけぼくたちの同化に役立ったことか。レオミドやメルセディカが、フランスに住んだこともフランス語を勉強したこともないのに、フランス語を訛りもなしに話してただろ？　ぼくたちと数時間いっしょにいると、ぼくやおまえのようにフランス語を話すことができるんだ。おばあちゃんやアバクムのようにロシア語だってね。テュグデュアルとフィンランド語でだって話せる。それが〈マルチリンガ〉なのさ」

「じゃあ、あたしだって、もうすぐイギリスの女王みたいなちゃんとした英語を話せるようになるの？」

「そうかもな」

「サイコー！　ものすごい点数を取っちゃおう！　ところで……スイスでのことはパパ、話してくれてないよね？」

「ああ、スイスのことか……」

パヴェルは長い間、考えこんでいたが、やっと口を開いた。

「ひどかったよ……ばかなことをしないようにと、そればかりに気をとられていた。でも、数日後には本性が出てしまった」

パヴェルは、そのころの思い出に打ちひしがれたように、しばらく黙っていた。

「ねえ、パパ、何があったの？」

オクサが催促した。

「大変なことになったんだ。大嫌いなパン屋で〈磁気術〉を使ってしまった」

「どうしてそんなことしたの？」

「怒りのせいだよ、オクサ、怒りのせいだ……。おまえにはよくわかるだろう？」パヴェルはつっけんどんに言った。「そのパン屋の女は、外国人に対してあまり寛容じゃなくて、ぼくをひどく傷つけるようなことを言ったんだ。だから、バゲットは全部、ロケットみたいに天井めがけて飛んでいってつぶれ、ケーキとかはそのひどい女の頭の上に爆弾みたいに降ってきたんだ。何が起きたのか彼女はわかっていなかったけれど、翌日にレオミドがやってきて、ぼくたちは大急ぎでスイスを出たんだ」

「テュグデュアルの家族みたいに？　それに、あたしたちみたいに？」

オクサは、ふと気づいて言った。

「どうしてそんなことを言うんだい？」

パヴェルが驚いてたずねた。

「フランスを離れないといけなかったんでしょ。死んだジャーナリストのせいで、逃げないといけなかったんだよね」

オクサは胸がどきどきしてきて、黙っていることができなかった。

パヴェルは顔をこすった。青ざめた顔をしてオクサを見つめ、それからため息をもらしながら目を閉じた。

27 パヴェルの釈明

「あのピーター・カーターっていうジャーナリストは……あの人は、あたしたちのせいで死んだんでしょ？」

オクサはさらにたずねた。その問いに父親がショックを受けているのを見ると、少し後悔した。しかし、本当のことを知りたいという欲望のほうが罪悪感を上回った。

観念したように、パヴェルが口を開いた。

「そうだ。ピーター・カーターは、ぼくたちのせいで死んだんだ」

「ひどいじゃない！　どうして？　だれが殺したの？　バーバやパパの仲間のだれか？」

オクサはひどくうろたえていた。パヴェルは思わず身を引いた。

「ぼくらのうちのだれかって？　どうしてそんなことを言うんだ、オクサ？　それに、どうしてそんなことを知ってるんだ？　だれに聞いた？」

「バーバとパパが話してるのを聞いたの……」

オクサはしゅんとなった。

「オクサ、その盗み聞きの癖を直さないと、いつかひどい目にあうぞ。……まあ、もう聞いてしまったのなら、いま全部話してしまったほうがいいかな。でも、言っとくけど、ぼくだってたいしたことは知らないんだ。ほんとに、おまえってやつは……」

　パヴェルは大きなため息をついてから、話し始めた。

「ことの始まりは、エデフィアからアメリカに放り出された〈逃げおおせた人〉の一人、ペトラスだった。この男は美術品泥棒になった。超能力を使えば、盗むのは簡単だからな。彼は長い間、世界じゅうの美術館や画廊や個人収集家を訪ねては盗みを働いていた。だが、ある日、運がつきたのか、警官に見つかった。あわてたペトラスは、盗みに入った個人収集家の家から逃げようとして、警官に撃たれ、死んだ。彼の家からは何百点という絵画が見つかった。なかには、値段がつけられないような有名な作品もあったらしい。盗みの手口は、ベテラン捜査官でも解決できない謎だったんだ。もちろん警察にわかるはずがないよな！　問題は、ピーター・カーターというジャーナリストが数ヵ月前から彼に目をつけていたことだ。カーターは、美術品売買の際にペトラスと知り合いになった。ペトラスという人間に興味を持ったカーターは、彼のあとをつけはじめ、彼を宇宙人だと思うようになったんだ。ペトラスが死んでからもカーターは調査を続け、ぼくたちの存在をにおわすようなものを見つけたんだ」

「何を見つけたの？」

「ペトラスが大事に持っていたぼくたちの故郷の思い出さ。とりわけ、名前や日付、エデフィアに関する情報が書かれた手帳や、レオミドに関する新聞の記事とか……」

「あちゃー！」

「そのとおりさ。カーターは、まるっきり根拠がなくもない結論に達した。それから厄介なことになったのさ。彼は、レオミドのこと、それからおばあちゃんやぼくたち家族のことを調べ始めた。まもなく彼は、沈黙の代償を得ようとぼくたちに連絡してきた」

「まったく、なんて卑怯なやつ。承知したんじゃないよね？」

「ほかにどうしろって言うんだい？　全部暴露するって言うんだよ。そうなったらどうなるか、わかるだろ？　お金をわたしたよ、一回、二回と……」

「それでロンドンに来たってわけ？」

「そのとおり。大急ぎで、こっそりと、痕跡を残さないように引っ越さなければならなかったんだ。本当に大変だった……」

「なるほど。パパがあんなに急いでいたわけが、ようやくわかった。でも、その人は死んじゃったのよね……」

オクサはふっと息を吐いた。

「そうなんだ。恐ろしいことだ。カーターは恥知らずのハゲタカのようなやつだったから、彼が死んだことを残念には思っていない。だけど、人が死んだのを喜ぶわけにはいかないよ」

オクサは、少しだけ疑り深そうな目をした。

「パパ？」

「なんだい？」

「だれがカーターを殺したの？　犯人を知ってるの？　どうしてバーバは、仲間のだれかだって言ったの？」

パヴェルの頬（ほお）がひきつり、口元がゆがんだ。

「カーターは〈肺溶解弾（はいようかいだん）〉で殺されたんだ。〈逃げおおせた人〉だけがつくれる物質だよ。ぼくに言えることは、ぼくもおばあちゃんも、彼の死には関係ないということだけだ」

「よかった！」と、オクサは思わず声をあげた。「ああ、ほっとした。とんでもない想像をしちゃった。でも、アバクムおじさんやレオミドおじさんは？」

「いいや、彼らにそんなことはできないさ。ぼくたちの仲間のだれにも、そんなことはできない！　だから、よけいに謎なんだよ。まるで、犯人はぼくたちを守ろうとしているみたいじゃないか」

パヴェルは立ち上がって、ソーダをコップに注ぎ、ひと息に飲み干した。それからコップを暖炉（だんろ）の上に乱暴に置いたので、オクサはびくっとして父親を見つめた。射るような視線を投げ返されたオクサは、これ以上問いただすのをしぶしぶあきらめた。


「ぼくたちはずっと逃げてきた。エデフィア、シベリア、スイス、フランス……」

パヴェルがようやく言葉を続けた。

「どうやってフランスに来たの？」

「マロラーヌのおかげかもしれない。グラシューズの力についておばあちゃんが言ったことを覚えてるかい?」

「エデフィアを出る力のこと?」

「たしかにグラシューズは、門を開けて出るという、みんなにうらやましがられる能力を持っている。でもマラローヌは、グラシューズ特有の別の能力のおかげで、フランスのことをよく知っていたんだ。グラシューズだけが持てるすばらしい能力……〈夢飛翔(ゆめひしょう)〉だよ」

「〈夢飛翔〉?」

「〈夢飛翔〉というのは、肉体はそのままで精神だけが旅をすることだ。マロラーヌは好奇心(こうきしん)の強い人だったらしいから、〈外の人〉がどんな暮らしをしているのか見てみようと、何度も〈夢飛翔〉をしたんだ。彼女は、それまでのグラシューズとちがって、エデフィアだけが唯一(ゆいいつ)の世界であるかのように目をつむるのではなく、外の世界で起きていることを見たがった。そして、見てきたことを〈カメラ目〉でみんなに見せた。彼女は何度かフランスに〈夢飛翔〉をした。フランスが気に入って、おばあちゃんには特別に〈カメラ目〉で上映をして、母親が子どもにおとぎ話をするようにその国の様子を見せたんだよ。そういうわけでぼくらはフランスに来ることになり、ぼくの大事な国になったのさ。おもしろい話だろ?」

「おもしろいって? すごくすてきな話! でも、信じられないってほどすごい話じゃないけどね。そうでしょ? 最近聞いた変な話なら、百個くらいあるもんね!」

オクサは熱っぽく言った。

「何のことを言ってるのかわからないな」パヴェルは、わざととぼけた。「ET(イーティー)、電話、家……。

いいや、何も変なことはないけどな」と、ちゃんとわかってるよ、という合図をしながらつけ加えた。

オクサは思わず吹き出したが、すぐにまじめな顔にもどった。

「パパ……どうしても気になることがあるんだけど……」

「何だい？　言ってごらん」

「グラシューズに〈夢飛翔〉をする力があるってことは、あたしにもそれができるってこと？」

パヴェルは、深いため息をひとつつき、長い脚を前にぐーっと伸ばしてから、そのまましばらく沈黙していた。

「……そのとおりだ。おまえにはその能力がある。でも、〈ケープの間〉に入らないと、その力は使えないんだよ。ケープがその力を始動させるんだ」

オクサは少しがっかりした。それができたら最高なのに……。

残念そうなオクサを、パヴェルはぎゅっと抱きしめた。

「いいかい、ぼくだって、それができたらどんなにいいだろうと思う。そう思うのは、ぼくだけじゃないさ。でも、ぼくたちがおまえに教えられる能力は、ほかにもたくさんあるんだよ。とくに、おばあちゃんとレオミドにはね。アバクムも、おまえにとってはとてもいい先生になるだろう。彼は、ぼくたちのなかでいちばん強いんだ」

「グラシューズよりも強いの？」

そのとき電話が鳴って、会話は中断された。母マリーだった。

毎晩、マリーは娘に電話してきて、長話をした。マリーの声はいつも緊張し、うわずったような涙声だったが、オクサは、母親がひどいショックを受けていることをなるべく考えないよう努力した。すべて自分のせいだ。母親の悲しい声を聞くのは耐えられない。

そこでオクサは、マリーが家にいるかのように、ほかほかのピロシキを前にキッチンのテーブルについているかのように、自分がその日したことを話したりして彼女の気をまぎらわせようとした。母親が電話の向こうで笑ったような気配がすると、オクサは安心するのだ。

「数学は二十点満点中十八点。どう思う、ママ？」

「悪くないわね」

「ママ、数学の先生は、あのいやなマックグローだよ」

「あっ、そう。そういうことなら、あなたの優秀さを認めるわ」

「先生がテストを返したときの顔を見せてあげたかったな。いい気味だった！」

「わたしは鼻が高いわ。ところで、元気なの？　パパとはうまくやってるの？」

いつものように、それからしばらくおしゃべりし、おやすみを言って、電話ごしにキスを交わした。そのあとオクサは、いつも父親と話すようすすめるのだが、パヴェルが受話器を取ると、いつも電話は切れていた。

オクサは胸が締めつけられた。その夜はとくに、両親が話し合うのを聞きたかった。ふつうに話すのを。

「ママはどうしていつも、パパと話さないの？　そんなにパパを恨んでるの？」

「おまえだって、パパを恨んでたじゃないか。まあ、そのうちうまくいくよ」

「ほんと？」

「絶対そうさ！」

オクサは父親の肩に頭をのせ、願いごとをするかのように目を閉じた。

「あたしの誕生日にはママがいてくれますように……」

「心配しなくていいよ。何があっても、ママはおまえの誕生日には帰ってくるよ」

しばらくして、パヴェルがまた口を開いた。

「ちょっとリラックスしたくないかい？」

「もちろん、したい。なんかあるの？」

オクサは急に興味をひかれて、うれしそうに叫んだ。

答える代わりに、パヴェルはオクサの手を取り、祖母ドラゴミラの部屋に連れていった。

28 驚くべき会話

ドアが開くとすぐに、フォルダンゴが出てきた。長い両腕をふりまわし、丸々とした体をかがめて恐ろしくうやうやしい——しかし心からの——おじぎで二人を迎えた。

「グラシューズ様の孫娘様とご子息様、このあばら家へのご訪問を歓迎いたします」

「あばら家？」

オクサがびっくりしたような声をあげると、パヴェルが説明した。

「フォルダンゴはね、何でも目につくものを全部読むんだよ。新聞とか、辞書とか、おばあちゃんの本とかね。それだけじゃなくて、洗剤の容器に書いてある使用法とか、食品の原材料名とか、服についているタグとか、何でも見逃さないんだ。フォルダンゴは、そういったものを読まずにはいられないんだ。そして、目に留まった言葉をかなり独特なやり方で使うんだよ。『あばら家』という言葉もどこかで出会って気に入り、使ったんだよ。ちょっと突拍子のない使い方だけどな。でも、フォルダンゴは突拍子のない生き物だから」

「ああ、グラシューズ様のご子息様、あなたは寛大な方です。グラシューズ様のご子息様は、わたくしの心を悦楽に呑みこませる賞賛の言葉をくださいました」

「ぼくの言ったことがわかっただろう？」

パヴェルはオクサに目配せをした。

「フォルダンゴって、だーいすきー！」

オクサは、「大好き」をおおげさに伸ばして言った。

「グラシューズ様の孫娘様とご子息様は、刺激のためにこの階までいらっしゃったのですか？　フォルダンゴットとわたくしは、喜びをもって援助いたします。わたくしどもの熱狂を永遠に期待していただいてけっこうです」

こう言って、フォルダンゴはぶるっと体を震わせた。


「ああ、フォルダンゴットといえば、どこにいるんだい？」

「グラシューズ様のご子息様、こちらの部屋のほうにおります。グラシューズ様の田舎での回復期以来、かりかり怒っているゴラノフにストレス解消のためのクリームを適用しています。観賞されますか？」

「もちろん『観賞』したい！」オクサはそう答えてから、父親にそっとささやいた。「ゴラノフって、だれ？」

パヴェルが答える前に、フォルダンゴが彼と同じくらい想像を超えたフォルダンゴットを連れてきた。フォルダンゴットは、ちょうどフォルダンゴが横にバランスがとれていないのと同じくらい、縦にバランスがとれてなくて、体の三分の二が脚だ。頭のてっぺんにレモン色の細かい髪の毛があるほかは、顔はフォルダンゴに似ていた。しわくちゃで茶色い皮膚に小さな平べったい鼻、顔から垂直に張り出した耳、口からはみ出た大きな丸い二本の歯……。しかし、はたして口と言える代物だろうか？　ひとつの耳からもうひとつの耳まで達する曲線状の割れ目、といったほうがいいかもしれない……。二人とも、きれいにアイロンをかけた濃い色のサロペットを着て、にっこりとほほえんでいる。

フォルダンゴットはオクサに駆け寄ろうとした。しかし、初めての出会いにあわてたうえ、ほうきの柄くらいの太さしかない長い脚がじゃまになり、つまずいて床にばったりとたおれた。持っていた植物の鉢が宙に飛び、この光景をぼうぜんとながめていたオクサの手に落ちてきた。

「まあ、グラシューーズ様の孫娘様、こんなふうにたおれるなんて、なんてばかなんでしょう！わたくしの脚は本当にみっともないこと。どうぞいつかお許しください！」

フォルダンゴットは、腰のあたりをさすりながら叫んだ。

「この人たち、いつもこうなの、パパ？」

オクサがふり返ると、パヴェルは、いまにも吹き出しそうな顔をしている。

「そうだよ！」

「あれっ、そういえば、これはなに？」

手の中にあるものに急に気づいて、オクサが声をあげた。

見ると、彼女の手の中にある植物が、いま目が覚めたばかりといったように動きだした。高さ四十センチほどの細い茎から、光沢のある、緑色の丸くて平たい、繊細そうな葉がいっぱいに広がっている。その植物はゆらゆら揺れ、葉も寒けをもよおしたかのようにぶるっと震え、おびえたような声を発していた。

「これって、生きてる！」オクサは驚いて叫んだ。

「植物はみんな生きてるよ」と、パヴェル。

「そりゃそうだけど、これほどじゃないよ」

「『生きてる！』だって……とんでもない！」その植物は叫び、それから、たおれたフォルダンゴットのほうに全部の葉を向けて、激しく抗議し始めた。「まったく、このフォルダンゴットったら、頭がおかしいんじゃないの！」

「ゴラノフ、わたくしの頭は喪失にあってはいませんよ。平衡感覚が損失に苦しんでいるだけです」と、フォルダンゴットが言い返した。

「わたしに宙返りさせようなんて、頭が変じゃなければできないわ！　わたしに死んでほしいっていうの？」

「ゴラノフ、宙返りは言いすぎでしょ。成功の完璧さをもった滑翔を行なったのよ」

「宙返りでも滑翔でも同じことよ！　またわたしを殺そうとしたわね、この連続殺人犯！」

ゴラノフは、葉をひとつ残らず震わせながらどなったが、急にその葉がだらりとしおれた。

「気絶したんだよ。でも、心配しなくてだいじょうぶ。よくあることだから」

パヴェルは、笑いすぎて涙を流しているオクサに説明した。

「ヘンだけど……この生き物たち、あたし、大好き！」

起き上がろうとしているフォルダンゴットに手を差し出しながら、オクサが言った。フォルダンゴットは感謝するようにオクサを見つめ、その手をつかんだ。

そのとき、とつぜん電話が鳴った。

「あたしが出る。きっと、ギュスよ。フォルダンゴたち、またね！」

オクサはまだ気絶しているゴラノフを置き、急いで部屋を出た。気持ちも軽く、ころげ落ちるようにして階段を下りていった。

＊＊＊

「じゃあ、明日ね、きっとよ」

長い一週間が終わった。通りで別れる前に、オクサはギュス、メルラン、ゼルダに念を押した。四人はおたがいのことをよく知り合い、前にも増して気が合うようになっていた。いい仲間だ！

「友だちを一人連れてってもいい？」と、ゼルダがたのんだ。ゾエって名前で、三年生の炭素組なの。ダンスのクラスがいっしょなんだけど、いい子よ。この週末、うちに泊まりにくるんだけど、一人にするのもかわいそうだし、でも、あんたのバースデー・パーティーに行けないのもいやだしさ」

「いいよ。たぶんパパは、少なくとも三十人分くらいのケーキをつくるはずだから。そういう性格なんだ。一人ぐらい増えたってどうってことないよ」

オクサは快く了解した。

「ありがとう。ゾエは友だちがほしいのよ。数週間前に引っ越してきたばかりだから。両親が去年亡くなって、おばあさんが面倒を見てたんだけど、そのおばあさんも亡くなったんだって。かわいそうに……。それで、いまは大伯父さんのところにいるんだって」

「それなら、よけいにうちに来て楽しまないとね。気晴らしになると思う……明日ね！」

「バイバイ、オクサ、明日ね！」


***

オクサは窓にひじをついて、広場の往来をながめていた。その夜は、悲しみに押しつぶされそうだった。あたりは暗くなっていたが、まだ空には明かりが残っていた。一人になって考えごとをするにはぴったりの時間だ。難しい考えごとを……。

いろいろな考えが、洗濯機の中の衣類のようにからみあっていた。そろそろ脱水する時間だろうか。ふつうの女の子から、急に未知の世界の君主を継ぐ者になる……苦しみやいろんな面倒がともなわないわけがない。オクサは、言いようのない感覚が自分の中にあふれてくるのを感じていた。超能力はしだいに形を成してきた。自分が強大な力を持っているという目くるめく感覚に支配されないようにするのは、難しかった。我慢することができなくてついミスを犯してしまい、後でしまったと思う。

同時に、居心地の悪さが心の奥にたまっていた。自分の人生が謎だらけで危険な方向に向かっていくような、いやな感じがしていた。

オクサは、エデフィアについてもっと知りたくてたまらなかった。しかし、それでどうなるというんだろう？　わからない。きっと、いいこともあれば悪いこともあるだろう。あのあざの出現で人生が――将来が、というべきか――すっかり変わってしまった。空に無数のものが秘められていることを発見してからずっとなりたかった、天体物理学者になるのだろうか？　いつか結婚して、子どもを持つのだろうか？　〈逃げおおせた人〉たちをエデフィアに導き、その国を治めるようになるのだろうか？

いまわかっているのは、母親がいなくてすごく寂しいことと、両親が離婚するんじゃないかという不安だけだ。元の状態にもどれるなら、何だって喜んで手放してもいい。だが、そんなことは可能なのだろうか？

そのとき、流れ星が、かすかに黄金に輝く尾を引きながら流れた。

オクサは願いごとをした。空の星と同じくらい手に届かない願いごとだ。

そんな暗い考えから、とつぜん、ある考えがひらめいた。この家にいる〝だれかさん〟なら、オクサの疑問に答えることができる！

オクサは階段を駆け上がって三階に行くと、ドアをそっとたたいた。フォルダンゴットがドアを開け、丸い顔に大きなほほえみを浮かべてオクサを迎えた。

「まあ、グラシューズ様の孫娘様。ふんだんさに満ちた訪問ですが、なんて歓喜なこと！」

「こんばんは、元気？」

オクサは、この奇妙な生き物の前に出ると、いまだにどぎまぎする。
「元気ですよ、いつでも！　わたくしたちフォルダンゴは、常にその規則正しさを維持していま
す。わたくしたちには仕事がありますから。グラシューズ様はわたくしどもに責任を課されます
ので、規則正しくなくてはならないのです。その重要さは膨大です」
「そのとおりね」オクサは、まじめな表情をくずさないように努めた。「おばあちゃんのことだ
けど、いつ帰ってくるか知らない？　あと、ママは？」
「わたくしはその情報を持っていますが、何も言えません。口が糸で縫ってあるのではありませ
んが、沈黙が義務なのです。でも、憂鬱にならないでください。お二人とも、あなた様には真実
の愛を所有していらっしゃいますし、ご帰還は接近しています。それは不変です」
フォルダンゴットは、大きな優しげな目でオクサをじっと見つめた。急に口調を変えて、
「魅惑的な飲み物をご所望でしょうか？」
オクサは、喜んでその申し出を受け入れた。そして、まさに愛すべきフォルダンゴットといっ
しょにしばらく時を過ごした。オクサは、この生き物の優しさを利用しようとしたことを少し恥
ずかしく思ったが、どうしても知りたかったのだ。
「ねえ、フォルダンゴット、おばあちゃんはどうしてエデフィアに帰らなかったの？」
フォルダンゴットは、あきれたというようにオクサを見た。
「どうして？……どうして、とたずねられるのですか？　わたくしは完全な驚嘆を感じます。

ご理解を持たれなかったのですか？」

「おねがい、教えて……複雑すぎてよくわからないの」

オクサは泣きついた。

「それは……お答えするのは恐怖ですが、でも明確さをもたらしましょう。二つの非常に重大なことが、エデフィアへの帰還を妨害のなかに置いたのです。呪いが門に閉鎖をもたらしました。でも、あなた様が未来のグラシューズ様になられるので、その重大さは消されました。二人のグラシューズ様の連携で、帰還の可能性が新たに認められました。ところが、もうひとつは、わたくしどもの心に消えない悲しみを記録しました。無知です。エデフィアは、どこかにあるのですが、だれがその場所を知っているでしょう？」

「エデフィアがどこにあるのか、だれも知らないってこと？　だいたいどこらへんかも？　北とか南とか……だれかがヒントくらい知ってるでしょ？」

オクサはつい興奮して、問いつめた。

「目印を知っている唯一の人は、グラシューズ・マロラーヌ様です。〈ケープの間〉は目印をあたえる場所ですが、グラシューズ・マロラーヌ様が最後にその間を訪問されました。ですが、マロラーヌ様の生命はグラシューズの秘伝である〈語られない秘密〉の喪失に呑みこまれました。あのう……ある考えをグラシューズ様の孫娘様に述べてもよろしいでしょうか？」

「うん、もちろん！」

オクサは、待ちきれなかった。

「グラシューズ・マロラーヌ様の先見の明は偉大でした。マロラーヌ様はだれかに、目印のことを打ち明けられたにちがいありません。この確認へのわたくしの希望は巨大です」

「おばあちゃんだと思う?」

「それがわたくしの希望です。グラシューズ様は解決に向けて歩いてこられました。希望はもう不毛であることはないでしょう」

フォルダンゴットは、玉のように光る涙のたまった目をふき、音を立ててしゃくりあげた。オクサは、そのしわくちゃの大きな頭をなでてやり、てっぺんに軽くキスした。

「もう行かなくちゃ……。フォルダンゴット、いろいろ教えてくれてありがとう。またね!」

29 誕生日おめでとう、オクサ!

「もうちょっとだけ我慢してくれ……もうすぐだ……」

オクサの父パヴェルは、娘の手を引きながらこう言った。

父は、オクサの誕生日には、いつまでも思い出に残るサプライズを用意することにしている。その習慣は変わらない。オクサを迎えに来て、目隠しをし、予期しない場所に連れていく。目的地に着くと目隠しははずされ、謎が明らかになるというわけだ。十二歳の誕生日には、エッフェル塔のてっぺんに連れていかれた。とうてい忘れられない、すばらしいサプライズだ。父親は決して中途半端なことはしなかった。

今年は、オクサにはある予感があった。ロンドンに来てからというもの、両親は彼女に絶対にレストランを見せようとしなかった。これはちょっとおかしい。オクサが知っていたのは、レストランのオープンが、自分の十三歳の誕生日である九月二十九日ということだけだった。「ぼくの人生にとって二つの重大事が起きた、縁起のいい日だ」と、パヴェルはもったいぶって言っていた。それで、オクサは行き先を予想しながらも、待ち遠しさとうれしさの混じった気持ちで父親についていった。

「着いたよ……心の準備はいいかい、勇敢な忍者オクサさん？」

パヴェルは目隠しをほどきながら、オクサの耳にささやいた。

オクサがまばたきすると、ツタとフジとツルバラにおおわれた、すばらしいレストランのファサードが目の前にあった。入り口には、通る人すべてに今日がオクサの誕生日だと知らせる横断幕が、風にはためいている。

「わあ、パパ、すごい！」

「『フレンチ・ガーデン』にようこそ！　お楽しみは、まだまだこれからだ！」

パヴェルは、オクサの手を取って中に入った。ドアを開けたとたんに、オクサは別世界に入った気がした。目の前に夢のような庭が広がっている。さまざまな思いがけない植物がのびのびと育った、牧歌的な世界だ。オクサはうっとりして、足を前に踏み出した。

「あっ、これ、本物の野草？」

オクサはしゃがんで、土にさわりながら歓声をあげた。

「そのとおり」

パヴェルは輝く目で、ひかえめに答えた。


オクサは感激して店内を見てまわった。あちこちに草が植わり、花壇があり、低木がかたまって植えてあり……ダイニングルームの中央には樫の木まである。金魚が泳ぐ池の周囲には、イグサと葦が巨大なキャンドルホルダーの暖色系の明かりに揺れている。テーブルはひとつひとつツゲやサンザシの垣根で仕切られており、革製のひじかけ椅子は座り心地がよさそうだ。一階の一部に張り出している中二階には、水の流れる壁に向かってデッキチェアが置かれている。夢のような空間だ。

「庭を造ったのね……建物の中に。ウソみたい！」

「ぼくたち種族の力だよ。体に流れる森人の血が〈緑の手〉の力を伝えてくれたおかげで、それを利用できるというわけだ」

「すばらしいわ、パパ！」

「だろう？　ちょっと、こっちにおいで」

パヴェルが濃い色のバラの花がからまるブドウ棚のほうへオクサを引っぱっていくと、棚の向こう側にガラス張りの屋根の、これまたすばらしいダイニングルームがあった。ヒナギクを散りばめた野草の上に誕生日の招待客が立っており、声を張りあげて「ハッピーバースデー」を歌い始めた。ベランジェ一家と学校の友だちだった。彼らの前のテーブルには、三種類のチョコレートを使った、見たこともないほど大きなケーキが置かれている。

　歌い終わると、みんなは先を争ってオクサにお祝いのキスをした。ギュスは、オクサのすぐそばに立って、再び喉（のど）が枯れるほどの大声で「ハッピーバースデー」を歌いだした。それから、音楽が聞こえてきて、ダンスタイムが始まった。パーティーは大成功だ。パヴェルが特別に用意したケーキも、死ぬほどおいしかった。

　すべてがパーフェクト……というか、ほとんどが……。欠けているのは母親だけだ。涙（なみだ）がこぼれそうになり、母親があらわれるのを絶望的な気持ちで待ちながら、オクサは入り口から目を離（はな）さなかった。

　パヴェルには、時間がたつにつれてオクサの心が重くしずんでいくのがわかった。必死に楽しそうにふるまってはいるが、本当は悲しくてたまらないのだ。

　ドラゴミラはその朝、ロンドンに着いていた。ポロック家の忠実な友人アバクムといっしょに彼女が店に入ってきたとたん、オクサはその胸に飛びこんだ。オクサは、遠慮（えんりょ）して、祖母の顔色の悪さについてはあえて何も言わなかったが、深いしわがきざまれ、目の下に黒い隈（くま）があるのをやりきれない気持ちで認めた。それでも、祖母がいてくれるだけでうれしかった。

オクサの友だちは、グミやキャンディーをほおばりながらデッキチェアを占領し、オクサがもらったプレゼントを品定めした。天体望遠鏡、ウェブカメラ、マンガのヒロインがついたかばん、空気を入れてふくらませるビニール製の椅子、好きなグループの最新CDと香料入り石鹸。この石鹸は、ゼルダの友だちのゾエからだった。

ゾエを見たとき、オクサは思わず声をあげそうになった。ギュスにまとわりついていた女の子だ。オクサをいちばんいらいらさせた女の子、こっそり「陰謀家」と名づけた、あの子だ。オクサはゾエに不審げなまなざしを向け、誕生日に招待したことを腹立たしく思った。ゼルダはいいようにされているんだ。この子が望んでいるのは、ギュスに近づくことだけだ！　オクサは気に入らなかった。

しばらくゾエを観察してみると、事態はそう単純なものではないことがわかり、よけいにいらいらした。ゾエは目立つ子だ。かわいくて、身のこなしは優雅、肌は最高級の陶器のようにきめ細やかだ。そのうえ、ほかの女の子にはない憂いがただよっていて、見る人をどきりとさせる。彼女の大きく悲しげな目には、心を揺さぶられるものがあった。

オクサは、どことなく影のあるゾエにひどく興味をひかれた。苛立ちながらも、ゾエのギュスに対する態度と、ギュスのゾエに対する態度を監視しないではいられなかった。

それが露骨だったのだろう、すぐにギュスが来てこう言った。

「おまえって、スパイに向いてないいな」

「なによ！」

「どうして、ぼくらを見張ってるんだ？」

「あの子って、いらいらするの」

「ぼくに話しかけるし、ぼくが気に入ってるから？」

オクサはため息をついた。

「メルランがおまえと話してるとき、ぼくがむすっとするかい？」

苦々しそうにギュスがたずねた。

このばかばかしい比較にあきれて、オクサはギュスを見つめた。それからくるりと身をひるがえして歩き始めたが、ギュスはあとを追ってきて文句を言い続けた。

「おまえとメルランが楽しそうに話してても、ぼくは何も言わないじゃないか。それに、言っとくけど、ぼくには関係ないしな」

オクサは無視してデッキチェアにどさりと腰を下ろし、ゼルダとおしゃべりを始めた。ギュスって、なんてひねくれた性格だろう！


とつぜん、ゼルダの視線が何かにひきつけられるのがわかった。ふり向いたオクサの目が、きらきらと輝きだした。

「ママ！」

母親のマリーだった。オクサは、それまでの鬱屈をすべて忘れ去ったかのように胸がいっぱいになり、母親に駆け寄った。二人は抱き合い、何度も頬にキスを交わした。

「かわいい子、どんなに会いたかったことか！」

「ママ、ありがとう！　来てくれたのね！」

「ちがうわ、オクサ。来たんじゃなくて、帰ってきたのよ」

オクサは、母親にしっかり抱きしめられ、これ以上のプレゼントはないと思った。それから母親の手を引き、腰に手をまわして得意そうに叫んだ。

「みんな、あたしのママよ！」

マリーは、胸がいっぱいになってその場にいた人たちを見まわし、つぶやいた。

「すごく遅刻してしまって……」

「そんなのいいよ、ママ！」


マリーがこのパーティーで最も待たれていた人だということは、全員わかっていた。招待客は気持ちをこめてマリーにあいさつしたし、パヴェル、祖母ドラゴミラ、アバクムも立ち上がった。マリーは、最初はおずおずと彼らに近づいたが、すぐに夫のパヴェルの胸に飛びこみ、耳元で何事かささやいた。パヴェルの顔がぱっと明るくなったところをみると、優しい言葉だったにちがいない。それからドラゴミラ、次いでアバクムと抱擁した。オクサはそれを見て安心し、あらためて、うれしさがこみあげてきた。

本当にすばらしい誕生日！　これまででいちばんの誕生日だ！

30　変わったプレゼント

その日の夕方は陽だまりのように暖かく、明るい雰囲気だった。友人たちはしばらくして帰っていき、ポロック一家とアバクムだけが、水入らずでマリーとの再会を喜び合った。

彼らは、ビックトウ広場の家に足取りも軽く帰ってきた。バーバ・ポロックは、一家の結束を強めるため、初めてオクサとマリーを自分の秘密の工房に案内することにした。彼女にとってはきわめて象徴的な、意味のある行為だ。

「すごい！　入るためのコード番号とかあるの？　どうやったら入れるの？」

オクサは、コントラバスケースから秘密の工房に入りながら、うわずった声を上げた。

「コードはないわ。でも、このケースは三人の言うことしか聞かないの。フォルダンゴ、フォルダンゴット、そしてわたし。ケースの底に手のひらを当ててるだけでいいのよ」

ドラゴミラは、狭いらせん階段をのぼりながら説明した。

「指紋による操作？　ハイテクじゃない、すごい！」

「当然じゃない？　わたしたちは文明の発達した国の人間なのよ。この操作はずっと昔からあるの。とにかく、エデフィアでは国が始まって以来、ずっと使われてきたことなの」

「へぇー！」と、オクサ。彼女にしてはひかえめな反応だ。「パリの家にいたときも、同じような工房があったの？」

「そうよ。おまえの部屋のすぐ上の屋根裏部屋にね。……さあ、着いたわ。オクサ、マリー、これがわたしの秘密の工房ですよ！」

「まあ！」マリーは思わず口に手を当てた。

「うわーっ！　そっか！」オクサは入り口でぴたりと立ち止まった。

その部屋を見た者は、だれでも言葉が続かなくなるだろう。壁の窪みに、奇妙な生き物たちが気持ちよさそうに眠っている。ジャガイモに毛が生えたような生き物、羽の生えた小さなカエル、しわくちゃの小型セイウチ、綿にくるまれたとても小さな鶏……。しかし、オクサにとって最も不思議だったのは、秘密の部屋に住むこの奇妙な生き物たちと、ほんの数メートルしか離れていない部屋で自分がずっと暮らしてきたという事実だった。

「お入りなさい。だいじょうぶよ、みんなぐっすり眠っているから」

ドラゴミラが二人をうながした。


オクサは中に足を踏み入れ、気持ちのよい自然光が入ってくる大きな天窓のついた工房を見わたした。ドラゴミラのほかの部屋と同様、この秘密の工房もなんとも言えない雑然とした雰囲気に包まれている。まったく祖母らしい部屋だ。絨毯が何枚も重なり合った床、ベッド用の壁の窪みに置かれた濃紺のソファ、ブロンズ色の小さな家具……。秘密が明かされた夜にオクサが見た大ダコは、造りつけの鉄製のテーブルに乗って、先っぽが電灯のように光る十一本の足をうごめかせていた。壁には絹のような光沢のある厚手の布が貼ってあり、わずかな音も外にもらさないばかりか、包みこむような、このうえなく快適な雰囲気を部屋全体にあたえていた。フォルダンゴたちもいる。部屋のすみで彫像のように動かずにいる。

「信じられないわ……」

マリーがオクサの耳元でささやいた。

「さあ、こっちにきてお座りなさいな」

ドラゴミラは、プラム色のソファにオクサたちを誘った。

マリーは夫パヴェルの手を取り、オクサは母の肩に頭をのせて寄り添った。何週間も離れていたあとで三人が再びこうしていっしょにいる姿は、見る人の心を温かくした。アバクムは少し離れ、感激したように三人をながめていた。

ドラゴミラは、ポケットから小さな包みを出して、オクサにわたした。

オクサは急いで開けた。

「これ、なに、バーバ？　ブレスレット？　すっごい！　すべすべしてる！」

「キュルビッタ・ペトよ。ある種の能力をコントロールするのが、おまえには難しいみたいだから……」

「そのとおりね」と、マリーが口をはさみ、ハシバミ色の目でオクサの目をのぞきこんだ。「おばあちゃんが話してくれたことに、とてもショックを受けたわ。最初は信じなかったけれど、それからひどく怖くなったの。パパと結婚してから、ポロック家の人たちがちょっと変わっていることはわかっていたけれど……ここまでとはね！　わたしにだって手加減してくれなかったじゃないの、小さな魔法使いさん！」

　口調はおどけているものの、マリーの顔には悲しみの色が浮かんでいた。その沈痛な表情はいままで見たこともないものだったので、オクサは驚いた。これまでなら、そういう顔つきは、父親の専売特許と決まっていたのだ。

「心配しないで、ママ」オクサがささやいた。

「心配じゃないの。怖いのよ」マリーがオクサの言葉を訂正した。

　重い沈黙が秘密の工房を支配した。フォルダンゴとフォルダンゴットは妙な緑っぽい顔色に変わり、そっと工房を出ようとした。ところが、あわてていたせいでふだんの不器用さが倍加したのか、床のクッションに足をとられて、二人ともばったりとたおれた。

「ああ、痛い、何という失望……。目立たなさが激しい失敗になってしまいました」

　フォルダンゴは嘆き、急いで相棒を助け起こした。立ち上がると、二人は、後ろを向いてじっとしていることにした。

　あきらめたような、また楽しんでいるような調子で、マリーが続けた。

「ねえ、オクサ。キッチンでのあの夜のことだけど、あなたができることをわたしは全部見たのかしら？」

　オクサは、どう答えたらいいか問うように祖母を見て、それから父親を見た。パヴェルは、オクサを勇気づけるようにうなずいた。

「率直に話していいのよ。もう隠しごとはなしよ。いいわね？」

　母親が優しく言い添えたので、オクサは、勇気をふりしぼって話し始めた。

「それなら言うけど、離れたところからものを動かしたり、火をつけたり、床から離れて宙に浮いたりできる」

「そうなの？　宙に浮くの？」マリーは当惑したように顔をなでた。「知らなかった……あのときデモンストレーションをしてくれなくてよかったわ。きっと、ロンドンじゅうの人が何事かと飛び出してくるくらいの悲鳴をあげてたわね！」

「ええっと……もうひとつあるんだけど、たしかじゃない……」

　オクサはためらった。部屋にいた四人は、じっとオクサを見つめた。

「手を使わないでパンチを食らわせることができると思う……そう思うだけだけど」

「パンチ？　手を使わずに？」マリーは不安そうにたずねた。

「〈ノック・パンチ〉ね。すばらしいわ」

　うれしそうに言うドラゴミラの横で、パヴェルは眉をひそめた。その能力の効用に、彼女ほど確信がないようだ。

「問題は、自分の感情をうまくコントロールできないこと。心の中で思ったことが起きてほしいんだけど、それが、呪文や魔法の杖もなしに勝手に起きてしまうの。すごい力みたいだから、いつも注意していないといけないんだ」

オクサがこう白状すると、祖母がうなずいた。

「そのとおりよ。だから、このキュルビッタ・ペトをおまえにあげるのよ。とても便利なものだから、よく見てごらんなさい」

マリーは、オクサに近づいてのぞきこんだ。そのブレスレットのようなものは、厚みが一センチくらい。青いストライプの入った赤褐色の細かい毛におおわれ、中ほどに、きらきら輝く茶褐色の目をした熊の頭がついている。オクサが手首にはめて留めようとすると、生き物のように動いた！　オクサは、跳び上がった。

「あれっ！　なに、これ？」

ブレスレットの両端からほんの小さな爪があらわれ、手首にぴったり合うようにからまった。そして、この生きたブレスレットは、気持ちよさそうにわずかに波打っている。うまく手首におさまると、熊はウインクして、満足そうにほほえんだ。

マリーは叫び声を何とか抑えたが、オクサは我慢できなかった。

「こんなもの、見たことない！　まるで幻を見ているみたい！　でも、これって、どういう働きをするの？　何の役に立つの？」

「キュルビッタ・ペトは生き物なのよ、わたしの愛しい子。エデフィアの生き物なの。危害はあたえないから安心しなさい。それはね、おまえが安定した気分でいるかどうかだけを気にかけているの。おまえが最近見出した能力は、頭に思いえがくだけで発揮されるけれど、怒りやいらいらから出てきてしまうこともあるでしょう？　それを抑制するのはたやすいことではないわね」

「わかってる。それって得意じゃないもん」

オクサは、何日か前にギュスと話したことを思い出しながら、素直に認めた。

「抑制できないこともあるのよ。でも、コントロールできない超能力に意味はないわ。おまえの言い方だと、力をコントロールできないことがあったということね？」

「うん……学校でね……」

心配そうな視線が行き交った。オクサはそれに気づき、頭の中の〝極秘事項〟に整理されているマックグローと校長室の件は黙っておくことにした。

「四年生の男子で、けんかをしかけてくるのがいて……あたしを見かけると、必ずあたしを突き飛ばしたり侮辱したりするの。一度、男子トイレに閉じこめられたことがあって……」

オクサは言葉を選びながら言った。

「なんだって？　そんなことがあったのに、何にも言わなかったのか？」

パヴェルが大声で言った。

「うん」オクサは小さくなった。「でも、心配しなくていいよ。何ともなかったんだから。あいつのほうよ……」

オクサは言葉をにごした。みんなは、じっと耳をかたむけている。

「あいつのほうって？　どういうことなんだ？」

パヴェルが先をうながした。

「そのう……あたし、パニックになって。つまり、怖くてたまらなかったの。するととつぜん、その野蛮人は後ろに飛んで、壁にたたきつけられたの。パンチを食らったみたいに体を折り曲げてた。あたしは、あいつが近づいてこないように腕を前に出しただけ。絶対にさわってない。でも、あたしのせいだってことはわかってる。サイテーよね……」

しばらく沈黙が続き、ドラゴミラの指が椅子のひじかけをたたく音だけがときどき聞こえた。アバクムは喉をこすり、マリーは固まっていた。オクサは気が気ではなかった。言わなければよかった。学校の中庭を空中散歩したことを言わなくてよかった……。

「ふむ……ほめられたことじゃないな。おまえもわかっていると思うが」額にしわを寄せて、パヴェルが口を開いた。「だれも、ほめることはできないですよね？」この点に反論することを封じるように、マリー、ドラゴミラ、アバクムを順に見つめた。「暴力は絶対に解決策にはならないんだ……」

「でも、パパ。自分を守らないといけなかったんだよ！」

「自分を守るには別のやり方がある」パヴェルはすぐさま言い返した。「だいたい上級生が、しかも学校の中で、そんなふるまいをするのはおかしいじゃないか。どうして、何も言ってくれなかったんだ？　家族を信頼していないのかい？」

「パパったら、そんなにおおげさに言わなくったって……」

「おおげさじゃないよ」パヴェルはぴしゃりと言った。「ぼくは現実的なだけだよ。その男の子のことを先生とか校長先生に話すべきだったんだ。よし、月曜日にぼくが話しに行こう」

「だめ！　たのむから、それはやめて」

オクサの強い口調にびっくりしてパヴェルは口を閉ざしたが、それからゆっくりと言った。

「どうしてだい？」

「自分で自分を守ることくらいできるわよ」

「非暴力主義についてはわたしはパパほど極端じゃないから、あなたの行動はわかるわ」とがめるような視線を夫にちらりと向けて、マリーが言った。「この世界では、だれもが自分の持っている武器で自分を守らなければいけないと思うの。でも、問題は、あなたの武器がふつうじゃないってことよ。それを使うと、大きな危険を冒すことになるわ。だから、わたしは心配なの。エデフィアのせいでもないし、あなたの変わった生まれのせいでもない。それは認めることができたわ。わたしが心配なのは、抑制のきかないあなたの力なの。もしだれかが、あなたがほかの人とちがうって思ったらどうなるかしら？　そんなことは考えたくないけれど……。でも、それがいちばん根本的な問題よね。あなたがいつも危険にさらされていると思うと、ぞっとするの」

マリーは、オクサを見つめて続けた。

「それともうひとつ、上級生が、トイレでもどこでもいいけど、とにかく、あなたをいじめるなんておかしいわ。それはパパと同じ意見よ。校長先生に言いに行きはしないわ。でも、またそんなことが起きるようなら、すぐにわたしたちに言ってね。そのときは、わたしたちが出ていくわ。あなたを信用してもいいかしら？」

「うん」うなだれて、オクサはつぶやいた。

今度はドラゴミラが続けた。

「おまえがしたことは、わたしたちみんなに対しても軽率なことですよ。わたしたちの秘密はだれにも知られてはいけないの。それは死活問題よ！　わたしたちが——どう言ったらいいか——特別だということを、だれも想像すらしてはいけない。このことをわかってくれるといいのだけれどね、石頭さん。……もうこの話は終わりにしましょうか」

みんなはうなずいた。オクサはだれよりも熱心にうなずいた。実験室のテーブルに解剖されたバッタがのっていて、周囲をマックグローと同じ顔をした諜報部員たちが取り囲んでいる光景が浮かんできて、オクサはぶるっと震えた。


アバクムが口を開いた。

「じゃあ、キュルビッタ・ペトの働きを教えるよ。手首に圧力をかけることによって、おまえの気分や感情を抑えるのに役立つんだ」

「ストレス防止ね、それはいいわ」と、オクサ。

「ただ、その思いとどまらせようという努力にもかかわらず、おまえが行動を起こしたら、キュルビッタ・ペトは不満をあらわすんだ。前もって言っておくが、それはあまり気持ちのいいものじゃない。もうひとつ大事なことがある。毎朝、えさをやらなければいけない。これはとても大事なことだから、決して忘れないように」

「忘れたら？」マリーが心配そうにたずねた。

「忘れたら、キュルビッタ・ペトはひどく気難しくなる。そうなると、文句ばかり言うし、主人を目立たせないようにするのが本来の使命なのに、それどころの騒ぎじゃなくなってしまう。一日に一粒、それ以上でも、もちろん、それ以下でもいけない、いいかい？」

アバクムは、オクサに小さな丸い箱をわたしながら、厳しく言った。

「これで一ヵ月はだいじょうぶだ。ところで、わたしからもプレゼントがあるんだよ。すべての〈内の人〉の名に恥じない必須のアクセサリーだ。かわいいオクサ、おまえの〈クラッシュ・グラノック〉だよ」

31　グラノック学

アバクムは上着の内ポケットから、長さ十五センチ、直径三センチほどの筒を取り出した。

「なに？　笛？」と、オクサがたずねた。

マリー以外の全員が笑いだした。とくにフォルダンゴとフォルダンゴットは、床をころげまわって笑った。

「はっ、はっ！　グラシューズ様の孫娘様、笛ですって！　なんという滑稽！　あなた様のユーモアでわたくしどものあごの骨が豊かになります。はっ、はっ！」

「この二人って、ほんと、おかしい」

オクサは、自分もしゃっくりするように笑った。それから急にまじめになって、たずねた。

「バーバの〈カメラ目〉で見た吹き矢のようなものじゃない？」

「そうだよ」と、アバクムが答えた。「正確には、〈クラッシュ・グラノック〉というんだ。これはおまえの〈クラッシュ・グラノック〉だよ。エデフィアでは、みんながひとつずつ持っている。おまえのおばあちゃんの〈クラッシュ・グラノック〉は、わたしがずいぶん前につくったものだが、今度はおまえの番だ」

アバクムはほほえみながら、その筒を差し出した。オクサがそれを受け取ったとたん、とつぜん強い風が巻き起こり、壁がガタガタ音を立て、広場の木々の葉が舞い上がった。と同時に、強い光が一瞬オクサを包みこんだ。それは、気づいたと思ったら、もう消えていた。ドラゴミラとアバクムは、思わず顔を見合わせた。

「何だったの？」と、オクサがたずねた。

「認められた、ということだよ。おまえの〈クラッシュ・グラノック〉がおまえを認めたんだ。それは、不老妖精がおまえにあいさつしたということなんだ」

アバクムは、感無量といった面持ちだ。

「そうなの？　不老妖精が！」

オクサはうっとりした。ドラゴミラもほほえんだ。しかしマリーは、しずんだ声で言った。

「まあ……今度は妖精？　まったく容赦なしなのね……」

オクサは用心しながら、〈クラッシュ・グラノック〉をすみずみまで調べた。不思議なやわらかい光沢がある。花模様を彫った吹き口と、その反対側に「オクサ」と書かれたピンクと金の文字とがぴったり調和している。

「海の泡と琥珀でできているんだ。内側には、グラノックをためておく小さな窪みがいくつかついている。グラノックというのは、植物や動物や鉱物からつくった、一種の弾のようなものだ。つまり〈クラッシュ・グラノック〉は、グラノックを保管し、かつ発射する道具なんだよ。グラノック学は昔からあったが、ここ二世紀の間に急速に進歩した。〈夢飛翔〉の能力のおかげで、グラシューズたちは、〈外の人〉が科学、技術、宇宙の分野で大変な発展をとげたことを知った。〈外界〉でテクノロジーが発展するにつれて、グラシューズたちは、わたしたちの世界がいつか〈外の人〉に発見されるのではないかと恐れ、十九世紀末に大規模なグラノック学の研究開発計画を立てたんだ。とくに防衛用グラノックのね。もしもの場合に備えて……。エデフィアでは武器は禁止されているから、グラノックはわたしたちの価値観とノウハウのちょうどいい妥協点だった。何十種類かあって、それぞれに働きが異なる。〈笑尿弾〉のような遊びっぽいグラノックから、〈睡眠弾〉のような攻撃的なグラノックまで、とても幅広いんだ」

「〈笑尿弾〉？」オクサがさえぎった。

「〈笑尿弾〉を受けると、笑いがとまらなくなり、膀胱（ぼうこう）が尿（にょう）をとどめておけなくなるんだ。〈睡眠弾（すいみんだん）〉を受けると、深い眠りに落ちる」

「永遠の眠り？」

「どれだけの量を入れたかによる。だが、たしかに永遠の眠りになることもありうる」

「攻撃的なグラノックは、ほかにもあるの？　どれがいちばん危険？」

好奇心にかられて、オクサがたずねた。

「いまはあんまりくわしく言えないが、〈窒息弾（ちっそくだん）〉が最も危険な部類に入ると思うな。これを受けると、のどに昆虫（こんちゅう）が入ってきて息がつまってしまうんだ」

「窒息死することもある？」

「そういうこともあるね」

「悪魔（あくま）のような武器ね！」オクサは思わず叫（さけ）んだ。「グラノックをつくるのはだれ？」

「おまえも知っているように、おまえのおばあちゃんとわたしはハーブ薬剤師（やくざいし）だったよね。でも、本来はグラノック学の専門家なんだ。存在するグラノックのほとんどをつくることができる。わたしは、エデフィアでは公式にグラノックを供給する、小さな極秘団体の一員だった。ところが、〈大カオス〉のとき、無敵のグラノックをこっそりとつくるために、メンバーの一人が反逆者（フェロン）に加わった」

「〈黒血球（くろけっきゅう）グラノック〉？」

「よく知ってるじゃないか」

オクサをじっと見つめながら、アバクムが言った。急に表情がくもった。

「〈黒血球グラノック〉も、最も危険なグラノックの部類に入る。なにしろ、エデフィアでは使用禁止の化学物質からできているし、破壊と死をもたらすからね。反逆者は秘密裏に〈黒血球グラノック〉の製造に熟練し、大量につくってストックしていたんだ。やつらが〈大カオス〉のときの攻撃を何ヵ月も前から準備していた証拠だよ。〈黒血球グラノック〉のうち、いちばん大きなダメージをあたえるのは、断崖山脈の岩の粉末からつくられる〈腐敗弾〉だ。これに触れた手足は腐ってしまう」

「〈カメラ目〉で見た！　男の人が、腕が腐ってうめき声をあげてたよね。あれって、すごかった」

「そうだ。〈腐敗弾〉は恐るべき武器だ。〈外界〉に来てから、わたしは、〈まっ消弾〉といった、より威力のあるグラノックを開発することに成功した。それは、開発者であるわたしと、グラシューズであるおまえのおばあちゃんだけが使うことができる」

「それにはどんな威力があるの？」

説明すべきかどうか迷っているアバクムを見て、オクサがたずねた。

「人を殺す。敵を黒い光に包みこんで殺す」

「あたしは？　あたしは使えるの？　あたしもグラシューズだもん」

「そうね」ドラゴミラは、オクサの興奮ぶりに、はっとした。「でも、グラノックのような危険なものをあつかえるようになる前に、おまえはいろんなことを学ばなければいけない。グラノック学は行き当たりばったりを決して許さない複雑な科学なのよ。それに、超能力もあるわね。おまえの知っている能力もあれば、まだ知らない能力もある。おまえは手ほどきを受けないといけないわ。おまえさえよければ、アバクムとレオミドとわたしが、おまえの先生になるわ」

「うん、うん、もちろん！」と、オクサはうわずった声で言った。「あとひとつ、教えてほしいことがあるんだけど……」

オクサは口をつぐんだ。たずねたくてたまらない質問だ。重大な質問でもある。しかし、たずねないといけないだろうか？ 本当に知らないといけないのだろうか？


「あとひとつって？」ドラゴミラがうながした。

「そういうことをあたしが習って、何の役に立つの？ そんなことが全部できたら、すごくうれしい。それは本当。だって、すごいじゃない？ でも、そういう能力を隠さないといけないのなら、どうして習わないといけないのかと思って」

オクサは、心配そうに両親を見つめた。だが彼らは、思ったより落ち着いていた。オクサのその質問をみんなが予想していたようだ。

ドラゴミラが口を開いた。

「わたしたちにはおまえが必要なんだよ。わたしたちは、エデフィアを脱出したけれど、心の底ではあの失われた土地にもどり、こわれた均衡を取りもどしたいと思っているの。エデフィアの民は苦しんでいる、助けを必要としている。いろいろ試してみたけれど、あの印がないためにうまくいかなかった。〈大カオス〉以来、わたしたちが知るかぎりでは、おまえが印を持っている最初の人間、つまり、呪いを解いて〈ケープの間〉を再生させることができる切り札なんだよ。だから、わたしたちの希望はこれまでにないほどふくらんでいるのよ」

「でも……その〈ケープの間〉には何があるの？　そんなに大事なものって、何？」

　オクサがたずねると、祖母のまなざしが揺らいだ。

「そこに入ったグラシューズ以外はだれも知らないのよ。わたしには、おまえの質問に答えることができない。というのも、オシウスの攻撃、そして〈外界〉への脱出という出来事のせいで、わたしは永遠に〈ケープの間〉に入れなくなったから。わたしが知っているのは、その部屋が至上の権力をあたえるということだけ。グラシューズしかその権力を得られない、どんなに凶暴な力を持った者でもそれを受けることができないの」

「でも、オシウスは権力をにぎったのでしょう？」

「そのとおりよ。でも、その権力はオシウスが受けるべきものではなかった。だから、その権力の強奪によって、エデフィアを破滅に導くような不均衡が生じたんだと思うわ」

「もう破滅しているかもしれないがね……」アバクムの顔が曇った。

「元気を出さなくちゃ。エデフィアを救わないと」オクサが勢いこんで言った。

「そんなに簡単な話じゃないんだ」パヴェルは沈鬱な表情をしている。

「でも、あたしには印がある」

「おまえはまだ準備ができていない」

「あたしはまだ初心者ってわけ？」オクサが反抗するように言った。

「おまえが言っている意味とはちがうけれどね」と、祖母が言い返した。「たしかにおまえは初心者だから、エデフィアをいますぐ救いに行こうというのは、ばかげているわ。エデフィアがいまどうなっているかを、わたしたちはまったく知らない。混乱と流血のままに捨ててきてしまったから、反逆者（フェロン）とオシウスが権力をにぎるあの国がどうなったか、だれも知らないのよ」

だれもが押し黙（だま）った。これまでに話されたことを、一人一人が考えているようだ。


しばらくしてオクサが顔を上げ、こう言った。

「じゃあ……あたしは、その訓練をいつ始めたらいいの？」

ドラゴミラは心の底からうれしそうにオクサを見つめた。

「そうしてもいい？」

オクサは両親のほうをふり返った。二人は、ゆっくりとうなずいた。

「本当にいいの？　ほんと？　信じられない！」

「ぼくたちは賛成だよ」パヴェルは、不安げな面持（おもも）ちで答えた。「心の中では迷っているけどね。反対したい気持ちもあるよ。おまえが生まれてからずっと、こうなるんじゃないかと思っていた。おばあちゃんや、エデフィアを知っている人たちの願望はわかる。でも、おまえがこういうことと関わり合いにならずにすめばと、心から祈ったさ。だが、残念なことに、おまえは待望のグラシューズだ。おまえが鍵をにぎっている」

「パパったら、ちょっとおおげさじゃない？」

「ぜんぜん」パヴェルはすぐさま言い返した。「おまえはみんなの『希望の星』なんだよ。この明白な事実を認めないわけにはいかないさ。心から賛成はしていないが、同意する。そういうことだ。とにかく、いまぼくが望むのは、おまえが自分の超能力とうまく折り合いをつけること、とりわけコントロールできるようになることだけだ。おまえが分別のあるふるまいをするなら、今度の秋の学校休暇にレオミド伯父さんの家に行って、最初の訓練を始めてもいいよ」

「ほんと？　やった！　ありがと、ありがと！　パパたちって、サイコーの親だわ」

オクサは跳び上がって喜び、母親と父親に順番に抱きついた。

「あなた、聞いた？　わたしたち、サイコーの親なんですって」

目に涙をためたマリーが、夫のほうに向き直って言った。

「成功に満ち満ちた誕生日です！　古いグラシューズ様のお美しい孫娘オクサ様の喜びに満ちた誕生日です！」

フォルダンゴとフォルダンゴットはそう叫んで、オクサの前にひれ伏した。

「『古いグラシューズ様』と呼ばれるのがうれしいかどうか、自信はないわね」ドラゴミラは少し不満そうだ。「でも、この子を『若いグラシューズ様』と呼んでもいいと思うわ。そのとおりですものね」

32　ゾエへの疑念

十日間の秋の休暇が近づいてきた。オクサは、もうじきグラシューズとしての訓練を始めるという希望を糧に、学校での勉強にも力を入れた。授業でも以前の二倍の集中力をかたむけたので、先生たちは賞賛を惜しまなかった。ただし、マックグローだけは例外だ。いずれにせよ、どんな生徒でも彼にほめられることはなかったし、これからもないだろう。

その朝も、その評判は変わることがなかった。マックグローが前回の数学のテストを生徒に返している様子は、さながらダーツゲームだった。この先生は心からそれを楽しんでいた。

「ベックさん、二十点満点中十二点。図形の基礎がまったくできていないようだね」

「ポロックさん、二十点満点中十八点。かろうじて合格だ。きみのミミズが這ったような細かい字を読むという苦痛を免除してくれれば、大変ありがたいがね」

「ベランジェさん、二十点満点中十五点。ポロックさんと席が近いことで得をしているのでしょうかね」

彼は、不愉快な批判をすることにかけては生徒を平等にあつかう才能があった。メルランだけが、アインシュタインに興味を持っていることが幸いしたのか、難をまぬがれた。

しかし、そのメルランも、休憩時間になると不満をぶちまけた。

「あの先生、ほんと、おかしいよ。全然ミスがないのに十八点だって！　かろうじて合格だ、だってさ！　頭がイカれてるよ。今度はなんて書かれたんだい、オクサ？」

「まあね……前回と同じで、『字がきたなく、ていねいに書かれていない』よ。想像力に欠けるよね。でも、気にしないようにしてる」

「冷静でいられていいよな。ぼくは軽くは受け止められないよ。あいつが言ったこと、聞いただろ？　おまえの答案を写したって侮辱したんだぞ！　まったく頭にくるよな」

「気にしなくていいよ、あいつはビョーキ。あんたが写すなんてだれも思ってないよ。それに、そんなことしたら、どうなるか！」

オクサはそう言いながら、ひじでギュスをつついた。

「わかってるよ。だけど、成績表にそんなこと書かれたら、親にどう思われる？」

ギュスはぶつくさ言った。

「十五点っていい点じゃない！　とにかく、わたしよりまし。うちの親はきっとかんかんよ。ギュスかメルランと代わってもらいたいな」

ゼルダは悲しそうにつぶやいた。

「あんなやつのお気に入りがいいと思う？　そんなの、まっぴらだ！　嫌味を言われたほうがましだよ！」

メルランは苛立っていた。

「マックグローなんか、大嫌いだ。憎んでやる。呪ってやる！」と、ギュス。

「とにかく、あいつの奥さんや子どもに同情するよ」と、メルラン。

「へえ、あんな頭の変なやつに奥さんと子どもがいると思う？　だいたい、あいつの奥さんなんてどこで見つけられるのよ？」と、ゼルダ。

「アダムス・ファミリー（邪悪なこと、不気味なことが好きなお化け一家が繰り広げるホラーコメディ。アメリカの有名なテレビドラマで世界じゅうで放映）の人とか……」メルランが答えた。

「あれっ、オクサ、見てみろよ。あそこにいるの、あの四年生の野蛮人じゃなかったっけ？」

ギュスが気づいて教えてくれた。

オクサはふり向いた。まさにあいつだ。中庭の中央にある石造りの噴水のそばに腰かけて、いやな目つきでオクサをにらんでいる。横に座っている女の子も、オクサを見ながら野蛮人の耳元に何かささやき、二人でにやにや笑っていた。

「なによ、笑えばいいわ、能なしめ……」

オクサは、キュルビッタ・ペトが手首を締めつけるのを感じた。祖母ドラゴミラにもらってから、何度かそういうことがあった。ほとんどいつも、強いストレスと欲求不満を感じさせるマックグローがいるときだった。以前よりもうまくコントロールできるようになったが、〈磁気術〉と〈ノック・パンチ〉を使いそうになったことが何度かある。教室のすみにマックグローを投げ飛ばせたら、というのが夢だ……。

そういうとき、キュルビッタ・ペトがよく観察していてオクサを思いとどまらせた。だが、いやなコメントをつけた数学のテストを返されたことに加え、野蛮人のからかうような、ばかにしたような視線を向けられて、オクサは我慢できなくなった。うってつけのアイデアが浮かんだ。

「ギュス、見てて。これはまだ見せてなかったよね。絶対、おもしろいから」

オクサはささやいて、ギュスをほかの友だちから遠ざけた。そして、リュックから水のペットボトルを取り出すと、手のひらに少し水を取った。そして粘土を練るように両手をこすり合わせてから……ギュスに見せた。

水の玉だ。水銀の玉のように銀色に反射して揺れる、すばらしい水の玉！

「信じらんない！」

ギュスがもごもご言った。

「ちょっと待って。すごいものを見せてあげる」

オクサは、頭をかこうと腕を上げたようなふりをして、水の玉を噴水のほうへ投げた。それは完璧な曲線をえがいて野蛮人の頭のてっぺんに当たり、野蛮人は、弾かれたようにぴょんと跳び上がった。

手首を締めつけるキュルビッタ・ペトの圧力が上がった。緊急事態に対応すべく次の段階に移ろうとしている。オクサが次の行動を起こそうとしていたからだ。手首のやわらかい皮膚が引っかかれたように、ちくちくして軽くしびれ、オクサは一瞬それに気をとられた。しかし、それもむだだった。リベンジの鐘はすでに鳴っていたのだ。オクサの決心は固い。新しい水の玉をつくって投げようとしていた。

「いたっ!」

二発目を投げると同時に、オクサは叫んだ。キュルビッタ・ペトがオクサの手首をひどく刺したのだ。だが、彼女の叫び声は、あちこちでわきあがる笑い声にかき消された。野蛮人は水の玉を顔いっぱいに受け、あたりを見まわしてわめいた。

「だれだ? だれがやったんだ? 頭をたたき割ってやる!」

「噴水よ、モーティマー。噴水の水よ」

仲間の女の子が、ティッシュを差し出しながら言った。

しかし野蛮人は、なかなか気を静められないらしい。腹立ちまぎれに噴水のふちを思い切り蹴とばして、足を痛めたようだ。よけいに滑稽だ。それから、噴水の中に建っている天使のような像をきっとにらんだあと、くるりと向きを変えて、頭から水をしたたらせながらトイレのほうへ行った。

＊＊＊

中庭の真ん中のハプニングに、生徒はみんな注目していた。ゼルダの友だちでギュスのお気に入りのゾエだけは、別だった。彼女が興味深そうなまなざしを自分に向けているのに、オクサは気づいた。単なる思い過ごしかもしれないが……でも、もし、さっき自分がしたことにゾエが気づいたとしたら？　まさか、そんなことはありえない。

それでもオクサは、自分のしたことを後悔し始めていた。前もって忠告されなかったわけではない。なんてばかなんだろう……。オクサは、プルオーバーの袖の下にあるキュルビッタ・ペトをなで、ゾエにぎこちなくほほえみかけた。

「あの噴水には近づかないほうがいいみたい」

「そうね。機械が故障してるんでしょうね。すごく古い噴水だから」

ゾエも、ほほえみながら答えた。頭を少しかしげると、赤みがかったブロンドの前髪がふわりと揺れた。


どうやら、ゾエの視線の意味を勘ちがいしたようだ。彼女は内気な女の子で、人に話しかけるのが苦手なんだろう。きっと友だちがほしいんだ。ゾエはいつもゼルダといっしょにいるし、その存在はオクサのグループのみんなが受け入れている。とくにギュスは……。

ゾエがギュスに近づくたびに反感を見せないように、オクサは大変な努力をした。それでも、ゾエがいると、オクサは落ち着かなかった。ゾエがオクサを見る目つきには、どことなく不自然なものを感じた。何か心配事をかかえていて、なぐさめてくれる人が必要なのだろうか。それで、自然に話すことができないのかもしれない……。

オクサはいろいろ考えてみたが、むだだった。ほかの友だちのように広い心を持てない自分がいやだった。ゾエが誕生日にくれた石鹸のことを思った。亀の形をした、香料入りのきれいな石鹸だったが、ほとんどの石鹸にふくまれているグリセリンにアレルギーがあるため、母にあげてしまった。まるで、ゾエに対してアレルギーがあるみたいだ……。

そんなオクサの考えごとは、ギュスのささやきで中断された。

「もう少しで気づかれるところだったぞ。キュルビッタ・ペトは何やってたんだ？」

「まるで吸血鬼（きゅうけつき）よ。見て、もう血がなくなっちゃいそう！」

オクサは、プルオーバーの袖（そで）を少し上げ、引っかき傷のついた手首をギュスに見せた。

「当然の仕打ちだね。そうだろ？　自分からトラブルを探してたら世話ないよ」

「へぇ、哲学（てつがく）の先生にでもなったつもり？　あたしにお説教すんの？」

オクサは水の玉をつくるふりをしながら、からかった。

「ぼくに当てるつもり？　そんなことしたら、服を着たまま噴水に投げこんでやる！」

ギュスは指を立てて、オクサに警告した。そうして長い前髪をばさりと目の前に下ろし、うれしそうに輝（かがや）く両目を隠（かく）した。

33　トラブルメーカーのオクサ

オクサがドラゴミラの部屋をノックすると、フォルダンゴットがドアを開けた。彼女は、サロペットの上にストライプのエプロンを着け、仕事の最中だったようだ。

「あら、まあ、若いグラシューズ様。ようこそおいでくださいました。おやつをいっしょに召し上がる希望をお持ちですか？」

「フォルダンゴット、オクサを部屋に入れてやってくれる？」

ドラゴミラが近づいてきて、オクサを迎えた。孫娘の肩に手を置き、頬にキスしてから部屋の中に招き入れた。彼女は、オクサのおなかに印があらわれた直後に失った元気を、いまはすっかり取りもどしていた。ターコイズブルーのたっぷりとしたロングドレスを着て、光り輝くような元気なバーバにもどっている。

「わたしの愛しい子、おまえの大好きなナリスニキ（フレッシュチーズの入ったウクライナ風クレープ）をつくったのよ」

「ありがとう、バーバ。あれ、大好き。ところで、フォルダンゴットは何してるの？」

エプロンを着けたフォルダンゴットは、アイロン台の前の小さな椅子に腰かけて、アルミ箔の包みをアイロンで力いっぱい押さえつけていた。

「クロック・ムッシュ（パンにハムとチーズをはさんで焼いたフランス風サンドウィッチ）よ、わたしの愛しい子。〝フォルダンゴット特製〟のアイロンでつくるクロック・ムッシュ」

「ウソみたい」

「あら、フォルダンゴットたちの発明能力は無尽蔵なのよ」

ドラゴミラは、オクサの好きなカルダモンティーの入ったティーカップを差し出した。

「今日は学校、どうだった？」

オクサは紅茶をひと口飲んだ。言うべきか、言わざるべきか、それが問題だ……。

「そうね……数学で二十点満点中十八点、歴史で十七点とった。悪くないでしょ？」

「ぜんぜん悪くないわね。完璧に近いわね。おめでとう」

しかし、祖母の目は、分厚い包帯を巻いたオクサの手首に釘づけだった。とりわけ、ひどく顔色が悪く、しかめっ面で、目のどんよりとしたキュルビッタ・ペトに向けられていた。

「すばらしい点数はいいとして、ほかに何か隠していることがあるんじゃないの？」

ドラゴミラは、キュルビッタ・ペトの小さなあごの下に指を入れてさすりながらたずねた。

「わかった、降参……でも、お願いだから、ママには何も言わないって約束して、バーバ！」

オクサは懇願した。

「そんなに大変なことなの？」と、祖母が眉をひそめた。

「約束してよ！」

「いいわ、約束するわ。でも、場合によっては、おまえを叱(しか)らないとは約束できないわよ」

「まあ、それはしかたがないけどね……野蛮人(やばんじん)に水を浴びせたの」

オクサは祖母に、恥ずかしそうな、だがうれしそうな目を向けて告白した。

「野蛮人に水をかけたですって？　それはだれ？　それで？」

ドラゴミラが次第に表情をくもらせた。

「キュルビッタ・ペトは、一生懸命(けんめい)あたしに警告してやめさせようとしたけど、あたしは言うことを聞かなかったの。野蛮人がまた、おおっぴらにあたしをばかにしたの。それで、水の玉をつくったの。それだけ……」

ドラゴミラは、途方(とほう)に暮れ、あきらめたように顔をこすって、ため息をついた。

「本当にそれだけ？」

「う～ん……わからない」オクサはくちびるを噛(か)みながら、迷っていた。「あたしが何かしたんじゃないかって、ゾエが気づいたような気もするんだけど……」

「ゾエ？　おまえの誕生日にゼルダといっしょに来た女の子のこと？」

「そう、あの子」

「おまえがやったんだとあの子がわかったって、どうしてそう思うの？」

「わからない。ただそういう感じがしただけ。あたしを見る目つきかな」

「おそらくあの子の性格だと思うわ」祖母はそう言いながら、考えこんでいた。「おまえの誕生日のときも、あの子は周りで起きることすべてを、じっと興味深そうに観察していたわ。でも、おまえのやったことはほめられないわね。わかっているでしょうけど。パヴェルたちには何も言わないわ。さっき約束したことだし、訓練を始めるためにレオミドのところに行きたい気持ちは、わたしもおまえと同じくらい強いのよ。でも、おまえが、そのへんのところをよくわかっているのかどうか……」

「バーバ、わかってるって、ごめんなさい！」

オクサは必死になってあやまった。

祖母は、厳しい目つきでオクサを見つめた。だが、もっと厳しくしなければと思いながら、そうできないでいた。

「うそつき」と、叫んだドラゴミラの目には、楽しんでいるような色が浮かんでいた。「ごめんなさいなんて思っていないでしょう……。とにかく、おまえを諭そうとしたかわいそうなキュルビッタ・ペトを立ち直らせないといけないわね」

ドラゴミラは立ち上がり、ガラス戸の戸棚に入っている無数の瓶のなかから、青味がかった小さなガラス瓶を取り出し、中に入っている油のような液体に人差し指をひたした。

「それは何？」オクサがたずねた。

「ヤクタタズのとさかを原料にした特別な塗り薬よ」

ドラゴミラは、ふくれっ面をしたキュルビッタ・ペトのちっちゃな頭をやわらかくマッサージしながら答えた。

「ヤクタタズのとさか?」

「おまえのキュルビッタ・ペトの緊張をほぐすには、これしかないのよ」ドラゴミラはオクサの質問には答えずに続けた。「警告を無視されたということは、この子にとっては耐えがたい失敗なのよ。自分の使命を果たせなかったようなものだからね」

キュルビッタ・ペトは目を半分閉じて、気持ちよさそうにのどをゴロゴロ鳴らし始めた。この塗り薬の効果はすばらしい！　これをマックグロー用に少しもらえたら……でも、いやな先生の頭をマッサージするなんて、うえーっ……。

「おまえの友だちのギュスは、このことをどう思っているの?」

「ええっ、バーバ!」

オクサは反論しようとした。ここ数週間の事件のことは、ポロック一家と〈逃げおおせた人〉以外には知られてはいけないことだ。ギュスも同様だ。

「あら、ちょっと、オクサさん。おまえがギュスに何も言っていないって、わたしが信じてるとでも思ってるの?　このバーバ・ポロックが!」

ドラゴミラは、ブルーの目で孫娘の目をじっと見つめた。

「バーバは何でも知ってるんだから。頭にきちゃう」オクサはヒューと口を鳴らした。「どうしてわかったの?」

「ポロック家の秘密よ。……ねえ、ちょっとたのみを聞いてくれる?」

「なんでもどうぞ！」

「パパとママを呼んできてちょうだい」

オクサは固まった。

「心配しなくてもいいのよ。呼んできなさい」

祖母は、からかうような微笑を浮かべた。

＊＊＊

しばらくして、ドラゴミラの部屋の暖炉の前には四人が座っていた。オクサは不安でたまらなかった。祖母は安心させるようなことを言ったけれど、今日の午後の失敗のツケをはらわされるのではないだろうか？

父パヴェルが口を開いた。

「おまえの学校の成績を今日受け取ったよ。とてもいい成績だったな」

「若いグラシューズ様、おめでとうございます」

アイロンでつくったクロック・ムッシュをほおばりながら、フォルダンゴとフォルダンゴットが口をそろえて言った。

「もちろん、驚きはしなかったがね。おまえのことを誇りに思うよ。先生方の評価もとてもいい。マックグロー先生を除いてね。これだけはよくわからないんだ。十八点未満の点数はないのに、字の書き方がていねいじゃないとしか書いてない。おかしいよな」

「マックグロー？　あいつは頭がおかしいのよ。先生なんかじゃないし！」

オクサは反射的に叫(さけ)んでしまった。

「頭がおかしいですって？　ちょっと言いすぎじゃないの？　たしかにちょっと変わった人みたいだけれど。でも、どうして先生じゃないなんて言うの？」

母のマリーがたずねた。

「だって、あいつはＣＩＡ(シーアイエー)のスパイだもん」

そうつぶやいたとたん、オクサは自分の言ったことを後悔(こうかい)した。


みなが口をつぐみ、オクサは気が重くなった。母親は、最初愉快(ゆかい)そうなほほえみを浮かべていたが、すぐに心配そうに口をゆがめた。それから、夫とドラゴミラに視線を移した。二人とも心配そうなのが見て取れた。

「どうしてそう思うの？」

マリーは、落ち着いた調子でささやくようにたずねた。

この瞬間(しゅんかん)、オクサは、祖母の部屋から何十億キロも離れたところに飛んで行きたい、と思った。どうしてあんなことを言ったんだろう？　成績はいいかもしれないけど、口を開く前に考えるということにかけては、あたしは最低だ……。

いろいろな思いが頭の中にひしめいていた。理由を説明しようとすれば、最初からすべて告白しなければならない。つまり、新学期初日にたおれたこと、瓶(びん)を落とさないようにしたこと、オクサに関してマックグローが抱いているらしい疑念、バッタの脳を操縦するうじ虫の仮説、オクサとギュスが集めたマックグローに関する情報……。この情報のことを話せば、校長室への侵入、昼日中に学校の中庭で空中浮遊したこと、他人の財布を探ったことまで話さなければならなくなる。つまり、レオミドおじさんの家でのバカンスにさようならだ……。

心の中では後悔しながら、オクサは軽い調子でこう答えた。

「あら、ジョーダンよ。友だちと映画ごっこをするのが好きだから。マックグローがスパイだって想像して楽しんでたってこと」

ほかの三人はすぐに安心したようだ。オクサは一見無邪気そうに三人を見つめながら、心の中でため息をついた。

「それなら、あなたの行ないに問題はなかったのね？ 〈磁気術〉も〈ノック・パンチ〉も、公衆の面前で飛ぶこともなかったわけね？ ほらね、わたしだって本物の〈逃げおおせた人〉みたいに話せるでしょう？」

マリーはいたずらっぽい目をして言った。

オクサはバツが悪そうにほほえむと、祖母を心配そうに見た。この場の会話はまるで拷問のようだ。

「問題なしね！」ドラゴミラは、わざと声を張りあげて言った。「ちょっとつけ加えることがあるんだけれど……ギュスは知っているの。でもまあ、これはスクープではないわよね？」

オクサの両親は同意するようにほほえんだ。オクサは驚いた。二人は知ってたんだ！ なんてこと！　今年いちばんのグッドニュースじゃない！　いや……今年のじゃないか……でも、今日いちばんのニュースであることはまちがいない！

「じゃあ、この子についてはどうしましょう？」

ドラゴミラは、オクサを再び不安に陥(おとしい)れるのを楽しむように言った。

「ぼくの娘のことを言ってるんですか？　ぼくのすばらしく頭のいい、才能のある娘のことですか？」

パヴェルは、まるでそこにオクサがいないかのように言った。それから妻に向き直り、

「マリー、おまえはどう思う？　よく考えないといけないね。そうだろ？」

「パパ……」

オクサは椅子に座ったまま体をよじりながら、あえぐように言った。

「わたしもよく考えないといけないわね。でも、半年後には返事をしますから」

マリーは夫のジョークに同調した。

「ママ……」

オクサは、さらに大きな声をあげた。

「バカンスの間、おまえはレオミドの家に行っていいよ」パヴェルはやっと拷問に終止符(しゅうしふ)を打った。「ぼくたちはレストランの仕事がいそがしいから、お母さんが同行する。それに招待客が一人。おまえがとても好きな人で、何でも打ち明けられる人みたいだよ……」

「ギュス？　ほんと？　わあ、ありがとう、パパ、ママ！」

オクサは、うれしくてたまらなかった。

「ジャンヌとピエールと、二、三、打ち合わせがあるけど、おまえたち三人は一週間後にウェールズに向けて出発だ」

「サイコー！　うれしい！　すごくうれしい！」

34　ウェールズの岬(みさき)

三人組が空港で目立たなかったかと言えば、うそになる。注目の的は、祖母ドラゴミラとその派手な服装だった。紫(むらさき)色のアンサンブルに、すみれ色のぴったりしたビロードのコート、服に合わせた帽子(ぼうし)。キャスターつきのこげ茶の巨大な革製(かわ)スーツケースを引き、肩にかけたバッグをわきにしっかりとかかえている。オクサとギュスは、ドラゴミラに比べればひかえめな服装だったが、奇抜(きばつ)ではあっても落ち着いたドラゴミラより、ずっとはしゃいでいた。

オクサは、喜びが体いっぱいにわきあがってくるような気がした。ここ数週間ほど続いた緊(きん)張(ちょう)と言い争いから、早く気分を一新したくてたまらなかった。しばらく家を離(はな)れるのは、いい気分転換(てんかん)になるはずだ。

ギュスはというと、相反する気持ちに揺(ゆ)れていた。レオミドの家にオクサといっしょに行き、すばらしい〝訓練〟を目(ま)の当たりにできるのは、たしかにうれしい。しかし、両親に話せない秘密を持っているのは、あまりいい気持ちとは言えなかった。良心の咎(とが)めが心にのしかかっている。

ポロック家とベランジェ家の人たちは出発ロビーに向かった。感傷的な気分になる場所からのせいか、パヴェルは深いため息をいくつもついた。


空港を飛び立った飛行機が雲の上まで来たとき、オクサは言った。

「飛んでいけたかもね。そしたらおもしろいだろうね」

「そりゃそうだ。でも、UFO(ユーフォー)だと思われて空軍に攻撃(こうげき)されたらまずいよな」と、ギュス。

「あーあ、あんたって、現実的なんだから」

オクサはギュスにひじ鉄を食らわせた。

「オクサはあなたには何でも打ち明けているようね、ギュス？」

ドラゴミラが口をはさんだ。

「まあ……そうですね、たしかに……」

それがオクサの祖母にとっていいことか悪いことなのか判断がつかず、ギュスは、しどろもどろになった。

数時間後、オクサたち三人は巨大な暖炉の前にいた。レオミドが空港に車で迎えに来て、そこから五十キロ離れた、いかにもウェールズらしい地方にある自宅まで連れてきてくれたのだ。その家はふつうの家ではなかった。もともとは四百年前に建てられた教会で、その後修道院になっていた建物だ。レオミドは、それが廃墟となる前に購入し、快適で見事な家に改修した。家の裏側に小さな墓地があるほかは、宗教的な場所というよりはカントリーハウスといった感じだ。ケルト海沿岸の入り組んだ地形の一角にあって、最も近い人家から数キロ離れている。周囲をヒース（ヨーロッパ・アフリカの原野に自生する常緑低木）におおわれた小高い丘に囲まれ、その丘をいくつか越えると、小さな砂地の入り江に行くこともできた。

オクサがここに来るのは二年ぶりだったが、もっと昔のことのように感じられた。池や優しい曲線をえがく屋敷、背の高い野草をなびかせる風……。レオミドの屋敷と敷地はオクサの記憶していたのよりいっそう美しかった。

「ここってすごいですね！　本当にここに住んでるんですか？」

ギュスはうっとりしながら、コンテンポラリーアートの絵がかかった石の壁や、とてつもなく広い部屋にぶらさがっている黒い房飾りのついたシャンデリアを、ながめていた。

使いこまれた革製のひじかけ椅子に座ってくつろぎながら、レオミドはほほえんだ。

「そうだよ、ギュス。本当にここに住んでいるんだ。十三年前に愛する妻を亡くしてからはね。ここにいると心が落ち着くし、おだやかで自由な気持ちになれるんだよ」

「一人ぼっちで寂しくないですか？　この家はすごく広いし……」と、ギュスが続けた。

「たしかに、十室の部屋に加えて、昔は教会の内陣（教会の中心よりやや奥にあるスペース。祭壇が置かれ、聖職者が儀式を行なう場所）だったこの広間がある。だが、一人ぼっちだという気はしないね」

「とにかく、あたしの訓練を快く引き受けてくれて、どうもありがとう、おじさん」

「どういたしまして。それより、長いことだれにも教えていないから、腕がにぶってなければいいんだがね……実はエデフィア以来なんだ」

レオミドは、指先であごをぽんぽんたたきながら言った。その言葉には、後悔をふくんだ深いノスタルジーが感じられた。大きな広間はしばらくの間、沈黙に包まれた。オクサとギュスがもっと話を聞きたそうにしているのが、レオミドにはすぐにわかった。

「おまえたちも知っているように、ドラゴミラとアバクムとわたしは、一九五二年にエデフィアを脱出して、シベリアに着いた」レオミドは、しゃがれ声で話し始めた。「まもなく、〈内界〉と〈外界〉の違いが想像以上だということがわかった。最初の数ヵ月間は、そのちがいは耐えがたいものだった。シベリアは、あらゆる点でわたしにはつらすぎた。妹のドラゴミラはじっと耐えて、脱出のショックを乗り越えようとものすごい努力をしていたし、アバクムは、新しい生活にわたしたちを慣れさせようと、全エネルギーを費やしていた。わたし自身は、動揺を見せずに、母にたのまれたように妹の支えになろうと思った。だが、その義務を怠った」

「やめてよ、レオミド。もう昔の話なんだから、自分を責めることはないわ。ほら、わたしはうまく順応したでしょう?」

ドラゴミラは、眉をひそめながら言った。

「たしかに、おまえは驚くほどうまくこの世界に順応したよ。だが、わたしのおかげだなんて、とても言えない」

「でも、バーバとアバクムおじさんがロシアから脱出できたのは、おじさんのおかげでしょ」

オクサが口をはさんだ。

「そのとおりよ、わたしの愛しい子」と、祖母が強調した。「自分の手柄を絶対に認めたがらないこの石頭に思い出させてくれて、ありがとう。さあ、レオミド、先を続けて」

「〈大カオス〉から八ヵ月後の一九五三年の夏、わたしはヨーロッパを横断してイギリスに住み始めたんだ。それからまもなく、悲しいことに故郷のことがあまり思い出せなくなってきたのに気づいた。母親のマロラーヌの顔すらだんだんはっきりしなくなるし……薄れゆく記憶に苦しんだわけだ。ロンドンに住むようになってから数ヵ月後、有名なオーケストラに雇われることになり、愛するリザと結婚した。仕事が順調になるにつれ、エデフィアはわたしの記憶から遠のいていった。もちろん、心の中にはエデフィアはずっと残っていたよ。だから、心はかき乱され、ノスタルジーにさいなまれた。ドラゴミラとアバクムに会いたくてたまらなかった。一九五五年に初めての子キャメロンが生まれたとき、継承ということを考えたんだ。というのは、自分の出自を明かさないにしても——そのときはまったく心の準備ができていなかったけれど——自分の痕跡のようなものを残すのは重要なことだと思ったんだよ。妻や子どもたちに話すまでには、それから何年もかかった。簡単なことじゃなかったよ。やっとドラゴミラとアバクムに再会したとき、自分の過去を前より容易に受け入れることができた。だから、オクサ、いまならわたしが知っていることをおまえに教えることができるよ」

「ありがとう、おじさん」

オクサは、レオミドの話に感動していた。ふと、父もこういう訓練を受けたのだろうかと考えた。たぶん受けていないだろう。エデフィアを脱出して以来、だれにも教えたことはないと大伯父は言っていた……。

そのことをたずねようとしたとき、見たことがあるような人影に気づいた。

「おじさんのところにもフォルダンゴがいるの？」

「うん、そうだよ。カップルと子どもが一人いる。いま台所で料理をつくっているところだ」

「やった、ついに噂のフォルダンゴが見られるわけだ」ギュスが声をあげた。

「バーバのとこのフォルダンゴと同じくらい料理上手だといいね」と、オクサ。

「まあ見ててごらん、すばらしいコックたちだから。ところで、ギュス、さっききみが孤独じゃないかって訊いたけど、そんなことはないよ。だって、わたしは一人ぼっちじゃないからね。この家は人里から離れているが、そのほうがいいんだよ。わたしにとっても、とりわけ、わたしの生き物たちにとってもね。隠れなくていいし……他人に見られる心配がないからね」

「生き物って……どういう生き物？」

オクサとギュスが同時に質問した。

「ついておいで」

35　にぎやかな野菜畑

「ミニチュアボックスを持ってきただろうね、ドラゴミラ？」

レオミドがたずねた。

「もちろんよ。この中は大騒ぎのようよ」

ドラゴミラは、しっかりとかかえているかばんをぽんとたたいた。

四人は壮麗な広間をあとにして、一方にステンドグラス、他方に重そうな鉄の扉が並んだ廊下を歩いていった。突き当たりには窓のない部屋があった。そこは、さまざまな大きさのロッカーで埋まっていた。ロッカーの内側には、手ざわりのよさそうな布が貼りつけてあった。続きの部屋があり、庭仕事の道具や穀物を入れる瓶でいっぱいだった。

「どこに行ったんだろう？　野菜畑かな？」

レオミドが奥の扉を押し開けると、オクサとギュスにとってはまったく意外な光景が繰り広げられていた。そこは石塀に囲まれた畑になっていて、奇妙な生き物たちが占領している。動いている生き物たちだ！　しゃべっている！　活発に動きまわり、生き生きとおしゃべりしている！　庭仕事に励んでいる者、植物とおしゃべりしながら、そのよく動く葉をみがいている者、巨大なかぼちゃの上に寝そべってちゃっかりと日光浴をしている者……。

「さあ、さあ、こっちにおいで！」と、レオミドが呼びかけた。「みんな、ここにいるのが、前に話した女の子、オクサ。わたしの甥の娘だよ。そしてこっちが、その友だちのギュス」

生き物たちはオクサとギュスの前に集まってきた。二人はぼうぜんと立ちつくしていた。

「こんにちは、若いグラシューズ様！　こんにちは、若いグラシューズ様の若いお友達！　こんにちは、古いグラシューズ様！」

「おやおや、あまり優雅な呼び名じゃないね。ドラゴミラにあやまってくれるかい？」

「いいのよ、わたしの生き物たちも、もう、そう呼んでるんだから」

ドラゴミラは愉快そうに笑った。

「オクサ、ギュス、仲間たちを紹介するよ。ジェトリックス、こっちに来てくれるかい？」

身長三十センチくらいの生き物が二人、前に進み出て、大きな頭を下げてあいさつをした。こげ茶のジャガイモのような体のほとんどは頭だったから、体のほとんどを下げたことになる。側面にくっついた長い腕は地面につき、足が極端に大きい。頭には、くしゃくしゃの豊かな髪がひと房生えている。

「前もって言っておくけど、ジェトリックスはいたずら好きで、仲間をいじめるのが大好きなんだ。たとえば、ヤクタタズ、ヤクタタズなんかをね」

「おい、ヤクタタズ、火事だ！　消防車だ！　おまえのとさかが燃えてるぜ！」

ジェトリックスの一人がわめくと、もう一人はサイレンの口まねをした。

「はあ？　なに？　今度は何だい？　火がどうなっているの？」

ヤクタタズが、のんびりと言った。ほかの生き物たちは、くすくす笑いを始めた。

「だいじょうぶだよ、ヤクタタズ」

レオミドがヤクタタズの手を取って、安心させてやった。

オクサとギュスは、ヤクタタズという名の生き物を近くで見ようとかがんだ。ジェトリックスより少しだけ背が高いが、すごくのろまそうだ。体はぶよぶよして黄色がかっており、牙のないセイウチのような頭から背中全体にかけて、とさかが生えている。優しそうな大きな目は無気力にジェトリックスを見つめていた。

「おい、ぶよぶよの球根、ぶよぶよの球根！」

ジェトリックス二人は異常に興奮している。

「ヤクタタズの頭は、なんていうか……ちょっと弱いんだよ」レオミドが説明した。「ほかの生き物よりちょっとにぶいんだけど、とても優しいし、役に立つんだ。いまにわかると思うがね」

「生き物はどれも効用があるってこと？」

オクサは、にたにたしているヤクタタズの綿毛の生えた体をさすりながら、たずねた。

「そのとおりだよ。ドヴィナイユ、こっちにおいで」

カナリアほどの大きさの、赤褐色（せきかっしょく）の鶏（にわとり）のような生き物がオクサとギュスに近づいてきて、頭の房毛（ふさげ）を激しくふりながら、甲高（かんだか）い声で二人に話しかけた。

「あんたたち！　あんたたちは、西風が吹きつける冷蔵庫のようなこの国よりもずっと温暖な南東から来たでしょ？　わかってるのよ。感じるんだから。そこはもっと暖かいのでしょ？　きっとそうよ！　絶対そうよ！　もうすぐ冬がやってくるわ。どうして熱帯地方に連れてってくれないの？　『鶏に歯が生えたときには、連れてってやる』って、そんなことばっかり言って！　わたしは歯があるんだから！　どうして、わたしの歯がガチガチ鳴るままにしておくの？　どうして、渡り鳥たちといっしょに南に行っちゃいけないの？」

「あんた、自分を見てみなさいよ！　飛ぶこともできないくせに」

トンボに似た羽を持つ、ニキビだらけの陽気なカエルみたいなのが言った。

オクサとギュスは顔を見合わせ、いまにも吹き出しそうだ。レオミドは小さな鶏をひょいとつかみ、暖かい裏地のついた上着の内側に入れた。

「ドヴィナイユは寒がりなせいで、ヒステリーを起こしやすいんだよ。それと、ハネガエルの機（き）嫌（げん）が悪いときも、ドヴィナイユはヒステリーになる」

レオミドはそう言って、宙に浮いて踊（おど）っている四匹のカエルに目を向けた。

「おじさんたちがシベリアにいたときは、その鶏は不幸せだったでしょうね」

　オクサが言うと、レオミドの上着の中から、長いうめき声が聞こえてきた。

「その地名はタブーなんだよ、オクサ」レオミドが小声で言った。「ドラゴミラとアバクムは森林監視小屋に住んでいたんだが、そこの暖炉のそばに何年も閉じこめられていたドヴィナイユにとっては〝冷凍された〟思い出なんだ。でも、大変な寒がりを別にしたら、この生き物は真実を明らかにするという貴重な能力を持っている。見かけ以上のものが見えるんだよ。エデフィアでは、嘘を発見したり、嘘の量を測ったりするのにとても役立った。メーターのようなものだね」

「手ごわいやつだな！」その説明に感心したギュスが叫んだ。

「同感だよ」と、レオミド。

「ほら、フォルダンゴたちよ！　見て、ギュス」

　オクサの知っているフォルダンゴに似たのが二人、野菜畑に入ってきた。二人が連れている子どものフォルダンゴを見ると、オクサたち三人は思わず声をあげた。

「まあ、すばらしい子ね！」と、ドラゴミラ。

「だっこしてもいい？　おねがい、おじさん。かっわいー！」と、オクサ。

「やーい、お気に入り！　やーい、お気に入り！」ジェトリックスたちがはやし立てた。

　オクサはかがんで、皮膚がしわくちゃの、ぽっちゃりした子どものフォルダンゴを抱き上げた。その子は、まつげの縮れた大きな目で、うれしそうにオクサにほほえみかけた。

ドラゴミラのかかえたかばんの中で、ごそごそ音がしている。彼女は、中から箱を取り出し、箱の周りの革ベルトをはずし、そうっとふたを取った。

「おまえたちを解放する時間のようね。一人ずつよ。押さないで！」

オクサとギュスがかがんで見ると、野菜畑にいるのと同じ生き物たちで、ずっと小さいのがぞろぞろあらわれた。まるでミニチュア版だ。二人は目を見張った。

「これはね、ミニチュアボックスよ」いぶかしげに見つめている二人に、ドラゴミラが説明した。

「エデフィアから脱出しなければならなくなったとき、アバクムが――彼は、わたしが知っているなかでは最も先見の明のある人だわ――この天才的な発明品を使って、生き物たちを全部集めて小さくしたのよ。ミニチュアボックスの第一の目的は、スペースを節約すること。かさばる食料や文書を保管するために使っていたのだけれど、アバクムは生き物にも使えることを発見したのよ。おかげで、エデフィアからたくさんの植物や生き物を〈外界〉に連れてくることができたの。いくつかの植物は、門を越えたせいか、あるいはシベリアの極端に低い気温のせいで生き残れなかったけれど、ほとんどはだいじょうぶだったわ」

ミニチュアの生き物たちは一人ずつ、箱から出ると、元の大きさになった。

「画期的な発明だ」ギュスがオクサに向かってささやいた。

ドラゴミラのフォルダンゴたちは、出っ張ったおなかをレオミドのフォルダンゴたちのおなかに向けて突き出した。どうやら再会の喜びを示す仕草らしい。ジェトリックスたちは先を争って、うれしそうに草の上をころげまわり、しまいには、もつれた髪の毛のせいで毛糸玉のようになった。レオミドのヤクタタズも、ドラゴミラのヤクタタズに近づいた。

「あなた、わたしの知ってるだれかに似てますね」

自分のそっくりさんを観察しながら、弱々しい声で言った。

「わたしも、あなたをどこかで見たことがあります」

独特の目玉をゆっくりと動かしながら、分身が答えた。


ドヴィナイユは、ミニチュアボックスを出たとたん、レオミドの上着の中で温まっている仲間に合流した。一方では、ハエの頭をしたタコのような生き物たちが、無数の足をたがいにからみあわせていた。

「あれっ、この生き物、あたし知ってる！」

「『発光ダコ』だよ。燐光を放つ発光ダコは懐中電灯より明るい。街灯とか、家の中の電灯の代わりに使っていたんだよ。大人の発光ダコが発する光の強さは、何秒か見つめるだけで盲目になるほどだから、気をつけないといけないよ」

「すっごい！　じゃあ、あれは何？」

オクサは、足をしばられ、猿ぐつわをかまされて、ミニチュアボックスの底でもがいている生き物を指差した。醜くて、羽のないゴキブリのようだ。

「アボミナリよ」と、祖母が困ったような顔をして答えた。

「どうして、しばられているんです？」と、ギュス。

ドラゴミラは答える代わりに、その生き物を箱から出し、しばっていたロープをはずした。生き物は自由の身になるや、ぴょんと立ち上がって、こうどなった。

「いまに見てろよ、しわくちゃばばあめ！　おれに近づいてみろ、おまえの腐(くさ)った血と腐りかけた内臓を抜(ぬ)いてから、体をずたずたにしてやる。おまえさんにぴったりの仕打ちだぜ！」

アボミナリは、ののしりながら、よごれた長い爪(つめ)をドラゴミラの前に突き出した。

「どうしたの？」オクサがたずねた。

「おれ様がどうしたって？」アボミナリは、つばを吐(は)いた。「おれがどうしたって？　このよぼよぼの、吐き気がするような口うるさい女はな、おれのことを敬わないんだよ」

「あんたはだれなの？」オクサは顔をしかめた。

「おれがだれかって？　おれがだれか知りたいってか？　おまえも、この老(ふ)けたゲスデブと同じくらいばかだな。すぐに腹を切り裂(さ)いてやりたいところだ。おれは、エデフィアの唯一(ゆいいつ)真実の君主、オシウス様に仕えるアボミナリだ！」

36
荒(あ)れ狂(くる)う生き物

生き物たちは残らず、野菜畑の真ん中で口ぎたなくののしる、おぞましいアボミナリに非難の目を向け、身を震わせていた。

「もう長いことこんな調子なのかい？」

レオミドが、さほど心配でもなさそうな様子でドラゴミラにたずねた。

「数週間前からね。イギリスに来てからかしら。治療しても効かないの」

「粗暴鎮静剤でも？」

「だめなのよ。どうしたらいいかわからないわ。ほかの生き物たちを攻撃するし、わたしが近づくと引っかいたり、噛んだりするの。世話をするには、体を拘束するグラノックや〈ノック・パンチ〉を使わなくてはいけないほどよ」

レオミドは、今度は心配そうにドラゴミラを見つめ、それから、近づく者にはいつでも攻撃をしかけようと、とがった歯をむきだしてうなっているアボミナリに目をやった。


「でも、どうしてオシウスのことなんて言うの、バーバ？」

オクサがたずねた。

「フォルダンゴたちがグラシューズの家族に仕えるように、アボミナリたちは匠人に仕える生き物なのよ。実際、オシウスはこのアボミナリの主人だった。エデフィアから脱出する直前、わたしたちはオシウスの息子に追いかけられていたの。すぐ近くまで迫ってきたから、門を抜けるとき、このアボミナリがわたしのドレスにくっついてきたのよ。〈外界〉に着いてから、わたしたちは、ほかの生き物と同じようにアボミナリを迎え入れ、世話をしてきたの。いろいろと手こずらされはしたけどね。こうして何年もいっしょにいても、決してわたしを認めようとしないで、オシウスをほめてばかりいるわ。どんな状況でも主人に忠実だということだわねぇ。悪意に満ちた性格を和らげるためにアバクムがつくった粗暴鎮静剤のおかげで、長いことおとなしくしていたのだけれど、最近はまったく抑制がきかなくなった。正直なところ、わたしも途方に暮れているというわけ」

「おれのご主人様が迎えに来てくれるんだ、老いぼれ！　だが、その前に、おまえの目をつぶして、腐った脳みそを破裂させてやる」

アボミナリは爪をむきだして、ドラゴミラに近づいた。

「おまえの脅迫には、もう、うんざり！」

ドラゴミラが毒づくアボミナリのほうに手のひらを向けると、アボミナリは十メートルも後ろに跳ね飛ばされ、ねばねばした体が石塀に当たって大きな音を立てた。

オクサは、得意そうにギュスに耳打ちした。

「あたし、あのばかな野蛮人にも同じことをしてやったの」

レオミドは、気絶したアボミナリを抱き上げ、家の中に運んでいった。そして、すぐに一人でもどってきた。

「隔離したよ。逃げられない部屋に閉じこめた。ひどく荒れ狂っている。おかしいな」

レオミドは考えこんでいるようだったが、すぐに明るい調子にもどって続けた。

「じゃあ、よかったら紹介を続けようか。どこまでいってたかな？」

「ああいう生き物はたくさんいるの？」

オクサは、アボミナリが繰り広げた光景に少しうろたえていた。

「アボミナリのような、ということかい？　いいや、幸いにもあれだけだよ。生き物は十種類くらいいるから、全部で二十匹くらいになるかな。……ほらね、ギュス、ひとり暮らしどころじゃないだろう？」

「本当ですね。退屈することなんてないでしょうね。植物のほうも、動く生き物と同じような感じですか？」

ギュスはそう言って、オクサの祖母がミニチュアボックスから縮小版の植物を出すのを見ていた。

植物たちが元の大きさにもどると、ドラゴミラはひとつひとつ、レオミドのと同じ種類の植物の横に置いた。すると、葉はさらさらと音を立て、うれしそうなため息が聞こえてきた。再会はうまくいっているようだ。

「うん、だいたいそうだね。植物にもそれぞれ効能がある。でも、それは特別なことではない。この点では〈外界〉も〈内界〉も同じだからね。ちがうのは、エデフィアの植物ははっきりした性格と言語を持ち、わたしたち人間が理解できるコミュニケーション手段を持っているということだ。おや、ドラゴミラ、ゴラノフを連れてくるのに成功したのかい？　さすがだね。わたしのゴラノフは、畑に連れ出すのにも苦労することもある。ストレスを感じるんだろうね」

「ヤクタタズのとさかからつくった塗り薬を持ってきたから、役に立つでしょうよ。ゴラノフの葉に塗ってやるといいわ。効いたかどうか、今度教えてちょうだい」

それからドラゴミラは、オクサとギュスに向かって言った。

「ゴラノフは不老妖精の植物なの。その茎から出る液は水銀に似ていて、人間のDNAと混ぜると、〈クラッシュ・グラノック〉の製造に必要な特殊な物質をつくることができるのよ。その作業は非常に繊細かつ複雑なので、エデフィアでは、アバクムだけがそれを行なうことを許されていたの。オクサ、おまえの〈クラッシュ・グラノック〉は、わたしが櫛から取ったおまえの髪の毛にゴラノフの液を数滴混ぜてつくったものよ。でも、ゴラノフには、非常に怖がりなことと、ストレスに極端に弱いこと、という弱点が二つあるのよ」

オクサとギュスは、再会の喜びに沸いている生き物の間をぬうようにして、ゴラノフたちに近づいた。おしゃべりの真っ最中だ。

「ひどい旅行だったわ。死ぬかと思った……。飛行機なんて、じょうだんじゃない。本当にとんでもないわ！」

「わかるわ。一度乗ったことがあるけど、葉緑素高圧症になったわよ。葉脈が破裂するかと思った。考えただけでもぞっとする」

このゴラノフは、強風にさらされているかのようにすべての葉を激しく震わせ、そしてとつぜん、たおれた。オクサは悲鳴をあげ、あわてて手で口をふさいだ。同じ光景を以前にも見たことがあったが、今度も同じくらい驚いた。

「助けて！　助けて！」

たおれなかったほうのゴラノフが叫んだ。その葉が全部だらりと垂れている。

「秋よ、大変、葉っぱが落ちてる。秋が来たのよ！　みんな避難して！」

ドヴィナイユたちが叫んだ。レオミドの上着から小さな頭だけをのぞかせている。

「今度は何ですか？　秋だって？　毎日、何か新しいことがあるなあ。どうやってフォローしろっていうんだろう？」

ヤクタタズが言いだした。

オクサは思わず吹き出した。

「たまんない。みんな大好き、バーバ。だーいすき！」

「ふつうじゃないよ……まったく」

気絶したゴラノフを見つめながら、ギュスも笑っている。


戸口で「コホン、コホン……」という咳払いが聞こえた。

「フォルダンゴたちが何か用事があるようだね」と、レオミド。

「食事が完成の準備に到達しました！　もしあなた様の願望が生きているなら、食堂へのお誘いは早急です」

レオミドのフォルダンゴたちが言った。

「彼らの話し方は、あなたのフォルダンゴの話し方といい勝負ですね」

ギュスがオクサの祖母に向かって言った。

「そうでしょう？」ドラゴミラはにっこりした。「さあ、生き物たちを中に入れて、食事にしましょう」

＊＊＊

「今日は、あたしの人生でいちばんすごい日だった」

オクサは大あくびをした。パチパチと勢いよく火が燃える暖炉の正面のソファに寝そべりながら、彼女はギュスと、一日の出来事を話し合っていた。ギュスも、オクサに負けない大あくびをしている。食事はすばらしかった。オクサの嫌いなウェールズ特産のポロねぎを除いては。雰囲気も最高だった。炎の動きをじっと見つめていると、二人はもう眠気に抵抗することができなかった。

「だけどさ、ヤクタタズのとさかからつくった塗り薬なんて……げぇーっ……」

ギュスが、うとうとしながらつぶやいた。

「でも、それが、今日見たなかでいちばん変なものじゃなかったよね……」

オクサも力のない声で答えた。

「ヤクタタズのとさかから……」

ギュスの言葉の続きは大きないびきに取って代わられ、しばらくすると、オクサのいびきが調子を合わせるように続いた。レオミドの屋敷の奥の小さな部屋では、奇妙な生き物や植物たちが一日の出来事をわいわい話し合ったあと、布を張ったロッカーのなかで眠っていた。なんてわくわくした一日だったことだろう！

37 〈浮遊術〉の訓練

白っぽい太陽の光が窓から差しこんでいる。目を覚ましたオクサは大きな伸びをした。どこにいるんだっけ？　そうか、レオミドの家だ。このすてきな寝室には、昨夜、ほとんど寝ぼけてやってきたんだった。

暖炉の中で燃えつきた薪が力なくくだけ、その音でオクサは完全に目覚めた。起き上がってカーテンを開け、窓を開く。ながめは最高だ。ロンドンの自分の部屋から見えるのとはまったくちがう。ここでは見わたすかぎり緑色。小鳥がピイピイ鳴き、少し遠くからは海の音がＢＧＭのように聞こえてきた。

「おはようございます、若いグラシューズ様。睡眠は回復をほどこしましたか？」

オクサが窓から身を乗り出すと、二人のフォルダンゴットが見えた。野菜畑にいて、手にひとつずつレタスを持っていた。オクサは手をふって答えた。

「バッチリよ、ありがとう」

実際オクサは、気力がみなぎってくるのを感じ、ギュスに会いに行くことにした。もし、昨夜のぼんやりした記憶が正しければ、となりの部屋にいるはずだ。

ドアに耳を当ててからノックすると、「ああ、開いてるよ」と、ギュスの声が聞こえた。オクサはうきうきと部屋に入った。ギュスは目覚めていて、目をこすっていた。

「ヤクタタズのとさかにうなされた?」

オクサは猫のようにしなやかにベッドに跳び乗った。

「おはよ、オクサ。ぐっすり眠ったよ」

「熊のようないびきをかいてね！　厚さが一メートルもある石の壁でも聞こえてたよ」

「いいよ、いいよ。わかったよ……」


二人は、それぞれの部屋で分厚いガウンをはおり、キッチンに下りていった。フォルダンゴが二人、朝食を準備していたが、トーストのいちばんおいしい焼き方について口論しているらしい。内側がダマスク織りの絹のガウンをはおり、貴族のように見えるレオミドとドラゴミラは、湯気の立つ紅茶を飲んでいた。

「すごくシックね！　ご主人様、朝のごあいさつをいたします」

オクサは、うやうやしくおじぎをした。

「おはよう。よく眠れた?」

ドラゴミラが声をかけると、ギュスがあくびをしながら答えた。

「とってもよく！　ここはすばらしいですね。招待してくださってありがとう」

腹ぺこの二人は、さっそく朝食に飛びついた。

「今日のスケジュールについて話そうかな。フォルダンゴたちがもう少し小さな声で話してくれればだけど……」

レオミドの言葉を聞くと、フォルダンゴたちは二度と同じことは言わせなかった。

「オクサ、おまえはいろいろ学ぶためにここに来たんだよ。遺伝と継承によって、おまえはエデフィアの人間だ。その世界がどうなっているか、だいたいのことはつかめたと思う。これからは、怒りや恐怖といった感情に支配されることなく、完璧に力をコントロールできるように能力を高めなければならない。コントロールこそ力の鍵なんだ。それを理解してほしい」

話しながらレオミドは、トーストにていねいにバターを塗っていた。

オクサの目は、レオミドが右手にはめている大きな指輪にひきつけられた。シルバーのアームにグレーの変わった宝石がついている。どこかで見たことある……と、オクサは思った。しかし、その考えは、祖母の話し声によってさえぎられた。

「オクサや、レオミドにはすばらしい能力があるんだよ。エデフィアでは尊敬を集める先生であり、専門家だったの。あら、レオミド、赤くなることはないじゃない、本当なんだから。超能力に関しては、おもにレオミドが教えることになるわ」

「じゃあ、おまえがすでにできることを見せてもらおうか。わたしがよく知るためにもね」と、師匠が提案した。「ギュスもいっしょに来るんだろう?」

「もちろん、行きます、フォルテンスキーさん!」

ギュスはすぐにテーブルから立ち上がった。

「おいおい、きみはわたしたちの仲間だろう。お願いだから、『フォルテンスキーさん』はやめておくれ。レオミドと呼んでくれ」


***

三十分後、四人はレオミドの屋敷からそう遠くない、丘に囲まれた窪地にいた。ギュスとドラゴミラは毛布の上に座り、レオミドの頭上に浮いているオクサをながめていた。ギュスは、右足を直角に上げ、両手を交差させたカンフーの攻撃の構えが気に入った。ドラゴミラのほうは、「スカイボード」と呼ばれる水平の姿勢が好きだった。

「なかなかいいよ、オクサ。いい感じだ。もう少し高く上がることはできるかい?」

「試したことないけど……」オクサは地面に降り、当惑して言った。「外でするのは初めてだから。いままでは部屋の中でやってたから、天井の高さを超えることはなかった」

この厚かましい嘘に、ギュスは目をくるりとまわした。学校の三階から降りたことを忘れてやしないかい? その視線を避けながら、オクサはつぶやいた。

「まだ死にたくないもん」

「すべては頭の中にあるんだよ。落ちると思ったら落ちるし、飛ぼうと思ったら飛べる。それが〈浮遊術〉の第一のルールだ」

レオミドは静かに、しかし厳しく言った。オクサはつま先で地面をこすっている。

「もしおまえが安心できるんだったら、わたしもいっしょに浮遊しよう。必要ないと思うがね。ほら、勉強だ、集中して！」

レオミドは、ほほえみながら両手を差し出した。オクサはその手につかまり、目を閉じた。緊張した表情だ。それから、目を開けてレオミドの目をじっと見つめ、浮かび始めた。レオミドはオクサの手を取ったまま、彼女のテンポに合わせていっしょに上がっていった。

ビルの五階くらいの高さになったとき、二人は上がるのをやめた。レオミドはまず片手を離し、それからもう一方の手も離した。オクサは震えた。高さに動揺して、体がぐらついた。

「集中したままでいるんだよ、オクサ。わたしはここにいるよ」と、レオミドがささやいた。

「何も起こりはしないよ。降りるんなら、手を取ってあげるよ」

まもなく、二人は無事に地上に降りてきた。オクサは興奮で目を輝かせていた。

「ギュス、見た？　高かった？」

「すっごく高かったよ、ほんと」

「一人でやってみるかい？」

レオミドに言われて、オクサは少し迷ったが、やることにした。

まず数メートル浮いた。脚はふらふらし、呼吸が乱れている。ギュスが、「行け、オクサ、だいじょうぶだよ！」と、手をメガホンのようにして励ました。

オクサは一人でやりとげようと心に決め、深く息を吸いこんで、神経を集中させた。高く上がった。レオミドの言ったとおりだ……難しくはない！

四十メートルぐらいの高さで、オクサは片足を軸に回転までしてみせた。しかし、支点が固い地面でないために、着地はいまひとつだった。ギュスは身震いし、祖母ドラゴミラは思わず口を手でふさいだ。レオミドだけは自信があるのか、落ち着いていた。

「覚えが早くて、よろしい」オクサが地面に降り立ったとき、レオミドは言った。「今度はわたしが見せてあげよう。高さはいい。でも、それにスピードが加わったら、もっといいからね」

レオミドは——もう八十歳近いはずだ！——腕を体の側面にぴったりとつけ、しばらくじっとしていた。それから浮き上がったかと思うと、ロケットのように飛んでいき、二百メートルほどの高さまで上がって小さな点のようになった。

「見た？　すっごい！」

オクサは目を見張り、手をふっている大伯父を見上げた。

大伯父は、上がったときと同じくらいのスピードで、有名なオペラの曲を声を張りあげて歌いながら、頭から急降下してきた。そして、オクサの顔の位置で止まると、頬に軽くキスをし、歌い続けながらしばらく水平に浮かんで、それから地面に降りた。

「同じようにしたかったら、まだまだ訓練しないといけないようだね」

ギュスが、オクサの背中をどんとたたいた。

「すごいわ！　あたしも同じようにしたい。あたしにも、絶対できるよね？」

「もちろん、できるようになるよ」と、レオミドが大声で言った。


オクサは、再び浮上した。厚い雲におおわれて薄暗くなった空に、自分でも驚くほどのスピードで消えていった。やがて、小さな点が急に大きくなり、レオミドのように頭を下にした姿があらわれた。叫び声もしだいに大きくなり……最後には、ほえるような声になった。レオミドとドラゴミラは、すぐに矢のように飛んでいった。あまりのすばやさに、ギュスは、空中にドラゴミラの赤いドレスが見えた時点で初めて気づいたほどだ。次の瞬間、オクサは、大伯父と祖母に両腕をしっかりとつかまれて地面に降り立っていた。三人とも不機嫌な顔をしている。

「なによ、うまくいってたのに！　あたしを信用してないの？」

オクサは、二人の手をふりほどきながら叫んだ。

「悪く思わないでくれよ。あれぐらいのスピードで浮遊するには、ふつうなら何週間も訓練が必要なんだ。マスターするのはとても難しいんだよ。おまえを信用していないんじゃない、そのまま落ちてくるんじゃないかと心配しただけなんだ」

レオミドは真剣な顔つきだ。

「そのまま落ちる？　ジョーダンでしょ。すっごく楽しかったのに」

その言葉を裏づけるように、オクサはまたものすごい速さで飛び立った。勢いのあまり高く上がりすぎたので、オクサの姿は雲の中に消えた。それと同じくらい着陸も見事で、今度は嵐のような拍手に迎えられた。

「なんとも実り多い初日だったな。すばらしかったよ、若い〈浮遊術〉師さん！」

レオミドはにっこりした。

「すっごくうまくやったでしょ？」と、オクサ。

「まったく！」ギュスがほめた。「それに、ドラゴミラもすごかった！　あなたがあんなにすばらしく飛べるなんて思いも寄りませんでしたよ」

「ちょっと術がさびついているけれどね」ドラゴミラは伸びをしながら答えた。「でも、おほめの言葉をありがとう、ギュス。さて、あなたたちはどうか知らないけれど、わたしはおなかがすいて死にそうよ。それに、わたしたちのことを呼んでいるみたいだわ」

フォルダンゴが二人、屋敷の塔についた鐘を鳴らす鎖にぶらさがって、夕食を告げる鐘を鳴らしていた。フォルダンゴットたちのほうは、布巾をふって合図をしている。

陽はしずみかけ、四人は肩を並べて家に向かった。彼らはみな、体は疲れていたが、心は晴れ晴れとしていた。

38 意思の力

「オクサ、今日は〈磁気術〉をちょっと掘り下げてみようと思う。おまえの内なる息吹と引力に自分を一体化させることによって、離れたものを動かすことができるのがこの術だ」

レオミドがオクサに説明した。

「『内なる息吹』って、どういうこと？」オクサが驚いてたずねた。

「おまえの精神がものを動かすということさ。息吹がおまえの中で生まれ、体の中をめぐる。そして、中継局の役目を果たす目を通ることで、さらに強固になる。その息吹が、手がするようにものを持ち上げたり動かしたりするわけだ」

「なるほど。たしかに、そうね……」オクサは、しらばっくれて答えた。

「たしか、おまえはこの術を使ったことがあるんだったね。それなら、そんなに問題はないだろう……」

「問題？　どういう問題？　問題なんかないわ！」

師匠と弟子は、仲良く前日と同じ窪地に向かって歩いていた。オクサの祖母ドラゴミラとギュス、それに生き物たちもいっしょだ。レオミドは、いろいろな調理器具を入れた大きな袋を持ってきていた。生き物たちをともなっているのを見て、オクサは一瞬、当惑した。

「生き物を使って訓練しようっていうんじゃないでしょうね？　それはだめ。あたしにはできない。言っとくけど、動物実験には反対よ」

「動物実験だって？　おいおい、とんでもない」レオミドは笑いだした。「生き物たちは訓練を見るために来ているだけだし、だいいち、了解を得ずに実験台にしたりはしないよ。まずは物から始め、上達するにしたがって少しずつ複雑なことをしてみよう。さあ、おまえができることを見せてもらおうか」

　レオミドはヒースの上にいろいろな物を置き、オクサがそれらを動かしてみせた。たしかに、難しいことは何もない。オクサの〈磁気術〉はすでに何度も実証されている。まるで力と動きが瞳から出てくるかのように、動かしたい物をじっと見つめて注意を集中させるだけでよかった。あとは意思の力がやってくれる。どんな物でも――それが重かろうが、かさばろうが、やわらかかろうが、小さかろうが――オクサの〈磁気術〉に逆らうことはできなかった。ギュスは魅せられたように目を離さなかった。

「わたくしの体の協力をお望みでしょうか、若いグラシューズ様？　わたくしの意思は全面的賛成でございます」

　レオミドのフォルダンゴが進み出た。

　オクサはためらった。だが、この愛すべき生き物のすがるようなまなざしを拒むことはできなかった。しばらくすると、フォルダンゴは宙に浮き、ギュスの周りをまわり始めた。

「わたくしの軽さ！　わたくしの軽さ！」フォルダンゴが叫ぶ。

「おい、ツェッペリン（二十世紀初めにドイツの伯爵によって開発された円錐状の飛行船）、聞こえますか？　こちらは地球です……。そうだろ？　あの太鼓腹のツェッペリンにそっくりだと思わないか？」と、ジェトリックス。

オクサは、髪の多い、からかい好きなその生き物に向き直り、じっと見つめた。すると、ふさふさした髪の毛が立った。その髪の毛を見えない手が引っぱっているかのように体全体も浮いて、フォルダンゴと同じ高さまで上がる。ジェトリックスは長い腕をフォルダンゴの首に巻きつけ、背中に馬乗りになった。

「はいどう、はいどう！」

くしゃくしゃの髪の毛で、ジェトリックスの目は半分隠れている。フォルダンゴはジェトリックスをふり落とそうとしたが、宙に浮いたままなのでなかなかうまくいかない。

「不適切性を主張します。ジェトリックスを背中から降ろしてください。お願いです、若いグラシューズ様！　わたくしが静かに航行できるよう、こやつを排除してください！」

その願いはすぐに実行に移された。ジェトリックスはギュスの腕の中に着陸し、フォルダンゴは残念そうに地面に降りた。オクサのこの新たなパフォーマンスに、レオミドはヒューと賞賛の口笛を吹いた。

「フォルダンゴ、飛ぶのは好き？」

いま経験したばかりのことにぼーっとなっているフォルダンゴに、オクサが言った。

「おおっ、若いグラシューズ様、それは確実です！　浮遊は、わたくしの最も異国情緒な願望です！」

「エキゾチックなのはおまえの願望だけじゃないぜ」

ジェトリックスがからかった。

「フォルダンゴ、あんたの願望だけじゃないわ。わたしたちの願望もあるわ！　どうして、エキゾチックな国に連れていってくれないのかしら？　どうして？　理由を言ってよ！」

スキー帽をかぶったドヴィナイユが、がたがた震えながら言った。

「ほら、こっちに来て」

オクサは、フォルダンゴに目で合図しながら言った。

「おおっ、若いグラシューズ様」

フォルダンゴは興奮で頭からつま先までナス色になった。

「しっかりつかまって、いい？」

この奇妙な二人組は、ロケットのように飛んでいった。フォルダンゴの歓声と、いまや浮遊のエキスパートになったオクサの叫び声と、二つの大きな声が降ってきた。

興奮した生き物たちといっしょに、ドラゴミラとギュスは先に屋敷にもどっていった。レオミドがまったくちがう術をオクサに教えようとしたからだ。

「オクサ、ちょっと確認したいんだがね」と、レオミドが謎(なぞ)めいた調子で言った。「あの遠くの丘の上の雲が見えるかい？」

「うん、見えるけど……」オクサはいぶかしそうに答えた。「あの雲をこっちに近づけろってこと？」

レオミドはすぐには答えなかった。オクサにしてほしいことが、自分でもはっきりとはわからなかったからだ。オクサをいとおしそうに見つめ、そして雲のほうへ目をやった。

「あの雲をどうにかできると思うかい？」

「ちょっと、おじさん、できるわけないじゃない」

「どうして？」

あきれたオクサは、大伯父(おおおじ)の頭がどうかしたのかといぶかった。

「どうしてって？　だって、雲だもん。どうやって雲を動かすの？　不可能よ」

「オクサ、考えてごらん」

オクサは、いらいらしながら雲を見つめた。真っ白に光り、巨大な綿のかたまりのようにふわふわしている。

「ねえ、おじさん……」

オクサが話しかけたが、レオミドは地面に長々と体を横たえ、頭の後ろで手を組んで眠っているようだ。オクサはぶつぶつ文句を言った。

「あっ、そう。助けてくれてありがとう……」

と、そのとき、ある思い出がフラッシュバックのようによみがえった。男子トイレでのひどい災難のあとにとつぜんやってきたものすごい雷雨は、もしかしたら、自分のせいではなかったのか？

この恐ろしい考えにおののきながら、オクサは身構えた。あの雷雨の激しさは、自分をおそった恐怖と怒りに適ったものだった。そのときに感じた驚きはいまでも思い出すことができる。

「そんなばかな！　そんなはずない！」

オクサは、居眠りをしているレオミドから離れながらつぶやいた。

白かった雲が不穏な鉛色に変わっていくのを見ると、オクサには、レオミドが言いたかったことがはっきりとわかった。雨をふくんだ厚い雲に空がおおわれるにつれて、あたりが暗くなってきた。雲が黒っぽくなり、雷鳴をとどろかせながら、オクサのほうに近づいてくる。それまではそよ風でしかなかった風が、遠くから叫び声を運んでくるかのようにうなり始めた。

「ああ、やめて！」

オクサは無意識のうちに耳をふさいだ。だが、そうしてもしかたがないことは、オクサ自身にもわかっていた。その叫び声は以前にも聞いたことがあるものだったからだ。

腕に鳥肌が立った。叫び声は以前よりも苦しげで、頭の中を電流のようにぐるぐるまわっている。そして、遠くから女性の声がはっきりと、区切るようにオクサの名を呼んだとき、頭が割れそうになった。たしかに声は遠くから聞こえるような気がした。しかし、そうではなく、オクサの体の中に声が閉じこめられているのだ。悪夢だ……。

オクサは暗い雲を見上げた。激しい雨が丘のてっぺんにたたきつけていた。

雨は、ものの一分も続かなかった。驚くべき速さで空は明るくなり、もとの美しい透明なブルーを取りもどした。まるで、さっきここで雷雨があったことを空が忘れたかのようだ。びしょぬれになったオクサがぼうぜんとしてふり向くと、大きなハンカチで顔をぬぐっているレオミドが、すぐ目の前にいた。オクサはたったいま起きたことに、心臓が飛び出しそうなほどうろたえながら、大伯父を見つめた。

「たぶん……わかったと思う」

「オクサ……かわいい子……おまえは偉大なグラシューズだ。きっと、歴代のグラシューズのなかでもいちばんの……」

レオミドの声は震えていた。

屋敷の近くまで来ると、ドラゴミラとギュスがタオルを手に駆け寄ってきた。

「あらあら、あのすさまじい雷雨にあったんじゃないでしょうね」

まだショックから立ち直っていないレオミドとオクサは、黙ってタオルにくるまった。

＊＊＊

乾いた服に着替え、暖炉のそばに座ったオクサには、さっきの不思議な体験から立ち直るための時間が必要だった。祖母がレオミドに向けたいぶかしげな視線と、レオミドのかすかなうなずきを、オクサは見逃(みのが)さなかった。「あれをしたのはオクサなの？」というドラゴミラの質問に対する無言の返事。そう、オクサだ……。

フォルダンゴが、湯気(ゆげ)の立つグロッグ（ラム酒を湯で割った、風邪(かぜ)を治したり、体を温めたりするのに効(き)くとされている飲み物）を持ってきた。顔をしかめながら飲んだとき、オクサは初めて、ギュスが黙って見つめているのに気づいた。オクサは、心の動揺(どうよう)をふりはらおうと大声で言った。

「なんていやな天気なの！　今度からは傘(かさ)を持っていかなきゃね」

「微気候(びきこう)って、すごいよな。ある場所ではどしゃ降りなのに、百メートル離(はな)れたところでは一滴(てき)も降らないんだから」

ギュスは、謎(なぞ)めいた笑みを浮かべながら言った。

「ギュス……」

オクサは口ごもった。

「心配するなよ。わかってるよ。ほら、グロッグを飲みなよ」

39　へこんだギュス

その夜、オクサの両親が電話をしてきた。オクサは、この二日足らずに学んだことを夢中になってくわしく話した。

「慎重にやっているだろうね？」父パヴェルが心配そうにたずねた。

「もちろんよ、パパ。レオミド先生が、どんなにあたしに気をつけてることか！　ほんと、パパよりひどいよ」

「おや、なんて言いぐさだ。心配でたまらない父親のことをそんなふうに言うなんて！　どうせぼくは、だれにもわかってもらえない、かわいそうなやつだよ」

「いつもおおげさねえ、パパ！」

オクサは笑った。父親の背後で、母マリーも笑い声を立てている。

「パパはこういうことが全部できるの？」

オクサは、まじめな調子になって言った。

「ああ……ママの思いやりのなさを見て、そういうことをまたやり始めようかと思ってるよ。報復のためにね……。ぼくがどれだけ力があるかを思い知らせてやらないと」

オクサは、父親がその質問を避けていることを頭にとめながら、母親の笑い声がますます大きくなるのを聞いた。そして、陽気な声が電話口に出た。

「わたしの魔法使いさん、元気？　楽しくやってる？」

「サイコー。キツいけど、すごく楽しい。あたしができること、みんな見せてあげるね。〈磁気術〉もすごく向上したし、浮遊もできるよ」

「まあ、恐ろしい……」マリーがつぶやいた。「気をつけて、休みながらやるのよ」

「わかった」

「明日また、電話するわね」

受話器を置いて、オクサは広間にいるギュスのところに行った。ギュスは、窓のほうを向いたソファに縮こまって座り、ひざの上に寝そべっていびきをかいている子どものフォルダンゴをさすりながら、外を見ていた。

「ギュス、どうかしたの?」

ギュスは肩をすくめ、ソファにさらに深く座りこんだ。

「べつに……たいしたことじゃないよ」

「ということは、何か問題があるのね」

オクサは、ギュスのそばにひざまずいた。

「まあね……問題はぼくだよ……」

ギュスは、オクサを見ずに答えた。

「なに言ってるの?」

「ぼくは何にもできないってことさ」ギュスは、眠っているフォルダンゴを起こさないように声を落とした。「うちの親に電話しても、何を話せばいいんだか……。親友が飛んだりかみなりを起こしたりする練習をしてるって? とんでもない生き物たちのこと? おまえが信じられないようなことをするのを、ただ見て拍手するだけの自分のこと? 自分が役立たずで、とりえがないこと?」

その辛辣な言葉はオクサの胸を突き刺した。涙がこみあげてきた。

「頭がおかしいんじゃない? あんたは能なしじゃないし、役立たずでもないのに」

「あっ、そう? そう思う? ヤクタタズだって、ぼくより役に立つぜ。ぼくのすることは全部おまえより劣ってる。浮遊や〈磁気術〉のことを言ってるんじゃないぜ。ほかのいろんなこと、ローラーブレードとか、学校とか、空手とか、友だちとか……全部さ! ぼくはいつも後れをとってる。いつもだ、ずぅーっとだ。能なしのギュスさ」

オクサはあぜんとしていた。ギュスが自分自身のことをあまり評価していないことは、ずっと前から知っていたが、こういうギュスを見るのは初めてだった。オクサが悲しいのは、ギュスのこうした激しい言葉ではない。それよりも、彼が本心からそう思っていることだ。

「ちょっと、ギュス。いいかげんなこと言わないで。あんたには、いろんな長所があるでしょ! 誠実だし、頭がいいし、パソコンとか、テレビゲームとか、いろんなことに才能があるじゃない! マンガのことだって何でも知ってるし……」

オクサは噛みつくように言った。

「ジョーダンだろ! おまえのほうが成績がいいじゃないか!」

ギュスは苦々しげだ。

「空手だって!」オクサはますます勢いづいて続けた。「あんたは自分を過小評価してるよ。よく見たら、あたしよりちゃんとマスターしてるじゃない。あたしのこと、知ってるでしょ? 何でもかんでもやってるけど、うまくできないことがたくさんある。目立たないけどちゃんとやってるギュスってやつとは、正反対。それに冷静だし……。あんたがいなかったら、あたし、大変な問題を起こしてたと思う。あんたは行動する前に考えるじゃない。あたしは反対だもんね。それって大事なことだってわかってる？　あんたが友だちでいてくれなきゃ困るのよ……友だちでいてほしいの、それだけ！　あんたはうちの家族と同じくらい大事なの。だいたい、家族みたいなもんじゃない！　それなのに、あんなこと言うなんて……」

オクサはぐったりして、窓の外に目を向けた。感情的になりすぎないように、深く息を吸いこみ、落ち着こうとした。

「わかった、わかったよ」と、ギュスは譲歩した。「でも、それでもおまえは女王で、魔法使いで、特別な女の子だよな。ぼくは何者でもない！　オクサ、嫉妬してるんじゃないけど、自分が無能だと感じるんだ」

「あっそう？　女王の親友って、何でもないわけ？　いくらなんでも言いすぎじゃない？　だいたいね、あたしレベルの大物が無能中の無能なやつにかまうとでも思ってんの？」

オクサは、ギュスの長い前髪を引っぱった。ギュスは、ぎこちないほほえみをわずかに見せた。それから、感情の高まりと悲しさを隠しながら顔をしかめてみせた。

「おまえのようになれたらなあって、ときどき思うよ……」

「それはやめてよ、ギュス。いまのあんたのままがいい。ほんとよ！」

オクサは、真っ赤になった。

二人は、広間を包む闇のなかで、黙ったまま並んで座っていた。降っていた雨が、とつぜんやんだ。小さなフォルダンゴの軽いいびきと、レンジの前でいそがしく立ち働いているフォルダンゴたちとレオミドの話し声が遠くから聞こえてくるだけだった。

祖母のドラゴミラはというと、広間のドアにもたれて、背中しか見えないオクサとギュスを見つめていた。彼女は、たまたま聞いてしまった会話に心を動かされて、ぬれた目からこぼれた涙をふくと、忍び足でキッチンにいるレオミドのところへ行った。

40 荒野での失踪

目覚めたとき、オクサは規則的に窓を打つ雨の音を聞いた。夜が明けてからかなり時間がたっているらしく、冷たい光がカーテンのすきまから差しこんでいた。体にはシーツが巻きつき、汗をびっしょりかいていた。オクサはシーツをはがし、急いでギュスの部屋に行った。

ギュスはまだ眠っていて――あるいは眠ったふりをして――顔の半分を前髪がおおい、軽い寝息を立てていた。その寝顔から、ギュスの顔立ちがどんなに整っているかに気づいて、オクサは驚いた。むさぼり読んだマンガの主人公にそっくりだ。ギュス……友だちのギュス……。

とつぜんギュスが、分厚い羽毛布団を跳ね飛ばし、大声を出して跳ね起きた。オクサは、びっくりしたのと恥ずかしさとで悲鳴をあげた。

「おい、ぼくを見張ってたのか?」

オクサは顔をしかめ、羽毛布団を元の場所にもどした。もちろん、目の力だけで。

「見せびらかし屋め……」

ギュスは、ほほえみながら言った。


そのとき、ドアを三回ノックする音がした。オクサがドアを開けると、レオミドのフォルダンゴットが、コックの帽子と青リンゴ色のエプロンをつけて立っていた。

「若いグラシューズ様とご友人の方、十の鐘が鳴ろうとしています。すべてのおなかが待っているという情報です。でも、ご安心ください! わたくしどもはこの種の不都合に備えて、あなた様たちがくちびるをなめる料理を用意いたしました」

「食事に降りていかないといけないということ?」

「完璧な正確さを確認いたします、若いグラシューズ様」

「おばあちゃんとおじさんは、どこ?」

「まあ、若いグラシューズ様、危険に陥らないでお答えするにはどうしたらいいんでしょう?」

「危険? どんな危険?」

「秘密に包まなければならない情報をお伝えすることの、わたくしにとっての危険です」

フォルダンゴットは、うろたえたようにあたりを見まわし、長い腕をよじった。

「お願いだから言って！　だれにも言わないから。あたしたちを信用して」

ギュスが近づいてきて、フォルダンゴットの前にひざをついた。

「若いグラシューズ様のたのみを断るのは、難しいんだろうね……」

フォルダンゴットは息を深く吸い込み、低い声で話し始めた。

「闖入者が夜の訪問を……」

「闖入者ですって？」

「ええ、若いグラシューズ様。闖入者がご主人様の屋敷を迂回しました。野菜畑と墓地の地面に大きな足跡を記録しました。窓をのぞく好奇心がゴラノフに問題を起こし、不安の発作におそわれました。もうひとつ問題が加算されました。いやらしいアボミナリが失踪を実行しました」

「どういうこと？　逃げたの？」

「まちがいなくアボミナリはこのあたりにはいません。ふん！　その同伴は嫌悪すべきものでしたから、失踪を残念には思いません。しかし、ご主人様の懸念のレベルは増大しています。ご主人様は探査を行ないましたが、結果は否定的でした。アボミナリが徘徊しているとの危惧をお持ちで、隠れた場所は敷地内にあり、あの恩知らずの腹が空っぽになれば帰還をもたらすだろうという期待でいっぱいのお考えです。屋敷の周りの足跡に関しては、古いグラシューズ様に言われた言葉を聞きました。ご主人様のご意見は徘徊者のものであろうということ、そして今夜、その者がガナリこぼしの鼻先に来れば、警告を発するだろうということです」

「ガナリこぼし？」

「ガナリこぼしは、ご主人様に警告を発するために、非常に大きながなり声を立てるのです。そうやって、ご主人様は闖入者に逃亡をうながすのです」

「見てみたいね」と、ギュス。

「あたしもよ」と、オクサも言った。「とにかく、たいしたことじゃなければいいけど……。フォルダンゴット、人前に出られる格好になる時間をくれたら、すぐに行くから」

この話は秘密にすると何度も約束したあと、五分ほどして、オクサとギュスは黒っぽい木の階段を降りていった。


二人は、聞こえてきた音楽に引き寄せられるように大広間に入った。レオミドが、グランドピアノで、心に染み入るようなゆったりした曲を弾いていた。鍵盤の近くでは、ゴラノフが二株、音楽のリズムに合わせて熱心に葉を揺らせていた。テンポが速くなると、ゴラノフたちは葉をさっと立てる。それからテンポがゆっくりになり、おだやかな揺れにもどった。

「こっちにおいで」レオミドが小声でうながした。「ゴラノフたちは今朝はとても神経質なんだ。そういうときは、ショパンの曲しか、ゴラノフたちを静めるものはない」

オクサとギュスは、できるだけまじめな顔をしながら、目を見合わせた。レオミドのほうは、二人の顔とゴラノフたちの様子を楽しむようにふくみ笑いをした。ゴラノフたちは茎を震わせながら、ハミング——というより、うめいている。

「ああ……人生って、やむことのない苦しみだわ……」

オクサとギュスはピアノにひじをついて、束の間のコンサートを楽しんだ。二人とも、レオミドの繊細でなめらかな手の動きにすっかり魅せられていた。ゴラノフたちは、心地よいまどろみに引きこまれているらしく、葉の震えが少しずつなくなり、最後には完全に動かなくなった。

「おなかがすいて死にそうなんじゃないか？　ドラゴミラがキッチンで待ってる。行こう」

レオミドは、ピアノのふたをそっと閉めながらささやいた。

***

「今日は軽めのプログラムにしよう。この地方特有のこんな天気だからね」レオミドは、雨がパチパチと弾ける窓を指差して言った。「暖かい家の中で復習をするだけにしておこう。それに、オクサ、おまえはちょっと疲れているようだね。娘の目に隈をつくって帰したら、死ぬまでわたしを恨むにちがいないパヴェル・ポロックという人物がいるしね」

ドラゴミラがのどをつまらせた。すぐにフォルダンゴたちが駆け寄ってきた。

「ああ、古いグラシューズ様、食べ物に吐き気をもよおされましたか？　ああ、お気に召さなくて残念でございます」

「いいえ、いつものように食事はすべておいしいわ」ドラゴミラは、フォルダンゴの頭をぽんぽんと軽くたたきながら、しゃっくりした。「レオミドが笑わせるからよ！　わたしの息子が激しい性格だとほのめかしているのかしら、お兄様？」

「おまえ自身やおまえのフォルダンゴたちほどじゃないよ！」

レオミドが笑いながら言い返した。

その日の大部分は、かつては修道院の食堂だったところで過ごした。オクサは、しだいに重くて大きなものを使って〈磁気術〉にみがきをかけることになり、かなりの時間を費やした。百科事典や植木鉢（ばち）や、最後には自転車さえも！

ギュスはというと、オクサの訓練を見守りながら、いくつかの生き物たちと親しくなった。とりわけドヴィナイユには、両親と行ったオーストラリア旅行の話、とくに天候についてくわしく話し、この寒がり屋に新たな世界を垣間（かいま）見せてやった。

「それよ、わたしたちに適した気象条件は！　どうしてご主人様は北半球にこだわるのかしら？南半球のほうがずっと暮らしやすいのに。人口密度の低いところをお望みなら、オーストラリアの砂漠（さばく）のほうがここよりずっといいわよね？　ああ、若いグラシューズ様のご友人様、砂漠とその理想的な気温の話をもっとしてくださいい……」

オクサは、まだ使ったことのない〈クラッシュ・グラノック〉のことをふと思い出すと、ちょっと休むことにした。急いで部屋に取りに行き、ギュスといっしょにひねくりまわした。

「使えないいじゃない！」

オクサは、レオミドと祖母のドラゴミラに大声で言った。

「当たり前よ、わたしの愛しい子（ドゥシュカ）。中に何も入っていないのだから」ドラゴミラはオクサとギュスをじっと見つめ、一瞬ためらってから言った。「少し実演しましょうか？」

二人が力強くうなずいたので、ドラゴミラは、ドレスのひだから自分の〈クラッシュ・グラノック〉を取り出し、小声でこう言った。

「〈拡大泡〉」

それから筒の口に軽く息を吹き入れると、反対側からクラゲのような、ゼラチン質の泡のようなものが出てきた。

「ごらんなさい……」

ドラゴミラは、二人を窓辺に誘った。二人が駆け寄り、泡のようなものをのぞくと、すべてが百倍も大きく見える。ヒースのかよわげな花から、草の間にまぎれこんでいる蟻まで見える。

「すっごい！」オクサはびっくりした。

ドラゴミラがその大きな泡の向きを変えると、今度はフォルダンゴが視界に入ってきた。肌のごくこまかい部分まで――ひとつひとつの毛穴、産毛、小じわまで――はっきりと見える。

オクサの夢中な様子を見て、祖母がたずねた。

「やってみたい？」

「やってもいい？」

「いいわよ。グラノックを少しあげましょうね。でも、それをおまえの〈クラッシュ・グラノック〉に入れた瞬間から、使えるのはおまえだけだということを忘れないでね」

ドラゴミラはギュスを優しく見つめた。

「心配しないでください。ぼくは若いグラシューズ様の忠実な助手でいますから。それも悪くないですよ」

ギュスが目を伏(ふ)せたのを見て、ドラゴミラが言った。

「あら、あなたは助手以上だと思うわ」

ドラゴミラは、自分の〈クラッシュ・グラノック〉をオクサのに近づけた。そして、「〈拡大泡〉」と唱えると、手のひらに粒(つぶ)が落ちてきて、オクサの筒に吸いこまれた。

「ほら、おまえの最初のグラノックよ。使えるようにするには、この呪文(じゅもん)を唱えるのよ」

グラノックの力によって
おまえの殻(から)を破りなさい
拡大泡、拡大泡
遠いものがいちばん近くに

オクサは素直にその文句を繰(く)り返した。

「使いたいときは〈拡大泡〉という名前を唱えるだけでいいの。小声か心の中でね。本当を言うと、心の中のほうがいいわね。とくに緊急(きんきゅう)や防御(ぼうぎょ)のときは。声に出してしまうと、貴重な情報を敵にあたえることになりますからね。この〈拡大泡〉は、攻撃(こうげき)や防御のグラノックではなくて単なる道具だから、難しくはないわ。だけど、十種類とか二十種類のグラノックを持っていると想像してごらん。それらをすべて〈クラッシュ・グラノック〉に入れたら、それぞれを使えるようにする呪文をひとつひとつ唱えないといけないのよ。それに、それぞれの名前と働きを覚えなければいけない。アバクムにいくつか教えてもらったわよね？」

「うん。〈睡眠弾〉に、〈窒息弾〉に……」

「なんだって！　〈窒息弾〉を知ってるのか？」

　レオミドが、驚いてドラゴミラを見つめた。

「名前だけよ」オクサは言い訳をした。

「オクサは好奇心が旺盛だし、記憶力も抜群なのよ。何だってわかるのよ」と、ドラゴミラ。

　オクサは頬が赤くなるのを感じ、ギュスをちらと見た。ギュスは肩をすくめていた。

「たしかにそうだ。おまえがほんの小さなころから、わたしたちは、小さな秘密がばれないように、おまえと想像力を競争しなければいけなかったな」レオミドが言った。

「小さな秘密ねえ……とんでもない！　国家機密じゃないの！」オクサが抗議した。

「おい、オクサ」ギュスが割って入った。「おまえがどんなふうにできるか、見せてくれよ。さあ、〈拡大泡〉を見事にやってみせてくれ」

　オクサの実演は、期待をはるかに上まわった。オクサが呪文を唱え、小さな筒に息を吹き入れるとすぐに、〈クラッシュ・グラノック〉から泡が出てきてふくらんだ。数秒すると、泡は二倍、三倍、四倍になり、とうとう部屋の半分を占領するくらいの大きさになった！

「いつも、やりすぎちゃうんだよな」と、ギュスは苦笑いした。

「でも、バーバ、ほかのグラノックをやりたかったら、どうしたらいいの？」

「それは今度、アバクムといっしょにやりましょう」

オクサは、見るからにがっかりしている。

「いいわ……おまえを信頼することにしましょう。乱用されると困るけれど……。何のグラノックがあったかしら……。よく見て、とくに注意してよく聴くことよ」

ドラゴミラは、オクサの〈クラッシュ・グラノック〉にグラノックの粒を吸いこませるたびに、それぞれの呪文をはっきりと発音した。

「サイコー！　弾丸をありがとう！」

オクサが、自分の〈クラッシュ・グラノック〉を軽くたたきながら言った。

「お願い、軽率な使い方はしないと約束してちょうだい」

「だいじょうぶ、バーバ！　安心して！」


***

その平和な日のクライマックスは、もちろん若いグラシューズのアイデアから生まれた。

夕方になって、オクサは、真剣に取り組んだ復習に疲れ果て、ギュスを探した。大広間に行くと、暖炉のそばで、二十くらいの生き物がギュスを取り囲んで熱心に話を聞いていた。

ギュスが目を上げ、オクサのほうを見た。オクサは、はっとした。輝いているが、悲しそうな目だ。悲しそうな印象はすぐに消えたが、そのとき、オクサの心にとんでもない考えが浮かんだ。

オクサはギュスに近づき、大広間の真ん中に来るよううながした。

「あたしの後ろに立って、肩に手を置いて」

「何をするんだい？」

「しっかりつかまって、放さないでよ、いい？」

「わかった、放さないよ」

二人の体が床(ゆか)から浮き上がった。最初は数センチ、それから少しずつ上がっていって、最終的には高さ八メートルほどの天井(てんじょう)にまで達した。オクサの肩にしっかりつかまって背中にくっついているギュスは、されるがままになっていた。

「信じられない！　浮いてる！　浮いてるよ！」

二人は、浮いたまま広間の中を移動した。床に降りたとき、オクサの肩は痛くなったけれど、心は軽くなっていた。

「ありがとう」

頬(ほお)を真っ赤に染め、うつむいたまま、ギュスはひかえめに礼を言った。

41　危ない散歩

「ちょっと、びっくりさせたいことがあるんだ。わたしのあとについてきなさい」

レオミドが言った。

オクサとギュスがレオミドの家で過ごすのは、これで四日目。二人は、今日という新たな一日にまた新たな発見があるだろうと、わくわくした。

祖母ドラゴミラを加えた四人は家の外に出た。暖かく、空は晴れ、気分は最高だ。まだ湿った草原に駆け出したギュスを、オクサは追いかけた。元気いっぱいの二人は、敷地内に続く小さな丘を次々に登っては下り、エネルギーをめいっぱい発散させた。息が切れるほど笑いながら、ヒースにおおわれた地面をころげまわったり、走りまわったりした。

レオミドとドラゴミラは、ゆるやかな起伏をえがく、道とは呼べないような小道を腕を組んで歩いていた。秋の荒野にただひとつ色を添えているのは、ドラゴミラのターコイズブルーのロングドレスで、裾が後ろにはためいている。

やがて四人は、ハリエニシダに囲まれた、ほかよりやや深い窪地のほうに向かった。そこには葦にふちどられた湖があり、身長二メートル以上もある巨大な雌鶏が二羽、動きまわっていた。

「わたしのジェリノットたちを紹介しよう」

レオミドは、オクサとギュスを手招きした。一羽は白、もう一羽は赤褐色の巨大な雌鶏たちは、訪問者のほうに向き直り、コッコッと騒がしく鳴いて、翼をばたつかせた。

「すっごく大きい！」

「言葉に気をつけて、オクサ。この生き物はとても外見を気にしてるんだ」と、レオミドが注意した。「背中に乗ってひとまわりしてみよう」

ジェリノットたちは木の桟橋に近づいてきて、喜んで彼らを背中にまたがらせた。レオミドとギュスが赤褐色のジェリノットに乗り、オクサとドラゴミラは白いほうに乗って、湖をゆっくりと進んでいった。

オクサとギュスは、こらえ切れずに身をよじって笑いだした。すると、それが気にさわったのか、ジェリノットたちは耳をつんざくような鳴き声をあげた。レオミドはすぐに、首の根元あたりの斑点のついた羽をさすりながら、ジェリノットをなだめるようにと二人にアドバイスした。オクサとギュスはいたずらっぽい目をして顔を見合わせ、吹き出さないようにくちびるを噛んだ。それから、レオミドをまねて、ほんのり温かい羽に手を差し入れた。ジェリノットはその仕草に驚いてか、しばらく動かないでいた。数分すると、湖上は静かになり、水上の散歩がまた再開された。

「すごくやわらかい」オクサは、一本が五十センチほどもある羽をなで続けながら言った。「絹みたい。優雅ね。この雌鶏は飛べるの？」

「ええ。でも、目立ってしまうわね」と、ドラゴミラが答えた。「わたしたちが巨大な雌鶏に乗って空を飛んでいるのを、もしだれかが見たら……ああ、だめ、考えたくもないわ。それに、わたしたちのだれかの許可がなければ、絶対に飛行禁止なの。この鶏たちは夜は目がよく見えないけれど、明かりのない暗い夜には飛ばせてやることもあるわ。ふだんは、人に見られないように湖にいるか、あそこにある専用の鶏小屋にいなければいけないの」と言って、岸にある人家ほどの大きさの小屋を指差した。「それより、水上散歩を楽しみましょう……」

とても心地よい時間だった。自然とけだるくなった。

ギュスもすっかりリラックスして、巨大な鶏の背中に体をまかせ、うとうとした。頬をやわらかな首に押しつけ、なだらかな丘と晴れわたった空を夢見るようにながめながら、自分がいま体験していることについて思った。友人とポロック一家の寛大な心づかいのおかげで過ごす魅惑的な冒険……。なんてすてきな家族だろう！　彼らと知り合いだなんて、すごくラッキーだ！

もう一羽のジェリノットの背中では、オクサが、筋肉も血管も、骨でさえマシュマロになったような、至福の状態に達したところだった。ギュスのけだるそうな姿勢をまね、鶏の温かくてふかふかした首に頭を押しつけて前かがみになっていた。岸辺に生えた葦とハリエニシダのざわめきと、鶏の足が立てるピチャピチャというかすかな水音しか聞こえなかった。

桟橋とは反対側の岸辺に沿って進んでいるとき、ドラゴミラとオクサの乗ったジェリノットが急に甲高い声で鳴きだした。激しく羽や足を動かし、怒り狂ったように翼をばたばたさせている。

「バーバ、どうしたの？」

ジェリノットを必死で押さえながら、オクサがたずねた。

「わからないわ。落ち着いて、わたしの愛しい子。岸に連れていきましょう」

ドラゴミラがかがんでふくらんだお腹に腕をまわすと、ジェリノットはますます激しく鳴き叫び、あばれた。レオミドとギュスは近づこうとしたが、そのジェリノットがさかんに羽で水面をたたくので、転覆しないようにいくぶん距離をとらざるをえなかった。ドラゴミラは、体のバランスをとるのがだんだん難しくなってきた。

「オクサ、がんばって！　首につかまっていなさい、わたしは飛びこむから」

ドラゴミラが叫んだ。

「バーバ、水は冷たいよ！」

その警告にはまったく耳を貸さず、ドラゴミラは水に飛びこんだ。ドレスが青い睡蓮のように広がり、ジェリノットの後ろにまわると、バタ足で押そうとした。ところが、ジェリノットは少しも動かない。

「しょうがないわね。大病には荒療治」

髪から水をしたたらせながら、ドラゴミラはつぶやいた。

ふり返ったオクサは、目の前の光景にびっくり仰天した。祖母は泳ぐのをやめ、別の移動方法をとっていた。なんと、地面を歩くように、水の上を歩いている！　水の上に立って、戸棚か故障した車を押すように全体重をジェリノットにかけている。

たしかに、泳ぐよりはずっと効率的だ。ドラゴミラの作戦を理解したレオミドは、その後ろに移動してきて、自分の乗った赤褐色のジェリノットに白いジェリノットを押させた。かけ声をかけて押し続けるうちに、もう少しで岸に届くところまで来た。レオミドは岸に飛び移り、ギュスとオクサが鶏から降りるのを手伝った。

「おまえたち、下がって！」レオミドがどなった。

「手伝うよ！」

「だめだ！　岸から離れて！」

レオミドは、ドラゴミラが後ろから押すのに合わせて首を引っぱり、どうにかこうにかジェリノットを陸に引き上げた。


「ふうっ、だめかと思ったわ」

ドラゴミラは、頭からつま先までびっしょりだ。

レオミドは急いでビロードの上着を妹の肩にかけた。そして、ギュスのほうを向いた。

「ギュス、鶏小屋までひとっ走りしてくれるかい？　戸棚があるから、中に入っている毛布を全部持ってきてくれ」

ギュスはすぐに、猛烈なスピードで走りだした。世紀のスパートだ！

三分後には、ドラゴミラは、ミイラのように全身を毛布で巻かれていた。歯がガチガチ鳴るのや寒けは治まっている。

「いったい、ジェリノットはどうしたの、バーバ？」

オクサは、体をくねくね動かしているジェリノットを見ながらたずねた。

「わからないわ。こんなふうになるのは初めてよ。あら、見て、怪我をしている！」

本当だ……。しかもふつうの傷ではない、片方の脚がガラスのようになっている！

かわいそうなジェリノットは、その脚を動かそうとしても動かせず、最初はするどかった鳴き声がしだいに悲痛なうめき声に変わってきた。

「レオミド、わたしと同じ考えなの？」

ドラゴミラは、ジェリノットをじっと見つめたまま言った。

「そうだと思う……」レオミドは暗い顔で答えた。

「何なの？　バーバ？　おじさん？」今度はオクサがたずねた。

重苦しい沈黙に包まれ、ジェリノットのうめき声がますます悲痛に聞こえた。

「ねえ、言って！」オクサは苛立った。

ドラゴミラとレオミドは眉をひそめ、ガラス状になった脚を見つめて考えこんでいた。

ついにレオミドが顔を上げ、オクサとギュスを見つめると、声を震わせながら告げた。

「〈ガラス化弾〉……黒血球グラノックの一種だ……」

レオミドが怪我をしたジェリノットに付き添うことにして、ドラゴミラは、毛布でぐるぐる巻きになったまま、子どもたちを家に連れて帰った。大広間に着いたときには、三人は息切れし、心臓が激しく打っていた。

「二人とも、ここで待っていてちょうだい」ドラゴミラは厳しく言いわたした。「ドアを閉めておくから、絶対に外に出てはいけませんよ。何か少しでも困ったことがあったら、このヴェロソをよこしてわたしに知らせてちょうだい。いい？　この子は足がすごく速いのよ」

身長二十センチ、縞模様の長い脚が二本ある、イタチに似た生き物が、急いで二人の前に来て準備オーケーというように座りこんだ。

「せいぜい三十分くらいで帰ってくるわ。まず、服を着替えてくる。肺炎なんかにかかりたくないし、肺炎になってる場合じゃないものね」ドラゴミラは自分自身に言い聞かせるように言うと、オクサとギュスに向かい、「ジェリノットの脚を治すために、レオミドにクリームを届けてくるわね。フォルダンゴたち、二人をたのんだわよ」

オクサは、〈ガラス化弾〉というのは何なのだろうかと考えた。しかし、祖母の奇妙な口のゆがみを見て、質問はあとまわしにすることにした。ドラゴミラはすぐにきびすを返し、鍵をかけて広間を出ていった。オクサとギュスは、あぜんとして顔を見合わせた。

「いったい何が起きてるのか知りたいね」と、ギュス。

「あたしが思うには……」オクサは小声で答えた。「黒血球グラノックはグラノックのなかでもすごく危険なもので、死を招くものもあるっていうことは、あたしも知ってる。エデフィアで反乱を起こすために、反逆者たちが開発したの。そういうグラノックにやられた男を〈カメラ目〉で見たことがあるけど、とにかくひどかった。〈ガラス化弾〉が黒血球グラノックの一種だとすると……ジェリノットを攻撃したのは反逆者ということになる」

「反逆者？　そんなばかな！　そんなことってあるのか？」

「わかんない……」オクサは急に、フォルダンゴットのほうを向いた。「フォルダンゴット、夜、だれかがこの敷地内に侵入したって言ってたわね？」

「そうです、若いグラシューズ様。真実はそのとおりです」

「ほかに何を知ってるの？　言いなさい、あたしは若いグラシューズよ！」

オクサは命令したが、その調子が思ったより威張っていたので、少し赤くなった。

オクサがグラシューズという地位を主張するのは初めてのことだが、フォルダンゴットのような優しい生き物にそれを使ったことが、少し恥ずかしかった。オクサがあやまろうとしたとき、フォルダンゴットは神経質そうに話し始めた。

「ご主人様と古いグラシューズ様は昨日、声に出して懸念を表明されました。その恐れは予測されました。わたくしの脳みその中にある詳細はすでに若いグラシューズ様にお話ししました。それ以上の情報は知りません。それは約束です！」

「わかった、フォルダンゴット、落ち着いて……。どうもありがとう」

オクサは、フォルダンゴットの頭をぽんぽんと軽くたたいた。それからギュスのほうを向き、得意そうに続けた。

「ほらね、何かあったのよ！　あの夜の闖入者と黒血球グラノックの事件は何か関係があるはず。ひょっとしたら、まだこの辺にいるのかも！　アボミナリが失踪したし……それとも関係があるのかも……」

「たぶんね。でも、ぼくが知りたいのは、どうしてジェリノットがおそわれたかだよ」

「狙われたのは、ジェリノットじゃないかもよ」

「ってことは……」

入り口のドアが大きな音を立てた。二人は話をやめ、オクサはいまの会話をだれにも言わないようにと、フォルダンゴットに向かってくちびるに人差し指を立てた。

「ええ、若いグラシューズ様、理解しました」


レオミドが顔をひきつらせて大広間に入ってきた。不安を顔に出さないよう大変な努力をしているようだが、視線は右へ左へとさまよっていた。オクサもギュスも不安になった。

「ジェリノットはよくなったの？」

オクサは椅子から立ち上がり、レオミドの前に進んだ。

「うん、大分よくなったよ」レオミドはブランデーをグラスに注ぎ、ひと息に飲んだ。「脚も回復した。ほとんど元どおりだ。今度もドラゴミラとアバクムの才能のおかげでね。あのクリームを使う日が来るとは思わなかった」

「どのクリーム？」

オクサがたずねたが、その問いはレオミドの脳には届かなかったようだ。やつれた顔をし、空っぽのグラスを手に暖炉のそばに立っている。

「バーバはジェリノットのそばにいるの？」

オクサは別の質問をして、大伯父をぼうぜん自失状態から回復させようとした。

「そうだ。かわいそうに、ジェリノットはすっかりショックを受けている」

レオミドは無気力な声でやっと答えた。ジェリノットはよくなったかもしれないが、大伯父はそうではないようだ。

「危険じゃない？　バーバのことだけど……あそこに一人でいるのは。何が起きたの？」

レオミドはソファに座って、後ろにのけぞった。再び、考えごとにひたっているようだ。

「何て言った、オクサ？　すまない、考えごとをしていたんだ」

「バーバはあそこに一人でいてだいじょうぶ？　あんなことがあったあとだし」

「もうだいじょうぶだよ。二人とも安心しなさい」

レオミドは弱々しく答えた。

オクサが疑わしげな目をギュスに向けると、ギュスはしょうがない、というように肩をすくめた。そして、いまはこのままにしておいたほうがいいという意味の合図をした。オクサはそれにうなずいて、話を続けた。

「バーバといえば、さっきすごいことをしたよね」

「ほんと、そうだよな。どうやったんだろう？　ウソみたいだ！」

　ギュスが快活に言った。

「〈水面歩行術〉のことかい？」レオミドがやっと二人に注意を向けた。「驚くと思ったよ」

「驚いた？　まさか！　驚くどころか、びっくり仰天よ！」オクサが叫んだ。

「あれはね、グラシューズの能力のひとつなんだよ。〈内の人〉の目には大きな特権と映るだろうし、〈外の人〉にとってはそれどころじゃないだろうね。だから、しーっ、口にチャック。わかるだろう？　ドラゴミラなら、わたしよりうまく説明してくれるだろう……。それより、提案したいことがあるんだよ。訓練プログラムを中断して家に閉じこもっているなんて問題外だからね。空中散歩に招待しよう」

「浮遊（ふゆう）するの？」

「いや、今度はそうじゃない。気球でひとまわりするんだよ」レオミドが答えた。

「ほんと！　ぼく、気球が大好きなんだ」

　ギュスが椅子から勢いよく立ち上がった。オクサはギュスと手のひらをバチンと打ち合わせて、同じように喜んだ。

「ありがとう、おじさん、最高のプレゼントね！」

「着替えてくるよ。すぐだから、ここで待ってるんだよ」

　レオミドが階段のほうへ行ってしまうと、オクサとギュスの舌がなめらかになった。

「おかしいよね。あんなことが起きたのに、まるで何事もなかったみたいに予定していたことを続けようだなんて……。それに具合が悪そうじゃない。すっごくおかしいと思わない？」

「うん。でも、黒血球グラノックで攻撃したやつを気球から見つけられるかもしれないよ。まだ、敷地内にいるはずだ……。こんなときに空中散歩をするのは変だけど、いい考えじゃないかな」

42　とんでもない出会い

「わあー、すごくきれい！」

オクサとギュスは、はしゃいでいた。黄色と赤の気球から見える景色は、すばらしかった。数キロ先には海が光っている。

「あっちに行く？」オクサがうながした。

「おおせのとおりに、若いグラシューズ様。進路を海へ！」

レオミドは快活に言ったが、その表情は固い。気球を操縦しながら、眉間(みけん)にしわを寄せ、丘や谷に目をこらしている。オクサはそれに気づき、したり顔でギュスにささやいた。

「ほらね、闖入者(ちんにゅうしゃ)を探してる。それと、あたしたちを攻撃(こうげき)したやつ……。きっと同じ人間だよね。賭けてもいい。アボミナリもこの辺をうろついているだろうし……」

「この空中散歩は、絶対に偶然(ぐうぜん)じゃないよ。こんなときにこんなふうに出かけるなんて、おかしいよ」

ギュスも同じようにささやいた。

気球はゆっくりと音も立てず、オクサたちが二時間ほど前に駆けまわった丘の上を進んだ。ハリエニシダや背の高い野草がそよ風になびくさまは、えもいわれぬ美しさだ。


海が近づいてきた。張り出す断崖やその下の小さな入り江が、百メートルくらい先に見える。そのとき、人目につかない入り江からとつぜん、一羽のジェリノットが羽ばたいて上昇してくるのが見えた。二人は驚きの声をあげた。

「あのジェリノット、何してるの？」

レオミドは、このただならぬ事態を予期していたのか、あわただしく気球を操縦し始めた。

「しっかりつかまって！　下降するよ！」

レオミドの注意は正しかった。ジェリノットは気球から数十メートルのところまで近づいてきて激しく翼を動かしている。このままでは気球にぶつかりそうだ。レオミドは弁を調整しながら、オクサたちと同じくゴンドラにしがみついた。

しかし、こちらが離れようとすると、相手はますます近づいてくる。気球のあとをついてきているのか？　まるで追いかけられているみたいだ！　気球が右や左に動き、上がったり下がったりするたびに、巨大な鶏がついてくる。

とつぜん、あたり一面に叫び声がひびきわたり、三人の耳にも届いた。はっきりしないながらも、オクサは大伯父の名前を聞いたように思った。

「おじさん、ジェリノットからおじさんを呼んでるような気がする！」

「何を言ってるんだ！　そんなばかな！」

だが、オクサの言ったとおりだった。たしかにレオミドの名前だったのだ。

気球とジェリノットが近づくにつれて、疑いは消えた。レオミドは〈クラッシュ・グラノック〉を取り出し、〈拡大泡〉を使って、自分を執拗に呼ぶ相手を見ようとした。そして、クラゲのような〈拡大泡〉を目の前にすると、しばらく動くこともできず、ぼうぜんとして目を大きく見開いた。ゴンドラにつかまった彼の顔から血の気が引いた。

「ありえない……絶対に、ありえない」

レオミドは、まるで幽霊を見たかのようにつぶやいた。

ジェリノットの背中で黒い人影が動くのが見えた。不思議なことに、オクサとギュスになじみのあるシルエットだ。まさか……少し似ているだけだろう……それとも幻影？　視力障害か、重い視力障害か、ものすごく重い視力障害か……。

「ギュス、困ったことがあるんだけど」

オクサは、青ざめた大伯父を指差してつぶやいた。

「うん……それに、あっちにも困ったことがあるんだ」

近づいてくるジェリノットを指差して、うつろな声でギュスが答えた。印象が確信に変わろうとしていた。

「見ろよ！」

　オクサはふり向くと、人生最大のショックを受けた。恐怖の光景。目が覚めたまま見ている悪夢。なんと、マックグローがそこにいた！　おぞましい、胸の悪くなるような、耐えられないマックグローがすぐ近くにいる！　ジェリノットの背中に！　ロンドンから何百キロも離れたこのウェールズ地方の空に！

「マックグローだ！」オクサとギュスは声をそろえて叫んだ。

「オーソン！」レオミドは死人のような低い声で言った。

　ジェノリットはさらに近づいてきて、最後の疑惑をぬぐい去った。マックグローはレオミドの名を大声でわめき、オクサは、わけがわからないといった目でレオミドを見つめた。どんなにささいな説明でもいいから欲しかった。

　二人の視線が交わったとき、オクサは、断末魔の苦しみを味わっているような、レオミドの恐怖の表情を見た。それから、レオミドは我に返り、恐ろしい考えをふるい落とそうとするかのように頭をふって、荒々しい声でどなった。

「伏せろ、隠れろ！」

　レオミドが急いでバーナーのところへ行くと、気球がガクンと上がった。しかし、予想したとおり、マックグローはジェリノットをたくみにあやつり、気球のすぐ近くに追いついた。

「レオミド、オクサをよこせ！　おまえにはそれぐらいの貸しがあるはずだ。この瞬間に人生のすべてをささげたんだ、その子はおれの鍵だ！」

「オーソン、おまえはどうかしている！」

「それはこっちのせりふだ。見ろ、おまえの人生の凡庸なこと！　おれのほうに加われ。この〈外界〉で、おれは、自分にふさわしい世界を見つけた。その世界で、軍隊の指揮者として帰還する準備をしている。新たな時代、力と光の時代が始まる。レオミド、おれに逆らうな。おれには大きな権力がある。命が惜しいなら、おれに協力するしかないんだ！」

「いったい何を言ってるの？　どういうこと？　どうしておじさんのことを知ってるの？」

レオミドの腕にしがみついて恐れおののき、オクサが叫んだ。しかしレオミドは、操縦に専念しようとオクサをふりほどいた。

ゴンドラの奥にたたきつけられたオクサは体を丸め、駆け寄ってきたギュスをおろおろと見た。オクサは、もう、おしまい！　と、心の中で叫んでいた。

「あたしの言うとおりだったでしょ！　マックグローはあたしに目をつけていたのよ。先生なんかじゃない、あたしを誘拐しようとしてる。あたしの言うとおりだったのよ、ギュス」

「オーソン、あきらめろ。オクサは絶対におまえといっしょには行かせない。絶対にだ！　わかったか。帰れ！」

レオミドは、ゴンドラごしに叫んだ。オーソンことマックグローも叫び返した。

「おまえの約束はどうなった？　それをおまえに守らせるために、おれはここにいるんだ。オクサをわたせ！」

オクサは二人のやりとりに仰天し、うろたえた。絶望で全身が震えた。ゴンドラのすみにますます縮こまった。ギュスが横にいる。

「なんなの、これ？　どうしてレオミドおじさんはオーソンって呼ぶの？　まったくわけがわからない……。それに怖くてたまらない」

「オクサ、〈クラッシュ・グラノック〉を持ってる？」

ギュスが早口にたずねた。オクサはうなずいた。

「おまえのできることを見せてやるときだ。がんばれ、おまえの番だ！」

ギュスは熱心に励ました。

「そうだよね！」

オクサはようやく自分を取りもどした。上着の内ポケットから筒を取り出し、やや姿勢を立て直した。ゴンドラから頭のてっぺんだけ出すと、数メートル先にいるマックグローが陽にきらりと光る何かで、気球を狙っているのが見えた。武器だろうか？　ピストルだろうか？　集中しようとしたが、恐怖に金しばりになり、冷静な判断ができない。

「オクサ、早く！　何とかしないと！」ギュスがオクサをゆすった。

オクサの心は空っぽで、何も考えられない。ドラゴミラが説明してくれたことをいっさい思い出せない。オクサはギュスに、いまにも泣き出しそうな目を向けた。

「何も覚えてないの、ギュス……思い出せない！」

ギュスはオクサのほうにかがみこんで、何かを耳元にささやいた。心は怒りと恐怖でいっぱいだったが、オクサは、祖母がグラノックをくれたことと、ギュスの驚くべき冷静さに感謝しながら、やっと思い出した名前を唱えた。

「〈竜巻弾〉！」

それから、マックグローに筒を向けて息を吹いた。グラノックが発射されると、ジェリノットは気が狂ったようにぐるぐるまわりだした。それから自分自身の起こす旋風に巻きこまれ、すさまじい竜巻のようになった。


「うまくいったな、オクサ！　サイコーだ！　……あれっ、あれは何だ？」

ギュスの視線の先に、不審な黒いものが近づいてくるのが見えた。ムクドリの大群のようなかたまりだ。

「気をつけろ！」レオミドがどなった。「骸骨コウモリだ！　伏せて、頭をおおって！　噛まれないようにするんだ！」

それは、異様な昆虫の群れだった。オクサとギュスはとっさにしゃがみ、その間にレオミドが大きな火の玉を投げて防戦した。ゴンドラの中では、昆虫が焼けてパチパチ弾ける気持ちの悪い音が聞こえた。炎を逃れた虫が、二人をおそおうとぶんぶんうなる。オクサは、レオミドにならって神経を集中させ、火の玉を投げて昆虫たちを次々と焼きはらった。おぞましい虫の死体が何十匹と、ゴンドラに落ちてくる。最も大きいもので体長十センチはある。

レオミドとオクサの炎の防壁を越えて、とりわけ抵抗力のある一匹が、ギュスに猛然と飛びかかってきた。羽から煙を立て、肉の焼けた臭いをまき散らしながら、血も凍るような苦痛のうなり声をあげている。

「どうしてまだ生きてるんだ?」ギュスがあえいだ。「火がついてる……燃えてるのに!」

昆虫の大きく開いた口には、剃刀の刃のようにするどい牙が見えた。うろたえ、身動きできなくなったギュスの耳の横に、激しい痛みが走った。虫が噛んだのだ! 手のひらでバチンとたたいてつぶすと、緑がかったねばねばしたものが頬に流れた。ギュスは顔をしかめて神経質にそれをぬぐい、よく見ようと指先でその死骸をつまんだ。おぞましい小さな頭を見ると、この生き物の名前の由来が納得できた。吐き気をもよおし、ゴンドラの外に投げ捨てた。

一方で、旋風に巻きこまれたジェリノットはスピードも高さも失い、つんざくような悲鳴をあげながら、乗り手をふり落とそうともがいた。そして翼をひとふりすると、マックグローは頭をたたかれてバランスを失い、宙に放り出された。ジェリノットはあわてて海のほうへ逃げ、両方とも海に落ちていった。その間に、レオミドは操縦弁をぐっとにぎりしめ、気球を内陸のほうに向かわせた。マックグローの恐ろしい叫び声が荒野にひびきわたった。

43　不吉な報告

「警報！　警報！　若いグラシューズ様のご友人様に事故が起こった。ご友人様は気絶に陥り、悪い血が顔をよごした。わたしの目は荒野から多くの無力を見て取ったところだ」

レオミドのフォルダンゴは、身をよじらせながらうめいた。その前で、フォルダンゴットがひどく青ざめ、動揺のあまりふらついている。片方の足からもう一方の足に危なげに重心を移しながら、こうつぶやいた。

「気球からの落下を行なったの？」

「いや、フォルダンゴット、傷は怪物の危険によってもたらされた……骸骨コウモリだ！」

フォルダンゴが重々しく答えた。

「骸骨コウモリ？　そのコウモリはエデフィアのもの……ということは、反逆者……!?」

フォルダンゴットは、言い終わらないうちに床にたおれてしまった。フォルダンゴが急いで駆け寄り、意識をもどそうと、ふっくらした顔に強く息を吹きかけた。

そのとき、玄関のドアがひどくきしみながら開いた。背の高いレオミドの影が敷居にあらわれると、おびえていたフォルダンゴたちはほっとした。しかし、フォルダンゴが警告したように悲惨な帰宅だった。レオミドが抱いている、ぐったりしたギュスの顔にはヘビに噛まれたようなひどい傷がついていた。傷の周りは腫れ、顔の左半分は腐った果実のような色だ。オクサは、傷のいやな臭いに気分が悪くなりながらも、ギュスから目を離さないでいた。

レオミドが大広間のソファにギュスを横たえると、わずかに開いたギュスのまぶたから、死んだような乳白色の白目だけが見えた。最悪の事態だ。ギュスは回復しないだろう……。オクサはうめき声をあげ、鼻の中がひりひりし、心が苦い涙でいっぱいになるような気がした。

しかし、しばらくして——オクサには何時間にも感じられた——ギュスの目は正常な状態にもどった。なおも数秒間はマリンブルーの目はうつろなままだったが、そのあと、かすかに瞳の奥が光った。意識がもどったのだ。

「フォルダンゴ、早くドラゴミラを呼んでおいで！」レオミドが命令した。それからオクサのほうに向き直って言った。「心配しなくていいよ、オクサ。ドラゴミラならどうすればいいかわかっている。ギュスはだいじょうぶだよ」

＊＊＊

最後の〈逃げおおせた人〉が大広間に入ってきたのは、夜中の十二時近かった。誇り高いスペイン人のメルセディカに続き、テュグデュアルの祖父母、ナフタリとブルンのクヌット夫妻が入ってきて、分厚いコートをぬいだ。

「みなさん、おそろいで」ナフタリはつぶやき、オクサをじっと見つめながら言った。「こんばんは、若いグラシューズ様」

オクサはまだ、クヌット夫妻を知らなかった。しかし、彼らが到着したときの威厳に満ちた立ち居ふるまいに圧倒された。

ナフタリはとても背が高く、頭は禿げていて、顔の下半分はほとんど半透明の細かいひげにおおわれている。黒いビロードの服に、唯一の彩りとなっている首飾り。その緑色のごく小さな真珠がきらきら光って、謎めいたエメラルドグリーンの目によく映えていた。

ナフタリはオクサを見つめたまま、妻の腕を取った。ブルンは軽くおじぎをしながら、しゃがれた声で言った。

「お目にかかれて光栄です、若いグラシューズ様」

ブルン・クヌットも夫に負けず目立つ存在だった。齢は七十歳、あるいは八十歳かもしれない。左右非対称のドレスにパンツを合わせた姿が幻想的な雰囲気をかもしだしていた。雪のように真っ白な髪を短いおかっぱに切り、耳には十個くらいの小さなダイヤモンドのピアスをつけている。上くちびるにも小さな宝石がついていて、オクサにおじぎをしたときにきらりと光った。

「こんばんは……」

オクサは、こうした威厳ある人たちに敬意を示されたことにとまどって、早口につぶやいた。それから絨毯の上に座り、ひざをかかえた。

すばらしい広間の快適な居心地とは反対に、雰囲気は重苦しく、みんなの顔は暗かった。巨大な暖炉の周りに輪になり、低い声で言葉を交わし、ときどきオクサに心配そうな視線を投げかけてきた。オクサはそうした視線の重みを感じながらも、頭はそれとは切り離されたほうに向かい、体じゅうの血がたぎってくるのを感じた。

化粧漆喰の組み合わせ模様がほどこされた天井のほうについ目がいく。その上にギュスの寝室がある。ドラゴミラの不思議なクリームとせんじ薬のおかげで、ギュスの容態はよくなってきた。しかしショックがひどかったために、休養が必要だった。ともかく、ギュスは深い眠りについた。ひきつった表情と死んだような青白い顔色が心配で、オクサはしばらくの間、枕元にいた。その姿が目に焼きついて離れない。オクサはぶるっと震え、両親を目で探した。

オクサの両親は、アバクム、テュグデュアル、それにピエールとジャンヌのベランジェ夫妻とともに、事件の二時間後にはここに到着していた。こういう異常事態のなか、ベランジェ夫妻がなぜここにいるのか、オクサには理解できなかった。これは〈逃げおおせた人〉の集まりだ。ギュスは別として、彼らがここにいる理由はないはずなのに、だれも驚いている様子がない。オクサは広間に入る前に、祖母にたずねてみようとした。しかし、バーバ・ポロックは、少し待ちなさい、すぐにわかるわ、となだめるような仕草をした。

ドラゴミラは濃い紫色のドレスの裾を広げ、固くなって座っていた。椅子のひじかけにぶらさがっている絹の縁飾りを、神経質そうにほぐしては細い糸にしている。そのうち、みんなの注意を引くために、咳ばらいをした。

「みなさん……」やっと口からもれた声には、緊張感がみなぎっていた。「五十年以上、わたしたちは疑問を抱き続けてきましたが、みなさんが心配していた決定的な事実が確認されました。少なくとも反逆者の一人が門を通過したということです。エデフィアの最大の敵の息子が〈外界〉におり、わたしたちの希望の核心に近づいたのです」

ドラゴミラがオクサを目で示すと、驚愕の波が部屋全体をおおった。フォルダンゴたちの甲高い声に、ジャンヌとマリーの叫び声が重なった。

「いったい何が起きたんですか？　話してください、レオミド」

オクサの父パヴェルが震える声で言った。

レオミドは額に汗を浮かべながら、一瞬目を閉じ、それから開いた。

「あいつは、午後の早い時間に一回目の攻撃をしかけ、わたしのジェリノットの一羽がやられた。しかし、その二時間後にわれわれが直面したことに比べると、取るに足りない攻撃だった」

「攻撃を繰り返してきたのか？」ナフタリが先をうながした。

「そう……驚くべき力だった。立ち向かえないと思ったくらいだが、幸いにもオクサとギュスが勇敢だった。そうでなかったら、オクサはやつの手にわたっていただろう……。オクサは〈竜巻弾〉のグラノックを発射して反撃してくれたが、代わりに骸骨コウモリの攻撃を受けた」

不安そうなざわめきが広がった。

「なんてこと！　それを逃れたなんて幸運でしたね！」

ギュスの母のジャンヌ・ベランジェが叫んだ。驚いたことに、話の内容を完全に理解しているかのような口ぶりだ。

「そうなんだ」レオミドがうなずいた。「ご存知のように、ギュスが骸骨コウモリの攻撃を受けたが、傷は表面的なものだ。ドラゴミラが処置をしてくれたので、危険はない」

「後遺症はないだろうか？　骸骨コウモリは非常に……」

ナフタリが心配そうにたずねたが、レオミドはそっけなくさえぎった。

「いたずらに話を複雑にするのはやめましょう」

「どうやって骸骨コウモリの群れから逃れたの？」

メルセディカがレオミドを見つめながらたずねた。

「〈火の玉術〉で応酬した。骸骨コウモリは真っ黒こげだ。だが、賞賛はオクサに送るべきだろう。あの子のおかげで、ジェリノットが海へ逃げたんだから」

「ギュスのおかげでね……」オクサがつぶやいた。

「そのとおり！　二人とも驚くほど冷静に行動した。わたしのほうは、空中で攻撃されたことが信じられなかった。本当に面食らったよ。すべて計画されていたようだ。ジェリノットへの攻撃は、標的を誤ったのだろうと思ったが、わたしを空中に誘い出すための作戦だったんだ。あいつの予定どおりの行動をとってしまったわけだ……」

「じゃあ、やつなんだね？　それはたしかかい？」ナフタリがたずねた。

「まちがいない。オシウスの息子、オーソンだ！」

「ちがう、マックグローよ。あたしたちの数学の先生！」

オクサが激しい口調でさえぎった。

視線がオクサに集まった。パヴェルは驚きの声をあげ、マリーは青ざめて目を見開き、夫の腕を取った。ピエールとジャンヌは、ぼうぜんと顔を見合わせている。

「数学の先生ですって?」ドラゴミラが口ごもりながらたずねた。

「つまり……」オクサはためらった。「本物の先生じゃないけど……」

すべての視線がオクサに注がれている。

「あっ……ごめんなさい」オクサは言い過ぎたような気がした。

「どういうことだ?」

オクサは迷ったが、父親にうながされると、聞き取れないような小声で説明し始めた。

「ギュスとあたしは、マックグローが諜報部から派遣され、あたしの脳を実験台にするためにあたしを誘拐しようとしているんだと思っていたの」

「なんだって?」

この叫び声は、フォルダンゴもふくめ、その広間にいたすべての人から同時に発せられた。オクサは、注目の的、会話の中心、そしてすべての問題の元になっていることが気づまりで、目を伏せた。

「ちょっと待って！　新学期の最初から、あなたたち二人は、数学の先生があなたを誘拐しようとしていると思ってたってこと?」マリーがうろたえて声をあげた。

「どうしてそう思ったんだい？」アバクムは、落ち着いた声でたずねた。

　オクサはドラゴミラにすがるようなまなざしを送った。

「あいつを調査したの」

「それはどういうことだ？」パヴェルは眉間にしわを寄せている。

「あの先生のことは、みんなが嫌ってたし、怖がってたの。パパたちの想像とはちがって、あやしいと思ったのは、すごくいやな先生だという理由だけじゃない。だって、最初から、あたしのことをすべて知ってるみたいだったから。ずっと前から、あたしが何者か知っているみたいだった。少し前に、先生について書いてある学校の書類を見たの」

「どうやって見たかは知りたくないな……」パヴェルがつぶやいた。

「その書類には、先生がＣＩＡやＮＡＳＡで働いていたって書いてあった。光電効果の専門家で、光に関するアインシュタインの研究を熱心にしていたって」

「なるほど……」今度はアバクムがつぶやいた。

「だから、ＮＡＳＡを辞めて中学生に数学を教えに来るなんて、おかしいと思ったの。それに、あいつが個人的な理由で聖プロクシマス中学に応募したとわかったのよ。その〝個人的な理由〟っていうのは、あたし！　だから、あたしを誘拐しようとしてるスパイだと思ったの。でも、まさか反逆者だなんて、想像もしなかった」

〈逃げおおせた人〉たちは、あぜんとして動けなかったのではない。彼らは、オクサとレオミドが明かした事実に文字どおり麻痺していた。息を切らし、目は熱を帯び、いま聞いた信じられない情報をけんめいに消化しようとしていた。

オクサはというと、異常に興奮した頭の中に、さまざまな情報がやっとおさまりつつあった。多くの手がかりがたがいに関連し合っていることに気づいていくにつれて、黒っぽいグレーの瞳(ひとみ)が大きくなっていった。

「あー、そっか！　まさか！」

オクサはとつぜん叫んだ。

44　不審(ふしん)な反応

オクサはある結論に達した。同時に、想像していたよりもはるかに危険な冒険(ぼうけん)に足を踏(ふ)み入れそうだという恐(おそ)ろしい予感におそわれた。

「何を考えているのか、教えてもらってもいいかな？」

パヴェルが緊張(きんちょう)した面持(おもも)ちでたずねた。

オクサは無表情のまま、父親を見た。心を落ち着けようと頭をふり、まばたきをした。それから、かすれ声で話し始めた。

「学校にウィリアムズという数学の先生がいたの。ところが、新学期が始まるちょっと前に、テムズ川で死んでいるのが発見された。殺されて……。とても不思議な、恐ろしい殺人事件だったらしい。友だちのメルランが言ってたことだけど」

「まあ！」ドラゴミラが叫んだ。「それで……どんなふうに死んだのかわかったの？」

だれもが同じことを考えていたようだ。重大な質問に、恐るべき答え。

「ううん……でも……ちょっとした考えは……あるよ」

オクサは、つっかえながらそう言うと、さっと立ち上がり、広間のとなりにあるレオミドの書斎に走っていった。パソコンをつけ、数秒後にはインターネットで検索していた。〈逃げおおせた人〉たちは全員オクサの周りに集まってきて、画面を見ようとした。

タイムズ紙の過去の記事から抜粋されたページが、画面に出てきた。オクサは顔を近づけ、大急ぎで読んだ。いままで、こんなに速く読んだことはない！

読み終えると、手をキーボードにのせたまま、ピューと口笛を吹いた。

「早く言ってちょうだい！　みんな、知りたいのよ！」

メルセディカが、いらいらして言った。

「マックグローは反逆者というだけじゃなく、犯罪者でもあるってこと。あいつはウィリアムズ先生の職を奪うために殺したのよ」

オクサは、きっぱりと宣言した。

「なんてこと！」ドラゴミラが叫んだ。

「それだけじゃない。ジャーナリストのピーター・カーターも、危険な存在になりそうだから殺したのよ。ほら、これ見て！」

その瞬間（しゅんかん）、〈逃げおおせた人〉たちはみな、目まいのようなものを感じた。画面に表示されているタイムズ紙の記事は、新学期の二週間前にテムズ川で死体が発見された、聖プロクシマス中学の数学教師、ルーカス・ウィリアムズの事件についてくわしく報じていた。

ロンドン警視庁の捜査官にとって、死因は謎（なぞ）だった。肺（はい）がなんらかの物質のために文字どおり溶けていたが、どんな科学研究所もその物質を特定できなかったし、世界で最も権威（けんい）ある専門家もその成分の謎を解くことはできなかった。ルーカス・ウィリアムズ殺人事件が解決されないままに、不思議とよく似た別の事件が起きた。ピーター・カーターの死体が見つかったのだ。このアメリカの有名なジャーナリストは、数学教師とまったく同じ手口で殺された……。

オクサは父親に向かって言った。

「パパ、ピーター・カーターを殺したのは、ぼくたちの仲間の一人だって言ったのを覚えてる？　そのとおりだったのよ。〈逃げおおせた人〉だった。ただし、それは反逆者（フェロン）だった。マックグローだったの。そう呼んだほうがいいのなら、オーソン。あいつが、ルーカス・ウィリアムズとピーター・カーターに〈肺溶解弾（はいようかいだん）〉を浴びせたのよ」

だれもが、ぼうぜんとして身動きできないでいた。息をつめ、眉間（みけん）にしわを寄せ、その恐ろしい考えをなんとか受け入れようとしている。

「待ちなさい……推論だけで断言してはいけないよ。重大なことだ……」

レオミドの口調は自信がなさそうだ。

「あたしは、マックグローがやったってことに賭けてもいい！　ウィリアムズのことも、ピーター・カーターのことも、あいつには、はっきりとした動機があるもの！」

　オクサは声高に主張した。

「動機がはっきりしているからって、殺人者だとは言えないよ……」

　レオミドはなおも不満げだ。

「そうかもしれない……」アバクムはレオミドを見ながら言った。「だが、もしあいつじゃなかったら、われわれのだれかということになるよ。反論して悪いがね、レオミド、わたしはオクサの考えはもっともだと思う。ルーカス・ウィリアムズが死ぬと、オーソンはオクサに接近することができる。ピーター・カーターにしても、われわれの出自を突きとめようとしていたところだった。われわれと同じくらい、オーソンにとっても危険な存在だった。共通の秘密を持っているんだからね。しかし、あいつがピーター・カーターという脅威をわれわれから取り除いてくれたとしても、危険人物だということに変わりはない。今日起きたことがそれを示している。骸骨コウモリを浴びせるなんて、とんでもないことだ。しかも、子どもや昔の親友に向けて……」

　不安げな視線が飛び交った。その静まり返った雰囲気のなか、オクサはふと、重要な証拠品があることを思い出した。

「みんなに見せたいものがあるの」

　オクサは、ほどけた靴の紐にひっかかりそうになりながら、どたばたと部屋を出ていった。残された人々は、無言で広間に引き返した。

そこにオクサが姿をあらわしたとき、手には折りたたんだ紙がにぎられていた。

「マックグローの財布からこれを見つけたの」

「見つけた？」パヴェルは疑わしげにあごをなでながら、立ち上がった。

「リストみたいなもの。おかしいの、あたしも載(の)ってるし……ジャンヌおばさんも！」

オクサは、ギュスの母親のほうにちらりと目をやった。

〈逃げおおせた人〉たちは、オクサが紙を開いてドラゴミラにわたすのを、食い入るように見つめた。そして、リストを小声で読むバーバ・ポロックの周りを取り囲んだ。

G・L　54／04／19　カゴシマ（日本）67／10＋68／08
G・F　60／06／09　ロンドン（イギリス）73／09＋74／05＋75／01
J・K　64／12／12　プルゼニ（チェコ）77／04＋78／02
H・K　67／12／01　マンタ（フィンランド）79／11＋80／10
A・P　79／05／07　ミールダルスヨークトル（アイスランド）91／01＋92／06
C・W　88／03／16　ヒューストン（アメリカ）99／12＋01／05＋01／10
Z・E　96／04／29　アムステルダム（オランダ）08／07
O・P　96／09／29　パリ（フランス）09／05

最初の数行で、いっせいに驚愕(きょうがく)の声があがった。

「信じられない……どうやってこれをつくったんでしょう？」

紙をひざに置き、ドラゴミラが口を開いた。オクサは爪を噛みながら、少し離れてじりじりしながら待っている。

「オクサ、おまえが見つけたものには黄金の価値があるわ」

「正確には何なの？」と、オクサはたずねた。

「グラシューズになる可能性のある女の子のリストよ」

「ええっ！」

「そう……そうなのよ。このうえなく貴重なものよ。オーソンことマックグローは――同じ人間だからどちらでもいいんだけれど――生涯をエデフィアに帰ることに賭けていたようね。まずは光に関する研究。これは門――エデフィアに通じる唯一の道――に直接関わりがあることだし、門をあける手助けをするグラシューズになりそうな人間を世界じゅうで探した。このリストは背筋が寒くなるようなものだけれど、はっきりとそのことを証明しているわ。わたしたちは、ここに書いてある人の大部分を知っている。みんな〈逃げおおせた人〉の娘や孫娘たちよ」

「わたしの娘も載っている」ナフタリが、リストから目を離さずに言った。

「わたしの娘もだ」レオミドもつぶやいた。

オクサは顔をごしごしとこすった。

「どうしてもっと早く気づかなかったんだろう。あたしって大ばか！　マックグローがスパイだって思いこんでたから、あたしの周りの人たちのリストかと思っていたの。それを利用してあたしに近づくためのね」

「そのとおりさ、オクサ。このリストの大部分はポロック家に近い人たちだ。だから、それが〈逃げおおせた人〉たちだとは思いつかなかったんだろう」パヴェルが割(わ)りこんだ。

「うん……」

「スパイだろうが反逆者(フェロン)だろうが、オーソン・マックグローが、おまえを求めてロンドンに来たのはまちがいない。危険が迫(せま)っているのは明らかだから、油断するんじゃないよ。恐ろしい殺人も、おまえに近づくためにやったことだ」アバクムが警告した。

「そうよ。そして成功したわ！」と、ドラゴミラ。

「ということは、子どもたちの数学教師オーソン・マックグローは、反逆者(フェロン)の一員である〈逃げおおせた人〉で、危険な犯罪者だということなんですか？」

マリーが、だれにともなく言った。

「危険な犯罪者とまでは、わたしは言わないが……」レオミドは苦々(にがにが)しげだ。

「きみは寛大(かんだい)すぎる！」ナフタリがちくりと言った。

「今日みんなに集まってもらったのは、こうしたことを知らせるためと、安心してもらうためだ」レオミドは、ナフタリの批判(ひはん)を無視して続けた。「あれから何年もたったが、わたしはオーソンをよく知っている。わたしたちがエデフィアで非常に親しい関係にあったのを忘れないでほしい。いっしょに育ったようなものだ。彼は、あなたたちが思っているような人間じゃない。表面的なことだけで判断してはいけない」

ざわめきが起こり、しだいに大きくなった。みんながいっせいにしゃべりだし、その調子からすると、レオミドの意見にだれもが賛成しているわけではないようだ。アバクムだけが黙っていたが、厳しい視線をレオミドに向けていた。

レオミドは動揺していたが、たんたんと続けた。

「オーソンはオクサに危害を加えたりはしない」

「だが、誘拐しようとしたじゃないですか。それに、骸骨コウモリで攻撃しましたよ。忘れてはいないでしょうね！」パヴェルが叫んだ。

「それは、そのとおりだ」レオミドはしぶしぶ認めた。「だが、攻撃の相手はオクサじゃない。彼にはオクサが絶対に必要なんだ。オクサに危害は加えない。それだけはたしかだ。オクサは彼にとって貴重なんだよ」

「そうは見えないですけどね……」マリーが不満げに言った。

「きみの意見には賛成だ、レオミド。表面だけで判断してはいけない」指先で短いあごひげをなでながら、アバクムが口をはさんだ。「オーソンを知る人間は、彼がいつも残虐だったわけではないことを知っている。しかし、事実を直視しなければならない。少年時代の彼を覚えていても、大人になってどう変わったかを忘れてはいけない」

レオミドは宙を見つめ、さらに険しい顔つきになった。椅子の上で体をこわばらせていたが、急に力が抜けたようにうなだれた。

〈逃げおおせた人〉たちは、だれも口を開こうとはしなかった。広間は重い沈黙（ちんもく）に包まれた。暖炉で薪が弾けると、びくっとする者や小さく叫ぶ者がいた。

＊＊＊

「少年時代のマックグローって、どんな人だったの？」

オクサは祖母のほうを向いてささやいた。ドラゴミラは立ち上がり、壁（かべ）から絵をひとつはずした。そして椅子にもどり、壁のほうを向いた。すぐに映像があらわれた。

「〈カメラ目〉ね！」

最初にあらわれた光景は、まだドラゴミラが子どものころのものだった。七本のろうそくを立てた誕生日のケーキがあらわれた。テーブルの周りには、オクサが前回の〈カメラ目〉で見知った顔がある。グラシューズ・マロラーヌ――ドラゴミラの母親――と夫のヴァルド、それに三人の少年。

「ほら、アバクムよ。こっちがレオミドとオーソン」

ドラゴミラが説明した。オーソンは十五歳くらいだろうか。ひ弱なくらいにやせていて、髪（かみ）はこげ茶。優しい顔をしている。

オクサは震（ふる）えた。オーソンの視線がドラゴミラに向けられているため、まるで自分が見つめられているように感じる。しかし、そのまなざしはいやなものではなかった。それどころか、人なつっこくて愛情のこもったものだ。オクサがその日の午後に見た目とは、まったくちがっていた。

「ほら、ろうそくを吹き消して。お願いをするのを忘れるんじゃないよ」

オーソンは、当時は小さな女の子だったドラゴミラに向かって言った。

〈カメラ目〉の映像が一瞬消え、空中のスポーツのような場面に替わった。ドラゴミラはレオミドとオーソンといっしょに空中にいるようだ。

「レオミドがまた勝つぞ。ドラゴミラ、早く！　あいつを捕まえないと！」

オーソンが楽しそうに叫んでいる。

しかし、場面がすぐに変わったため、追いかけっこの結末は見られなかった。〈カメラ目〉はすでに三つ目の光景を映し出している。オーソンはレオミドの正面に座っていて、その表情に深い悲しみがきざまれている。

「ぼくは、ああいう人の理想の息子にはほど遠いよ。ぼくのことが気に入らないんだ。あの人がほしいのは、きみのような息子だよ。勇気があって、強くて決断力のある……」

四つ目のシーンは、歴代グラシューズの屋敷〈クリスタル宮〉であることが、そのインテリアからオクサにもわかった。激しい言い争いがクリスタルの壁に鳴りひびき、別の部屋から若くて華奢なオーソンが出てきた。ドラゴミラは、本来はそこにいるべきではなかったとみえて、柱のかげに隠れているようだ。画面の一部が暗い。

「どうしてそんなことを隠していられたんです？　いま、そのツケをはらわされるのはあの人たちだということが、わかっているんですか？　これはみんな、あなたとあなたの秘密だとかいうもののせいです。背徳者がいるとしたら、あなたです。あの人たちじゃありません！」

オーソンはそうどなり、ドアをたたきつけるように閉めて出ていった。

マロラーヌは涙を流しながら部屋を出て、あとを追った。オーソンは全身を震わせていた。マロラーヌは近づこうとしたが、彼は手の甲で乱暴にふりはらって叫んだ。

「決してあなたを許しません！　いいですか……決して！」

ドラゴミラが〈カメラ目〉で最後に見せた光景は、まだオクサの記憶に新しかった。逃げようとするマロラーヌの仲間の行く手をさえぎったのは、革の防護帽をかぶった青年……オーソン。そうだ、反逆者になったオーソンの顔つきには、優しさのかけらも残っていなかった。その険しく残忍なまなざしのなかに、最初の〈カメラ目〉では気づかなかった深い苦悩のようなものが見て取れ、オクサは、はっとした。

映像は完全に消え、ドラゴミラは自分の中に閉じこもるかのように目を閉じた。向かいに座っているレオミドはせわしく息をし、苦しそうだ。

「これがオーソンだったのよ」ドラゴミラは我に返って言った。「父親が台無しにした愛すべき少年、弱くて不幸な少年は、わたしたちの親友だったけれど、敵になった。いったい何が起きたのか、いつかわかる日が来るのかしら？」

ドラゴミラは、うるんだ目で兄の目を見つめた。レオミドは口を開けかけたが、言葉は出てこなかった。やっとのことでつばを飲みこみ、ますます顔をひきつらせた。

「わたしにわかっているのは、マロラーヌとの対面ののち、すべてが悪化したことだ。オーソンは別人になっていた」

レオミドはつぶやき、〈逃げおおせた人〉たちが見守るなか立ち上がると、重い足取りで広間を出ていった。

「レオミドの言うことは正しい」長い沈黙のあとで、アバクムが口を開いた。「オーソンはオクサを痛めつけることはしない……それはたしかだ。しかし、自分の目的のためなら平気で恐ろしいことをするやつだ。それは、エデフィアでも〈外界〉でも証明されている。ギュスにしたことを見ても明らかだ。年月とともに彼の人格がおだやかになったとは思えない。逆に、より残虐になったかもしれない。自分の欲しいものがわかっていて、それを手に入れるためなら何でもやってのける、恐ろしく野心のある男だ。やつのいちばんの望みはエデフィアに帰ること。父親のオシウスがそこに残っているのだから……」

「やつは悪魔そのものだ。まだわからないんですか？　やつの望みは世界を征服して、おれたち全員をやつの足元に這いつくばらせることだ」

少し離れたソファに座っていたテュグデュアルが、冷たく言い放った。

「やめろ！　何も知らないくせに……」ナフタリがどなった。

「テュグデュアルの言ってることは正しいわ！」オクサがとつぜん叫んだ。「あたしたちが気球に乗っていたとき、オーソンは、軍隊の指揮者としてエデフィアに帰還する準備をしている、新たな時代が幕を開ける、と言ってたわ！」

アバクムは打ちのめされたようになった。

「レオミドはそれを言わなかった……」

オクサは大伯父を非難するような結果になったことにとまどい、くちびるを噛んだ。しかし、それは重要なことだったのだ。

「オーソンはおれたちを支配する手段を持っている。おれが正しいってことがわかったでしょう？　カウントダウンは始まったな」

テュグデュアルは燃えるような目をしていた。

45　ベランジェ家の秘密

重い沈黙が広間を包みこんだ。みな、それぞれの思いにふけっている。

オクサはおののいていた。あの恐ろしいマックグローと大伯父のレオミドが、子ども時代の友人だったなんて！　コンプレックスをかかえた優しそうな少年の表情と、新学期初日から頭痛の種だったマックグローの表情を重ね合わせ、興味をひかれた。

大伯父に対するいろいろな疑問もわきあがってきた。オーソンことマックグローの執拗さや恐ろしい攻撃を目の当たりにしたはずなのに、その危険性を過小評価するのはおかしいと思った。二人は昔は友だち同士だったかもしれないが、その日の午後の対決で、友情が過去のものになったことは明らかだ。オーソン・マックグローは〈大カオス〉の前にすでに変わっていた。それはだれもが認めていることじゃないか。

それなのに、あの極悪人オーソンがあたしに危害を加えたりはしないと、どうして大伯父は断言できるのだろうか？　もし、自分の家族に害をおよぼすのだとしたら？　あるいはギュスに害をおよぼすのだとしたら？　アバクムの言ったことは本当だ。マックグローが、オクサの想像したスパイでないことは明らかになったが、反逆者だったという事実はもっと悪い……。

ほかの人たちがそれぞれ物思いにふけっているのを幸いに、オクサは立ち上がって広間を出た。体を動かさないと、気が変になりそうだ。

オクサはキッチンに行き、水を一杯、ひと息に飲み干した。すると一人でいるのが怖くなり、広間にもどろうとした。玄関ホールを通りかかると、レオミドのフォルダンゴたちが階段の吹き抜けでさかんにおしゃべりをしている。オクサはそっと近づき、聞き耳を立てた。

「オーソンという反逆者は人を二人、殺した。それは確信だ」

フォルダンゴが、不安な様子のフォルダンゴットにささやいている。

「ということは、嫌われ者の反逆者オシウスの息子であるオーソンが、エデフィアからの脱出を経験したということ？　古いグラシューズ様の同行を受けたわたしたちと同じように？」

見たことのないほど青白い顔をして、フォルダンゴットがたずねた。

「フォルダンゴット、真実は壊滅的だが、逃れられない。反逆者オーソンは、わたしたちの近くに生活を樹立し、大いなる醜い計画を準備している。この裏切りと戦うために、勇気と力の結集が必要だ。それに、陰険な企みにもかかわらず、エデフィア帰還の希望は維持されている」

「陰険だけど、強力な……ね。あなた、記憶に穴があいているわ」

フォルダンゴットが言い直した。

「至高の力の保有者は若いグラシューズ様だよ、フォルダンゴット。その信頼を温かく心の中に維持しなさい……」フォルダンゴは口をつぐんだ。顔がナス色になったのは、当惑している証拠だ。「若いグラシューズ様の耳がわたしたちの言葉を吸い上げた。その存在は至近だ……」

オクサは、このすばらしい生き物たちの言葉が理解できるようになっていた。最後の言葉の意味も、もちろんわかった。

「コホン……」と、オクサは咳をした。

「若いグラシューズ様、あなた様の召使いは、ギュスという名のベッドについた男の子の熱心な看病を行ないました」フォルダンゴが姿をあらわした。「若いグラシューズ様は、友人であられるその方が蘇生に出会われたという情報を受け取られなければいけません」

「ギュスの目が覚めたということ？　よかった！」

フォルダンゴが何か言おうとする前に、オクサは二階に駆け上がった。猛烈なスピードでギュスの部屋に跳びこむ。

「ギュス、だいじょうぶ？」

ギュスは、左耳と左頬に分厚いガーゼを当て、三段重ねのクッションに頭をのせていた。オクサを見ると、顔がぱっと明るくなった。

「うん、だいじょうぶ。あの悪魔のような虫に噛まれたときは、すごい痛さで死んじゃうんじゃないかと思ったよ。すごく痛い。ひょっとしたら、知らないうちに突然変異体になろうとしてるのかな……。それを別にしたらだいじょうぶ。おまえは？　なんかあった？」

オクサは思わず笑いだした。安心すると同時に怖くもあり、神経が過敏になっているようだ。

「すごかったよ、ギュス！」

オクサは、この数時間に明らかになった事実をくわしく話して聞かせた。ギュスは、ベッドに座ったまま、驚くべき集中力で最後まで口をはさまずに聴いた。

「まったく、すごいことに巻きこまれたんだな！」話が終わったとたん、ギュスはピューと口笛を吹いた。「マックグローがエデフィアの反逆者だって？　ぼくたちどうなるんだ……」

二人は一瞬、顔を見合わせた。頭が活発に働きだしたのだ。胸がどきどきしている。

「ねえ、レオミドおじさんがおかしいの。まるでマックグローをかばっているみたい。まるであいつの側にいるみたいなの」

「とはいっても、おじさんが、あいつをおまえに近づけたとまでは思わないだろ？」

「うん。だったら、あんなふうにあたしたちを守らなかったでしょ？　あたしをわたせばすむんだから。でも、何かあるのよね……何だろう？」

「マックグローがレオミドよりずっと若く見えるのに気づいた？　同じくらいの齢のはずだろう？」

「そうだね、変よねえ……」

「それと、もうひとつ問題があるんだけど……」

ギュスは目を閉じた。また開いた目を見て、ひどく動揺しているのがオクサにはわかった。

「ぼく、半分意識がなかったんだけど、両親が来ているのが見えたんだ」

ギュスは口ごもった。

「あんたのお母さんは……」

「……〈逃げおおせた人〉だよな？」

とつぜん咳ばらいが聞こえて、二人はぎくりとした。ふり返ると、アバクムがドアにもたれていた。腕を組み、体をややかたむけて、グレーの目で二人をじっと見つめている。

「アバクムおじさん！　あーっ、ウソ！　全部聞いてたの！」

オクサは恨めしげに言った。

「心配しないでいいよ。わたしを信用していい。わたしはだれも裏切ったことはないよ」アバクムは優しく言った。「ひとつ、おまえにアドバイスしてもいいかな？　知らずに判断しないよう用心するんだよ。見かけと事実はちがうことがあるからね」

「わかった……」オクサはしゅんとなった。

「とはいえ、印象や勘が知識と同じくらい正しいことはある。さじ加減の問題だな」アバクムは謎めいたことを言い、二人を長いこと見つめてから続けた。「オーソンの外見について話しているのを聞いたような気がするが……何を言いたかったのかな？」

「あのね、オーソンはレオミドおじさんよりずっと若く見えるの。おかしいよね」

「『ずっと若い』ってどういうことなんだい？」

「三十歳は若く見える」

オクサがちらっとギュスを見やると、彼もうなずいた。

「そんなに？」アバクムが驚いた。「それなら、おまえたちが不思議に思うのも無理ないな」

アバクムは眉間にしわを寄せ、短いあごひげをなでながら、しばらくの間ぼうっとしていた。

「ねえ、どういうこと？」

「思い当たることはあるが、それはあとまわしにしよう。それより、もっと緊急の質問に答えてほしいとギュスは思っているんじゃないかな？　きみの両親がここにいることをいぶかしく思っているんだね？」

「ええ」ギュスが頭をさっとふると、前髪が顔にかかった。「それに、母がリストに載っています。それは〈逃げおおせた人〉だということですよね？」

「たしかに、きみのお母さんは〈逃げおおせた人〉の子孫だ。そのため、彼女がグラシューズである可能性もあった。だから、きみたちが……その……見つけたリストに名前があった。ただ、選ばれたのはお母さんじゃなかったがね」

アバクムは、オクサに愛情のこもったまなざしを向け、またギュスに向き直った。

「でも、それは、ご両親と直接話したほうがいいと思わないかい？」

アバクムは、ギュスが起き上がるのを助け、腕を貸して広間に向かった。オクサは先に立って歩いた。

「ジャンヌ、ピエール、この若者が、あなたたちに質問したいことがあるそうだよ」

「ギュス！」

ピエールが声をあげた。みんなが「バイキング」と呼ぶピエールは、圧倒(あっとう)されるような体格とは逆に縮こまっていた。手であごをさすりながらも、小さくこう言うのが聞こえた。

「そうだな……真実を明かす頃合(ころあ)いのようだ……」

ピエールは、やっとギュスのほう見た。

「おまえもわかったように、わたしたちがここにいるのは、エデフィアに関係があるからだ。パヴェルと同じで、お母さんとわたしは、エデフィアで生まれたわけじゃないし、行ったこともない。しかし、わたしたちの親は〈大カオス〉のときに門を越(こ)えた〈逃げおおせた人〉だった」

ギュスは、急に激痛におそわれたのか、頭をかかえ、壁(かべ)にもたれた。ピエールがあわててそばに寄り、体をささえ、母親の横に座らせた。

「これをお飲みなさい」ドラゴミラが青っぽい小瓶(こびん)を差し出した。「もう一度飲んでも悪くはないわ。むしろいいと思うわ」

ギュスは目を閉じ、小瓶の中身を一気に飲み干すと、顔をしかめて頭をふった。

「これって、ぼくの胃を洗ってくれそうだ」

「味はすばらしさに満ちてはいませんが、毒への効(き)き目は強力です」

薬の効用を保証してくれたフォルダンゴにギュスは弱々しくほほえみかけ、母親のほうへ向き直った。

「説明してよ、ママ。知りたいんだ」

「わたしの父はテンペルという名前だった。エデフィアの政府にあたる〈ポンピニャック〉の森人代表だったの。ピエールの両親は匠人で、〈クリスタル宮〉の財務責任者だった。この三人はグラシューズ・マロラーヌにとても近い存在だったから、門に行くまで特別の保護を受けていたのよ。こうした人たちは、ドラゴミラを守ると誓っていたの。ところが、エデフィアから脱出したとき、〈逃げおおせた人〉はすべて世界じゅうに散らばってしまった。すぐそばにいた人たちだけが同じ場所に着いたのよ。ドラゴミラとアバクムとレオミドはそうだった。別のグループにわたしの父とピエールの両親がいた。三人はシベリアから何千キロも離れたチェコスロバキアに放出されたのよ。彼らはすぐにその地に同化し、ずっと助け合ってきた。父は若いチェコ人と結婚し、十二年後にわたしが生まれた。でも、ソ連軍がプラハに侵入した一九六八年春の事件のとき、わたしの両親は殺されたの。ピエールの両親はわたしを引き取り、実の娘のように育ててくれた。事件のあとすぐに亡命したわ。ピエールの両親にとっては二度目の亡命ね。フランスに行ったのは、何か予感があったからかしら。何年かのちに、そこでドラゴミラとアバクムとレオミドと偶然に出会ったわけだから」

「どうやって出会ったの？」オクサが口をはさんだ。

「わたしの家族がチェコスロバキアにいたころは、西欧の情報がほとんど入ってこなかったの。

でも、フランスに来て数ヵ月後に、ピエールのお父さんが、有名な指揮者になっていたレオミドの記事を見つけたのよ。写真を見てすぐにわかったそうよ。情報が自由に行き交う国に生きている〈逃げおおせた人〉と同じようにね。オクサ、あなたの大伯父さんの名声のおかげで、何人もの〈逃げおおせた人〉が出会うことができたのよ。スペインのメルセディカ、スウェーデンのナフタリとブルン、日本のコックレルといった一世の人たちね」

「何人いるのかわかってんの？」ギュスがたずねた。

「いまわかっているのは十人だ。いなくてもいいオーソンは別にして」ピエールが答えた。「おまえたちがさっきくれたリストは、ほかの〈逃げおおせた人〉を見つけるヒントになるだろう。グラシューズ・マロラーヌに付き添っていた人は三十五人だが、門を抜けたのが何人いるかはわからないんだ。だから、二世、三世となるともっと難しい。親が子どもにそのことを伝えていない場合もあるからね」

「パパたちみたいにね……」ギュスが不満げに言った。

「まあ、ギュス！」ジャンヌが息子を引き寄せようとした。

「ということは、数週間前からぼくがエデフィアのことを知ってるってことを、ママたちは知っていたんだ。それなのに、まるで何事もなかったようにふるまってたんだ！」

ギュスは、母親の手をふりはらった。

「気を悪くしないでくれ……」ピエールが優しく言った。

「気を悪くしてるんじゃないよ……侮辱されたような気がするんだ。さぞ、おかしかっただろうね」

「なに言ってるの、ギュス！　どうしておかしいのよ？　それが愉快なことだと思うの？」

　ジャンヌは姿勢を正しながら、怒ったように言った。

「ママの言うとおりだよ」ギュスは不満げに同意した。「愉快なことなんか何もない。思っていたよりずっと悪い」

「どうしてずっと悪いの、ギュス？」

「だって、ぼくはもっとよそものだってことじゃない！」

「あー、また始まった、コンプレックスのかたまり、ギュスの文句が……。悲観するのはやめたら？　もうたくさん！」オクサが声をあげた。「あんたがここにいるのは、あたしの友だち、あたしが持つことのできる最高の友人だからでしょ。これ以上何がいるの？　それが十分じゃないって言うんなら、だれのおかげでマックグローに関する情報がつかめたの？　あたしの頭が真っ白になったとき、だれが〈竜巻弾〉の呪文を思い出させてくれたのよ？　あたしが物事を理解するのを助けてくれるのは、だれ？　いつだってあんたじゃない！」

　オクサは真っ赤になって、目をうるませながら、ギュスを正面からじっと見すえた。そして、きびすを返すと、さっさと広間の奥に行き、ソファに身を投げ出した。

「ほんとに、もうたくさん！」

46
助けを求める声

それに続く沈黙(ちんもく)はひどく気づまりだった。とくに、みんなの前で侮辱(ぶじょく)されたと感じ、恥(は)ずかしく思ったギュスにとっては……。ギュスの両親は傷つき、無力だと感じながら、悲しそうに息子(むすこ)を見つめていた。

ピエールは思った。ずっと秘密にされていたことをギュスが受け入れるまでには、少し時間がかかるだろう。だが、いつかは受け入れてくれるだろう。いまギュスは苦しんでいる。当然のことだ。わたしがあいつの立場だったら、同じようにしただろう……。

「オーソンへの対策を決めなければ！　重大な事態だわ」

革のソファにゆったりと座っていたブルン・クヌットが、とつぜん低くよく通る声で言った。

「どうするんです？」マリーがたずねた。

「残念ながら、たいしたことはできないね。警察に届けるなんて考えられないし、気が狂っていると思われるだけだろう」と、アバクム。

「監禁(かんきん)できるといいんだけど……」テュグデュアルがつぶやいた。

「下手すると、科学者のモルモットになってしまう」アバクムはテュグデュアルの発言を無視した。「それはみんなわかっている。オクサたちを退学させるのも難しいし……」

「それに、そんなことをしても何も変わらないわ。どちらにしても、オーソンはわたしたちを追いかけてくるでしょう。あいつがどんなにうまくわたしたちの仲間を追跡しているか、これを見ればわかるわ」ドラゴミラは、ずっと手に持っていたリストを見せた。「名前を変えて、地球の反対側に逃げるか……」

「ぼくたちはこれまで、どんなに逃げてきたことか……。その結果はどうです？　よけいに危険な目にあっている！」

パヴェルが腹立たしげに言った。

「そうよ！　するべきことは、助け合うことよ」ドラゴミラは息子をじっと見つめた。「みんなが助け合い、忠誠を誓うこと。最悪の事態に対処できるようにしなければいけないわ。オーソンに対抗するために、とりわけオクサを守るために、わたしたちの力を結集しなければ……。それがみんなの運命よ！」

「オクサはあなたたちのものじゃありませんよ！　彼女の運命を決めるのはあなたたちじゃない。いっしょにするのはやめてください！」

パヴェルが一撃くらわせた。

「パヴェル、お願い、そんなことを言ってるときじゃないわ」

ドラゴミラが言い返した。

「繰り返すが、オーソンがオクサに危害を加えることはない。それは彼の利益に反することだ。彼はわたしたちと同じことを望んでいる。エデフィアに帰ることだ！」

いつのまにもどってきたのか、レオミドがしゃがれた声で言った。

「問題外だ！」

パヴェルが反論した。彼は立ち上がり、少し離れた場所をいらいらと歩きまわった。オクサがいるところからは、その様子が手に取るようにわかった。顔は蒼白で、妻に途方に暮れた視線を向けている。ぐったり疲れ、苦悩しているようだ。

全部、この印のせいだ。バーバに見せずに、黙っていればよかった……と、オクサはくちびるを噛んだ。出自の秘密が明らかになってからというもの、家族には騒動と危険がつきまとっている。エデフィアは厄介事ばかりもたらす。「希望の星」と名づけられた自分にしても、事態を悪化させただけだ……。キュルビッタ・ペトの警告にもかかわらず、恐れと怒りのかたまりがオクサの胃のあたりにふくらんできた。そのかたまりはふくらみ続け、全身に広がっていくようだ。すると、嵐のような激しさでそのかたまりが爆発した。

「こんなことが続くんなら、あたしはやめる！」

オクサの声が、広間じゅうにひびきわたった。オクサはソファから跳ね起き、再び注目されることに耐えられなくて、その場から逃げようとした。

とつぜん、強いフラッシュのようなものが広間全体を照らし、壁や天井を揺るがした。オクサは足を止めた。天井の漆喰の粉が雨のように落ちてきて、オクサを白くおおった。稲妻のように放射される光の筋が〈逃げおおせた人〉たちに向かって——触れはしなかったが——ジグザグに発せられ、パチパチと音を立て始めた。マリーは、自分のひきつった顔を金色の光の筋がかすめ、幽霊のような微光を発するのを見て、叫び声をあげた。

オクサはその場に固まった。驚いてはいたが、怖くはなかった。オクサにはその正体がわかっていた。以前に経験したのと同じだ。まちがいない。不老妖精がいるのだ、彼女の中に。体の奥底、心臓の鼓動が打っているところから声が聞こえる。ただ、以前とちがうのは、その存在を感じたのがオクサ一人ではないということだ。すべての〈逃げおおせた人〉たちが気づき、あぜんとしている。

「怖がることはないよ。おまえに害をあたえはしない」

アバクムがオクサの手を取った。

「わかってる……怖くなんかない」

「何と言ってるの？」

ドラゴミラがたずねた。

その質問に答えようとしていたオクサの周りを、光の筋がパチパチ音を立て続け、不思議な力によってオクサの体が宙に浮いた。マリーは口を手でふさぎ、目は恐怖におののいた。

「オクサ！　やめなさい！」マリーが歯ぎしりした。

「オクサがやってるんじゃないんだよ。不老妖精が何か言おうとしているんだ」

アバクムはマリーにささやいた。

オクサはされるがままに身をまかせた。大広間の床と天井の中間の高さに来ると、オクサは落ち着いて宙に浮いていた。不老妖精の声が体の中に広がるとともに、いままでに感じたことのない力と確信がみなぎるのを感じた。

とつぜん、パチパチという音がしなくなり、光の筋が消えた。〈逃げおおせた人〉たちはみな、体をこわばらせ、顔を見合わせた。そのとき、温かくてひきこまれるような声が、それぞれの体内から、また広間の四すみから聞こえてきた。

呪いは終わろうとしている
希望の星が印を持っている
その印は〈内界〉に導くもの
その力と二人のグラシューズの力が合わさったものが
世界とその中心を救う希望だ
闇の力はその力を失わせることはできない
わたしたちが常に見守っているからだ

次の瞬間にはすべてが終わっていた。オクサはぼうぜんと、しかし落ち着いて床の上に立っていた。無数の火花が彼女の周りに散っていた。だれもひと言も発せず、オクサの顔を見つめていた。祖母ドラゴミラがオクサの顔を自分のほうに向けさせ、肩に手を置いて、安心させるように優しくさすった。

「わたしの愛しい子……」

ドラゴミラは感動のあまり、言葉を続けることができなかった。

「すごい！　みんな見た？」オクサは漆喰のほこりをはらいながら叫んだ。

「見ないでいることのほうが難しかったわ」マリーがやっとそれだけ言った。

マリーは目を伏せ、パニックにおそわれそうになるのをこらえるように息を深く吸いこんだ。パヴェルがマリーの腕にそっと手をのせた。とてつもない共通の不安が二人を永遠に結びつけるかのように……。

「不老妖精だったのよ、ママ！　妖精たちは……」

オクサは、ふさわしい言葉を見つけようとした。「あたしを導く」と言うべきか「あたしを呼ぶ」と言うべきかで迷った。すると、興奮で目をきらきら輝かせているギュスが口をはさんだ。

「知っている……」

オクサは、以前と変わらないギュスを、うれしそうに見つめた。

「そのとおりだよ、ギュス」アバクムがうなずいた。「オクサ、不老妖精はおまえが何者かを知っている。それに、だれよりも、おまえ自身よりも、おまえの力を知っている。不老妖精が直接、複数の人に話しかけるのは初めてだ。〈内界〉ではこれまでになかったことだ。それはきっと妖精が絶望しているからだ。助けを求めているんだ……」

「不老妖精をこの目で見る日が来ようとは夢にも思わなかった。信じられない……いま起きたことが信じられるかい?」と、ナフタリ。

「驚くべきことだわ。でも、不安でもあるわ」メルセディカが続けた。

「それはどういうこと?」オクサが熱心にたずねた。

「いいことはない、ということだ」アバクムは、ドラゴミラに悲しげな目を向けた。「『その力と二人のグラシューズの力が合わさったものが、世界とその中心を救う希望だ』と妖精は言った」

「ということは、世界に危険が迫っているということね。たしかによくないわね」

オクサがアバクムの言葉を引き取った。

「その『世界』というのがエデフィアだけを指しているのではない可能性があるだけにね」

47　二人だけの夜

二階へ続く階段に座って、ひざにひじをつき、オクサはわきあがる不安を静めようとした。こめかみの血管がひくひく動き、頭痛がして目がかすむようだ。しばらくの間、目を閉じ、自分を周囲から切り離そうとした。そのわずかな時間に謎めいた何者かの影が忍び寄り、吹き抜けの物かげにひそんだのに、オクサは気づかなかった。

「へこんでしまったらだめ」

オクサはあえぐようにつぶやき、手首でキュルビッタ・ペトが動くのを感じて、袖をまくりあげた。その生きたブレスレットは、オクサを落ち着かせようとしきりに波打っている。

「キュルビッタ、いそがしくさせてごめんね」

オクサは爪を噛み、立ち上がって外の空気を吸いに行くことにした。墨をこぼしたように暗い夜だった。空気は冷たく、しんとしている。それがいまのオクサには必要だった。

だれもいない野菜畑にしばらく座っていた。謎の影もついてきて、数メートル先にうずくまっていた。夜の静けさに包まれ、オクサは冷たく湿った草の上に体を伸ばした。月が雲の間から少しだけ顔をのぞかせるのをながめながら、長い間そうしていた。

込み入った考えにふけっていたからだろうか、屋敷の裏の古い墓地から優しいメロディーが聞こえてくるのに気づいたのは、しばらくしてからだった。オクサは起き上がり、耳をすました。低く、こもったような、底無しに悲しい歌声だった。急に寒さを感じて身震いした。気をそそられる声ではなかったが、好奇心のほうが勝った。いつものように……。

見まわすと、墓地に小さな光が見えた。空耳ではなかったのだ。近づくと、テュグデュアルだった。苔におおわれ、乱雑に置かれた古い墓石にもたれている。いつものように黒い服を着て、奇妙なシルバーの首飾りをかけ、耳にイヤホンをつけて歌っている。発光ダコが、少年の声に合わせて光る足を動かしている。その光景は、はっとするほど美しかったが、同時にまた、ぞくっとする不気味さもたたえていた。

テュグデュアルが顔を上げた。敵意をふくんだ、暗いまなざしだ。耳と鼻につけた小さなダイヤモンドのピアスが夜の闇に光っている。この謎めいた少年がどう反応するのか怖くて、オクサはその場に固まった。しかし……

「よかったら、おいでよ……」と、少年は手招きした。

「あの……おじゃまするつもりはないんだけど」オクサは口ごもった。

「じゃまじゃないよ。座れよ」

彼が自分の横にすきまをつくったので、オクサはごくりとつばを飲みこみ、誘いに応じた。

「墓地が好きなのか?」

テュグデュアルは、だしぬけにたずねてきた。

「えーと……わからない……たぶんそうじゃないと思う」

そう答えたオクサは、急に自分がまぬけのような気がした。

「おれは好きなんだ……落ち着くんだ。この静けさ、この静止状態が。みんなはおれが不健康だって言うけど、それはまちがいだ、何にもわかってない。おれのほんの表面しか見ていないんだ。おれを全部ちゃんと見ればいいのに。つまり、目に見えるもの以上のものを見ればいいんだ」

「悲しいの?」

オクサは少年をななめに見ながら、思い切ってたずねた。

驚いたことに、テュグデュアルは真剣に考えているようだった。その質問をまじめに受け取られたことで、オクサは、自分をそれほどばかだと思わずにすんだ。

「いや、悲しくはない……っていうか、うれしいとか悲しいとか、そういうものにあんまり縁がないのかな」

「それって、サイテー！」

「いや、ちがうよ。おれは幸せでも不幸せでもないっていうのかな。何も期待してないから。それだけだよ」

オクサはこの言葉にショックを受けた。悲しみとテュグデュアルに同情する気持ちがずしりと心にのしかかってきた。

「長い間、ほかのやつより強くなるための力を持ちたいと思っていた。努力を惜しまず、なんでも試してみた」

「パパに聞いたわ」

オクサは、テュグデュアルとその仲間が飲んだ薬のことを思い出して顔をしかめた。

「生まれつきある種の能力を持っていることを知ったとき、目的は達成されたと思ったんだ。でも、それからすぐに、力を持っていることで胸がつまるような気がした。その力を自分の中に閉じこめて、決して人に見せないようにした」

「どうして？」

「力というのは純粋に危険だからさ。何も怖くないやつは動じないし、だれにも止めることができない。恐怖心は人間を弱くする。でも、恐怖心を持っているからこそ人間なんだ……」

「あなたは？　怖いときがある？」

「ないかな……それって問題なんだけど……」

テュグデュアルはうなだれて、しぶしぶ認めた。

二人はこの奇妙な会話に胸をつかれて、しばらくの間、口をつぐんだ。


「何を聴いていたの？」話題を変えようとして、オクサは言った。「悪魔音楽？」

「いや、大嫌いさ」テュグデュアルの顔が、ふいに明るくなった。「リサ・ジェラルド（オーストラリア出身の歌手・作曲家）を聴いてるんだ。彼女の音楽は、いまある音楽のなかでいちばんゴージャスだ。人類の悲劇や人生の深い意味が全部入っている。聴いてみる？」

テュグデュアルがオクサの耳にイヤホンを差しこむと、オクサには彼の言いたかったことがすぐに理解できた。すばらしい声が耳に、そして頭に広がり、心を支配し、こねまわし、ひっくり返した。この地獄のような一日の影響なのだろうか？　不老妖精の言葉のせい？　ギュスとのけんかのせい？　それともこの感動的な音楽のため？　わからない。わかっているのは、すごく泣きたい気持ちになったことだ。我慢しようとして、きつく目を閉じた。

結局、どうしようもなかった。オクサはわっと泣きだした。だんだん声が大きくなり、最後には夜の闇にひびきわたるほど、しゃがれた叫び声になった。テュグデュアルはイヤホンをはずし、おずおずとオクサの手の上に自分の手をのせた。

「ちっちゃなグラシューズさん、全部吐き出してしまえよ」

「ちょっといま、キツいんだ」

顔に涙（なみだ）の筋をつけながら、オクサはしゃくりあげた。

「わかるよ」

不安を心から遠ざけ、薄（うす）めるかのように涙は流れ続けた。

そして涙は枯（か）れた。オクサの呼吸が静かになった。

「テュグデュアル？」

「なんだい、ちっちゃなグラシューズさん？」

「あなたのために何かできることある？」

「いや、だれも、おれを助けることはできない。でも、ありがとう。……それより、いま起きていることに集中しなよ。自信を持つんだ。不老妖精の言うとおりだ。おまえはすべてを克服（こくふく）するだろう。おまえだけに、それができるんだ」

　思いがけない言葉だった。

「あのオーソン・マックグローは絶対的な悪だ。おれにはわかる」テュグデュアルは続けた。

「それに、悪は善に勝つことが多い。悲しいけど、そうなんだ。ただ、おまえはほかの人とはちがう。それも、おれは知ってる。おまえを初めて見たとき、すぐにわかった。そういうことはおれにはすぐわかるんだ。ほんとだぜ。きっとうまくいくよ」

　二人は、オクサがすっかり落ち着くまで、かたむいた墓石にもたれて座っていた。それから、発光ダコの光を頼りに静まり返った屋敷（やしき）にたどり着くと、黙（だま）って別れた。

古い石垣のかげにしゃがんでまったく動かなかった謎の影は、二人が通りすぎるのを待って立ち上がった。その目の奥には、感動と不安の入り混じった不思議な光がやどっていた。とつぜん、荒々しい羽音を立てて一羽の鳥が飛び立った。すると、影は家に背を向け、石垣をまたぎ、深い闇のなかに走り去った。

48　野ウサギのアバクムか、アバクムの野ウサギか

「ギュス！　ギュース！」

オクサはギュスを揺り起こそうとした。しかしギュスは、寝ぼけまなこでぶつぶつ言いながら、抵抗した。

「起きなさいよ、ギュス！　この眠り虫！」

オクサは昨夜、墓地で大泣きしたために、まだ目が腫れていた。

「なんだよ。いま何時？」ギュスがぶつぶつ言った。

「四時」

「朝の？　午後の？」ギュスは大あくびをした。

「もちろん、朝よ」

「そりゃそうだよな。ばかな質問だったよ」

「起きられそう？」オクサは、ギュスの頭の左半分をおおっているガーゼを見ながら言った。

「変な音と声を聞いたのよ。見に行かなくちゃ」

この誘いに抵抗できるわけがない。ギュスは起き上がった。昨日のけんかで、いつもの仲のよさにやや傷がついた。それを取りもどすいい機会だと、ギュスは思った。

二人は、足音を忍ばせて階段を下りた。たしかに、レオミドの生き物たちがいる奥の部屋から低い声が聞こえてくる。

「へぇー、おまえの部屋からこの声が聞こえるなんて、すごく耳がいいじゃないか」

「三時ごろに呼び鈴が鳴るのが聞こえたの。あたしは、フォルダンゴットが前に話していた、警報を鳴らす生き物じゃないかと思ったんだけど」

「ガナリこぼし？」

「そうかもしれないし、ちがうかもしれない。聞き耳を立てたんだけど、足音とバーバとレオミドおじさんの声しか聞こえなかった。何だろう？　見に行こうよ」

二人はつま先立ちで進みながら、一階の長い廊下の奥にある部屋に近づいた。少し開いているドアのすきまから光がもれ、ドラゴミラとレオミド、アバクムの押し殺したような声がかすかに聞こえた。オクサはギュスの腕を引っぱりながら、さらに近づいた。ギュスはあきらめたように天井を見上げてから、ついて行った。オクサが何かを思いついたら、それがいい考えであれ悪い考えであれ、だれにも止めることはできない。

ドアの前に来ると、壁の角に体を押しつけた。視界は狭かったが、祖母とレオミドの横顔が見えた。二人はテーブルについていて、その上に、グレーと褐色の毛並みがすばらしい大きな野ウサギがのっていた。

「敷地全部を海まで走ってみたが、何もいなかった。ああ、足が痛い。長いこと、こんなに走っていなかったからなあ」

アバクムの声だ。どこにいるんだろう？　テーブルの反対側に座っているのかな……。

「お水を飲む、アバクム？　疲れたでしょう」

ドラゴミラは野ウサギをなでながら、その前に水の入ったカップを置いた。

バーバは野ウサギと話しているのだろうか？　オクサは眉をひそめた。アバクムと話しているのか？　アバクムという野ウサギ？　野ウサギのアバクム？　いったい何なんだろう？

ギュスはといえば、アバクムという名の野ウサギがアバクムの声でしゃべりまくっている夢を見ているんだろう、と思った。何でもありってこと？　頭がおかしくなったのかなあ……と、壁にもたれながら考えた。

「だが、臭いをたどって村まで行くと、そこでおもしろいことを見聞きしたよ」

オクサは目を見開いた。やっぱり、しゃべっているのは野ウサギだ。耳をぴんと立て、いま真剣に祖母とレオミドに話しかけている。まちがいない！　野ウサギとアバクムは同じものだ！

まったく……マックグローとオーソンに、アバクムと野ウサギとは……オクサはあぜんとして、ギュスの腕をぎゅっとつかんだ。ギュスのほうは、オクサとは別の方向に頭を向けて、これは夢だと思いこもうとしている。しかし、野ウサギは水を二、三口飲んだあと、また話を始めた。疑いの余地はなくなった。

「あのオシウスの息子、オーソンをリア・ホテルの前で見た。もう暗くなっていたが、五十年前と変わらないあの厳しいしゃがれ声で、彼だとわかった。怪我をしているらしく、荷物が持ちにくそうだった。男の子が手伝っていた。息子だろう。その子は、そこに残って、『一か八か』――そう言ったんだ――やってみたいようだった。オーソンは反対した。予想したより事態は複雑だから、もっと効率的なやり方を考えなければいけないと言っていた。それから、二人は車に乗って去っていった」

「アバクム、すばらしいわ！」ドラゴミラは野ウサギに言った。「興味深い情報だわ！　オーソンが行ってしまったのなら、少しの間は安心できるわね。でも……やはりよくない知らせね。オーソンが必ずしかけてくる二回目の攻撃に備えて、わたしたちも準備しなくては」

「ああ、そうだ。あいつのそばにアボミナリがいたよ」

「そうじゃないかと思っていたわ。それで、アボミナリがこのごろ反抗的だったのね。ご主人様が近くにいるとわかったからだったのね。もっと早く気づいていればよかった。まあ、その辺をうろうろしていないのは、いいことだけれど。あんなに興奮していたから、わたしたちを困らせるために〈外の人〉を攻撃する可能性もあったものね」

「最悪の事態は避けられたわけだ」

鼻先を震わせながら野ウサギが言った。

「オーソンには息子がいるのか……」

レオミドは両手を組み、考えこむようにつぶやいた。

「いない理由はないだろう？　あいつも〈外界〉で生活を築いた。きみのように、わたしたちみんなのようにな」

会話は終わりかけていた。スパイ現行犯で捕まりたくないので、オクサとギュスは大急ぎでその場を離れ、忍び足でギュスの部屋にもどった。二人は頬を真っ赤にし、息を切らして、ベッドの上に体を投げ出した。

「ちょっと、ギュス、なんてこと！　アバクムは野ウサギなのよ！」

「ぼくたちが見た野ウサギはアバクムだったって、ぼくなら言うな」

ギュスはすっかり目が覚めていた。

「それでもいいけど。ウソみたいじゃない？」

「いや」と、ギュスがわざと軽い調子で反論した。「べつに変わったことじゃないよ。なあ、オクサ、しゃべる野ウサギなんて、ぼくは毎日見てるよ。ロケットみたいに飛んでいく女の子とか、二メートルある鶏とか、ストレスがたまると気絶する植物とかさ。ぼくみたいな人間には、そんなのふつうのことだよ……。でも、おまえは何でも驚くんだな。ちょっとは家から出てみろよ、ときどきでいいからさ」

返事の代わりに枕が飛んできた。ギュスは対抗して長枕を投げ返した。

「怪我していてラッキーね！　じゃなかったら、こてんぱんにやっつけてやったのに」

オクサは吹き出しながら文句を言った。

「ぼくが怖がるとでも思ってるのか」ギュスは靴下を投げ返した。「ベッドに行って、もう少し寝ろよ」

「ふん」オクサは肩をすくめた。

部屋を出る前に、オクサは床に落ちている靴下を見つけ、手を使わずにギュスに投げ返した。

ギュスは、にやりとしてどなった。

「見せびらかし屋！　傲慢！　おまえはそういうやつだよ！」

＊＊＊

二人がキッチンに降りていくと、〈逃げおおせた人〉たちがそろっていかめしいテーブルにつき、朝食をとっているところだった。

「お昼はなに食べる？　あたしは、野ウサギの煮込みなんかいいと思うな」と、オクサ。

祖母ドラゴミラがはっとして顔を上げ、アバクムを見た。アバクムは心得顔でほほえみながら、顔を伏せた。

「ニンジンも入れる？　食べたいと思わない？　ニンジンって、すごくおいしいよね。噛むとコリコリ音がしてさ」

オクサは、自分の当てこすりと機転に満足していた。ギュスは、ドラゴミラが急いで話題を変えようとしているすきに、オクサに耳打ちをした。

「やめろよ、オクサ。やりすぎだよ」

「いらいらすんのよ。コントロールできない」

「どうかしてるよ。頭、おかしいよ」

「若いグラシューズ様」料理の話に、フォルダンゴが割りこんできた。「野ウサギの煮込みはあなた様の胃袋を楽しませることができないと思います。ですが、魚のフィレとグリーンピースを十三時ごろに存分に楽しまれることを提案いたします。おや、食器洗い機が鳴りました。下ごしらえが完了しました」

「食器洗い機ですって？」オクサは驚いて言った。

みなふり向いて、耐熱容器を食器洗い機から出しているフォルダンゴを目で追った。ふたを開けると、蒸気が上がった！　それにおいしそうな魚の匂いも！

「魚とグリーンピースを食器洗い機で調理したなんて言わないでね！」

オクサがフォルダンゴに向かって言った。

「若いグラシューズ様、食器洗い機は完璧(かんぺき)な蒸し煮をほどこすのです。その美味はわたくしの確信です。もし若いグラシューズ様が望まれるなら、魚の付け合わせにニンジンもこの調理に出会うことができます。次回の食器洗い機の回転に参加させるために、ご希望をお知らせくださいますか？」

「いいわ。ニンジンもそうしてちょうだい！　フォルダンゴ、あんたって天才！」

「若いグラシューズ様はすばらしい名誉(めいよ)をくださいました」

フォルダンゴはうれしさで紫色になった。

フォルダンゴたちに家事をまかせ、〈逃げおおせた人〉たちは、オクサとギュスを連れてキッチンを出た。短かったとはいえ、ひと晩の睡眠でみんな十分に元気を回復し、今朝はあまり感情的にならなかった。その日も司令部になった大広間に全員が集まり、さまざまな事柄の決定と、今後とるべき行動やその分担に長い時間を費やした。例のリストを分析して、世界のどこにいてもおかしくない〈逃げおおせた人〉と反逆者を積極的に探すこと、オーソン・マックグローの監視、オクサの護衛など……。最も重要な対策は、オクサを訓練して能力を向上させることと、新たな能力を身につけさせることだ。

「周りに人がいるときは危険はないだろう。しかし、おまえたち二人だけのときは、オーソンに決して近づくチャンスをあたえないこと。それを忘れるんじゃないよ」

パヴェルがオクサとギュスに注意した。

「自分の身を守ることぐらいできる。あたしの〈竜巻弾〉、なかなかうまくいったでしょ？」

「そうね。ほめてあげましょう。いろいろなことがあったから、初めての試みをほめるのを忘れていたわね。グラノックを見事にマスターしたわね、おめでとう、オクサ！」

バーバ・ポロックは、満足げに言った。

みんなが盛大な拍手をし、ギュスはピューと大きく口笛を鳴らした。オクサの顔がパッと明るくなり、にっこりとほほえんだ。しかし、その表情には苦さも混じっていた。というのは、あの攻撃が成功したのは、ギュスのおかげだと言ってもいいからだ。ギュスはグラノックを発射するための呪文を覚えていたが、オクサはパニックで頭が真っ白になっていた。

オクサは、自分の前に立った〈逃げおおせた人〉たちが、希望に胸をふくらませ、信頼を寄せていることがわかった。すると、マックグローの恐るべき叫び声が再び頭の中にひびきわたり、自分の運命の重さをこれまでになく強く感じた。

もし、〈逃げおおせた人〉たちがまちがっていたとしたら？

この人たちが思うほど自分が強くなかったとしたら？

49　床から天井へ

〈逃げおおせた人〉たちが決めたように、まず大事なことは、オクサの能力を強化することだった。ロンドンに戻るとすぐに、祖母ドラゴミラはそれに着手した。

「いらっしゃい、わたしの愛しい子」

ドラゴミラは、オクサといっしょにコントラバスケースに入っていった。オクサが、らせん階段に見とれながら祖母の秘密の工房についていくと、ベルガモットティーの香りが二人を迎えた。

この秘密の部屋は、いまではすっかり整理整頓され、すべてのものがあるべき場所にきちんとおさまっていた。しかし、床に置かれたクッションの上をせわしなく動きまわる生き物たちのおかげで、以前と同じような活気ある独特な光景を繰り広げていた。

オクサは、暗いすみっこにある大きな蒸留器のところへ行った。色つきのガラス管が天井まで届いている。

「こんなの、いままで見たことない。これで何をするの？　密造酒でもつくってるの？」

「アル・カポネ（犯罪組織を牛耳ったアメリカ・シカゴの暗黒街のボス）、気をつけろ！　エリオット・ネス（アル・カポネの酒の密造摘発に尽力したアメリカ合衆国財務省の酒類取締局の有名な捜査官）が近くにいるぞ！　イタリアのマフィアに気をつけろ！」

ジェトリックスが叫んだ。

ドラゴミラが笑いだしたので、オクサもつられて笑った。

「おまえ、よく勉強したのね。フォルダンゴに貸した禁酒法の本が役立っているようね」

ジェトリックスは、ちっぽけな園芸用具でゴラノフの鉢の土をかいていた。

「エリオット・ネスって、だれですか？」

ピンクのひじかけ椅子に〝I〟の字のようにまっすぐ座っている、ヤクタタズがたずねた。

「エリオット・ネスか？　密輸入者や醜い生き物を摘発する捜査官さ。そいつがいちばん嫌っているのがヤクタタズなんだ、ついてないな！」

ジェトリックスが答えた。

「エリオット・ネスは醜い生き物なんですね？　そうか、かわいそうに……」

ヤクタタズは気の毒そうに言った。

「ヤクタタズって、いつもズレてる」オクサは吹き出し、ヤクタタズに向かって言った。「ちがうのよ、ヤクタタズ。いたずら好きのジェトリックスの言うことなんか聞いたらだめよ。おまえはかわいいし、あたしは大好きよ」

「なに！　なんですって！」会話を聞きつけたゴラノフが叫んだ。「この家でイタリアのマフィアが酒を蒸留しているんですって？　ものすごく危険だわ！」

ゴラノフの葉が激しく震えだし、いまにもたおれそうだ。ジェトリックスが救急車のサイレンをまねしながら急いで駆けつけた。

「緊急事態だ！　早く土を掘れ！　根に呼吸させないと！　離れて！　酸素吸入だ……。しっかりするんだ、ゴラノフ、息を深く吸って！」

ジェトリックスは、一生懸命に土を掘り始めた。

「この子たちって、おかしい！　みんな、おかしいよ！　あたし、大好き！」

オクサは、笑いすぎて涙をぬぐっていたが、とつぜん叫んだ。

「あれっ、バーバ！　何してるの？」

「なあに？　どうかした？」

ドラゴミラは平然としている。

「だって、バーバ！　だって……」

「悪いけど、あんまり独創的なコメントじゃないわね、オクサ。おまえはいつも、もっと的確な言い方をするんじゃなかったかしら。何びっくりしてるの？」

ドラゴミラがいたずらっぽく言った。

その「何か」には、だれでも驚くだろう。この数週間のうちに、そうしたものをいくつも見てきたオクサですら……。


ドラゴミラは、まったく異常な姿勢をとっていた。壁に足をつけ、体は完全に水平で、まじめな面持ちでオクサを見つめていた。目だけがいたずらっぽさをたたえていた。

オクサは仰天していた。祖母が、床を歩くのとまったく同じようにやすやすと壁を歩くのを見ると、驚きはさらに増した。ドラゴミラは羽はたきを持って、軽く口笛を吹きながら壁の絵の間をくるりとまわり、巨大な蒸留器のほこりをごく自然にはらい始めた。

ドラゴミラが〈クラッシュ・グラノック〉から吹き出したハネガエルが、半透明のきれいな羽をはばたかせながら、主人の周りを優雅に飛びまわっていた。

「わたしの愛しい子、手伝ってくれる？　それから布巾を持ってきてちょうだい」

何げない調子でドラゴミラがたのんだ。

「あたしにもできると思う？　ほんとに？　そういうのができるといいなっていつも思ってたの。魔法みたい！」

「もちろんよ。わたしにできることは、おまえにもできる。頭を空っぽにして、できないという気持ちを追いはらうの。そうすれば、したいことが何でもできるとは言わないけれど……いまの場合にはとてもいいアドバイスよ。ここに来る前に、テーブルの上の瓶の中にある白いキャパピル剤をひとつ飲みなさい」

「キャパピル剤？　何の役に立つの？」

「キャパピル剤にはいろいろな種類があるのよ」水平の姿勢のまま、ドラゴミラはオクサのほうを向いた。「これから学ぶことになるけれど、おおまかに言うと、限られた時間内で、平衡感覚、思考、スピードといった人間のさまざまな能力を高める役目をするの。いまおまえにすすめているのは吸盤キャパピルよ。何の役にたつか、すぐにわかるわよ。わたしに言えるのは、植物に這いのぼる虫とツタの濃縮エキスをベースにしているということね」

オクサは気持ちが悪くなり、ためらった。うごめく虫が木の幹をのぼる様子を想像すると、顔がゆがんだ。白いカプセルを指でつまんでよく見て、中に虫の痕跡がないか調べた。二つに割って確認したい気持ちはやまやまだったが、祖母が楽しそうに見ているのに気づいた。

「おまえは、わたしたちがすべての生き物を尊重しているのを知っているでしょう？　生命をおびやかすことはしないわ。絶対にね。それが基本的原則なのよ」

ドラゴミラが言った。オクサは、最後にキャパピル剤をふってみてから、目をつぶって飲みこんだ。ロックフォールチーズのような不思議な味が、口とのどに広がった。この虫はチーズが大好きにちがいない……。だが、大事なのは、目の前にあるもの……壁だ。

「失敗するよ、きっと！」

オクサは壁に片足をつけながら、つぶやいた。もう片方の足を持ち上げ、壁につけた最初の足にそろえることを一心に想像しようとした。

「なかなかじゃない、オクサ！　なかなかよ！」ドラゴミラが励ます。

　オクサは半信半疑だった。目を閉じ、神経を集中させ、自分が歩いていることを想像し、感じようとした。片足をもう片方の足の前に出す……ごくふつうのことだ。どきどきすることではない。

「すばらしいわ、わたしの愛しい子。一回目で成功ね！」

　オクサは本当に悔しかった。祖母は頭がおかしくなったんだろう！

　ところが、目の前の壁が実は天井だったのがわかると、うれしい悲鳴をあげた。成功だ！　興奮して震えが背中を走り、バランスをくずしそうになった。もし、水平になった状態でもバランスといっていいのなら……。最初のとまどいがなくなり、オクサはしだいにしっかりと歩けるようになった。すると、さらなる欲望がわいてきた。

「天井はどうかな、バーバ？」

　ドラゴミラは、さっそく実演してみせた。天井に足をくっつけ、オクサを手招きした。

「わーっ、すっごい！　サイコー！　まるで足が磁石みたい」

「まさにそれこそが、吸盤キャパピルの原理なのよ」

「ふたりともパンツでよかった。これを予定していたのね、バーバ」

　ドラゴミラはウインクすると、刺繍のある着物地のパンツを直した。

「今度は、手で試してみる？」

オクサはますます驚きながらも、なめらかな動きでしゃがみこみ、手を天井につけてみた。すると、手のひらが天井にくっついた。オクサはうわずった声をあげた。

「見て、バーバ！　大きな蜘蛛みたいでしょ！」

「成功したわね、スパイダーガールさん！」

ドラゴミラが足を天井につけたままオクサをほめた。

「下におりるには、どうしたらいいの？」

しかしオクサは、答えを待たずに独楽のように回転しながら天井を離れ、床に降り立った。ドラゴミラが、思わず叫び声をもらした。

「最初の試みにしては危険だわ、体を打ったかもしれないのよ。でも、すばらしかったわ。それは認めるわ」

「パパとママを驚かせようか？」

しばらくして、二人は二階に下りた。もちろん、階段を使わずに。階段なんて、この二人にはあまりにも当たり前すぎる。

オクサがドアをノックすると、父のパヴェルと鉢合わせになった……逆さまで。

「ハーイ、パパ。元気？」

ごくふつうの調子で言った。パヴェルはオクサに調子を合わせた。

「ああ、入れよ。おや、お母さん、あなたもいっしょでしたか？　ご婦人方、どうぞ、中へ」

この「ご婦人方」は天井のドアの上の部分をまたいで部屋に入った。

「おまえのところは、あんまり実用的じゃないわね」ドラゴミラの三つ編みがぶらさがって、パヴェルの顔をなでている。「こんにちは、マリー！」

マリーは目を上げ、腕を伸ばして娘の髪の毛のなかに手を入れた。

「オクサ、スパイス入りのココアはいかが？」

「もちろん！」オクサは勢いよく独楽のようにまわり、天井を離れて床に降り立った。「ママ、見た？　すごいでしょ？」

「う～ん……そういうのは、ちゃんとした魔法使いの初歩じゃないの？」マリーは平然と答え、かすかにほほえんでつけ加えた。「うそよ、からかってるだけ。もちろん、すごいわよ！」

マリーは、オクサよりひかえめなやり方で床に降りてきたドラゴミラに、たずねた。

「さて、この生徒はどうですか？　少なくとも慎重でしょうか？」

「完璧よ、マリー、何にも心配は要りませんよ」

「いつも心配なんです。いつも……」

50　クレイジーな骸骨とキュルビッタ・ペト

短い秋休みが終わった。あまりにもたくさんのことが起きたので、オクサは休みが何ヵ月もあったような気がした。中学校の制服——セーターとズボンの冬服だ——に腕を通すのが、何か変な感じだった。

　この月曜日、オクサはローラーブレードをはき、家の前でギュスといっしょになった。ギュスは一人ではなかった。ポロック家とベランジェ家の親たちは、オクサとギュスが通学路で決して二人きりにならないよう、交替で送り迎えをすることにしたのだ。今朝はギュスの父親ピエールが同行する。自由よ、さようなら……と、オクサはつぶやいた。

「おじさん、おはよう。すてきな自転車ね」

「おはよう、オクサ。そう、ギュスときみのために地下室から出してきたんだよ。きみたちについていけるといいんだがね」

「付き添いなしで行けるんだけどなあ。もう子どもじゃないし、自分で自分を守れるわ」

　ウェールズからもどってきてから、オクサはもう何度も同じセリフを言っている。しかしピエール・ベランジェは、いつもとほとんど同じ返事をした。

「オクサ、オーソンのような人間を相手にするときは、注意しすぎるくらい注意しないと」

「もういいよ、パパ。あいつにまた会うのかと思うと、それだけで胸が悪くなる。ひょっとしたら、もういないかもしれないよ」と、ギュス。

　しかし、その日は幸運とは縁のない日だった。いつもの月曜日のように、三年水素組の生徒はまるで監獄に向かうかのように、ややうつむき、足を引きずるようにして教室に向かった。マックグローはぎこちない動作で黒板に何か書いており、生徒が入ってきてもふり返らなかった。

「静かに席につきなさい！」いきなりどなり声だ。「静かに、と言っただろう！　この言葉をきみたちは知らないのか？　ベックさん、休暇を満喫したおかげで、何度も鉛筆を落とすというきみの習慣は改善されたと期待してもいいかね？」

かわいそうに、ゼルダは首筋まで赤くなり、机の端までころがっていった鉛筆を急いでつかんで席についた。オクサは、ゼルダに笑顔を向け、手の甲で額の汗をぬぐうふりをした。だが、いまひとつ元気は出なかった。ウェールズでオーソンことマックグローに勝利をおさめはしたが、再会がどんなふうになるか心配だったのだ。

マックグローがふり返ったとき、オクサは思わず声をあげそうになった。彼は左手を布で吊り、片目のふちに黒いあざをこしらえている！

「ざまあみろ、マックグロー」

ギュスがオクサをひじでつつき、ささやいた。

マックグローは、オクサとギュスを避けながら生徒をざっと見まわし、低くこもる不気味な声で言った。

「ルーズリーフを出しなさい、テストをする」

不満の声がいっせいに上がった。休暇明けの初日にテストなんて、まさしくマックグローだ。だれだって、喜んでテストを受けようという気にはなれない。

「どんな言い訳も、平均点より低い点も許さない」彼は冷たく言い放った。「休み中に復習する時間がたっぷりあったはずだからな」

　生徒たちはみな、黒板に書かれた問題を解こうと集中し、下を向いた。先生は、机で何か書き物をしている。オクサは、顔を上げたときに先生と目を合わせないように気をつけた。彼女は自分の強さを感じていた。マックグローがオクサを避けようと努力しているのに気づくと、自分の力の大きさを再認識したような気がした。手に入れたばかりの、うっとりするような力！

　オクサは、さっそくその力を使ってみようと思った。黒板の横のすみっこに、骸骨がぶらさがっているのを目にしたからだ。

　骸骨は、生徒たちにあいさつするように手をふり始めた。その動きに気づいた生徒が何人か顔を上げ、だれが愉快ないたずらをしているのか突きとめようと、あたりを見まわした。マックグローは、クラスがざわめいているのを不審に思ってふり返った。しかし骸骨は、骸骨の名にふさわしく微動だにしない。オクサはといえば、顔を髪で隠し、熱心にテストの問題に取り組んでいるふりをした。

　しかし、マックグローがまた自分の書き物を始めると、オクサはもっと大胆になった。今度は骸骨は手を腰に当て、まるでロシアの民族舞踊のように、足を交互に上げながらひざを曲げた。ギュスはオクサにドンとひじ鉄を食らわせた。クラスの半分は吹き出し、あとの半分は先生の反応を予測して息を呑んだ。

「もし忘れているのなら言っておくが、きみたちはいまテスト中だ。どうして、ヒステリーを起こした雌鶏みたいにうるさいんだ？　グッケールさん、説明してくれるかね？」

指名された女生徒は、笑いをこらえて答えた。

「骸骨なんです、先生……」

マックグローは、軽蔑するようにため息をついた。

「グッケールさん、きみの答えはまったく理解できない。答えになっていない。どの骸骨が、どうしたんだ?」

「骸骨が踊っているんです、先生」

「だからどうしたっていうんだ!」

マックグローがどなり、本を机にたたきつけたので、生徒はみな、びくっとした。

「ある生徒が骸骨でお遊びしていると、だれもテストに集中できなくなる! ここは学童保育か? きみたちのレベルだと、幼稚園だな!」

彼は墨のような真っ黒な目で全生徒を見まわしたが、オクサのところで、その視線はするりとすべった。そのことから、マックグローには、このいたずらがオクサの仕業であり、自分を挑発して逆上させるためにしているのだとわかっていることが読み取れた。オクサは心の底から幸せを感じた。


十一時からの理科の授業でも、抜き打ちテストが行なわれた。教室に重いため息がもれ、不満が充満したので、マックグローは怒りだした。

「わたしは先生だ! 授業のやり方を決めるのはこのわたしだ! 連続テストに耐えられないの

なら、学校を続ける必要はないだろう。きみたちの意見や反対など、わたしはまったく気にしない。しかし、今度声を出した人は三時間の居残りだ！　それとベランジェさん、きみがポロックさんのとなりにいることで前回得をしたことは、忘れていない。きみはいちばん後ろの席に移りなさい」

　ギュスは、怒りで顔を真っ赤にした。しかし、背筋をぴんと伸ばして立ち上がり、気を静めようと努力しながら後ろの席に向かった。オクサは目を上げ、マックグローをにらんだ。彼は素知らぬ顔だ。ギュスを攻撃するほうを選んだのだ。全然よくない……。オクサは、自分の代わりにギュスがいやがらせを受けるのはいやだった。ふり返ってギュスに励ましの合図を送り、それから理科のテストに取りかかった。

　しばらくして、オクサは、手首で体をくねらせるキュルビッタ・ペトに気をそらされた。あたし、おとなしくしてるじゃない。どうしたの？……こっそり腕をまくった。

　その生きたブレスレットは、様子がおかしかった。小さな舌がだらりとたれ、目はどんよりしている。オクサはさすってみたが、どうにもならない。

　すると、あたりに不快な音がひびきわたった。腸にたまったガスが放出される音だ。まちがいない！　疑り深そうに顔を見合わせる生徒もいれば、せせら笑う生徒もいる。マックグローは顔を上げ、かなり大きな破裂音の出所を探しているが、犯人を見つけられないようだ。

　あっ、しまった！　えさをやるのを忘れてた！

オクサはうろたえた。なんてばかなんだろう。「気づかれないどころの騒ぎじゃない不満」ってアバクムが言ってたのは、このことだったんだ。十二時まではなんとかもちこたえさせなくっちゃ……。オクサは、キュルビッタ・ペトの〝腸のこだま〟をもらさないように手首を押さえつけながら、何とかテストに集中しようとした。

＊＊＊

十二時の鐘が鳴ると、生徒たちは、あっという間に答案を出して自分の荷物をまとめた。いつもいい印象をあたえたい一、二の生徒を除いて、マックグローから一刻も早く逃れたい生徒たちは、何も言わずに教室を出た。

いちばん早く出たのはオクサだ。矢のようにロッカーまで走り、緊急用に置いていた顆粒を取り出した。キュルビッタ・ペトがひと粒飲みこむと破裂音はすぐにおさまったので、不用意な主人は心からほっとした。

「ごめんなさい、キュルビッタ・ペト。これからは気をつけるから」

オクサはロッカーの扉を閉めながらつぶやいた。

オクサは、中庭で待っている友だちのところへ行った。会話がはずんでいた。

「骸骨が膝を折って踊りだしたとき、笑いすぎて死にそうになっちゃった」

ゼルダが大声で言った。

「ぼくは吹き出さないように口をきつく結んで、悲しいことを考えようとした。数学の点数を思いえがいてみたけど、それでも吹き出さずにはいられなかったよ」

ほかの生徒が言った。

「きみたちのうちのだれか？」

メルラン・ポワカセがたずねた。

ゼルダともう一人の生徒は頭を横にふった。オクサはあいまいな態度のまま、目を伏せた。

「だれがやったのか知りたいなあ」メルランは、オクサを見ながら言った。「そいつがどうやったのか聞くためさ……。あのからくりって、すごく巧妙なんだろうな。調べてみたけど、糸なんかなかったし……。ひょっとして、磁石で操作したとか、遠隔操作とか、電磁気を使った操縦とかかな？　ともかく、さっぱりわからない、まるっきり魔法だね」

オクサは、メルランの——かなり適切な——意見を無視するふりをした。メルランがこういう暗示的な言い方をしたのは初めてではない。オクサは冷や汗をかき、どきどきした。もし彼がすべて見抜いているとしたら、どうしよう？

「魔法かどうかはともかく、あれをした人はご褒美をもらうべきね」ゼルダが言った。

「でもさ、マックグローって強烈だよな！」ギュスが、話題を変えようと大声をあげた。「休み明けにテスト二つだなんて、まったくひどいよ！」

「まったくね！　あいつってビョーキだよね！」ゼルダが賛成した。「それに、鉛筆を落とす話にはほんと、腹立つわ。たしかにわたしは不器用だけど、あんなふうに言うことないじゃない！

かえって緊張して、筆箱ごと落としそうになっちゃった。わかる？　サイテーよ」

「ぼくのほうこそ、サイアクだって思わないか？　あのひどい悪口をまだ言ってるんだぜ。カンニングなんてしてないよ！　したことない！　もう、うんざりだ」

オクサは腕を広げて、マックグロー先生お好みの標的であるギュスとゼルダの肩に優しく手をまわした。

「二つ目の黒いあざをつくってやりたいよ」ギュスが続けた。

「どうやって腕を折ったのか知らないけど、いい気味だ」メルランが言った。「それでも少しも愛想がよくならないんだから、どうしようもないよな。それに、聞いたかい？　朝ごはんに豆を食べ過ぎたやつがいるんだよ、ヤバいよな！」

メルランの爆笑につられて、ゼルダも笑いだした。

「死ぬほど笑っちゃった。マックグローの顔ったら！」

「幸運なことに、あいつ、だれだったかわからなかったみたい。あたしは知ってるわ」オクサは自分の手首をたたきながら言った。「じゃあ、食べに行こうか……」

四人は楽しそうに食堂に向かった。

「キュルビッタ・〝ペト〟だったのか……そうだろ？」

ほかの友だちと少し離れながら、ギュスがオクサに耳打ちした。

「そう、あんたが言ったように〝ペト〟（ペトはイタリア語で「おなら」という意味）よ！」

オクサは吹き出しながら答えた。

「今日、強烈だったのはマックグローだけじゃないよ。おまえはあいつよりすごかったよ。あの骸骨の踊りは最高だったな。気に入ったよ」

「あんたが罰を受けてしまって悪かったわ。あいつがあんたに復讐するってわかってたら、絶対にしなかったのに……ほんとよ」

「心配するなよ。あんなやつだから、どっちにしても席替えをさせられてたよ。骸骨のせいじゃない。それに、おまえのせいでもない」

　ギュスは、そう言ってオクサをなぐさめた。

　午後じゅう、オクサは落ちこんでいた。自分が挑発さえしなければ、マックグローはギュスの席替えはしなかっただろう。ギュスの思いやりのある言葉や、罪悪感を取り除いてくれようとするおおらかな態度を思うと、自分の行ないが恥ずかしくなった。
　自分を無視した時点で、マックグローが別の標的をさがし、ギュスを攻撃しようとすることを予想するべきではなかったか？　遠くの席にやったばかりでなく、公然と中傷したのだ。こういう当てこすりにギュスが深く傷つくということを、オクサは知っていた。行動する前に考えてさえいれば……。まだまだ学ぶべきことがたくさんある。グラノック学だけではない……。

51 険悪な対面

その日の夕方、オクサは、自分がギュスにとってたよりになる存在だということを示すチャンスに恵まれた。二人が体操着をロッカーにしまっているとき、「原始人」ことヒルダ・リチャードが後ろから近づき、ギュスの背中にげんこつを食らわせて、耳元でどなった。

「恥を知れ、カンニング野郎！」

ギュスはすぐにふり返った。怒りをこらえながら、ヒルダのぶくぶく太った体を頭のてっぺんからつま先までじろじろながめ、からかいで応酬することにした。

「おやおや、とても優しい、とても繊細なヒルダ・リチャードじゃないか！　お会いできてうれしいです、愛しいヒルダ。今日はどういう風の吹きまわしで？」

「あたしの答案をカンニングするなよ。そんなことしたら、頭をぶち割ってやる！」

ヒルダは挑発するように言った。

「それはありえないな。毎回、平均点以下を取りたければ別だけどね」

「うるさい！　おまえのロシア人形、利口ぶった威張り屋のオクサ・ポロックと、あっちへ行け！」

「ほっといてよ、原始人！」

オクサの目は炎のように燃え立っていた。

「人類の進歩に向かって少しは前進してみたらどうだ。ずっと先カンブリア時代のままでいるつもりかい？」

ギュスが追い討ちをかけた。

「先カンブリア時代はおまえだ、中国野郎！」

原始人はそう言って、きびすを返した。

「ようし、見てなさい……」

オクサは逆上した。上着の内ポケットに手を入れ、〈クラッシュ・グラノック〉を取り出した。

「あたしを隠して、ギュス」

「信じられない！　学校に〈クラッシュ・グラノック〉を持ってきたのか？　おまえ、ばかじゃないのか。こんなところで使えないよ。だれかが見たらどうするんだ？」

そんな言葉でやめるオクサではなかった。彼女は、目に復讐の光をたたえてほほえみ、心の中で呪文を唱えた。

皮膚の炎、皮膚の炎
この汁を受ける者は
血が出るまで掻くだろう

そして、廊下を遠ざかっていく原始人に向けて、〈クラッシュ・グラノック〉を吹いた。

すぐに、原始人は身もだえし始めた。

「かゆい！　助けて、かゆい！」

ほかの人なら同情するところだが、まわりの生徒たちはみな、原始人を取り囲んで笑いだした。

「かゆい！　かゆくてたまらん！」

叫び続けている原始人の顔や腕が——おそらく体じゅうが——真っ赤な斑点でおおわれていた。

だれかが言った。

「邪悪さが体に出てきたんだよ」

オクサとギュスは、かなり離れたところで愉快に笑いながら、その光景をながめていた。ギュスが小声でたずねた。

「ちくちくするグラノック？」

「〈皮膚炎弾〉よ！」

オクサが手を上げると、納得顔のギュスは感謝するようにハイタッチした。


その週は、初日以外は静かに過ぎていった。キュルビッタ・ペトを空腹にしてひどい目にあったオクサは、そのあと、刺繍のある小さなポシェットにグラシューズの道具を全部入れ、肩からななめにかけて持ち歩くことにした。そこに、〈逃げおおせた人〉たちが決めた安全対策のひとつとして両親が買ってくれた、真新しい携帯電話も入れた。毎朝、ピエール・ベランジェがオクサとギュスを学校に送っていった。帰りは、オクサの父親か母親が校門で待っていた。

「オーソン・マックグローはあっちにいるのかい？　あの裏切り者がどんなやつか、見てみたいもんだ」

　ある日、パヴェルが言った。

「授業が終わったらすぐにいなくなるの。ほかの先生とも仲がよくないみたいだし、ご飯もいっしょに食べないみたい。職員室にもいないしね。ああいう人だから、ほかの先生にもそのほうがいいけど。……あっ、でも、パパたち、近いうちに会うチャンスがあるかもね」

「そうかい？」

「ほら、覚えてない？　もうすぐ保護者懇談会（こんだんかい）じゃない。正確には来週の金曜日。来るの？」

「そりゃあ、何があっても行くさ。ピエールとジャンヌにも来てほしいな」

　パヴェルはギュスに向かって言った。

「おじさんと同じくらい待ち遠しいようですよ」

「よし、内輪で会を結成して、ＣＩＡ（シーアイエー）とＫＧＢ（ケージービー）の元スパイを近くで見てやろう」

　パヴェルは、オクサにからかうような視線を向けた。

「もういいよ、パパ！　だれだって、まちがうことはあるでしょ」

　オクサは肩をすくめ、滑稽（こっけい）な勘（かん）ちがいのことを思い出して苦笑いした。

翌週の金曜日、保護者懇談会にやってきたオクサとギュスの両親は、内輪の会どころか、まるで特別攻撃隊のような顔をしていた。保護者たちはみな、学校の石畳の中庭にいったん集まり、指示に従って散らばっていった。ポロック夫妻が石造りの見事な階段を上がって二階に進むと、どこからかやってきた影が彼らの後ろにこっそりとつき、追跡していった。

オクサの両親は、娘の成績に関して心配することは何もなかったし、先生たちも同じだった。クレーヴクール先生は、オクサの歴史・地理への強い関心と優秀な成績をほめた。彼女だけではない。先生たちは全員、オクサを賞賛してやまなかった。父と母にとっては驚くべきことではなかったが、うれしいことにはちがいなかった。残っているのはベント先生と、パヴェルが「おぞましいやつ」と命名したマックグローだけだ。「パパ、いくらなんでも、『おぞましいやつ』って呼ばないように注意してよ」と、オクサは、前もって言っておいた。

この二人の先生は、同じ教室にいた。ベント先生は黒板の近くに、ぱりっとした格好のマックグローは、いまや毎回ギュスを座らせている後ろの席だ。英語担当のベント先生は、ほかの先生たちと同様に賞賛の言葉を贈り、レベルの高さをほめ――〈マルチリンガ〉のおかげだ！――少しだけフランス語のアクセントはあるが、と言って発音のよさをほめた。

いよいよマックグローの番になり、パヴェルは緊張した。

「いちばんいいものは最後にとっておく、か……」

マリーは、急に目まいを覚えて夫の腕につかまった。パヴェルはその手を取り、教室の後ろにしっかりとした足取りで進んだ。謎の影もついてきて、戸棚のかげでじっとしている。

マックグローは目を上げ、冷ややかな声で二人に座るよううながした。

「あなた方は……?」

「オクサ・ポロックの両親です。こんばんは、オーソン先生」

先生は胸の前で手を組んだ。

「なるほど……」

「オクサの成績は、あなたの科目では満足できるものでしょうか、オーソン先生?」

そう言うパヴェルを、マリーが心配そうに見やった。こめかみがぴくぴくしている。体から力が抜けたように感じているマリーとは対照的に、パヴェルの体と心はすみずみまで怒り(いか)がみなぎっているようだ。マックグローの顔が引きつったのを見ると、目にあからさまに感情があらわれているにちがいない。

「成績は模範(もはん)的です。ただ、残念なのは……」

「残念なのは、ただ……何です?」

パヴェルはふと、机の上にある水のボトルに気づいた。ベント先生と別の生徒の親が顔を寄せ合って熱心に話しているのを確認すると、彼は両手をひざの上に置いたまま、目の力でボトルのふたを取った。ふたは天井(てんじょう)に向かって飛んでいった。それからボトルが宙に浮き、マックグローの後ろにまわった。

驚いたマリーは夫のほうを向いた。これから起ころうとしていることにおびえているのだが、同時にうれしそうでもある。パヴェルの声に出さない命令のもと、ボトルは中身をマックグローの背中にぶちまけた。黒っぽい背広は水びたしになった。マックグローの顔がくもり、気持ちの悪い笑みが浮かんだ。

「子どもっぽい……」

パヴェルをにらんだまま、マックグローはこぶしを上げ、急に開いた。すると、おぞましい虫が出てきてポロック夫妻のほうに飛んできた。骸骨コウモリだ！　虫たちはパヴェルの顔から数ミリのところで止まり、怪物のような口を開けて剃刀の刃のようなするどい歯を見せた。マリーは口を手でふさぎ、恐怖の叫びを押し殺した。骸骨コウモリの大きく開いた口が腐った肉のようなおぞましい臭いを発し、パヴェルはつきまとう蜂を追いはらうかのように、反射的に手をふった。すると骸骨コウモリは、たちの悪い幻覚のように消え去った。

パヴェルは狼狽を隠し、歯ぎしりしながら繰り返した。

「オクサのことで何が残念なんですか？」

「字がひどいんですよ」

マックグローは挑発するように答えた。きつく組んだ手の関節が白っぽくなっている。

「その……ひどいなんて言われたのは、先生が初めてですわ」

マリーが皮肉な調子で言った。

「オーソン先生」パヴェルは顔をぐいと近づけ、低い声で続けた。「この際、はっきりしておきましょう。あなたが何者かはわかっています。あなたがわたしたちの正体を知っているようにね。わたしたちに切り札がいくつかあることを無視はできないでしょう。数からいっても……」

「ポロックさん」オーソン・マックグローが同じ調子でさえぎった。「あなたたちの切り札と、わたしの切り札は同程度の価値ですよ。それと、障害がひとつあったからといってあきらめる習慣は、わたしにはないことを知っておいてください」

「障害はひとつじゃありませんよ、オーソン先生。今回は目的を達せられないと思いますね」

「そう思っているがいいさ、ポロックさん」

オクサの両親は、背筋をぴんと伸ばして立ち上がり、最後に冷たい視線を「おぞましいやつ」に投げかけると、教室を出ていった。謎の影もいっしょに。


懇談会のあと、ポロック夫妻とベランジェ夫妻は、ほやほやの情報を交換するためにポロック家に集まった。アバクムも来ていた。

「さあ、これからはいっそう用心しないといけないな。オーソンの尊大なことといったら！」

「わたしはオーソンをみくびってはいけないと思う。あいつの自信は、はったりじゃないわ。強力な力を持っている。そのことを忘れてはいけないわ。エデフィアでもそうだったということはわたしたちが証言するわ。そうよね、アバクム？」

ドラゴミラが強調した。

「そのとおりだ。しかも、わたしたちの仲間とちがって、その能力をずっとみがいてきたと思う。それに、彼が一人だという保障はない。きみたちに対してはどうだった？」

アバクムはベランジェ夫妻にたずねた。

「動じないし、皮肉と自信がたっぷり！」ギュスの父親が答えた。「ギュスたちにかまうなと忠告してやったら、やつの答えは、『そうしなかったら？　警察に言いに行くのかね？』だ。わたしたちの出自や能力を〈外の人〉に知られてはいけないということが、オーソンにはわかっているからな。話した時間は短かったですよ。闘鶏の雄鶏みたいに、たがいに脅す以外に話すことはなかったですからね」

「事態がはっきりしたからには、油断せずに子どもたちを守り続けよう。ところで、この週末にオクサをうちに連れていくといいと思うんだが、どうかね？」と、アバクム。

一同は賛成した。ただ、パヴェルだけは、マリーの腕をつかんで苦しそうなまなざしを向け、それからかすれた声で言った。

「ぼくたちに何か言う権利があるのかな？　一応、親だからね……」

ドラゴミラは、息子夫婦を悲しそうに見つめ、深いため息をついた。

「もう選択の余地はないのよ。あともどりはできないわ」

「だれがあともどりをしろと言ったんです？　全部ストップするべきなんです！」

パヴェルは荒々しく言った。

「ここで全部ストップしたとしよう。でも、オーソン・マックグローをどうやって説得するんだ？　テュグデュアルが言ったように、カウントダウンはもう始まっているんだ。わたしたちの未来は動きだしているんだ、パヴェル。運命に従うしかないんだよ」と、ピエール。

「きみたちには都合がいい、そうだろう？」

パヴェルが苦々しく言った。

「オクサ、隠れるのはやめて出ておいで。ギュス、きみも……」

アバクムは、後ろをふり返らずに言った。

ソファのかげに隠れていた二人は、少ししおれた様子で立ち上がり、手を背中の後ろに組みながら、おとなしく親たちに加わった。

「オクサ、おまえに武器をわたす時期が来たようだね」

52　妖精人間

前回オクサがアバクムの家に行ったときは、ドラゴミラの後見人――祖母は「守護者」と呼んでいた――が驚くべき人物だとは、想像すらしなかったものだ。実際に目にした野ウサギへの見事な変身は別にして、オクサはいま、このひかえめで謎めいた人物が〝信頼〟の化身であることが理解できた。

グラシューズ・マロラーヌがその忠実さに賭けたのは正しかった。万難を排して約束を守り、その娘ドラゴミラを守ることだけに自分の人生をささげてきた。彼女が大人の女性になって、自分の身を守ることができるようになってからもだ。結婚したことはあるのだろうか？　恋愛したことは？　オクサは知らなかったが、いつかはたずねてみようと心に決めた。

アバクムがサイドカーを運転して自分の家に向かう間、オクサはちらちら彼を観察した。アバクムの動作は、イメージと同じだ。静かで、落ち着いていて、安心感がある。

オクサが覚えているかぎり、アバクムはいつも家族の一員と見なされていた。祖母といっしょに三十年間も経営していた薬草の店では、祖母が大黒柱と見られていた。彼女のユニークなエスプリやカリスマ性にすべての注目と尊敬が集まった。とくにここ数年、小さな店の評判は外国にも広まっていた。アバクムは、その優秀なノウハウにもかかわらず、あらゆる宣伝に反対したばかりか、祖母がマスコミに登場することにブレーキをかけた。そういう話題で激しいやりとりがあったことをオクサ自身、見たことがあるし、アバクムの反応が行き過ぎだと思ったこともある。どうしてそんなに慎重なのか、オクサは不思議に思っていた。

いまなら、よくわかる。祖母の才能が記事になれば、オーソン・マックグローのような悪意を持った人間の目にとまる恐れがある。オクサは、ロンドンに来る数ヵ月前にアメリカの専門誌に載った記事のことを覚えていた。ジャーナリストは、ドラゴミラのことを「代替医療の天才」とか「植物の魔法使い」と書き立て、賛辞を惜しまなかった。その「魔法使い」本人は写真の掲載を拒否したが、名前ははっきりと掲載された……。

アバクムについて前より多くのことを知ったいま、オクサは、その目立たない賢明な男が演じてきた役割を理解した。徹底的に陰の男に徹し、とりわけ思慮深い「守護者」であると。

サイドカーは村をひとつ抜け、セイヨウサンザシの低木にふちどられた道に入った。道の奥には高い柵がある。

アバクムは、サイドカーから降り、ヘルメットをとって、袋から小さな箱を取り出した。コガネムシのような、つやつやした緑色の虫を出し、鍵穴に入れると、すぐに柵が開いた。あらら、生きた鍵ね、おもしろいわ……と、オクサは心の中でつぶやいた。

アバクムはサイドカーを中庭に停め、ていねいに柵を閉めてから、足をゆっくり動かしているコガネムシを抜き取った。敷地は、平たい石を積み重ねた高い塀で囲まれている。

母屋には、鋼鉄で補強した扉がついていた。レオミドの屋敷と同じくらい立派だが、様式はかなりちがい、農家を改修したものだという。ずっと昔からアバクムの別荘だったが、フランスから引っ越してきて以来、彼は騒がしいロンドンよりも田舎を好み、常にこの家に住んでいた。

オクサは昨年の夏、家族とここで数日間を過ごした。そのときに感じたこのカントリー・ハウスの魅力は少しも衰えていない。濃い赤からピンク混じりの茶色まで、レンガの壁はさまざまな色調の赤が美しく、藤やつるバラが家の二階までおおっている。横にはアバクムが内部を徹底的に改造したサイロがあり、通路で母屋とつながっている。オクサはサイロには入ったことがない。でも、今回はアバクムが案内してくれるかもしれない……。


「この家はますます、すてきになるわね」

アバクムが歓迎のおやつの用意をしている間、オクサは、木の実の殻の形をした椅子に座って家の中をながめていた。外観とのちがいは目を見張るようだ。ふつうならカントリー・ハウスらしいインテリアを想像するところだが、アバクムはまったくちがうスタイルを選んだ。

「まるで現代美術館の中にいるみたい」

アバクムは、脚（あし）が縞模様（しま）の低いテーブルに、ココアの入ったカップを二つのせたトレイを置いて、オクサの向かいに座った。

「オクサ、おまえは知らないだろうが、わたしの養父母は、この世界ならデザイナーと呼ばれる人たちだったんだよ。父は家具を設計していたし、母はエデフィア最高のインテリアデザイナーだった。〈クリスタル宮〉のマロラーヌの部屋を全面的に改装したのは、母だ。この家の配置や構成は、森人（もりびと）の典型的な住まいとほとんど同じ。子どものころに住んでいた家とよく似ているんだ。もっとも、その家は、高さ数十メートルのコロッソという巨大（きょだい）な木の上にあったけどね……。わたしの家族は常に、ものの美しさを大切にしていた。とくに日常使うものの美しさ。おまえがそういうことに敏感（びんかん）なのはうれしいよ」

オクサは熱心に耳をかたむけた。こういうふうに一対一で話すのが好きだ。

「両親が養父母ってことは……じゃあ、ギュスみたいね？」

「そうだよ。彼と同じで、わたしもラッキーだった。すばらしい人たちに育てられたんだからね。二人とも、とても優しい心の持ち主だった」

「何歳（さい）で養子になったの？」

「生まれて数時間……」

「じゃあ、本当に生まれたばかりの赤ん坊だったのね」

アバクムの顔に、ちらりと悲しい影が走った。少し目を閉じてから、また話しだした。

「ああ、オクサ……ほとんどの人が知らない秘密を教えるよ」

「親の一人が野ウサギだってこと？」

アバクムは、オクサがいままでに見たことがないほど大声で笑いだした。オクサはびくっとして、ココアをこぼしそうになった。

「おまえが……なんて言ったらいいか……わたしに動物の部分があるのを知っているのはわかっていたが」アバクムは、涙のにじんだ目をこすって言った。「驚いたな。わたしの親が野ウサギだろうって言われたのは初めてだよ」

「そう、わかってたんだ……」オクサはしょげた。「あたしってスパイ失格ね」

「いや、そんなことはないが……おまえが前にほのめかしたことを聞けば、わかるさ。いいや、オクサ、両親は野ウサギじゃない。でも、同じくらい想像を絶するものだ」

「教えて、お願い！」


「実の父は森人の養蜂家で、ティビュルスという名前だった。ただ、父についてはあまりよく知らないんだ。孤独を好み、自然とともに生き、ひかえめで善良な人だったそうだ。ある日、花が咲き乱れる森の空き地に父が蜂の巣箱を置いているのを、不老妖精の一人が見た。妖精は父に恋をした。それはめったにないことで、エデフィアの歴史でも唯一の出来事かもしれない。わたしの実の母であるその妖精は、愛の力のおかげで父の前に姿をあらわした。出会ったとたん、二人は激しい恋に落ちた。それは比類なく純粋なものだったが、二人の関係は失敗に終わった。人間と不老妖精は出会ってはいけないのだからね。しかも、恋に落ちるなんて……」

「それからどうなったの？」

「わたしが生まれたとたんに、二人は消滅した」

「えっ！」オクサは口を手でおおった。「そんな……お母さんはおじさんを生んだあと、すぐに死んだってこと？　お父さんも？」

「まあ、そんなところだ……。不老妖精は人間とは体の構造がちがうらしい。というのは、受胎してすぐにわたしは生まれたんだ。そして、両親はいなくなった」

アバクムは悲しそうにほほえんだ。

「なんて恐ろしい……」

「わたしは、むしろ美しい物語だと思うね。二人は、とんでもない危険を冒していることを知っていた。でも、死の脅威も二人の愛を止めることはできなかったんだ。完全なる愛だ……」

アバクムの目に輝きがもどった。

「それから、どうなったの？」

「翌日、となりの人たちが、わたしの泣き声を聞きつけて父の家にやってきた。わたしはたった一人で、裸で、産湯もつかわされていなかった。彼らはどうしていいかわからず、ともかくミルクをあたえ、それからグラシューズ・マロラーヌのところへ連れていった。マロラーヌは調査を命令した。若い女性が父の生活や心に入ってきたことなど、だれも知らなかった。青天の霹靂だった。数日間、十人ほどの男が森を捜索し、湖や洞窟に住む人たちを調べた。しかし、両親の痕跡はどこにも残っていなかった。完全に消えたんだ……。何週間もの間、エデフィアの謎だった。若い娘は行方不明になっていないし、赤ん坊の誕生も報告されていない。だから、何が起こったのかをいろいろと想像する人がいたらしい。両親は蜂におそわれたとか、親に怒られた若い女が隠れて子どもを生んだとか、父が〈妖精の小島〉に入ろうとしたために、永久に〈心くばりのしもべ〉になってしまったとか……」

「〈心くばりのしもべ〉って?」

「〈心くばりのしもべ〉というのは、好奇心を戒めるために魔法をかけられ、体の半分が人間で半分が雄鹿になった人のことだ」

「どういうこと? 好奇心って? 何をしたらそうなるの?」

「妖精を見ようとしたんだよ」

「でも、妖精を見たいってふつうじゃない? それを罰するなんて残酷だわ!」

「そうかもしれない」と、アバクムは譲歩した。「でも、その人たちが受けた罰は大きな幸福をもたらすんだ。たしかに、下半身は鹿になってしまう。しかし、〈妖精の小島〉で死ぬまで妖精たちに仕えて暮らせるんだ。それが彼らの最上の願いなんだよ。父に関しては、その仮説がいちばん事実に近かった。ずっとあとになって、わたしは『レクレレ新聞』——エデフィアの新聞だ——の過去の記事を見たんだが、ばかばかしいものからロマンチックなものまで、あらゆる可能性が書かれていたよ。しかし、実際に何が起こったのかはだれも知らなかったし、両親は見つからなかった。そこでマロラーヌは、わたしを森人の夫婦にあずけた。わたしの養父母、ミッカとエヴァだ。二人は、わたしを実の息子のように愛してくれた。二人には大きな恩がある。わたしを育てるのは大変なことだったと思うよ」

好奇心がふくらみ、オクサはもっと知りたくてうずうずしながら、アバクムを見つめた。

「二人はわたしを迎え入れることで、わたしの出生の秘密も受け入れたんだ。エデフィアでは、子どもが生まれると、そのDNAとゴラノフの茎汁とで身分証明指輪をつくるんだ。わたしの指輪をつくるとき、わたしのDNAが異常だとわかった。つまり、エデフィアの何者にも合致しないということだ。このことは四人の人間しか知らなかった。マロラーヌと、養父母と、指輪職人だ。いずれにせよ、指輪職人は職務上の秘密は絶対に守らなければいけない。だから、わたしは子どものころ、マロラーヌと両親の注意を一身に集めていたんだ。三人とも、わたしのことが心配であると同時に、非常な興味を抱いていた。それに耐えるのは簡単じゃなかった。それに、しばらくしたら、わたしが特別な才能を持っていることがわかった」

「じゃあ、おじさんは妖精人間なの？　妖精人間！」

オクサは、あやうく椅子からずり落ちそうになった。

53 歌う泉

アバクムは、オクサの言葉に興味をひかれ、短いあごひげを指先でさすった。

「そういうとらえ方はまったくしたことがなかったが……まあ、ありえないこともないか。養父母は、わたしのことを『魔法使い』だと言っていた。この特異な出自を知っている、おまえのおばあちゃんとお父さんとギュスの両親もそう言った。しかし、『妖精人間』という考え方は大いに気に入ったね！」

「でも、どうして知ってるの？　お母さんが不老妖精だってことがどうしてわかったの？」

「生まれたときのことを思い出したんだ」

アバクムは目に感動的な強い光をたたえ、ただそう答えた。

「こう言っちゃ悪いけど、だれも、自分が生まれたときのことなんか覚えていないわ」

「そのとおりだ。だれも、そんなにさかのぼった記憶はない。たとえ『野ウサギ妖精人間』でもね」アバクムはウインクして見せた。「そうじゃなくて、たまたま〈歌う泉〉に行けるくじに当たったんだ……」

「くじ？」

「毎年催される盛大な夏至祭に、エデフィアの住人のうちから一人だけ、くじに当たると〈歌う泉〉に行くことができるんだよ。〈妖精の小島〉からそう遠くないところにある、不思議な泉だ。いいかい、その泉の水は、人が失ったり、思い出すのが不可能だったりする記憶を思い出させ、再現することができるんだ。希望者はとても多かった！　なにしろ、昨日のことのように思い出せるんだからね」

オクサはじっと耳をかたむけていた。

「十二歳のときだった。マロラーヌが、エデフィアの全住民の名前が入っている巨大なクリスタルの花瓶に手を入れ、それからわたしの名前を呼んだ。夢かと思ったよ。マロラーヌは、〈歌う泉〉へ行く道を保護する巨大な迷路の入り口まで連れていってくれた。そこで、ホログラムの地図をくれ、それが手のひらに刻印された。わたしは、生垣と石の壁の間を何時間もさまよって、へとへとになり、不安になりかけたころにやっと出口を見つけた。この出口を見つけることは、迷路――永久に出られなくなる人もいる――を抜け出すためだけでなく、とりわけ泉に行き着くのに不可欠なんだ。やっと地獄の迷路から抜け出したとき、ホログラムが消えた。目的地に着いたんだ。頭は女で体はライオンの姿をした怪物が二匹、洞窟の入り口を守っていた。目の前に、恐ろしい獅身女がいたんだ！」

「それって、怪物の名前？」

「そうだ。エデフィアのどの子どももそうだが、わたしもこの怪物のことは聞いていた。恐ろしい話ばかりだ。子どもを怖がらせるための伝説だったわけだが、十二歳のわたしはそういう話をまだ信じていたから、恐ろしくて縮みあがったのを覚えているよ。獅身女の黄色い目でにらまれると、怖くてたまらなかった。こいつの爪はすごくするどいから、一撃でずたずたにされるだろう。少しでも動くと怪物の気にさわるんじゃないかと恐れて、どうしていいかわからなかった。あとで知ったことだが、この怪物は、招待されずにたまたま泉を見つけた人を撃退する役目を持っているそうだ。わたしが来ることは知らされていたし、迷路を抜けてきたことで泉に行く権利があったから、問題なく通してくれた。入り口に立ったまま恐怖で身動きできないでいると、怪物はおじぎをし、中に入るよう前足で手招きした。中は豪華絢爛だった。洞窟の壁はすべて瑠璃でできていて、光っていた。その壁全体に、〈歌う泉〉の透明なピンク色の水が反射していて、空気は生暖かく甘かった。わたしは床に横になり、そのまま一時間か一晩かわからないが、そこにいた……時間と空間の感覚を失っていたんだ。覚えているのは、巨大な宝石の中心にいるような不思議な印象だけだ。あの洞窟ほど、純粋で生き生きした色を見たことがない。泉の歌を子守唄に、わたしは眠りについた。目が覚めたとき、大きな真珠色の貝殻がそばに置いてあった。優しくはっきりとした声がわたしの名前を呼び、貝殻の中の水を飲むように言った。わたしは、〈歌う泉〉のすばらしい水を飲んだ。少しだけ炭酸の入ったレモネードのような味で、すがすがしい泡が口の中で弾けた。星が弾けたような感じだった！　ひと口飲むと、受胎日であると同時にわたしが誕生した日にさかのぼっていた。こうして、自分の出自がわかったんだ……」

オクサは、アバクムの話にうっとりと聞き入っていた。

アバクムは話を続けた。

「すべてが一気にはっきりした。いったん知ってしまうと、最初からわかっていたような気がしたよ。たとえ養父母にかわいがられていても、本当の親を知らないということはひどい苦痛だったんだ。だれもわたしの出自を隠さなかったけれど、わたしが何者なのかということは、わたしにとっても、ほかのだれにとっても謎だった。その驚くべき洞窟で、わたしは十一年前にさかのぼり、母親の不老妖精と養蜂家の父親ティビュルスを見た。二人は……なんて言ったらいいんだろう……光り輝いていた！　赤ん坊のわたしの目が両親に注がれるとすぐに、父はわたしを腕に抱き、母はわたしの上にかがみこんだ。まぶしい顔を褐色の髪がふちどっていた。その美しさは、まるで後光が差しているようだった。彼女は、くちびるをそっとわたしのくちびるにつけ、究極の優しさをこめたひと息で、わたしに彼女の命と資質を授けてくれた。すると、両親は強いきらめきの中に消滅した。それがあまりに美しかったから、わたしの苦痛は消えてしまったんだ。すべてがわかったことで、心の平穏が訪れたんだよ。その夢のような場所を去る前に、優しい声がまた聞こえてきて、わたしを滝に導き、水のカーテンの向こう側に手を入れて、そこにあるものを取るようにと言った。もちろん、わたしは従った。水から手を抜くと、棒を持っていた。その棒は『愛のために死んだ不老妖精』——妖精たちが母につけた名前だ——である母の魔法の杖だと声が言った」

アバクムは、感きわまったように口をつぐんだ。オクサも感動でうっとりしていた。

「すごい話ね。でも悲しい話……泣きたくなってくる……」

アバクムの優しい目は、ぼうっと遠くを見ていた。それからオクサのほうに向けられた。

「この話は長い間しなかったな。オクサ、悲しまないでおくれ。わたしが愛から生まれた純粋な子どもだと思ってくれたらいい。わたしのひげや白髪や深いしわを見たら、そんなふうには思えないかもしれないが、本当にそうなんだよ」

オクサは、感謝の気持ちをこめてアバクムを見つめた。感動でのどがつまり、涙があふれそうになるのを必死でこらえた。アバクムはその様子を見て取り、一瞬迷ったが、椅子から立ち上がって、努めて明るい声で言った。

「その魔法の杖がどんなものか、見てみたいかい？」

「ええっ？」オクサは跳び上がった。「エデフィアから持ってきた不老妖精の魔法の杖？　本物の？」

「そのとおり、実物さ」

「あたしがそれを見たいかって？」オクサは腰に手を当て、声のトーンを上げた。「すごく見たい！　そのためなら何でもするわ！」

まもなく、アバクムがテーブルの上にその貴重な品を置くと、オクサは思わず声をあげた。長さは四十センチくらいで、明るい色の木でできており、全体によじれている。握りのついたステッキのように一方が少しずつ太くなっていて、最も太い端にプラチナのリングがはめてある。そこには「愛のために死んだ不老妖精」と彫ってあった。

「信じられない！　魔法の杖！　これって夢じゃないよね！」

「これが手の中にあったとき、わたしも夢を見ているんじゃないかと思ったよ。何週間もかけてこの杖をよく観察し、分析したら、これはマジェスティックの木——高貴な木の一種だ——できていて、高山から採れる磁石が先に埋めこまれているのがわかったんだ。どんな働きがあるのか知ろうと、丹念に調べてみた。ものすごい忍耐が必要だったよ。神経がいらいらして、杖を折りそうになったこともある。やみくもに呪文やまじないの言葉を唱えてみたが、すべてみじめな結果に終わった。しかし、ある日、美しい響きを持ったやり方、つまり詩や歌で唱えれば杖が反応するんだとわかった」

「歌う杖のようなもの？」

「そのとおり！　そうして、自分が変身できることがわかったんだ。鏡を見ながら、自分自身に呪文をかけるんだ」

「そうやって野ウサギに変身したのね？　すごい！　おじさんがみんなのなかでいちばん強いってパパが言った理由が、わかった」

　オクサの顔が興奮で赤らんできた。

「その能力は、最近はほとんど使っていない。でも、緊急の場合に役立つのはたしかだね」

「どういうとき？」

「とくに、ソ連から脱出しようとしていてＫＧＢにつきまとわれたときだな。変身で命を救われたよ。ある兵士が通報しようとしたときに、電話の調子が悪くなった。どういうわけか、部屋に入ってきた歯の長い動物がかじって、電話線を切ってしまったんだ。わかるだろう？　おかげで、レオミドは、西欧に向かう飛行機に乗れたわけなんだ。オーケストラの団員と、チェロのケースに隠れたおまえのお父さんをふくむ三人の密入国者といっしょにね……」

「パパが話してくれた。危ないところだったって」オクサが口をはさんだ。「でも、その電話線のことは知らなかった。とにかく、すごい遺伝子を受け継いだってわけね。いままでに血液検査なんかしてないでしょうね？　そうじゃないと、科学の謎になってしまう」

　アバクムの顔がぱっと明るくなり、目が輝いた。

「おまえはよく頭がまわるね！　幸いなことに、医療機関のお世話になったことはないし、死ぬまでそうならないことを祈るよ。どんなことになるか、想像しただけで恐ろしいね」

「ほんと！」オクサは叫び、少しためらいつつたずねた。「あの……これは何なの？」

　アバクムが魔法の杖といっしょに持ってきた、分厚い本を指差した。色あせたピンクの革で装丁され、細い針金のようなものが埋めこんである、変わった本だ。

「ああ、これは〈影の本〉だよ。〈歌う泉〉の洞窟を出たとき、獅身女がひと切れの布をくれた。それを手にしたとたん、あたりが急に暗くなって、わたしは震えだしたのを覚えている。とにかくびっくりして、わけがわからなかった。すると、足元に本があったんだ。その布――母のスカーフだったんだけど――をくれた獅身女が、それは〈影の本〉だと言った。不老妖精はみんな自分の〈影の本〉を持っていて、魔法の薬のつくり方、呪文、まじない、魔法を書きつけている。そのときにわたしが受け取り、いまおまえの目の前にある本は、母のものだったんだ。出生の秘密が明らかになったおかげで、その本を受け取ることができたというわけだ。さあ、これで全部話したよ」

オクサは、その不思議な本のページを用心深くめくった。黄色っぽくなった厚い紙に、色インクで判然としない呪文や、不思議な絵や、謎めいた詩が書かれている。しかし、オクサを魅了したのは、本そのものよりも、その由来だ。妖精が持っていた本なんて！　オクサはページをめくりながら、深い感動で心が満たされ、興奮と喜びに包みこまれるのを感じた。

54　すさまじい警報器

「現実的な話にもどろうか？」しばらくして、アバクムが言った。「おまえのために部屋を改装したんだ。森の部屋……見てみるかい？」

「もちろん！」

金属製の階段を二階に上がり、アバクムは引き戸を開けた。

「すてき！　森の中にいるみたい！」

外に面した二面の壁(かべ)の大部分がガラス窓になっていて、木立が眼前に迫(せま)り、森にいるような感じがした。外壁をおおうツタが窓にもかかっているので、その美しさも加わっていた。

「本当に〝森の部屋〟ね」

「エデフィアでは、森人は、伝統的に〈緑マント〉地方の木々の間に住んでいる。正確に言うと、木々の間にはめこまれた大きな家なんだ。おまえが、首府の〈葉かげの都〉を見られたらねえ……きっと気に入ると思うよ。その街は、全体が木の上にあるんだ。「根浮き樹」という根が空中にあるバンヤンツリーのような木、あるいはコロッソという巨木の枝はとても太いから、十分な面積を提供してくれるんだ。約五百軒の家は、サルがわたるような二本のロープだけでできた橋や、移動のためのワイヤーでつながれている。運動が得意でない人には太陽エネルギーで動くロープウェーがある」

「超モダンね、すごい！」

「そりゃそうだよ。旧式の文明はずいぶん前に終わっているからね」

　アバクムはにっこりした。

「そういう意味じゃなくて……」オクサは少し恥ずかしくなって言い訳をした。「エデフィアですごく技術が発達しているのは知ってる」

「そのとおり。でも、むしろエコテクノロジーかな。最高の環境を守り、自然を無限に尊重しながら発展してきたからね。むしろ、自然のほうがわたしたち人間を助けてくれる。〈外の人〉がそういうふうにできなかったのは本当に残念だ」

「〈緑マント〉の家はどうなの？　この家に似てるって言ってたよね？」

「そうだよ。木とガラスと金属でできている。家の形は土台になる木の枝に沿っている。受け入れてくれる木に合わせて型をとったようにね。ここ数年の間に、〈外の人〉は、エデフィアの森人が千年以上前から守っている建築基準や都市開発基準に近いものを適用し始めたようだね。人間工学とエコデザインの効用にやっと気づいたっていうことかな。遅くても、やらないよりはいいだろう?」

オクサは、考えこみながらうなずいた。

「じゃあ、オクサ、荷物を片づけなさい。それから下におりておいで」

数分後に、オクサは階下に行った。最近習った術を見せたくて、壁に足をつけて体は水平という驚(おどろ)くべき姿勢でサロンに入っていった。二本の柱の間に張ったハンモックに寝(ね)そべっていたアバクムは、オクサもよく知っている生き物に囲まれていた。

「若いグラシューズ様、いらっしゃいませ!」

生き物たちはいっせいにあいさつした。

見事な回転で床(ゆか)に降りると、オクサは笑いながら、彼らの歓迎(かんげい)にお礼を言った。

「ドラゴミラは時間をむだにしなかったようだね。ブラボー、オクサ! 華麗(かれい)な入場とすばらしい着地だ。明らかにカンフーの影響(えいきょう)があるように思うが、見事なフォームだ。ここにお座り、紹介してあげよう」

オクサは洋梨(ようなし)の形をした、やわらかいソファに深く座り、ひじをひざについた。

「うちにはフォルダンゴはいない。おまえも知っているように、彼らはグラシューズの一家にだけ仕えている。だけど、わたしにも数十の生き物や植物の仲間がいて、そのうちいくつかはおまえも知っているはずだ。ジェトリックス、ヤクタタズ、ガナリこぼし、ドヴィナイユ……」

「ゴラノフもいる？　ゴラノフったらおかしくって、死ぬほど笑っちゃう」

オクサは、自分を見つめている生き物たちをさっと見わたした。

「ああ、ひとつだけいる。それをもとに、いくつかのゴラノフを育てたんだ……まだ赤ちゃんみたいなもんだがね。この植物は、育てるのが非常に難しいんだ。〈クラッシュ・グラノック〉や身分証明指輪をつくる機会はもう少なくなったけれど、とても重宝な植物だ。たとえば、新たな若いグラシューズがあらわれたときとか……」

「うん。あたしの〈クラッシュ・グラノック〉をつくってくれて、ありがとう」

「よく使ってるかい？」アバクムは屈託（くったく）なくたずねた。

「う～ん、少しね……」オクサはつぶやいた。

「公衆の面前で使わないでいてくれると、いいけどね」

アバクムはオクサをじっと見つめた。声はまじめそうだが、目はオクサが困っているのを楽しんでいるようだ。

「絶対使わない！」

とんでもないというように、オクサはことさら強い調子で答えた。

「よろしい。わたしたちはみんな、おまえが非常に聞き分けのいい子だとわかってるからね」

「マーヴェラスだ！　ヴンダーヴァーだ！（マーヴェラスは英語、ヴンダーヴァーはドイツ語で、どちらも「すばらしい」という意味）」

いきなり大声がして、オクサの重苦しい気分が吹っ飛んだ。針金のように細い生き物が声を張りあげている。

「わあっ、おもしろい生き物！」

「わたしのことをリディキュラスとか、グロテスカとか、ロイリッグだと言いたいんですか？（リディキュラスは英語、グロテスカはイタリア語、ロイリッグはスウェーデン語で、どれも「滑稽な」という意味）ぐすん……」

その生き物は、わんわん泣きだし、グリュイエールチーズのように穴のあいた、ひょろ長い体が、大きくふくらんだり縮んだりした。オクサはあぜんとして目を見張った。

「心配しなくていいよ、オクサ」アバクムが落ち着いた口調で言った。「おまえもわかっただろうが、このメルリコケットはわざと外国語を混ぜるし、とにかく悲劇好きなんだ。わたしたちといっしょに〈外界〉に来たほかの生き物もそうだが、エデフィアにいたときよりも感情が激しくなった。〈外界〉の気候のせいかもしれないし、ひょっとしたらロシアに長くいたせいかもしれない。だから、おまえも今後、おおげさな悲劇的場面にしばしば出くわすかもしれないよ」

「あるいは、喜劇的な」と、ジェトリックスが口をはさんだ。「おれたちは、あいつとはちがって、ずっとユーモアのセンスを持っているからな」

ジェトリックスが泣いているメルリコケットの周りで踊り始めると、メルリコケットはとつぜん数本のひもに割れ、むちのようにジェトリックスの背中を打ちながら追いかけた。

「むちだ！　当然の報いだ、ベリーバッドなやつめ！」

ジェトリックスはオクサの後ろに逃げた。すると、メルリコケットはぴたりと止まった。

「おれが言ったとおりだろ。ユーモアのセンス、ゼロだ」

ジェトリックスは、またもやからかった。

オクサは、腕に抱いてやりたい気持ちを抑えられなかった。ジェトリックスは安心したように頭をオクサの温かい肩にもたせかけた。

「くすぐったい」オクサが体をよじった。

「それは、ビコーズ・オブ（英語で「〜のせい」という意味）悪魔のような髪」マルチリンガルのメルリコケットは元の体にもどった。「アハトゥング（ドイツ語で「失礼ですが」という意味）、若いグラシューズ様、そのカペラ（スペイン語で「髪」という意味）の垢に気をつけてください」

「喜劇ですって？」数秒遅れでヤクタタズが口をはさんだ。「それはおもしろいと思われるからですか、髪がふさふさの若いグラシューズ様？」

「わたしたちは、垢も嫌いだし、寒いのも嫌いよ」と、ドヴィナイユが割りこむ。

「あらら。おじさんの生き物も、バーバやレオミドおじさんのと同じくらいおかしい」オクサは、しゃっくりするように笑い続けているジェトリックスを床に降ろしながら言った。「でも、メルリコケットはまだ見たことがなかった。ウソみたいな生き物ね」

「森人にとっては非常に貴重な生き物なんだよ。おまえも少しは見ただろうが、メルリコケットはどんな道具にでも変身できるんだ。はしご、椅子、ロープとか……。その体は粘土やゴムのような、じょうぶで形が自由になる物質でできている。実用的だろう？」

「ほんとね！　ジェトリックスにはどういうメリットがあるの？　道化を演じたり、ほかの生き物をからかったりする以外に」

「彼が自慢にしている豊かな髪があるだろう？　それをほかの材料と合わせて、思考の働きをよくする頭脳向上キャパピルをつくるのに使う。ヤクタタズのほうは、とさかを抗ストレス軟膏をつくるのに使うんだ」

「そうそう、レオミドおじさんの家で見たわ。ゴラノフのストレスが高まったとき、バーバがそれで葉っぱをマッサージしてやっていた。一日に五十回くらいあるみたいだけど……」

「よく観察してるね」アバクムは笑った。「でも、ヤクタタズのとさかは、〈記憶混乱弾〉——効用は想像にまかせるよ——や、おまえがキュルビッタ・ペトに毎朝やっている顆粒状のえさをつくるのにも利用されるんだ。ところで、キュルビッタ・ペトは元気かい？」

オクサは、にっこりして袖をまくり、ゴロゴロと安らかにのどを鳴らしている生きた魔法のブレスレットを見せた。アバクムが近づいて、眠っている小さな頭をなでてやると、さらにうれしそうにのどを鳴らした。

「学校で一回だけ、ちょっとしたことがあったの。でも、全部あたしのせい。顆粒をやるのを忘れたの……。あれは、ちょっとしたファンファーレっていうか、爆発実験みたいだった」

オクサは、肩にななめにかけたポシェットをぽんとたたいて続けた。

「それ以来、未来のグラシューズの道具を全部、持ち歩いてるわけ。〈クラッシュ・グラノック〉、おなら防止の顆粒箱、吸盤キャパピル……。いつも身につけているの。体育の時間もね。だれかに見つかったら大変だし」

「用心するのはいいことだ。とくにオーソンが近くにいるときにはね」アバクムは深刻な面持ちで言った。「でも、おまえがもっと安心できるようなものをあげよう。こっちにおいで。ガナリこぼしだ」

身長七センチにも満たない小さな生き物が、アバクムのところに羽ばたいてやってきた。体は紫色で、円錐形に近く、下半身が丸くなっているところは起き上がりこぼしにそっくりだ。そこからこの名前が来たのだろう……。その奇妙な体の上のほうには、大きな二つの目が突き出た頭がある。目は三百六十度回転できるらしく、そのために常に驚いているように見えた。二本の長い腕が両側にぶらさがっており、それが太った体のバランスを保っていた。

「ご主人様、任務でしょうか?」

「うむ、大事な任務だ」と、アバクムは答えた。「今後は、ここにいる若い方に仕えるんだよ。オクサ、おまえのガナリこぼしを紹介しよう」

オクサは、アバクムのひざの上に乗って自分をじっと見つめている生き物を、興味深そうにながめた。ガナリこぼしは体を前後にふってあいさつし、両手を体の両側につけてバランスをとった。アバクムが紹介を続けた。

「ガナリこぼしは、あらゆる要求と状況に対応できる、強力で献身的な警報器のようなものだ。

どんな探索でもまかせることができるし、警告のしかたをおまえ自身が命令することもできる。ガナリこぼしに、おまえの袋を監視するようにたのんだらいいだろう。もしだれかが、興味本位や悪意を持って袋の中をのぞいたら、ガナリこぼしがおまえに知らせるか、あるいはその行為をやめさせるような警報を発してくれる。たとえば、鼓膜を破るような甲高い音を出すとか、犯人の手をするどく引っかくとか、おまえが決めればいいんだ」

「おいで、かわいいガナリこぼし、おいで」

オクサが呼びかけると、ガナリこぼしは、差し出した手のひらに羽ばたいてきて、再び体を揺らし始めた。

「若いグラシューズ様、指示をお待ちします」

アバクムがウインクして、オクサをうながした。

「じゃあ、よく聞きなさい」オクサは、ガナリこぼしをポシェットに入れながら言った。「おまえはこの袋の番人。もし、あたしとアバクム以外の人が開けようとしたら、大声を張りあげなさい。テストしてみようか？　あたしが犯人の役をするからね」

すぐにアバクムは耳をふさいだ。オクサがポシェットを開けると、消防車のサイレンのような警報が鳴りひびいた。オクサはポシェットを離し、アバクムと同じように耳をふさいだ。鼓膜を守らなければならないと、アバクムは経験から知っていたようだ。数秒すると、警報が止まり、ガナリこぼしが問いかけるような目をして姿をあらわした。

「若いご主人様、警報はこれでよろしいでしょうか？」

指を両耳に突っこんでいるオクサは、まだ耳がじんじんしていたが、笑いながらショックを和らげようとした。

「もう少しひかえめのほうがいいかな？　でないと、街じゅうの人が集まってきちゃう」

「あらら、このガナリこぼしってやつは、微妙なニュアンスを気にかけるようなやつじゃないわよ」部屋のすみで玉のように丸まっているメルリコケットが、へらず口をたたいた。「ヴィラノ（スペイン語で「ごろつき」という意味）！」

「オーケー、オーケー。了解しました、若いご主人様」

ガナリこぼしはそう約束して、ポシェットの中にもぐりこんだ。

「よし、これでひとつ片づいた。重大なことに移ろう。ついておいで」

アバクムが言った。

55　秘密のサイロ

アバクムはオクサを二階に連れていった。生き物たちもみな、おとなしくついてきた。

廊下の突き当たりに鋼鉄で補強した扉があり、謎のサイロに続く通路に出られるようになっていた。外の柵と同じで、アバクムが緑のコガネムシを鍵穴に差しこむと、扉が開いた。通路を進むと、巨大な温室のようになっているサイロに出た。半透明の丸天井のおかげで、乳白色の光が全体に行きわたっている。

金色の小さな鳥たちが、声をかぎりにさえずりながら一行を出迎えた。

「こんにちは、プチシュキーヌ」と、アバクム。

「あれっ、バーバはこれにすごくよく似た鳥の形のイヤリングを持ってる」

「それは本物の鳥かもしれないなあ」アバクムは、いたずらっぽくほほえむ。

「ちょっと、からかうのはやめて！」

「おばあちゃんが次にそれをつけたときに、よく見てみるんだね」

「二人ともあやしいわね……きゃあ、なに、これ？」

オクサは悲鳴をあげ、アバクムの腕をつかんだ。

虫の大群が動きだし、ムクドリの群れのように急に方向転換しながら、リズムをとっていっせいに移動している。オクサは青ざめ、うろたえた。その虫の大群は、オクサにとっては永久に忘れたい、二度と経験したくないことを思い出させた。骸骨コウモリの姿はまだ生々しく記憶に残っている。

「おまえが思っているようなものじゃないよ。よく見てごらん」

アバクムは、安心させようとしてオクサの肩を押した。それから、目の前で披露されているこのパフォーマンスの意味を理解し、大きく指笛を吹いた。すると、虫の群れは壁に張りついて、文字を浮き上がらせた。

ようこそ、若いグラシューズ様！

「どういうこと、これ？」

「カモフラじゃくしたちが、おまえに歓迎の言葉を贈っているんだよ。読めないかい？」

アバクムはにっこりした。

「なんて言ったの？」

「カモフラじゃくしだよ。一見、昆虫のようだが、そうではない。飛ぶおたまじゃくしのようなものだ。実際には、どんな色にでも変われる、羽の生えたカメレオンなんだ。ほら、よく見てごらん」

しかし、虫の群れは壁から跡形もなく消えていた。と、次の瞬間、オクサの顔の周囲に花火が弾ける図があらわれた。

「すっごい！　すてき！」

「この生き物は、こういう芸術作品をつくるのが仕事じゃないよ。グラシューズの周りをおおい、その擬態能力でグラシューズが身を隠して移動することができるようにする道具なんだ」

「試してみてもいい？」

待ちきれない様子のオクサに、アバクムは言葉少なく答えた。

「そのときが来たら、試してもいいよ……」

しかたなく、オクサはあたりを見まわした。

「ここって、熱帯の森林みたいね」

サイロには、葉の生いしげった植物が十本くらいあった。息がつまるような最初の不快感をやり過ごすと、体が湿気に慣れて、この不思議な場所に魅了された。壁に階段が取りつけられていて、ほとんどの植物が置いてある一階に下りることができた。

アバクムがここに何か不思議なものを隠しているにちがいないと、オクサは疑っていた。しかし、幻想的ともいえる植物たちがティーサロンに陣どった老女たちのようにおしゃべりしているのを見ると、経験豊富な若いグラシューズであるオクサでさえ、驚きのあまりぼうっとした。植物は、床や木のテーブルの上に置かれたり、階段の手すりにぶらさげられたりしていた。オクサは、大きな造りつけのテーブルの上に置いてある植物のなかに、ゴラノフを見つけた。おそらく、赤ちゃんだろう。オクサが近づくと、いちばん大きいゴラノフ――まちがいなく母親だろう――が苦しそうに震えていた。

「あれはだれ？　知らない人だわ！　病気や、細菌や、ウイルスを運んでくる知らない人だわ！　ガナリこぼしは何をしているのかしら？　見知らぬ人が来たわよ！　警報！　警報！」

アバクムが近づいて葉をなでながら、オクサには聞こえない小声で何事かゴラノフにささやいた。すると、興奮の波がサイロ全体に広がり、葉のざわめく音やひそひそ話す声が聞こえてきた。しばらくすると、そのざわめきはしだいに大きく、騒々しくなっていった。植物たちはおたがいに体をかたむけ、重なり合って、メッセージを伝達している。ついに、サイロの真ん中にある大きな鉢植えの植物から、しゃがれた大声が発せられた。

「若いグラシューズ様ですって！　『希望の星』だ！」

　とたんに、ざわめきがやみ、数秒してからまた熱っぽくざわめきだした。植物たちは、シンバルをたたくように葉をバタバタ打ちつけている。

「拍手をしてるんだよ」

　アバクムがオクサの耳にささやいた。植物に拍手されたことのないオクサは赤くなり、感謝をこめておじぎをした。

「このウソみたいに大きいの、何なの？」

　アバクムは答える前に、指笛を吹いて静かにするよう合図した。植物たちはやや声を落として会話を続けた。

「サントレに気づいてくれたようだね。まあ、気づかずにはいられないだろうが。しかし、まだ大人にはなっていないんだよ。数ヵ月したら、五メートルくらいにはなる」

「ほかの植物に命令しているようね。植物の保安官みたい」

　オクサは、サントレを興味深そうに観察した。

「たしかに……。サントレは、必要に応じて水蒸気や炭酸ガスを吸ったり吐いたりして、温室内の空気を調整する。だが、それだけじゃない。おまえは、動く生き物たちがそれぞれ独特の性格を持っているのに気づいただろう？　植物も同じなんだ。ただ、動かないことと、ここに閉じこめられていることがちがうがね。動けないから、争いが起きたときには、それを収めるのが難しい。そこで、サントレが仲介者の役割をして、興奮を抑えるんだ。おまえも、さっきサントレがうまく責任を果たしたのを見ただろう?」

「サントレはいかにも強そうね。こっちのかぼそいのは?」

オクサは、細い茎の先に薄紫色の花をつけた植物に近づいた。

「それはノビリス。めしべからとれる黄金色の粉が、目つぶしのグラノックに使われる」

ノビリスは側軸の一本をかたむけ、花びらの先でオクサの手を優しくなでた。オクサはびくっとし、一歩あとずさった。けれども、アバクムの自信ありげな様子を見ると、花がなでるにまかせた。ノビリスは、喜びで体を小きざみに震わせた。

その少し先では、よく繁った蔓のような植物が葉をさかんにふって、オクサの注意を引こうとしていた。オクサが近寄ると、甲高い小さな声をあげて、手首に巻きついてオクサを引き止めておこうとした。

「これはピュルサティヤだ」アバクムが紹介した。「ごらんのとおり、激しい気性を持った植物だ。この植物の効用は、エデフィアの〈大カオス〉のあとにわかった。反逆者が武器として使っていたグラノックを研究した結果、明らかになった」

「黒血球グラノック?」

「そう、とりわけ、手足をガラスに変えてしまう〈ガラス化弾〉だ。かわいそうに、レオミドのジェリノットが受けたのを見ただろう? ピュルサティヤから、〈ガラス化弾〉の毒の解毒剤をつくることができる。ジェリノットの足を治療するのにドラゴミラが使ったものだよ」

ピュルサティヤはまだオクサの手首に巻きついており、放そうとする気配はない。

「もうひとつ、これはとても人なつっこい植物でもある。気づいているだろうがね……。ピュルサティヤ、オクサを返してくれるかい？　ちょっと見せたいものがあるんだ」

「おい、レタス、若いグラシューズ様を放せよ！」

ジェトリックスが、オクサの手首に巻きついた蔓を力いっぱい引っぱった。

「わたしはレタスじゃないわ、この髪おばけ！」ピュルサティヤは腹を立てた。「とても役に立つ高貴な植物なのよ。ご主人様がそう言ったわ。それに、花を咲かせるには愛情が必要なの。愛情が何なのか、だれか知ってる？」

アバクムは何か言いたそうにしているオクサのほうに耳を寄せた。

「もちろん、いいよ」

オクサは、ピュルサティヤのほうにかがみこみ、いちばん大きな葉に軽くキスをした。ピュルサティヤはすぐにオクサの手首を放し、大きな満足のため息をついた。

アバクムはそのすきに、オクサをサイロの中二階に連れていった。そこはアトリエになっており、作業台には、ドラゴミラが持っているのと同じような、引き出しのたくさんある大きな戸棚や道具類が、ところ狭しと置いてあった。アバクムはオクサを長椅子に座らせ、自分はすぐ横にあるロッキングチェアに座った。

「それにしても」オクサは、大きな目をいっそう大きく見開いた。「感情を持ったり表現したりする植物なんて、信じられない。エデフィアではみんなそうなの？」

「そうだよ。わたしたちは自然の声に耳をかたむけ、あらゆる生命を尊重しているから、相手の感じることがわかるようになったし、ついには理解し合えるようにもなった。エデフィアでは、植物は人間とコミュニケーションがとれる。それは、人間が耳をかたむけるからだ。〈外界〉では、自然が伝えることを理解できるほど心と感覚を開く人は、めったにいない。わたしたちをすぐに受け入れてくれたシベリアのシャーマン、メチコフや、その孫でドラゴミラの夫だったウラジミールは、そういう種類の人だった。あのね、オクサ、エデフィアは、そういう他者への尊重や他者に耳をかたむけることが基本になって機能しているんだ。少なくとも以前はそうだった。〈外界〉によくある欲望や羨望ではなくて、必要に基づいているんだよ。たとえば、エデフィアでは、仕事はわたしたちの必要を満たすためだけにある。仕事をたくさん持つとか、利益や優越性などは気にかけない。社会階級もない。パン職人は建築家と同等だし、下水清掃人と〈ポンピニャック〉の高官に違いはない。一人一人が、自分にできることを、みんなのためにするんだ。別のやり方で社会を構築することができるとマロラーヌ様がわたしたちに示すまで、みんなに有益な、バランスのとれた暮らし方をしていた。〈外界〉をわたしたちに見せようとしたのは、マロラーヌ様の大きな判断ミスだった。それ以前はみんなうまくいっていた。本当に残念だ……もったいないことだ……。いまのエデフィアがどんなふうになっているか、だれにもわからない」

「脱出する前は何をしていたの？　ハーブ薬剤師だったの？」

「わたしはエデフィアの秘術グラノック学の師であり、グラシューズ一家ご用達のハーブ薬剤師だった。小さなころから植物が大好きで、優れた素質があったんだ。腹ばいになって、森や温室や畑の草を何時間でも観察していた。七歳で独自の調合や簡単な治療薬づくりを始めた。その年で最初のグラノックを発明したんだ。失恋の悔しさからね！」

「話して、アバクムおじさん！」

「そのころ、ある女の子に恋をしたんだが、その子は、わたしが嫌いな別の男の子しか目に入らなかった。そこで、復讐するために〈笑尿弾〉をつくり出したんだよ。ライバルを遠ざけるにはそれしかない、と思ってね」

「〈笑尿弾〉を発明したのは、おじさんなの？　七歳で？　いったいどうやって？」

「観察だよ、オクサ、観察だ。理解し、学ぶには、観察が最も効率的な方法だ。わたしは、羊が野原のある草を食べたあと、とくにうれしそうなことに気がついた。まるで笑いころげているかのようにさかんに跳びまわるんだ。それから、何て言ったらいいか……膀胱の締まりが悪くなるんだ。それを見て、試してみようと思ったんだよ。簡単な理由だろう？」

「『簡単な理由』って、言うのは簡単だけどね」オクサは長椅子から起き上がりながら言った。

「とにかく、その発明は気に入ったわ。それで、そのあと、女の子はおじさんを好きになったの？」

アバクムはくすっと笑った。

「ぜんぜん！　わたしのことは無視して、ぐっしょりぬれたライバルに急いで手を貸してやっていたよ。心配しなくてもいいよ。立ち直ったから……。いずれにせよ、その失敗でひとつわかったことがある。自分がグラノック学に向いているということだ」

「おじさんの親はどう思ったの？」

「自分たちのようにデザインの道に進むと思っていたようだから、最初は少し驚いていた。でも、植物に対するわたしの情熱が強かったから、好きにさせてくれたよ。八歳になると、当時のエデフィアでグラノック学の第一人者だったミランドールのところで修行を始めた。彼は当時、すでに百五十十歳の老人だったがね。彼は、エデフィアの治療院――わかるだろうが、病院に当たるところだ――の名前にもなったヒルデガルト・フォン・ビンゲンの信奉者だった。十二世紀にグラシューズ・アンナミラが〈夢飛翔(ゆめひしょう)〉で発見した人だ。ヒルデガルト・フォン・ビンゲンは神秘主義の女流詩人だが、たぐいまれな医学の才能でも知られていた。植物の秘密を知っていたからだ。当時、アンナミラはヨーロッパを何度も〈夢飛翔〉し、彼女が観察して伝えたことは多くのグラノック学者にインスピレーションをあたえた。その一人であるミランドールからわたしは多くのことを学んだ。そして、八年後、グラシューズ・マロラーヌに仕えるようになった」

「ずいぶん早熟だったのね！」

オクサは驚いていた。

「おまえだって、けっこういい線いってるじゃないか」

アバクムはそう言いながら立ち上がり、無数の小さな引き出しがある家具のところへ行った。それから十くらいの引き出しを開けて錠剤(じょうざい)のようなものを取り出し、筒(つつ)を半分に割ったような容器に入れた。錠剤の形は、丸いもの、平たいもの、長細いものなどいろいろで、色もさまざまだった。

「あっちに行って、実地訓練をやろう。おまえの〈クラッシュ・グラノック〉を出してごらん」

56　グラノック学の集中講座

オクサは、まるで暗唱の宿題をやるように、グラノックの名前と働きと呪文とを、二時間ほど懸命に繰り返した。オクサとアバクムはあまりにも集中していたために、サントレが二人をじっくり観察し、ほかの植物たちにくわしい報告をしているのにも気づかなかった。

「おやおや、おまえは優秀な生徒だね！　覚えが早い。百点満点だ」

「そう？　すっごくうれしい！　グラノック学がいちばん好きな科目になりそう！」

オクサは腕を上げて伸びをし、そのままアバクムの首に跳びついた。アバクムはオクサの素直さと親愛の情に心を動かされ、優しく抱きしめた。

「あの……アバクムおじさん……ちょっと教えてほしいんだけど……」

「なんだい？」

「さっき、植物と〈内の人〉が尊重し合うって話したでしょ。葉っぱや根や茎汁を使うときはどうしていたのかなと思って。植物は痛くないのかな？　おじさんの信念に反さないの？」

アバクムは、オクサの目をじっと見つめた。

「よく気がついたね……いい質問だ。うちに住んでいる生き物や植物には、エデフィアにいるときと同じ思いやりと敬意を持って接してきた。ドラゴミラとレオミドも、わたしと同じように思いやりを持ってやっているはずだ。葉を使うときは、ただ葉を切るだけさ。気をつけてやっているから、おまえが美容院で髪の毛を切ってもらうのと同じように、痛みはないんだよ。根も同じ。爪を切るようなものさ。ヤクタタズのとさかにしてもそう。伸びてくるのはのろいがね」

「頭の回転と同じね！」オクサはぷっと吹き出した。

「そう、頭と同じだ」アバクムも笑った。「ヤクタタズのとさかは爪のようなものだ。定期的に切ってやらなければいけない。植物の汁のことだが、とくに貴重なゴラノフの茎から出る汁は、ちょっと厄介なんだ。何十年もの間、〈内の人〉は液を集めるために、茎にごく小さな傷をつけていた。だが、ゴラノフたちがそのために非常に苦しんだことはわかるだろう？　遺伝的にストレスに弱いのは、ひょっとしたらそのせいかもしれない。ところが、あるとき、ひとりの植物学者が別の方法を発見した。それ以来、乳をしぼるようにしている」

「ええっ！　ゴラノフの乳をしぼっているの？」

「そうだよ。その技術はかなり複雑なんだ。ゴラノフに関することで簡単なものはないからね。でも、原理は乳しぼりと同じだ」

「はあー、すごいわ……ゴラノフの乳しぼりか……」

説明が一段落すると、アバクムは立ち上がって、さっきグラノックを出した引き出しを全部閉めた。それから別の戸棚を開けて、丸い箱を取り出した。

「さっき、キャパピル剤を持っているって言ってなかったかい？」

オクサはうなずき、警報を発しないようにガナリこぼしに伝えてから、ドラゴミラがくれたキャパピル剤をしまってある、細い葉巻入れだった金属製の箱を取り出した。

「ほら、このキャパピルケースをあげよう」アバクムは小さな丸い箱を差し出した。「〈クラッシュ・グラノック〉と同じ材料を使って、とくにおまえのためにつくったんだ。もちろん、ゴラノフの乳しぼりをしてね……。おまえのキャパピル剤を入れておくためのものだよ」

キャパピルケースは、直径八センチくらいの、海の泡と琥珀でできたとても美しいものだった。オクサはアバクムに感謝のまなざしを向けながら、それを受け取り、艶消しのすべすべした表面を指先でなでた。OとPの文字を組み合わせたピンクがかった小さな金の留め金を押すと、ふたが開いた。中は十くらいの小さな仕切りに分かれている。アバクムは別の戸棚の引き出しを開けて、大きさも色もさまざまな錠剤を取り出し、箱につめた。それからの一時間はキャパピル講座になり、オクサは新たな情報を吸収することに集中した。

「あそこの戸棚は？　何が入ってるの？」

オクサは、二メートルほどの高さの壁に取りつけてある、ほかのよりずっと小さい戸棚を指差した。アバクムは、謎めいた雰囲気をただよわせた。もちろんオクサはすぐに気づき、ますます好奇心をふくらませた。

「おまえは、すべてを知るまで承知しない性格だな」アバクムはあごひげをなでながら、ため息をついた。「わたしも覚悟しておかないと！」とほほえみ、「まあ、おまえの好奇心はしかたがないだろうがね……。あの戸棚にはね——言っておくが、鋼鉄補強がしてあるよ——だれにも触れさせない植物が入っているんだ」

「危険だということ？　毒があるの？」

「いや、そういうわけじゃない。ふつうの状態なら無害だ。しかし、何かと混ぜたり、量が多すぎたりすると非常に恐ろしいものになりうる。自然界の多くのものについても言えることだが、治療薬と死に至る毒は、起源が同じであることが多い。その戸棚には、ヒヨスとトリカブトがあって、治療に使うしびれ薬にもなれば、攻撃に使える麻痺剤にもなる。もちろん、いろいろなキャパピル剤に使用するベラドンナやマンドレイクもあれば、眠りイヌホオズキ——名前から効用はわかるだろうが——や猛毒のチョウセンアサガオやジギタリスもあるし、ほかにもできれば名前を伏せておきたい植物がいくつかある」

「へぇー」オクサは半ば感心し、半ば考えこんでいる。「ねえ、毒をつくったことはある？」

「おいおい、オクサ……」アバクムは、作業台の端をぽんぽんとたたいた。「職業上の守秘義務を口実にして、おまえの質問に答えなくてもいいだろう？」

「う〜ん、残念……」オクサはため息をついた。「でも、つくったことあるんだと思うな。とにかく、黒血球グラノックをつくれるってことは知ってるもの」

アバクムはかすかにほほえみながら、ほとんどわからないぐらいにうなずいた。「毒性植物と毒」の話はこれで終わりだということだ。

「ねえ、見て！　まだ見せてなかったよね！　あたし、すごいことができるの！　しかも、キャパピル剤を使わずに！」

オクサは完全に話題を変えた。中二階の手すりによじ登って外側に腰かけた。床から四メートルほどの高さがある。ゴラノフが叫び声をあげた。

「警報！　若いグラシューズ様がわたしの上に落ちてくる！　わたし、死ぬわ！」

オクサは狭い手すりの上に立ち上がり、まばたきをすると、腕をだらりとたらし、右足を宙に出した。それから左足を前に出し、ゆっくりと降り始めた。ゴラノフをおびえさせないように降りるスピードを調整したが、ゴラノフはすでに葉をだらりとさせている。

手すりにひじをついているアバクムは、ジェトリックスと、すでにカスタネットに変身したメルリコケットとともに盛大な拍手を送った。この歓声に気をよくして、オクサは、今度はもっと速く飛び上がった。速すぎて、あっという間にガラスの丸天井に達した。オクサは、当然しなければならない距離計算をしていなかった。頭が天井に激しく当たった。はっとしたときには、目の前がぼやけ、耳が聞こえなくなり、暗い穴に落ちていくのを感じた。

57 胸キュン

目を覚ますと、オクサは「森の部屋」のベッドに横になっていた。アバクムとそのひざに乗ったヤクタタズが、ガラス窓に向いた長椅子に座っていた。オクサが気がついたのがわかると、アバクムはすぐに、のんびりと木をながめているヤクタタズを床に下ろし、立ち上がってオクサのそばに座った。

「気分はどうだい？」

「恥ずかしい……」オクサは天井をにらみながら答えた。

「恥ずかしいなんて思わなくていいさ。失敗によって学ぶんだ。つい夢中になってしまうのは、十三歳ならしかたないよ。ただ、おまえの衝動的な性格と、起こりうるリスクとの間でうまくバランスをとることを学ばないと……。前もって言っておくけど、それは一日でできることじゃない。今日の災難の教訓は、空中浮遊する前には天井があるかどうかを確認すること」

「うん……」オクサは赤くなった。「あたしを受けとめてくれたのは、おじさん？」

「いいや、ハネガエルたちだよ。おまえを助けに飛んでいって、床に下ろしてくれた。わたしは浮遊はできないんだ」

「ええっ、できないの？　おじさんはいろんなことができるのに！」

　オクサはびっくりし、ひじを立てて体を起こした。

「できない。わたしは森人だろう？　森人は空中浮遊はしない。土に結びつけられている。文字どおりの意味でも、比喩的にもね。でも、ほかのことができるからいいんだよ。たとえば、こんなふうに……」

　アバクムはそう言うと、オクサの上に片腕を伸ばした。オクサは疑り深そうに、別にすごくはないじゃない、と思った。しかし、その腕が最初は数センチ伸び、それから部屋の反対側のドアノブまで届くと、考えは一変した。オクサは目を見張って、口笛をヒューと吹いた。

「どうだい？」

　アバクムは、腕を元の長さにもどしながら言った。

「どうって？　〈クリスタル宮〉から逃げるところをバーバが〈カメラ目〉で見せてくれたとき、おじさんが同じことをするのを見たけど、バルコニーを乗り越えたときに、腕が床についてたでしょ？　ウソみたいだった。でも、本物を見るともっとすごい！　完璧にびっくりしちゃった」

　オクサは、ぐったりして枕にたおれこんだ。


　オクサはベッドに横になっていた。目の前に、そよ風にかすかになびく木々が見えた。オクサは目をこすり、胸いっぱいに息を吸いこみ、両腕をだらりとして完全な脱力状態になっている。夢のようなこの一日に起きたことを考えていると、ドアをノックする音が聞こえた。

「はい？」

戸が引かれると、驚いたことにテュグデュアル・クヌットがそこにいた。

「こんちは……入ってもいいかな？」

「どうぞ、もちろん！」

テュグデュアルは、少し前にアバクムがいた椅子をまわして、オクサの正面に座った。これまでに見たどんなときよりも、リラックスして見える。髪を切り、目に化粧をしていないので、顔も目つきも明るく、別人のようだ。ジーンズ以外はすべて黒い服だが、首にかけていたペンダントや十字架はない。眉と鼻の左側にある二つのピアスだけは変わっていない……。

オクサは、この少年の氷のような美しさにひきつけられ、隠しようもなくにじみ出ている深い悲しみに興味をひかれて、じっと見つめた。テュグデュアルは以前、人が外見以上のものを見ないのが残念だと言った。いま、この瞬間、オクサにはその言葉の意味がわかった。虚飾でも仮面でもない本当の姿をいま見ていると思うと、激しく動揺した。以前より洞察力が発達したのだろうか？　自分自身の苦しみのために周りが見えなくなるということがなくなったのか？　あるいは、テュグデュアルは自分の真の姿を見つけたのだろうか？

「あなたがここにいるなんて知らなかった」オクサは赤くなった。

「休養だよ」テュグデュアルは言葉少なく答えた。

「どっちにしても、顔色がいいね」

驚いたことに、この風変わりで、人をとまどわせる少年とまた二人きりで会っているのが、オクサはうれしかった。とてもうれしかった。

「少し……元気になった？」

「元気？　うん……まあ……そう言ってもいいかな」テュグデュアルは、伸びをしながら答えた。

「おまえは？　どう？」

「あたし？　ここのサイロの天井に、ばかみたいに頭を打ちつけたところ。ロケットみたいにぴゅーんって飛んで、ゴチン！　あと、この数週間、夢を見てるみたい。映画のなかにいるみたいな感じ」

「そうだよな……キレないためには、よっぽど強くないとな。おれはそれほど強くなかった。おまえに比べると、さっぱりだよな」

「どうして？」

「おまえは『希望の星』だからさ。おれたちみんなのなかでいちばん強い。おれたちを救うのはおまえなんだ」

「まさか、そうは思わない……」オクサはあわてた。

「そうだよ。当たり前じゃないか」テュグデュアルは、オクサから目を離さずに言い返した。

「考えてもみろよ。おまえに印があるとわかって以来、〈逃げおおせた人〉たちはみんなじりじりしている。みんな、おまえの世話をなにくれとなく焼いているだろ？」

「あなたの言ってること、よくわからない。あたしにはだれも救えない」

「いいや、ちっちゃなグラシューズさん、前におれが言ったことには根拠があるんだよ。おれはよく考えてみた。おまえはよくわかってないみたいだけど、おれたちみんなを救うのは、おまえなんだ。おまえが最後の鍵を持ってるからさ。おれたちにはそれが欠けていたのさ。最後の鍵というのは究極の力だ！　オーソン・マックグローにはそれがわかったんだ。やつはとんでもないことをやらかしたけど、この世界には、あいつの側につこうという人がけっこういると思うな。あいつが言った軍隊のことは別にしてね……。おれは、自分の言ってることがわかってる。信じろよ。用心するんだよ、ちっちゃなグラシューズさん。おまえに痛い目にあってほしくないんだ」

オクサはぶるっと震えた。テュグデュアルは真剣に話している。前に話したときのような、からかっている調子はまったくない。そのまなざしには心配の色すら見える。

「だ、だいじょうぶ、テュグデュアル？」

「おれのパラノイア的な強迫観念と慢性の病的性質のことを言ってるのかい？」テュグデュアルは、一転してからかうような調子で答えた。「信じてくれるかどうかわからないけど、ずっといいよ。アバクムには面倒なことを持ちこんじゃったけど、おれのことをわかってくれたのは彼だけだ。ほんと、あの人って天才だよ」

＊＊＊

アバクムに、夕食を食べに来るように呼ばれて降りていったとき、一階の広いサロンでは大変な騒ぎが繰り広げられていた。ジェトリックスとメルリコケットがテーブルサッカーの試合をしている。その周囲には、ヤクタタズ、ハネガエル六匹、ドヴィナイユ二羽、ガナリこぼしから成るサポーターの群れができていて、みんなひどく興奮していた。

アバクムだけが、キッチンで平然と料理に励んでいた。生き物たちのにぎやかな見世物には慣れているのだ。彼の周りには、泡立て器、木べら、バターナイフといった調理器具が宙に浮かんでおり、必要に応じて手の中に飛びこんでいく。ただし、キッチンのこのくつろいだ雰囲気に、全員が浸っているわけではない。近くの調理台の上にいる母親のゴラノフは、びくびくしていた。

「わたしに死んでほしくないと思ってるなんて、ウソでしょう？　絶対に！　この大騒ぎは何なの？　反乱？　革命？　血の海？」

「ちがうよ、ゴラノフ」

アバクムはそっけなく答えたが、その間にも、彼が切っているアボカドの種が頭上を飛んでいき、ゴミ箱の中に入っていった。その様子を、オクサとテュグデュアルは楽しそうにながめた。キッチンに立つ妖精人間……一見の価値ありだ！

「これを受けてみろ！　ピーナッツ頭のメルリコケット！」

とつぜん、ジェトリックスがどなった。ぼさぼさ髪をふり乱しながら、テーブルサッカーのハンドルをムキになって動かしていた。オクサとテュグデュアルが近づいてみると、激戦の真っ最中だ。頭にきたメルリコケットも激しく応戦している。

「ピーナッツがなによ？　このフーリガン（サッカーの試合場などで暴力的な行為を行なうファンの集団）！」

「ピーナッツって、暖かい国でできるんだわよね？」

ドヴィナイユたちが口をはさんだ。色とりどりの小さなモヘアのマフラーを巻いている。

「わあ、すてきなマフラー！」オクサが気づいて言った。

「マフラーじゃなくて、くちばし隠しなんですよ。ご主人様が〝大寒波〟が来たときのために編んでくださったの。温暖な国に引っ越すまでの間……」

その先は、ゴールを決めたジェトリックスの興奮した叫び声にかき消された。ハネガエルたちは熱狂して羽をバタバタさせ、ガナリこぼしは騒がしくトランペットの音を鳴らした。

「さあ、いちばん強いのはだれだ？　コケッコケッと鳴くメルリコケット、答えてくれよ」

ジェトリックスが言った。

「まあ！　シャラップ（だまれ）、へぼ詩人！」

「ジェトリックスはこのごろ、韻を踏むのに凝っているんだ」アバクムがキッチンから声をかけた。「でも、大目にみてやってくれよ、初心者だからね」

「ああ、そうか。やっとわかった！」オクサが笑った。

ヤクタタズが、いつもよりいっそうわけがわからないといった顔で、オクサに近づいた。

「ああ……ということは、あなたは何かわかるんですね？　わたしはわからないけど……」

「おい、ヤクタタズ、おまえが何か理解できた日にゃ、八月に雪が降るぞ！」

ジェトリックスの言葉に歯をカチカチ鳴らしながら、ドヴィナイユが割りこんできた。

「やめてちょうだい！　不吉なことを言わないでくれる」

ヤクタタズはほかの生き物の忠告を無視して、のろのろ考えている。

「この遊びって、全然わかりませんね。どういう名前でしたっけ？　ピーナッツ遊び？」

「ううん、テーブルサッカーよ」オクサは笑いをこらえながら説明した。「簡単よ。青と赤の二チームがあって、相手のゴールに玉を入れればいいの。たくさん点を取ったほうが勝ち」

ヤクタタズは瞑想にふけっているらしく、しばらくの間じっとしていた。

「難しそう……でも、どうして、この遊びをするにはご主人様が編んでくれたくちばし隠しを着けないといけないんですか？　わたしにもひとつつくれますか？」

「おい、おまえには豚の鼻面隠しのほうがお似合いだよ！　ハッ、ハッ！　ヤクタタズに豚の鼻面隠しとはね！」ジェトリックスが大笑いした。

　オクサはテュグデュアルのほうをふり向いて、わきあがってくる笑いをこらえながら助けを求めた。しかしテュグデュアルは、ほほえみながらウインクを返しただけだった。少し離れたところでは、ゴラノフが、粗暴な会話と大騒ぎでかよわい神経が参りかけていると文句を言っている。ジェトリックスとメルリコケットは、テーブルサッカーの試合に勝とうと先を争うようにズルをしていた。

「もし、もう一回やったら、あんたの頭の皮をはいでやる！　ボールを取って、そのままゴールの中に入れるのは違反よ！」と、メルリコケット。

「おまえの脅しにおれがどうするか知ってるか？　無視するのさ！　ハッ、ハッ！　無視するのさ、文句言いのメルリコケット！」と、ジェトリックス。

「あれっ、ジェトリックスの髪がたくさんある。いままで気づかなかった。おかしいなあ……」

ヤクタタズがあまりに無邪気に言ったので、オクサは吹き出さずにはいられなかった。それを見て、ヤクタタズが、「この遊びって、すごくおかしいですよね?」と言った。

「まるでお祭り騒ぎだね! こいつら、頭がすっかりイカレてる……」

テュグデュアルもとうとうおなかをよじって笑い出した。

「さあ、みんな」アバクムが努めてまじめな声で言った。「わたしたちはいまから食事だからね。テーブルサッカーは今夜はおしまい」

生き物たちは言い争いをしながら、おとなしく階段を上がっていった。ただ、ヤクタタズだけは、飛び出た大きな目にためらいの色を浮かべ、オクサを見つめながらつぶやいた。

「あなたに以前、会ったことがあります」

「あたしもよ、ヤクタタズ、あたしも……」

オクサは笑いすぎてしゃっくりしながら、なんとか答えた。ヤクタタズはオクサから目を離さずに暖炉のわきに座り、よく働かない頭でこんがらがった考えをめぐらせていた。

オクサは、その夜の心地よさに身をまかせていた。食事のせいだけではない。それは彼女にもわかっていた。何かがオクサのなかで変わった。まったく予想していなかった何かが。オクサはそのことをたしかめようと、テュグデュアルを見た。彼は、かすかにほほえみながら、食事に集中していた。数秒間そうしていると、オクサは苛立った。

とつぜん、テュグデュアルが顔を上げ、オクサの目を見つめた。オクサは震えて赤くなり、うろたえたが、これまで感じたことがないほどの強い視線ははずさなかった。胸がキュンとなった……本当に。

58
緊急事態！

日曜日の夜、オクサとアバクムがビッグトウ広場に着いたとき、救急車の回転灯がポロック家の正面を照らしていた。オクサはあわててサイドカーから跳び降り、サロンに向かって走っていった。

だれもいない……。キッチンも同じだ。やっと、オクサは、母マリーののった担架を運んでいる救急隊員が二階の階段口にいるのを見つけた。

「ママ！」

マリーの長い髪は乱れて広がり、顔はひきつって生気がなかった。腕はだらりとたれ、動かない。目だけが落ち着きなく、きょろきょろしている。救急隊員たちが階段を下りる足を止めたので、オクサは駆け寄った。

「どうしたの？　パパは、どこにいるの？」オクサはうろたえて叫んだ。

苦しげな表情をした父パヴェルが、旅行かばんを持って寝室から出てきた。かばんの口は開いたままだ。

「オクサ！　ママが大変なんだ、おいで！　病院にすぐに連れていかないと！」

「きみは運転できるような状態じゃない、パヴェル。わたしが運転して行こう。何があったのか道中で説明してくれ。ドラゴミラは？」

　アバクムが、パヴェルを心配そうに見つめて言った。

「いま行くわ！」

　バーバ・ポロックが急いで部屋から出てきて、オクサを抱きしめた。ふだんとはちがう心配そうな表情を浮かべ、手がぶるぶる震えていた。アバクムに近寄って何か耳打ちすると、アバクムは、ただごとではないというように青くなった。


　四人はポロック家の車に乗りこみ、アバクムの運転で救急車のあとを追った。助手席でこわばっているパヴェルが、うつろな声で、やっと説明し始めた。

「マリーは何も言わなかったけれど、何日か前から調子がよくなかったんだ。それから、リウマチみたいに関節が痛くなった。年のせいだろうと、ぼくはいつものようにからかっていた」

　パヴェルは、こみあげてくる嗚咽でのどをつまらせた。

「金曜日になって、ひどい目まいが起こった。ぼくたちは、保護者懇談会、とくに、あのオーソン・マックグローとの出会いのせいだろうと考えた。あのとき、マリーはちょっと神経質だったし、その日一日じゅう不安そうだったんだ。ぼく自身もあのとき不安だったから、それ以上深くは考えなかった。土曜日になると、目まいがひどくなり、今度は目が痛くなった。光に耐えられず、薄明かりでもだめだった。ほとんどものが見分けられなくなっていた。ぼくたちは、激しい頭痛のせいだと思った。お母さんが痛みを和らげるために強い煎じ薬をつくったが、まったく効果はなかった。マリーは目まいのために、もう立ち上がれなくなっていた。それから、うとうとしだして、昼過ぎまで眠っていた。お母さんとぼくはすごく心配で、交替で看病した。そして、目が覚めたとき、マリーの体は麻痺していたんだ！　左半身がまったく動かなくなっていた！　彼女にできたのは、体じゅうがひどく痛むとぼくたちに言うことだけだった。救急車を呼んですぐに、あなたたちが帰ってきた……」

パヴェルは顔をこすった。すぐ後ろに座っていたオクサは、なぐさめるために父親の首に腕をまわした。しかし、どうすることもできず、ただ涙を流すばかりだった。

「さあ、病院だよ」アバクムが沈黙を破った。「ちゃんと治療してもらえるよ。何日かしたら、悪い夢を見たと思えるようになるさ」

しかし、アバクムの声は、言葉とは裏腹に不安げだった。ハンドルを持つ手はこわばり、バックミラーに映るドラゴミラの不安そうな視線にぶつかると、アバクムは、自分の危惧が当たっていると思わずにはいられなかった。

***

翌日、オクサは学校に行かなければならなかった。しかし、心は鉛のように重く、ふつうの中学生の日々の気がかりなどは、何光年も昔のことのように感じられた。

マックグローが病欠だったのには、ほっとした。その日は、彼の存在にも皮肉にも耐えられそうになかったからだ。オクサの母親のことをギュスから聞いたメルランとゼルダは、できるかぎり優しくオクサに接した。しかし、オクサは途方に暮れ、ぼんやりして、何ひとつ受けつけられなかった。言葉はただ、オクサの上をすべっていくようだ。

ベント先生の授業の間、オクサは不吉な考えに囚われ、息がつまるような絶望感におそわれた。母親が死ぬことも、もちろん考えた。周りに死んだ人はいるが、よく考えてみると、オクサは、愛する人や親しい人を失ったことはない。死は深くていやせない心の痛みをともなうものだとか、ひどく空虚な感じといった程度の抽象的な概念しか持ったことがなかった。

しかし、いま、状況はまったくちがう。これはまさに現実だ。単なる痛み以上のもの、心のすみずみにまで入りこんでくる、どうしようもない恐怖だ。休憩時間には「石像の隠れ家」に急いで逃げこみ、わっと泣きだした。そこから出たとき、オクサの目は赤くうるんでおり、心配したメルランたちが待っていたが、なすすべもなかった。


正午前に、ボンタンピ校長が自習室に来て、オクサを校長室に連れていった。

「ポロックさん、お母さんが入院していらっしゃることは聞きました。わたしもきみの年ごろに経験したことですが、つらいだろうから、お母さんのそばで何日か過ごしてあげなさい。授業を休んでも、まったく心配はいりませんよ。きみには信頼できる友だちがいるようですし、人気者は得ですね」

校長はなぐさめるようにほほえんだ。

「おばあさんが迎えに来られますよ。あっ、もうみえました！」

祖母を見てオクサは急いで立ち上がったので、椅子が後ろにたおれた。

「バーバ！　ママに会った？　具合はどう？」

祖母ドラゴミラは、ボンタンピ校長にあいさつしてから話し始めた。

「たくさん検査を受けてね。今日は少し状況がわかったわ。体の左側が麻痺して半身不随なのよ。神経系の問題があるらしくて、いまお医者さんが調べているわ。いまのところはよくわからないの。でも、少しはよくなったわ、オクサ。昨日よりずっと痛みが引いて、おまえに会いたがっているのよ」

「それなら、ポロックさん、お母さんを待たせないようにしないと。早く行きなさい！　気をしっかり持って。お母さんにはきみが必要なんですから」

それに続く数日間は、ポロック家の人々には耐えがたいものだった。

オクサは、ボンタンピ校長の助言に従って心を鎧で固め、容赦なくおそってくる苦しみに懸命に耐えた。毎日、父親とともに母親のそばに付き添い、病院で長い時間を過ごした。できるだけ悲しみを隠し、その日に父親といっしょに買ったプレゼントをベッドの上に広げて見せた。きれいなネグリジェ、香水、病室を明るくするためのアイデア商品や花、フルーツの砂糖煮――母親の好物だ――リラックスさせる音楽CD……。気分をまぎらわせるために、有名人のゴシップ記事や、朝のテレビで見たおもしろいニュースなど、何でも話して聞かせた。

夜、病院から帰ってくると、気を張ったせいでエネルギーをすっかり消耗し、ぐったり疲れていた。オクサは毎晩、泣き、心を引き裂かれたままベッドにたおれこむのだった。パヴェルは、娘のそばに来てなぐさめようとしたが、彼自身も苦しんでいた。ドラゴミラはというと、オクサのベッドの横に長椅子を運んできて、オクサを見守った。しかし、いくら思いやりのある祖母でも、母親とはちがう……。オクサは、悲しみに打ちのめされながら眠りにつくが、その眠りは苦しく、これからどうなるのかわからないという不安にさいなまれていた。

マリーが病院に着いたときは、非常に危険な状態だった。以前のマリーと、病院のベッドに横たわり、やせこけて生気のないマリーとの違いは、みんなをはっとさせた。ドラゴミラが言ったように、たしかに前よりは痛みが少なくなったようだ。しかし、体をむしばむ苦痛で衰弱しているマリーの姿を見るのはつらかった。きつい薬が引き起こす吐き気も……。

それと同時に、検査の結果、病状の重さと治療の難しさが明らかになった。何とも言えない悲観的な思いがマリーの周囲にただよい、家族を言いようのない悲しみに突き落とした。

ところが、数日後、医師たちが驚いたことに、マリーの容態は驚くべき変化をとげた。

59　目立った復帰

次の週、オクサは学校にもどった。ギュスは、待ちかねていたようにオクサを迎(むか)えた。

「おはよう！　会えてすごくうれしいよ！」

ギュスはオクサに駆(か)け寄り、頬(ほお)にキスをした。不器用だが、心のこもった自然なキスだ。初めてだ！　二人が出会って以来――つまり幼いころ以来――オクサはギュスにキスされた覚えはない……。びっくりしてオクサは目を伏(ふ)せ、少し赤くなった。真っ赤(まっか)になって燃えそうなギュスほどではなかったけれど。

「おはよう、ギュス」ギュスに目を向けながら、オクサはあいさつを返した。「ママが帰ってきたの。すっごくうれしい！　お医者さんは早すぎるって言ったんだけど、パパが書類にサインして無理やり家に連れて帰ってきたんだ。お医者さんと決闘(けっとう)するんじゃないかと思ったくらい」

「うん、知ってるよ」ギュスの頬と額(ひたい)は赤いままだ。「昨夜(ゆうべ)、うちの親がおまえのお父さんに電話したって、さっき聞いたんだ。お母さん、どう？　病院に見舞(みま)いに行ったときは、すごく苦しそうだったけど……」

　オクサの表情がくもった。

「いまはね、左腕が少しだけ動かせるようになったの。まだ歩けないけど、立ってはいられるんだ。平衡感覚が少しずつもどってきたし、視力も回復した。目まいもしないし……。このままよくなってくれるといいんだけど……。本当に怖かった。ギュス、わかる？」

「医者は何て言ってるんだ？」

「多発性硬化症だって。あたし、調べてみたの。神経をやられる重い病気で、女の人のほうがかかりやすいの。神経に斑点ができて機能を変質させるんだって。アバクムおじさんが何日かうちにいるんだけど、バーバと組んだ医療班はすごいよ。あの二人が代替医療にくわしいことは知っていたけど、あれほどとはね。バーバはママに〈ミクロミミズ〉を注射したんだから！」

「あのう……ミクロミミズって何？」ギュスがたずねた。

「極秘情報を教えてあげる」オクサは周囲を用心深く見まわしてから、ギュスにささやいた。

「ミクロミミズっていうのは、エデフィアで、とくに顕微外科手術の代わりによく使われる治療法なの。アバクムおじさんの説明だと、手術の代わりに、ミクロミミズを注射するわけ。これがね、人間の細胞くらいに小さいミミズのようなものなんだって。で、そのミミズが病巣に行って治すの、簡単でしょ！」

ギュスは、いかにも疑わしげな顔つきをしている。

「本当だってば！　ミミズなんて気持ち悪いって、あたしも思うけど、ママにはけっこう効いたみたい。ママの場合は、中枢神経に病変があったみたいで、長期的にはどういう影響が出るかわからないっていうのが、お医者さんの説明だったわけ。あたしが調べたところによると、ふつうは元にもどせないし、進行する病気なんだって。だから、ママが最後に受けた検査の結果は、奇跡だった。たった数日間で改善したなんて信じられないって、そういうケースに出会ったのは初めてだって……。お医者さんには言えないけれど、こっそり教えてあげる。アバクムおじさんとバーバのミクロミミズは、目標に向かってまっしぐらだったってわけ。あの二人のおかげで、ママはよくなったの。そりゃあ、すっかり治ったわけじゃないけどね。でも、お医者さんが言うには、損傷の大きさを考えると、もっと重症なはずなんだって。このままよくなるといいんだけど……」

「それって、まったくポロック家らしいな！　細胞のように小さなミミズを使うなんて！　ほんと、ポロック家の人たちだからこそできるんだよ。で、おまえは？　だいじょうぶ？」

ギュスはオクサに近づいて、下から見上げるようにした。

「あれっ、ギュス、鼻の上に黒い点があるよ」オクサは話題をそらすように言った。「ジョーダンよ。すっかりよくなったわけじゃないけど、ママがいてくれるからだいじょうぶ。パパはママにべったりくっついてるわ。それと、フォルダンゴたちがいる。バーバが特別に三階から下りてくることを許したの。せっせと働くし、笑わせてくれるし、とっても役に立ってる」

オクサは少しの間、口をつぐんでから、こうたずねた。

「ところで……マックグローは？」

「マックグロー？　ふん……実は、おまえがどこにいるのか聞いてたよ。おまえがいなくて寂しいみたいにね！　それ以外は別に変わったことはないな、いつもどおり。卑劣なやつ！　おまえのお父さんが言ったとおりさ。あと、おまえがいなくて寂しかったやつがもう一人いる……」

オクサがもどってきたのを見てメルランが歓声をあげながらやってきたので、会話がとぎれた。彼はオクサに近づき、頬に率直で不器用なキスをした。オクサはこの新たなキスでまた赤くなりながら思った。この二人、どうしたんだろう？　賭けか何かしたのかしら？　もしオクサが、ギュスのがっかりした顔を見ていたら、賭けではないことがすぐにわかっただろう。オクサがいなくて寂しかった「もう一人」は、彼女が思った人ではなかったのかもしれない……。

＊＊＊

ボンタンピ校長が言ったように、この一週間の欠席は、オクサの勉強に何の影響もなかった。ギュスが毎日、宿題や授業の内容を電子メールで送ってくれていたので、ブランクはすぐに取りもどせた。先生たちはみな、オクサを思いやり、母親の容態をたずねた。ただ一人マックグローだけが、いつもの態度をくずさなかった。

「おやおや、ポロックさんの、思いがけない復帰ですね。親の入院で一週間の休みとはね！　もしきみが病気になったら……少なくとも一年間の長期安息休暇だろうね」

非難のざわめきが教室に広がった。オクサはというと、文字どおり息が止まった。ギュスが後ろの席に流刑になってから一人で机についているオクサは、キュルビッタ・ペトが手首をきつく締めてくるのを感じた。ななめにかけたポシェットに手を置き、〈クラッシュ・グラノック〉を袋の上からなでた。これを使いたい欲望は大きい。〈精神混乱弾〉か〈皮膚炎弾〉でもお見舞いしてやろうか。嫌味な皮肉を言ったらどうなるか、思い知らせてやる！キュルビッタ・ペトの締めつけがきつくなったうえに深呼吸をしたおかげで、オクサをむしばみ始めた怒りは、どうにか消えてくれた。しかも、万一のために予備としてとっておいた仕返し作戦があったことも幸いした。超能力に関係のないことなので、いっそう都合がいい。

先生が黒板に問題を書いているとき、オクサは手を上げた。

「先生、すみません！」

マックグローは驚いてふり返った。目はすでに怒っている。

「はい？」

「先生、この間の練習問題に、ちょっとおかしいところがありました」オクサは無邪気そうに言った。「横座標と縦座標が逆になっていたようです。そうでないと、問題が解けません……」

この指摘に、教室は水を打ったようにシーンとなった。後ろの席にいるギュスは、オクサをいつかは分別のある人間にしようという希望をきっぱりあきらめることにした。次の瞬間に起こりそうな大騒動を予想して、下くちびるを噛む生徒もいれば、慎重に目を伏せる生徒もいた。

オクサは、マックグローをじっとにらんでいた。何があっても先に目をそらすまいと決心していた。さまざまな思いが助けになった。祖母ドラゴミラを守るために窮地に陥ったグラシューズ・マロラーヌ、腕が腐って苦痛に身をよじる男、エデフィアの〈クリスタル宮〉から立ちのぼる炎、担架にのった母といった光景だ。母のことはマックグローとは関係がないとはいえ、その光景はほかのどれよりもオクサに勇気をあたえた。マックグローは母の病気を中傷した。オクサは許せなかった！

マックグローは書類をめくり、くだんの練習問題を取り出した。急いで問題を読んだが、オクサは自分の言ったことに自信があるので、彼から目を離さなかった。やっと先生は顔を上げ、厳しい視線をオクサに向けた。

「幸いなことに、教師のミスを追及するために、優秀なポロックさんがいてくれた！　わたしの職を明けわたすべきでしょうかね？」

マックグローは薄いくちびるを怒りでねじらせ、つっけんどんに言った。

「でも、先生、わたしは教師じゃありません。たった十三歳です！」オクサは声に皮肉な調子をこめて言い返した。「ミスなのかどうか、たしかめたかっただけです。そうでないと、理解できませんから」

「ほかの人はすでに直しているでしょう。きみの発言の前に、みんなこのミスに気づいているはずだ。気づかずにはいられない大きなミスだからな」

マックグローは冷たく言い放った。

何人かの生徒が筆箱とノートに飛びつき、練習問題のまちがいを直して、整合性のある答えを急いで見つけようとしていた。それを見て、オクサは皮肉な微笑みを浮かべた。オクサのこうした執拗な挑発と微笑をマックグローが見逃すはずはなく、授業の間、オクサのほうに威圧するような視線を投げ続けた。

休憩時間にオクサが拍手喝采を浴びたのは、言うまでもない。三年水素組の生徒たちは大喜びだった。オクサは再びあの憎むべきマックグローに反抗したのだ。肩車でかつぎ上げられんばかりになるのを、オクサはあやうく逃れた。彼女はこの勝利に得意になるどころか、現在の心配事で頭がいっぱいだった。

「ママがどんな具合か、うちに電話をかけなくちゃ。家を出る前に会ってないんだ。携帯電話を取りに行ってくる。ロッカーに忘れちゃった」

「いっしょに行こうか?」ギュスが急いでたずねた。

「ううん、だいじょうぶ。すぐにもどってくるから」

廊下にはだれもいなかった。みな日の当たる中庭に出ていた。オクサは携帯電話を出して家にかけた。祖母がすぐに出たので安心した。母親は今朝は気分がいいそうだ。父の腕につかまって何歩か歩きさえした。ミクロミミズが効いているようだ。オクサは、ほっとして電話を切った。

ふり返ると、笑みはとたんに消えた。四年生の野蛮人が立っていた。ほんのすぐそばに!

「おやおや、おれのお気に入りの脳なしじゃないか! 周りにばかなガキどもの取り巻きがいないと、あんまり偉そうにしないようだな」

野蛮人は挑発した。

「だれより偉そうにしないって?」

オクサは、その朝二回目になるキュルビッタ・ペトの締めつけをほぐそうと手首をもみながら、けんか腰で言い返した。

「ふん！　せいぜい威張ってろよ、〝だれよりもよくできる生徒〟さんよ！　おまえの正体をおれが知らないとでも思っているのか？　なに考えてるんだ？　おまえは自分が思っているほど強くなんかないんだ。おれの親父の足元にもおよばないさ。親父には、おまえやおまえの家族をめちゃめちゃにたたきつぶすなんて、わけないのさ」

「あっ、そう？　あんたの父親はブルドーザーなの？」

「ばかなやつ！　おまえ、まだわからないのか？　おれの親父はな、オーソン・マックグローなんだ！」

60　三人セット

この言葉に、オクサの我慢は限界にきた。〈ノック・パンチ〉がすさまじい勢いで発せられ、野蛮人――今後はマックグローの息子と呼ばなくてはならない――を二十メートルほど吹き飛ばした。野蛮人は石畳にどさりと落ち、うめき声をあげた。キュルビッタ・ペトの締めつけを我慢したかいがあったわ……と、オクサは手首をさすりながら思った。

ところが、大きな図体の野蛮人はややふらつきながらも、反撃しようとすぐに起き上がった。怒り狂っているのがわかった。いい兆候ではない。

彼は、からみつくような目つきをして腰のあたりをもみながら、体を折り曲げて苦しげにオクサのほうに向かって歩いてきた。それからとつぜん、矢のような速さで二十メートルの距離をつめ、そのスピードの勢いであっという間にオクサに跳びかかり、地面に押したおした。オクサは押しつぶされ、痛みと怒りで低いうなり声をあげた。

「なに考えてんだよ？　おまえだけに特別な力があるとでも思ってるのか！」

野蛮人モーティマー・マックグローは、つばを飛ばしながら言った。しかし、その言葉を終えるひまはなかった。オクサが右手の指をワシの爪のように使い、こめかみを思いっ切りたたいたからだ。予想外の攻撃に目まいを起こしたモーティマーのすきを見て、オクサは横にころがり、身をふりほどいた。父が空手で教えてくれたやり方だ。

オクサが起き上がって、新たな反撃に備えたとき、とつぜん、だれかが背中に飛びつき、地面に押したおされた。手を前に出して落下の衝撃を和らげるのが精いっぱいだった。

「モーティマーに手を出すんじゃないよ！　わかった？」

押し殺した声が聞こえた。顔を地面に向けたオクサには、声の主がわからない。見えるのは、すぐ目の前にある野蛮人の靴だけ。感じるのは、右わき腹をひどく蹴りつける足だけだった。

オクサは、必死で体の向きを変えようとした。背中を押さえる力がゆるんだすきに、わき腹に痛みを感じながらも体をねじり、やっと声の主を見ることができた。

「ゾエ！　あんたじゃないかと思った。手を貸して！」

「モーティマーをほっといてよ！　わたしの家族に手を出さないで！」

ゾエがあえぐように言った。

「えっ？　この野蛮人はあんたの……お兄さんってこと？」

しだいに状況が呑みこめてきたが、オクサにはとても信じられなかった。

「ということは、マックグローはあんたのお父さんってことね！　あんたは孤児だと思ってたけど！　ウソだったの？」

「ちがうわ、あんたは何もわかってない！」

ゾエはそう言うと、オクサを離して逃げた。と同時に、オクサが遅いのを心配したギュスが廊下にあらわれた。オクサが顔を上げると、ギュスが野獣のように野蛮人に跳びかかるのが見えた。そして二人は、にらみ合って相手を牽制しながら向かい合った。モーティマー・マックグローはボクサーのような姿勢で身構えている。ところがギュスは、相手ののどを右腕で押さえてその動きを封じ、自分の脚を相手の脚にひっかけた。野蛮人は体がぐらつき、バランスをくずしそうになった。しかし、すんでのところで踏みとどまり、ギュスの制服のネクタイをつかんだ。

「その手を離せ！」

ギュスは歯ぎしりしながら言った。だが、モーティマーはしっかりとネクタイをつかんだまま、ギュスを壁に押しつけようとした。ギュスにはそれがまったく気に入らない。彼の力は怒りで倍増した。しなやかな力強い動きで野蛮人の腕をつかみ、自分の腰の上でひっくり返し、芋袋のように床にたたきつけた。

「オクサ、怪我したのか？」

野蛮人が逃げ出したのを見て、ギュスはオクサに駆け寄り、息を切らしながらたずねた。

「ううん、だいじょうぶ……やっぱり、だいじょうぶじゃない……」

オクサは頭をかかえて床に座り、「痛い！」と、わき腹を押さえながら叫んだ。

「どうしたんだ？　オクサ、怪我したのか？　手伝おうか？」

けんかのことを知った生徒数人といっしょに、メルランがやってきた。

「いいよ、メルラン。ぼくがするから。さあ、オクサ、保健室に連れてってやる」


ころんであばら骨を一本折ったと言い張るオクサを、保健の先生は信じようとしなかった。真相を知ろうとオクサを問いつめたが、どうしてもそう言い張るので、ボンタンピ校長が呼ばれた。

校長はすぐにやってきて、ベッドの横に座った。

「オクサ、だれがこんなことをしたのか言わないといけないよ」

「ころんだんです……本当です！」

校長は、納得がいかないというように、ため息をついた。

「オクサ、廊下でころんだだけで肋骨を折るなんてありえないよ。だれかがお金を巻き上げようとして暴力をふるい、きみは仕返しをされるのが怖くて、その生徒の名前を言えないんだろう？」

オクサは頭を左右にふった。それが最終的な回答ということだ。

ボンタンピ校長は、期待しながらギュスのほうを向いた。

「ギュスターヴ、きみはだれか見たかい？」

「いいえ、先生。ぼくが着いたときは、オクサは床にたおれていて、だれもいませんでした」

「なるほど……」

校長は立ち上がり、保健室を出る前に最後の言葉をかけた。

「もし、きみたちが話したくなったら、校長室の場所は知っているね。繰り返すが、今回起きたことは重大なことだ。これをした者は厳しく罰する。きみたちが協力してくれれば、名前さえ言ってくれればいいんだ。きみたちしだいだよ」

校長はきびすを返した。階段を下りていく重い足取りが聞こえた。

今度は保健の先生が近づいてきた。

「あなたは教室にもどっていいわ、ギュスターヴ。助けてくれてありがとう。オクサ、あなたのうちに電話したわ。お父さんがすぐに来て、病院に連れていってくださるそうよ。肋骨が一本折れているようだけど、レントゲンを撮ったほうがいいわ。それまで寝ていなさい、いいわね？」

それから保健の先生は、ガラス張りの小さな部屋に入っていった。そこから訪問者が見えるのだ。

「ありがとう、ギュス、何も言わないでいてくれて」

オクサはギュスの耳元でささやいた。

「オクサ、見まちがえじゃないよな？　おまえをじゃまをしたのは、本当にゾエだったのか？」

「事はもっと重大なのよ、ギュス……」

ギュスは、オクサのくちびるすれすれに耳をつけて信じられない情報を得ると、びっくり仰天した。数秒の間に、オクサと同様ギュスにとっても、マックグローが三人に増えたのだ！

61　毒入りのプレゼント

娘のへその周りの不思議な印のことをたずねられるのを恐れ、オクサの父親は、保健室の書類のなかの「病院」という欄を空白にして、娘をそのまま家に連れて帰った。胸に包帯を巻かれたオクサは、いまや一階を占領しているフォルダンゴたちと祖母ドラゴミラに出迎えられた。

「まあ、若いグラシューズ様が事故にあわれました！　この家族には健康が大きな欠如となっています。一連の事件はインクのように黒く、劇的状況は完全です！」

フォルダンゴットが大声で泣きだし、フォルダンゴはオクサに駆け寄った。

「あなた様の優雅なお手をわたくしの頭でお支えください。あなた様の杖になりましょう。それがわたくしの切望です」

「ありがとう、フォルダンゴ。ママはどこ？」

「キッチンのテーブルであなた様のご同伴をお待ちです」

「こっちよ！」と、母マリーの声がひびいた。

オクサとパヴェルがキッチンに行くと、マリーは香料入りの紅茶を前にしていた。

「やっと帰ってきたのね。どんな具合なの？」

オクサは痛みで顔をゆがめながら母親にキスをし、答えるより先に母親の具合をたずねた。

「だいじょうぶよ、本当に。わたしのことはあとまわしにして、あなたの怪我のことを先に教えてちょうだい」

「ころんで、肋骨を一本折ったの」

オクサは苦しそうに答えた。少しでも息を吸うと、ひどい痛みが走る。顔をしかめて、できるだけ軽く呼吸をしようとした。

「肋骨が一本折れた？　待っておいで。ぴったりのものがあるから」

ドラゴミラは勢いよく立ち上がり、三階に向かった。とちゅうで叫ぶ声が聞こえる。

「何も言わないで！　何もしないで！　動かないで！　待っていてちょうだい！」


数分後、手に小さな瓶を持ってもどってきたドラゴミラは、ソファに横になるようオクサをうながした。

「さあ、その包帯を取りましょう」

「ナメクジを使うんですか？」パヴェルは、瓶を見てたずねた。「長いこと見てなかったなあ。そりゃあ、いい考えだ。これなら、オクサもあっという間に治るでしょう」

「何にせよ、ミクロミミズでの治療と同じくらい効果があるなら、やったほうがいいわよ、オクサ」と、マリーが言った。

ドラゴミラはふたを開け、体長十センチくらいの太くて艶のある、鮮やかなブルーのナメクジを取り出した。やけに艶々していて太い……。オクサは恐怖の叫び声をあげ、そのために走った痛みに二度目の叫び声をあげた。

「あたしが……それを……バーバ……」

オクサはしどろもどろだ。

祖母はにっこりした。ナメクジは指にはさまれてうごめいている。

「このきたならしいものを食べないといけないの？」

爆笑が起こった。ドラゴミラとパヴェルは吹き出し、フォルダンゴたちは口をあんぐり開け、頭の先までナス色になって太腿をバンバンたたき続けている。

「ナメクジを食べるですって？　そういう考えはあなた様の胃から遠ざけてください、若いグラシューズ様。ナメクジは食べるものではないですし、人を食べたりもしません。あなた様の骨の治療になるのです」

「バーバ、ほんと？」

「そのとおりよ！」

「じゃあ、ミクロミミズみたいに注射するんでしょ？　そうでしょ？　いやよ、したくない。やめて、やめて！」

「心配しなくていいのよ。それよりもっと簡単なやり方だから。まかせなさい！」

祖母は、片手をオクサの額に当て、もう片方の手で、折れた肋骨が出っ張って皮膚が腫れているところ、つまり最も痛い部分の肌の上に「きたならしい」ナメクジをじかに置いた。初めは気持ちが悪くて、オクサは目をそらしていた。しかし好奇心に負け、思い切ってちらりと見た。ナメクジの目は黒い毛細血管が浮かび上がり、ふくらんでいる。しかも、驚くほど大量の粘液をつやつやした体の下から出し、泡のようなものがオクサの皮膚に吸収されていった。

「ほらね、ナメクジパッドは強力な湿布薬の働きをするのよ」ドラゴミラは、小きざみに体を揺すっているナメクジを軽く押すようにしながら、説明した。「しかも、この粘液は、すばやく骨をくっつけてくれるの。見てのとおり、皮膚がスポンジみたいに粘液を吸収しているでしょう？　数時間で肋骨はすっかり元どおりになるわ」

「お医者さんたちがこれを見たら気絶するね！」オクサが言った。

「そのとおりだ。質問されると困るから、二、三日は医者に行くのはやめよう」

パヴェルが提案した。

「もしお医者さんに質問されたら、なんて答える？　『折れた肋骨？　ああそうでした、今朝、肋骨を折ったんでした。でも、もう過ぎたことですよ』って？」

オクサは、勢いこんで言って自分で笑いだし、すぐに顔をしかめた。痛みはまだなくなってはいない。きたならしくて、べたべたした青いナメクジをわき腹に貼りつけたまま、まだ数時間は待たなければならなかった。

「そうね、お医者さんの注意を引かないほうがいいわ。わたしもあれこれ質問されたのよ」

マリーは、ミクロミミズがどんな治療よりも効いたことをオクサに話して聞かせた。中枢神経を硬化させる斑点がこんなに急激に減少するのを、医者は見たことがなかった。しかも、最初の重症度――いまだに原因不明だ――からすれば、パヴェルとドラゴミラがいつでも喜んで手を貸しているとはいえ、数歩あるくどころか、足の指一本動かすことすらできなかったはずだ。

「ミクロミミズ万歳！」オクサが陽気に叫んだ。「それに、ナメクジパッド万歳！　バーバ、特許を申請したらいいのに。そしたら、医薬界で億万長者になれるよ」

「まちがいないわね」ドラゴミラはにっこりしながらうなずいた。「アバクムとわたしが力を合わせたら、帝国を築けるでしょうね。でも、そういう野望はなかったの。エデフィアの多くの人たちが持つ精神を、ずっと維持してきたのよ。必要に応じて働き、生活すること。それ以上でもそれ以下でもない。そして、自分たちの能力を乱用しないこと、それが原則なのよ」

「そういう人ばっかりじゃないよね……」オクサは急に暗い顔になった。

「オーソンのこと？　というか、マックグローのこと？」マリーがたずねた。

「そう……」

「おまえの怪我があいつと関係あるのかい？」パヴェルが叫んだ。

「うん……ううん、ちがうの……。あいつはいつもの皮肉を言うだけ。もう慣れてきた。今日はあいつの子どもたちとけんかしたの」

オクサはうなだれて白状した。

「なに⁉」

三人の顔に同時に驚きの色が浮かんだ。ドラゴミラは胸に手を当て、その新事実の衝撃に耐えようと目を閉じた。マリーは叫び声をあげ、オクサの後ろに立っているパヴェルは怒りのあまり、こぶしをぎゅっとにぎった。三人は顔を見合わせ、それからいっせいにオクサのほうを向いた。

「子どもたちですって？　オーソンの子どもたちがここにいるの？　中学校に？」

ドラゴミラは息せき切ってたずねた。

「野蛮人のこと、覚えてる？　前に話したことがあるでしょ」

「おまえにいつも悪さをしかける乱暴な男の子、いつかおまえが水の玉を浴びせた子のこと？その子がオーソンことマックグローの息子だっていうの？」

オクサは本当のことを言うことにした。嘘をつくにはエネルギーがいるから、いまは疲れていてできない。

「息子はモーティマーっていうの。それと、あたしはころんだんじゃない。そいつがあたしの肋骨を折ったの」オクサは一気に言った。「今朝うちに電話をかけたすぐあと、廊下で追いつめられたんだ。あたしたちをみんなメチャメチャにたたきつぶすと脅してから、自分の正体を明かしたの。あたしは〈ノック・パンチ〉を食らわしてやった。我慢できなかったから！」

「〈ノック・パンチ〉をマックグローの息子に食らわせたの？　学校で？」

マリーはあっけにとられている。

「ママにあの威力を見せてあげたかった！」オクサは急に元気になった。「二十メートルは吹っ飛んだと思う。すごかった！　でも、あいつもすごい力を持ってるみたい。ばかみたいな速さであたしの上に乗ったの。あんなに速く走れる人なんて見たことない。取っ組み合いをやってたら、あいつの妹が後ろからやってきて、背中に跳びかかったの。床に押したおされている間に、モーティマーが元気を取りもどして、あたしのわき腹を蹴った。そこへちょうどギュスが来て、カッコいい技をかけたわけ！　ラッキーだった。だって、そうじゃなかったら、あの二人にあたしが何をしてたかわからないもの。こてんぱんにたたきのめしていたかも」

オクサは、自分の願望と現実とを区別することも忘れて、興奮していた。

「あるいは、あいつらのほうがおまえをこてんぱんにたたきのめしていたかもな」パヴェルが苦悩に満ちた表情で強調した。「その男の子の妹って言ったな。その子も聖プロクシマス中学にいるのか？　知ってる子かい？」

「うん。パパたちも知ってる……ゾエよ」

「ゾエ？　おまえの誕生日に来た、あのゾエかい？」ドラゴミラはうろたえた。

「そう。あたしに近づくためにゼルダと友だちになったんだと、いまになってわかったわ。あの子はどうも好きになれなかったの。バーバにも話したでしょ？　自分が孤児だってみんなに信じこませたことを思うと、むかつく！」

「ということは、オーソン・マックグローの、娘が、この家に、来たわけだな？」

パヴェルは、言葉を区切ってゆっくりと言った。

四人は、この驚くべき新事実が意味することを考えながら、黙ったまま深刻そうに顔を見合わせた。とつぜん、ドラゴミラが甲高い声で叫んだ。

「石鹸！」

「石鹸？」

パヴェルとマリーが同時に声をあげた。オクサは最後に残った爪を噛んでいた。

「そのゾエがオクサの誕生日プレゼントに持ってきた石鹸は、どこにあるの？」

ドラゴミラがあわてててたずねた。

「オクサはグリセリンにアレルギーがあるから、わたしにくれたんです。少し前から使っていました……」

マリーがうつろな声で答えた。


アバクムとドラゴミラの意見は、はっきりしていた。すぐに残りの石鹸を分析した結果、毒が入っていたことがわかった。オクサを弱らせて近づき、おそらく誘拐しようとして石鹸を贈ったのだ。だが、母親のマリーが犠牲になった。とつぜんあんな重い病気にかかってしまったことで、説明がつく。

「うまいやり方だ」アバクムが言った。「オーソンはロビガ・ネルヴォッサ草のエッセンスを石鹸に入れたんだ。これはめったにない猛毒の植物で、その細胞があなたの神経組織を直撃したんだよ、マリー。錆のように広がる恐ろしい毒だ。よく調べるために石鹸の残りを持っていくよ。解毒剤がつくれないか試してみよう。ミクロミミズがあってよかった。そうでなかったら、いまごろはずっと麻痺したまま、病院のベッドに寝ていただろうね。ミクロミミズは効果的なようだし、容態を安定させ、改善することができた。しかし、完全に回復するような、もっと効果的なものがあるかもしれない。それについて、医者が悲観的なのはたぶん正しいだろう。医者はそのことをあなたに隠しはしなかったね？」

マリーはうなずいた。オクサは涙がこみあげてくるのを感じた。母親は死ぬまでこの状態でいないといけないのだろうか？　ひどい。自分のアレルギーのせいで毒入り石鹸を母親が使うことになっただけに、よけいに。

「あなたが標的だったなんて、考えるだけで病気になりそうだわ」

マリーは、オクサのかたわらでつぶやいた。

「現に、ママは病気になったじゃないの！」

オクサは涙をこらえて言い返した。

62 アルファベットの罠(わな)

「わからなかったんじゃなくて、よく聞いてなかっただけですよ」

ヤクタタズは、ドラゴミラの秘密の工房の真ん中に立って、両腕(うで)をぶらぶらさせていた。その前にはジェトリックスと、分厚い毛糸のマフラーにくるまったドヴィナイユが一羽いた。

「じゃあ、弱いのは頭だけじゃなくて、耳もだな、ヤクタタズ！」

ふだんよりいっそう髪(かさ)をぼさぼさにしたジェトリックスが言った。

「真冬に窓を開けるなんて！」歯をガチガチ鳴らしながら、ドヴィナイユが続けた。「なに考えてんの、ヤクタタズ？　窓は開けないでって言ったでしょ。そんなに難しいことかしら。外は雪が降ってるのよ。この目で見たし、何よりそう感じるのよ。もし、わたしに死んでほしいんなら、そう言ってよ！　鳥インフルエンザのこと、考えた？　隔離(かくり)のこと、聞いたことある？」

「いったいどうしたの？　どうしてけんかしてるの？」

オクサは、開いたままになっていたコントラバスのケースの中を抜(ぬ)けて、工房に入ってくるなりたずねた。生き物たちの毎日のけんかにすっかり慣れている祖母ドラゴミラは、巨大(きょだい)な蒸留器の前で仕事をしていた。

「こんにちは、わたしの愛しい子。元気？　すぐ終わるから、座っていなさい」

「若いグラシューズ様、わたくしの敬意を受け取られる意思がおありですか？」

フォルダンゴットがオクサに近づいてきたが、前にかがみすぎてバランスをくずし、オクサの足元に勢いよくたおれた。ジェトリックスがこれを見逃すはずがない。

「ハッ、ハッ、ばかばかしいおじぎ！　オーストリアの宮廷にでもいるつもりか？」

片耳で周囲に注意を向けているドラゴミラが、オクサに教えた。

「昨夜、フォルダンゴたちは、オーストリア皇后シシィ（エリーザベト）の生涯の映画を見たの。それ以来、なんて言ったらいいかしら……皇室儀礼がすっかりしみこんでしまったのよ」

「若いグラシューズ様、古いグラシューズ様、わたくしにクリノリン（鯨骨や針金を輪にして組み立てた、スカートをふくらませるための下着）をつくる同意をいただけますでしょうか？」

オクサが吹き出していると、ドヴィナイユが震えながら近づいてきた。

「じゃあ、わたしには全身をおおう毛皮の服をつくってくださいますか？　そしたら、もしかしたら冬を越せるかもしれません」

オクサは、凍えているかわいそうな生き物を抱き取り、背中をさすって温めてやった。フォルダンゴットのほうは、空想のクリノリンの裾を持ち上げて、後ろに下がった。

「何してるの、バーバ？」

オクサは巨大な蒸留器に近づいた。

「グラノックよ。少しはストックもあるけれど、近いうちに、わたしたちみんなに必要になってくるからね。たくさんつくっておかないとね」

「マックグローのせいで？」

「そう、マックグローのせいでね。自衛のために用意しておかなければ……」

ドラゴミラは重々しく答えた。

「モーティマーとゾエは、〈クラッシュ・グラノック〉を持ってると思う？」

「可能性は低いわね。〈クラッシュ・グラノック〉をつくるには、ゴラノフの液が必要不可欠な材料でしょう？　わたしたちは、エデフィアを脱出（だっしゅつ）するときにマロラーヌが準備をしてくれたから、アバクムが植物の挿（さ）し穂（ほ）や生き物をミニチュアボックスに入れて持ってくることができたんだけれど……」

「ノアの箱舟（はこぶね）みたいにね！」

「そのとおりね！　でも、反逆者（フェロン）のなかに、エデフィアから出る羽目（はめ）になると予想していた人がいたなんて、考えられないわ。彼らは、身に着けていたものだけを持って〈外界〉に出たはずよ。服や〈クラッシュ・グラノック〉や……邪悪（じゃあく）な野心とかね。それに、アバクムのほかに〈クラッシュ・グラノック〉をつくれる人はいないし……いずれにしても、ゴラノフという植物が必要なのよ」

「でも、ゴラノフもいくつかあるじゃない？」

「そう、たしかにね。わたしたちは安全のためにゴラノフを分けたのよ。一ヵ所に一株、そうでないと不用心だから。最近の事件でそれが正しかったと証明されたわね」

ドラゴミラはため息をついた。

「レオミドおじさんの家でも見たよ。危ないと思わない？」

オクサはドラゴミラをじっと見つめた。〈逃げおおせた人〉たち共通の敵と大伯父との関係についで、もっと知りたいと思っていた。

「どうして？」祖母は眉をひそめた。「田舎の大きな屋敷に一人で住んでいるから？　心配しなくてもだいじょうぶ。アバクムのところと同じで、安全対策は万全だから」

どうやら祖母は、オクサのほのめかしたことを認めたくないようだ。

アバクムには、オクサは全幅の信頼を寄せていた。しかし、レオミドに同じ感情は抱けない。大伯父がゴラノフの茎汁の小瓶をマックグローに手わたしている光景が、ちらりと浮かんだ。

「何を考えているの、わたしの愛しい子？」

ドラゴミラがたずねた。

「ああ、ううん、なんにも……怖いなって思っただけ」

「おや、〈ツタ網弾〉の蒸留が終わったようだわ」

二人が蒸留器のいちばん細い管の口にかがみこんで見ると、とろりとした黄色っぽい液体が小さなカップにたまっていた。最後の一滴が落ちると、ドラゴミラはその中身をイタリア式コーヒーメーカーに似た器具の下の部分に移し、コンロの上に置いた。青い炎が器具をなめ、何分かするとパチパチ弾ける音が聞こえた。ドラゴミラは孫娘の考えていることを言い当てたように、にっこりして言った。

「ポップコーンをつくっているんじゃないわよ」

それから、コーヒーメーカーのような器具を火からおろし、上の部分のふたを開けた。すると、小さなグラノックの粒が熱で震えていた。オクサは、あっけにとられてドラゴミラを見つめた。

「さあ、これで〈ツタ網弾〉のストックができたわ。おまえの〈クラッシュ・グラノック〉を貸してちょうだい」

「あっ、そうだ。このグラノック、知ってる。アバクムおじさんが話してくれたの。〈ツタ網弾〉って、たしか、敵をしばりあげるんだったよね」

ドラゴミラは、ほほえみながらうなずいた。

「原料は何を使ったの？」

「エデフィアでは、根浮き樹の根をおもな原料にしているわ。でも、〈外界〉では別の植物を見つけなければいけなかった。そこで、ツタやウリ、イバラを試してみた結果、ヒルガオやクレマチスといった蔓植物の茎汁で〈ツタ網弾〉をつくることに成功したのよ。根浮き樹を使ったときほどの効果はないけれど、まあ満足できるわ。つくり方はかなり複雑なの。まず、純粋な湧き水に、闇の力を持つといわれる石クリソプレーズと、湖の藻と、ハネガエルの汗を入れたものに茎汁をひたしておくのよ」

「ハネガエルは汗をかくっていうこと？」オクサは驚いてたずねた。

「もちろんよ!」ドラゴミラは笑いながら答えた。「ごくわずかの量のね……だから、その汗はとても貴重なのよ」

自分の〈クラッシュ・グラノック〉が黄色い粒を二十粒ほど吸いこむのを、オクサは顔をしかめて見ていた。バーバ・ポロックは残りを小さな瓶に入れ、壁にたくさん取りつけてある額縁のひとつをはずして、その裏にあるくぼみに隠した。

「そこがグラノックの隠し場所なの? パパの肖像画の裏?」

「そうよ。もちろん、これは秘密だけどね。それに、この場所を知っているだけじゃだめなのよ。というのは、わたし以外にはだれも開けられないから」

「ああ、そうか! アバクムの家の柵やコントラバスケースのようなものね。主人の言うことしか聞かない鍵でしょう?」

「そのとおり!」

〈クラッシュ・グラノック〉にグラノックをたっぷりつめ、祖母といっしょにひとつひとつの呪文を復習してから、オクサは自分の部屋のベッドに横になった。腕を頭の後ろに組み、天井に貼りつけてある青白い星の飾りをじっと見つめた。さまざまな能力――いちばんのお気に入りは〈ノック・パンチ〉だ!――やグラノックなど、最近学んだことのおかげで、オクサはより強くなったと感じ、新たな試練に立ち向かう心構えができてきた。しかし頭の中では、いろいろな考えが渦巻いていた。

モーティマーに攻撃されたとき、あのゾエさえ来なかったら、一人で何とかできただろうに。マックグローが空中で追いかけてきたときにも、追いはらってやったんだから。でも、もしギュスが来るのが遅れていたら、あの二人にこてんぱんにやられていたかもしれない。肋骨一本ではすまなかったかもしれない……。

人に見られる恐れのある学校で、また超能力を使ってしまった……。決して注意をひかないように、という〈逃げおおせた人〉たちが五十年以上も守ってきた基本的なルールを、自分は一度ならず破ったのだ。それはひどく恥ずかしいことだ。

あの気球の事件……。もし、大伯父がマックグローの発射した骸骨コウモリから自分やギュスを守ることができなかったら、どうなっていただろう？　アバクムのサイロでの出来事……。もしハネガエルが助けに来てくれなかったら？　起きてしまったことをよくよく考えても何にもならない、と父親がよく言っていたが、いま、この言葉はなぐさめにはならなかった。自分は前より強くなった。しかし、祖母の言うとおり、自分の能力に謙虚であり、決して過大評価しないこと。言い方を変えれば、目の前にいる敵を過小評価しないこと。現に、みんなが気をつけていたにもかかわらず、マックグローはオクサの家族の中に入りこんだではないか。

もし、エデフィアを脱出した反逆者がマックグローだけでないとしたら？　〈逃げおおせた人〉たちが全員で戦っても力が足りなかったら？　全員が本当に団結しているのだろうか？　大伯父を信用してもいいのだろうか？　父親はたよりになるだろうか？　エデフィアへの帰還にはかなり反対しているみたいだけど……。それもわかる。みんながすばらしいというエデフィアに父親は行ったことがない、本当の故郷ではない。しかも、帰還には危険がともなうし、あたしがその最前線にいるわけだ。だからパパは苦しんでるんだ。

それに、あたしもエデフィアに行ったことはない！　でも、祖先の土地を見るためなら、どんな危険にも立ち向かう心の用意がある。不老妖精の不思議な呼びかけのせいだろうか？　自分のなかで大きくなる力と能力のせいだろうか？　日に日にはっきりしてくる、おへその周りの印のせいだろうか？

こうしたすべての疑問が、オクサをとらえて離さず、恐怖心も抱かせる。しかも、いちばん恐ろしい疑問は、答えがまるっきり謎に包まれている。

これから何が起きるのか？

＊＊＊

「テストです。ルーズリーフを出して。……ポロックさん、オイスターさんがお休みなので、授業のあとに器具を片づけるのを手伝うように」

マックグローがさりげなく言った最後の言葉に、オクサは不意をつかれた。

「あの、先生、わたし、このあとレッスンが……バイオリンのレッスンがあるんです」

オクサはもちろん嘘をついた。

「バイオリンをやってるんですか？　そんなことをしているとは想像もつかなかったがね。どちらかというと、カンフーとかエキゾチックなことが好きなんだと思っていたよ。バイオリンだろうが何だろうが、関係ない。だれでも、授業のあとにやることはある。きみは残って手伝うんだ。毎週木曜日に生徒の一人が器具の片づけを手伝うことは、新学期の初めから決まっていることじゃないか」

ギュスが申し出た。

「先生、ぼくが残ってやります」

「ベランジェさん」マックグローはわざと、うんざりしたようなため息をついた。「きみが騎士道精神を発揮できることはよくわかったよ。でも、騎士道というのは、いまはもう時代遅れだね。女の子の注意をひきたいなら、もっとちがうやり方を考えたまえ。それに出席簿では、オイスターさんのすぐあとはポロックさんだ。思春期の騎士道ごっことちがって、アルファベットの順序は絶対に変わらない。したがって、ポロックさんにやってもらう」

ヒルダ・リチャードをはじめ何人かの生徒が、せせら笑いをした。ギュスは教室の後ろで、恥ずかしさと怒りで小さくなった。しかしすぐに、怒りは心配に変わった。オクサは絶対にマックグローと二人きりになってはならない！　ギュスはオクサの背中を見ながら、彼女を包んでいる不安を感じ取ることができた。

オクサは背中を丸め、必死で考えていた。父親か祖母に知らせるために電話をかけなければならない。細心の注意をはらって、肩にななめにかけたポシェットを開けた。そっと新品の携帯電話を取り出すと、机の間を見まわっているマックグローに気をつけながら、キーボードでショートメッセージを書き始めた。

「十七時三十分＝わたし一人……」

とつぜん、携帯電話の画面が消えた。オクサは、おずおずと目を上げた。マックグローが薄笑いを浮かべ、二メートルと離れていないところに立っている。彼が指先をかすかに動かすと、携帯電話が再びついた。オクサは、体じゅうの血が沸きかえるような気がした。

急いで、もう一度メッセージに取りかかった。マックグローが見ていてもしょうがない。どうせ見ているんだ……。マックグローが実に楽しそうに同じ動作を繰り返すと、携帯電話から彼の指先に細い光の筋が飛んでいくのが、オクサにはっきりと見えた。バッテリーの中身が吸い取られたのだ！　携帯電話は使えなくなり、満足げなマックグローは見まわりを続けた。

オクサは、ふり返ってギュスの注意を引こうとしたが、間に生徒が何人もいて難しい。しかも、マックグローがたびたび二人の間に割りこんでくるため、おたがいがよく見えない。オクサの額に小さな汗の玉が浮かんできた。恐怖で吐き気もおそってきた。キュルビッタ・ペトがオクサの手首を締めつけ、袖の下で勢いよく波打っている。オクサは目をつむり、その生きたブレスレットの動きに合わせて呼吸を整えようとした。

数分すると、パニックが少しおさまり、落ちついてきた。といっても、この非常事態からどうやって抜け出すかは、わからないままだ。

オクサは、いまいましい気持ちでポシェットの中をかきまわし、頭の働きを向上させるという黄金の頭脳向上キャパピルをケースからひと粒取り出した。まだ試したことはなかったが、ひょっとしたら助けてくれるかもしれない。頭脳向上キャパピルのとなりには美しい真珠色の吸盤キャパピルがあった。これも指先でひとつつまんだ。ひょっとしたら必要になるかもしれない……。

この二つの錠剤を飲みこんだとき、メルランがふり向いて、目で励ますような合図をした。オクサは急いで書きなぐったメッセージをメルランにそっとわたした。

「メルラン、ギュスに言って。『電話はだめになった。あたしのお父さんに連絡して、緊急事態』って。サンキュー」

メルランがまたふり向き、オクサに頭で合図した。わかってくれたのだ。メルランはたよりになりそうだ。


このテストはきっと最悪の出来だろう。オクサは、理科とはまったく別のものに集中していたからだ。マックグローは次の段階に移ろうとしている。でもあたしは、抵抗も戦いもせず言いなりにはならない。そうなると思っているとしたら、あたしのことをよく知らない証拠だ。

鐘が鳴ると、生徒たちはさっさと散らばっていった。マックグローの授業のあとにぐずぐずする者はいない。三年水素組がいちばん遅くまで授業がある木曜日は、とくに。学校にはほかの生徒はだれもいない。ギュスとメルランだけが、ゆっくりと自分たちの荷物を片づけていた。

オクサはギュスと目を合わせようとしたが、マックグローが二人の間に入ってじゃましては喜んでいた。オクサは体をねじって、自分の携帯電話をギュスに見せ、使えないという合図をすることはできた。

残っていた二人が教室をあとにするとき、メルランに託した紙をギュスがふっているのが見えた。それからギュスは親指を高く上げ、すぐに自分の携帯電話を出した。メッセージはちゃんと伝わったのがわかった。ふうっ！　校門を出たら、ギュスはいつものように待っているパパに会うだろう。二人で助けに来てくれるはずだ。数分間、何とかがんばればいいんだ！

それでも、廊下側のガラス窓からギュスとメルランが遠ざかっていくのを見ると、心が重くなった。しかも、マックグローがドアを閉めて鍵をかけた。彼が最悪の事態を予想させる冷笑を浮かべ、〈クラッシュ・グラノック〉を手にふり返った瞬間、オクサの心はさらにずっしり重くなった。

63　反逆者の攻撃

「おお、わたしの大事な、とても大事なオクサ！　さんざんてこずらせてくれたな！」

マックグローのしゃがれ声がひびきわたった。

「あたしは、あんたの大事なオクサじゃないわ！　放してよ、きたならしい裏切り者！」

マックグローは、ドアを閉めるとすぐさま攻撃に出たのだ。グラノックを発射すると、二匹のハネガエルがあらわれてオクサのひじをしっかりつかみ、空中二メートルの高さに宙づりにした。

不意打ちを食らったことで、オクサは、自分自身に激しい怒りを覚えた。どうしてこんなに簡単に、思うつぼにはまったのか？　みっともなく宙づりにされて……。オクサは振り子のように足を前後に蹴って、何とか自由になろうともがいた。しかし、その羽の生えたカエルたちは驚くべき力を持っていた。自由の女神像だって持ち上げられるだろう、とオクサは思った。

「わたしがおまえを放す？　じょうだんじゃない！　こうしておまえを手に入れたからには、たのまれたって放すものか。グラシューズであろうがなかろうが、いまのおまえには何ひとつできないさ」

マックグローはあざ笑った。

「あたしからは何も手に入れられない。絶対に！」

オクサは、つかまれた腕をふりほどこうとあがきながら叫んだ。

「何を考えてるんだ、ばかなやつ！　わたしに逆らえるとでも思っているのか？　五十七年も待っていたんだ。わたしのじゃまをした者はみんな後悔しているぞ」

「ルーカス・ウィリアムズとピーター・カーターは高い代償をはらったわね！」

オクサは、マックグローをにらみながらどなった。

マックグローは眉をつりあげ、驚いてオクサを見た。

「ルーカス・ウィリアムズとピーター・カーターだって？　その二人のことは、ほとんど忘れていたな。おまえはなかなか利口だ。だが、十三歳の子どもにわたしの夢をじゃまさせはしないぞ。おまえを弱らせてやろうとしたら、別の人間が標的になってしまった。おまえの大切な母親、魅力的なマリー・ポロックだ。残念なことに……」

マックグローは、からかうような口調で続けた。

「しかし、今日やっと、おまえを捕まえた。おまえは何もできない。強い者が勝つのは当然だよ。わたしが最も強いんだ。おまえを深く眠らせてやろう。そして、おまえのおばあさんとおまえが門を開けるまで、ずっとわたしのそばにいるんだ」

とつぜん、だれかが廊下側の窓をコツコツとたたいた。野蛮人モーティマー・マックグローが、外から父親に合図を送っていた。マックグローは、宙に浮いたままのオクサに不機嫌な視線を投げかけると、窓に近づいた。

「パパ、終わったよ。言われたことをやったよ」

モーティマーが大声で言った。

「よくやった！　さあ、行きなさい」

「でも、パパ……」

モーティマーはまだ何か言いたそうだった。マックグローは、オクサをちらりと見てから廊下に出ていった。


オクサは、マックグローの注意がそれたのを幸いに、ガナリこぼしとキュルビッタ・ペトを呼んだ。ギュスと父親がもうすぐ来ることはわかっていたが、それまでの間にオクサを助けることができるのは、ずっといっしょにいる忠実な生き物たちだけだ。

「助けて！　どうしたらいいかわからないけど、お願いだから、助けて！」

オクサはつぶやいた。

すると、ガナリこぼしが内側からポシェットをあけて抜け出し、オクサの右わき腹の上をぴょんぴょん跳んで肩までやってきた。それからひじに登り、ハネガエルを激しく引っかいたので、ハネガエルはうなりながらオクサを放した。オクサは急にかたむいた。それでも、自由になった手で、開いているポシェットから〈クラッシュ・グラノック〉を取り出した。

一方で、キュルビッタ・ペトは手首からほどけ、急いでもう片方のひじに登った。そしてひと噛みで、二匹目のハネガエルを追いはらった。〝オクサ解放作戦〟は五秒もかからなかった。やっと床に降りてきた若いグラシューズ・オクサは、マックグローと戦う用意ができたと思った。

そして、敵に姿をさらさないように、机の下に隠れた。

「オクサ！　オクサ！　わたしから逃げることはできない。隠れてもむだだ！」

マックグローは教室にもどってくると、すぐに怒りの声をあげた。

オクサは深く息を吸い、精神を集中させた。そして、視線の力で、実験台の上にある試験管や瓶をすべてこわした。細かいガラスの破片がマックグローの足元に散らばり、彼はうなり声をあげた。瓶が落ちたときに化学物質が混じり合って、つんと臭う煙を立て始め、自分のぴかぴかの靴にはねかかったのだ。彼は、急いで布巾をつかみ、煙を出している靴をぬぐった。そのすきに、オクサはしゃがんだまま場所を移動し、別の机の下に隠れた。

「おまえの音が聞こえる。いまわしい小娘め、どんなにわずかな動きでも、おまえがもらすどんなに小さな息でも聞こえるんだ。わたしの大事なレオミド——血を分けた兄弟——は、わたしが〈ささやきセンサー〉の能力を持っていると言わなかったかね？」

オクサは、教室の真ん中にある水道の蛇口に向かって〈磁気術〉を発した。急に蛇口が開き、ほとんど水平になるほど水が勢いよく飛び散った。マックグローは、頭からつま先までびしょぬれになりながら、蛇口を閉める〈磁気術〉をかけ、オクサはすぐにまた、蛇口を開ける術をかける。

「せいぜい得意になるがいい、見てろ！」

マックグローが教室の後ろの赤いレバーを引くと、すぐに水が止まった。しかしオクサは、今度は〈火の玉術〉で、マックグローの帽子とコートがあるコートかけを狙った。

「満足か、オクサ。大好きな先生の服を燃やして？　なかなかやるじゃないか。ドラゴミラはおまえにいろいろ教えたようだな。しかし、これからおまえを待ち受けているものと比べれば、たいしたことはない」マックグローはせせら笑った。「おまえがわたしのものになったら、あの老いぼれの、うるさ女の番だ……」

「あたしのおばあちゃんに、なんてことというの！」

オクサはとつぜん姿をさらし、マックグローに向けてクラッシュ・グラノックを吹いた。

「ハッ、ハッ！　ばかなやつ！　まだまだだな！」

マックグローは〈竜巻弾〉のグラノックをかわしたが、その威力は生きていた。小さいが強力な竜巻がどこからか起こり、教室の中で吹き荒れた。まだ実験台に残っていた器具をすべてさらっていく。机の上の紙は教室じゅうに散らばり、廊下側の蛍光灯や窓ガラスが割れ散った。オクサは自分が引き起こした惨状に驚きながら、再び机の下にしゃがんだ。

そのとき、床に散らばったガラスの破片で制服のズボンが破れた。できるだけ体を丸め、腕で頭を守ったが、残念なことに少し遅かった。顔にガラスの破片が当たったのだ。額と頬をさわってみて血だらけだとわかると、オクサは、痛みより恐怖で叫び声をあげた。しかも、マックグローがオクサのすぐそばにかがみこんでいるのに気づき、恐怖が何倍にもなった。

「さあ、わかっただろう？　わたしがいちばん強いんだとさっき言っただろう？」

マックグローは〈クラッシュ・グラノック〉に息を吹きこんだ。しかし、オクサは床からロケットのように飛び出して、発射されたグラノックをかわした。すぐにマックグローが追ってきた。二人は、床から二メートルの高さに浮いたまま、獲物に襲いかかる前の野獣のように向かい合った。

オクサは心臓が破裂しそうだったが、おぞましい教師から目をそらさないように全神経を集中させた。そのおかげで、彼の炎のように燃える目から、稲妻のような細い光線が出るのが見えた。横に回転してそれを避けると、光線は後ろの壁に当たってパチパチと激しい音を立てた。マックグローが再び同じ攻撃をすると、オクサは壁の上を走ったり跳んだりして逃れた。そうやって何周かすると、オクサは作戦を変え、跳んだ勢いを利用して教室の真ん中に降り立った。

そのとき、記憶の底から、ある光景がフラッシュバックのようによみがえってきた。オシウスとその手下によって〈クリスタル宮〉に閉じこめられたマロラーヌの姿が、一瞬見えた。祖母の〈カメラ目〉で見た映像だ。彼女は、ものすごい速さで錐のようにくるくる回転していた。

　オクサはすぐに脚を大きく開き、自分自身を武器に変えるべく、床から一メートルの高さで目のまわるようなスピードで回転し始めた。すぐに、足に何かがぶつかったような気がして回転を止め、その結果を確認した。恐るべき人間独楽と化したオクサが命中して、マックグローが教室の後方にたおれていた。頭は片方にかたむき、目は閉じている。意識を失っているようだ。

　しかし、それも長くは続かなかった。無敵の教師はとつぜん目を開け、〈クラッシュ・グラノック〉を口にもっていった。細かい粒子が発せられるのに四分の一秒もかからなかった。オクサは、そのグラノックをかわすことができなかった。ひざを見るとグラノックの正体がわかり、恐怖で目を大きく見開いた。〈腐敗弾〉だ！　自分は腐るんだ！

　激しい痛みを感じて、オクサは床にたおれた。マックグローのせせら笑いを聞きながら、あわててたおれた棚の後ろに這っていった。理科室には、燃えつきようとしているコートかけの炎と、廊下の電気と、蛍光灯ひとつしか残っていなかった。化学物質のむせるような煙が部屋じゅうに充満している。

　絶望的な思いがオクサを包みこんだ。またママに会えるだろうか？　ギュスは何をしているんだろう？　パパはどうしてまだ来ないんだろう？　モーティマーがじゃまをしたのだろうか？　自分は死ぬのだろうか？　そう、愛する人たちから遠く離れたこの廃墟のような理科室で、きっと死ぬんだ。数分ですべてが終わる。自分は、吐き気のするような腐敗物になってしまう……。

そう考えると、ひどい痛みにもかかわらず、オクサは勇気を奮い起こして立ち上がった。そして、〈クラッシュ・グラノック〉でマックグローを狙(ねら)った。

「ツタ網弾(あみだん)！」

直後に、オクサは、この地獄(じごく)から生還(せいかん)できるかもしれないという希望を持った。ねばねばした太い黄色の蔓(つる)が、気持ちの悪い音を立ててマックグローをしばり始め、手と足の自由を奪(うば)おうとしている。

「おまえを手に入れるところだったのに！　先に延ばしても、同じこと……」

マックグローの口は蔓にふさがれ、その先は聞こえなかった。

先に延ばすですって？　とんでもない！　オクサは、壁に押(お)しやられた机の上に跳(と)び上がり、こわれた窓をなんとかまたぎ、廊下にすべり出た。

「オクサ！」

ギュスが理科室のある廊下の角に来たとき、制服が黒ずんでずたずたになった、血だらけのオクサが見えた。ズボンの裂(さ)け目から、緑がかった変な色をしたひざの傷がのぞいている。オクサの後ろでは、割れたガラスが廊下に飛び散り、理科室から煙が出ていた。

ギュスは、駆け寄ってオクサを支えた。廊下の角を曲がろうとしたとき、大きな物音(ものおと)と血が凍(こお)りつくようなうなり声が聞こえた。

「オクサ！　オクサ！」

「蔓をほどいたんだわ。早く、ここから出ないと！」

二人はできるだけ速く走ったが、オクサがひざを痛めているため、すぐに〈クラッシュ・グラノック〉をふりかざしたマックグローに追いつかれた。

「どうしたんですか？」

「クレーヴクール先生！」

歴史・地理のクレーヴクール先生が、ちょうど反対側から廊下の角にさしかかった。目が大きく見開かれている。

「マックグロー先生？　何をしていらっしゃるのですか？」

クレーヴクール先生は、けげんそうな目つきでたずねた。

「関係のないことに口を突っこむな。黙ってろ！」

マックグローの怒りは爆発寸前だった。オクサは、マックグローから逃れようと必死で、最後の攻撃〈ノック・パンチ〉を試みた。マックグローは後ろに吹っ飛び、クレーヴクール先生の悲鳴がひびきわたった。

「クレーヴクール先生、逃げて！」

ギュスは、すがるような目で叫んだ。しかし、先生はぼうぜんとして、動くこともできなかった。だが、いまのギュスには先にしなければならないことがある。彼はオクサの腕をつかみ、出口のほうへ引きずっていった。

64　一連の陰謀

二人が建物から出たちょうどそのとき、ギュスの父ピエール・ベランジェが校門の前で車のブレーキをかけた。しかし、重い門には鍵がかかっていて、二人は出ることができない。

「オクサ、もうひとふんばりだ。ぼくたち、閉じこめられてる。壁をよじ登るんだ」

ギュスはとぎれとぎれに叫んだ。オクサは、痛みと傷による恐怖を少しのあいだ忘れて、何としても〈浮遊術〉を成功させねばならなかった。

「ギュス、あたしの前に来て、強く抱きしめて」

ギュスは、言われたとおりオクサの体に手をまわし、ぴったりくっついた。二人はすぐに浮き始め、最初は数センチだったが、高さ三メートルの門のいちばん上にもう少しで届くところまで上がっていった。門の向こう側では、ピエールが街灯を超能力で消して準備を整えていた。停電にして、二人をなるべく目立たないようにしなければならない。こんな光景をだれかに見られたら、大変なことになる。野次馬にじゃまされている場合ではなかった。

「いいぞ、オクサ！　もう少しだ、がんばれ！」

門の上のほうで危ういバランスを保っているオクサを、ピエールが励ました。

ぴったりくっついた二人は、上がったときと同じくらい危なっかしく下りてきた。地面に足が着くと、オクサは力がすっかり抜けたようだ。ギュスが支えていなかったら、歩道に倒れていただろう。ピエールは急いでオクサを腕にかかえ、車の後部座席に座らせた。

「オクサ、横になって。もう心配しなくていい、もうだいじょうぶだよ」

ギュスが助手席に座ると、ピエールは大急ぎで車を出した。

「あそこ！　校長先生がやってくる、ほら！」

「校長に知らせることはできないよ、ギュス。一刻も早くオクサを治療しないと！」

後部座席では、傷ついたオクサが歯を食いしばって叫び声をこらえていた。傷がひどく痛む。我慢できない痛みが、猛毒のように体と心に広がっていく。オクサは思い切ってひざを見たとたん、うめき声をあげた。皮膚ははれあがり、茶色っぽい色になっている。ひどく醜い。ぞっとする臭いもする。腐ったような臭いに、血の臭いと化学物質の煙がしみこんだ服の臭いが混じっている。キュルビッタ・ペトは、パニックに陥っているご主人の気持ちを静めようと一生懸命に体をくねらせていた。

「オクサ、がんばるんだ！　着いたぞ！」

ピエールはオクサを腕にかかえて、ポロック家の玄関の階段を大急ぎでのぼった。ギュスは真っ白な顔で、ドアをドンドンたたいた。

「まあ、あなたたち！　まあ、どうしたの？」

オクサのひどい様子を見て、祖母ドラゴミラが叫んだ。

「ドラゴミラ、〈掃除虫〉を早く持ってきてください。オクサは〈腐敗弾〉の攻撃を受けたんだと思う！」

ピエールはひと息に言うと、パヴェルといっしょにオクサをサロンに運び、ソファに横たえた。

「全部、ぼくのせいだ。絶対に自分が許せない」

パヴェルが顔をゆがめてつぶやいた。

「やめろよ、パヴェル！」ピエールが声を荒らげた。

「お願いだからやめて、パヴェル。いまはそれどころじゃないのよ！」小瓶を手にサロンにもどってきたドラゴミラが言った。オクサのほうに向き直り、「これをおまえのひざに塗るわね」

バーバ・ポロックは頬をひきつらせ、震える手で小瓶のふたを開けた。オレンジ色のクリームを指先ですくい取り、オクサのひざにそっとすりこむ。

「ひりひりする、バーバ！」

オクサは痛さに身をよじってうめいた。その手をマリーが取って、胸に抱いた。

「ギュス、オクサのそばにいてくれる？　すぐ戻るから……」

ねばねばした、中で何かがうごめいているそのクリームでオクサのひざをおおってから、ドラゴミラが言った。

ポロック家の大人三人とピエール・ベランジェは、玄関のほうへ行った。小声で話していたが、オクサには細かいところまですべて聞こえた。〈ささやきセンサー〉のおかげだ。

「マリー、〈腐敗弾〉の攻撃を受けたのは、〈大カオス〉以来初めてなの」と、祖母の声。「だから、治療する機会もなかったのだけど、掃除虫は、傷と感染と壊疽に対してはすばらしい効果があるわ。この治療法は〈外界〉でも、うじ虫を使って行なわれ始めているのよ。あなたも聞いたことがあるかもしれないわ。ただ、〈腐敗弾〉に関しては前例がないから、これでオクサが治るとは断言できないの……」

「わかります。それに、最大限の努力をしてくださっていることもわかっています」

マリーは震えながら答えた。

彼らはまたオクサの周りに集まってきて、傷を受けたひざを心配そうに見つめた。

「うじ虫を塗ったのね、バーバ……」

オクサは、弱々しく、非難めいた調子で言った。

「そうよ、わたしの愛しい子。掃除虫は、こういう傷には奇跡のような働きをするのよ。うじ虫たちは悪い肉を全部食べ、それから復元するの。すぐに元どおりになるわよ！」

あまり自信がなかったが、ドラゴミラはオクサを安心させるように言った。

オクサは、百匹くらいのうじ虫が化膿した皮膚の上をのろのろ動きまわっているのをはっきりと見て、気持ち悪さと痛みに思わず顔をしかめた。

「何が起きたのか、話す元気はあるかい？」

パヴェルがこわばった声で、だれもがしたかった質問をした。オクサは深く息を吸いこみ、マックグローが理科室の片づけをするように命じてから起こったことを、くわしく話した。

話し終えると、次はギュスの番だった。

「メルランがメモをくれて、オクサの携帯の電源が切れていることがわかり、校門におじさんを探しに行ったんです」ギュスは、オクサの父親を見つめながら言った。「でも、おじさんはいなかった。それで電話したけど、出なかった。家の電話も、おじさんの携帯電話も」

「午後の早い時間に病院から電話がきて、マリーの主治医が、至急会いたいと言ってきたんだ」

パヴェルが話し始めた。彼は完全に打ちのめされていた。

「病院に着くと、携帯電話は切らなければいけなかった。二時間も待たされたあげくに、だれもうちに電話していないと言うんだ！　ぼくたちは単なるまちがいだと思った。いまから思うと、あれはぼくたちを遠ざけるための陰謀だったわけだな。それでも、そのときは、まだ校門におまえたちを迎えに行くのに間に合う時間だった。ところが、車にもどると、動かなくなっていた。それでタクシーに乗ることにした。乗り場はすぐ近くにあったんだが、すごい渋滞で、時間がかかった。携帯電話の電源を入れることを思いつくのが遅かった。オクサ、ぼくを待っているように言おうとおまえに電話した。おまえの電話は留守電になっていた。それからギュスに電話すると、何もかも説明してくれたので、ピエールに電話して、彼がすぐに行ってくれたんだ。自分が情けない。迂闊だったよ……」

「自分を責めるなよ。悪い偶然が重なったんだよ」ピエールが割って入った。

「というより、一連の陰謀よ！」ドラゴミラが声をあげた。「それからどうなったの、ギュス？」

「ぼくは、できるだけオクサの近くにいようとしたけど、教室にもどることができなかったんです。警備員が門を閉めて帰ってしまったから。それから、またここに電話したけど、だれも出なかった。いまは、その理由がわかりました。そのあと、おじさんから電話があった。パパにすぐ来てくれるようにと電話しましたが、おじさんがもう連絡していたから、パパはこっちに向かっていたんだよね。ぼくは心配でたまらなくて、学校の外で待っていました。そのとき、クレーヴクール先生がやってくるのが見えた。先生が門を開けたので、あとについてこっそり中に入り、大急ぎで二階に上がった。オクサ、おまえは理科室から出たところだったよね。それからとつぜん、マックグローがどなりながら出てきた。その声にクレーヴクール先生が気づいたんだ。……ごめん、オクサ。わかっていたのに……おまえを一人で残すんじゃなかった！　ぼくって、どうしようもないやつだ……」

「ギュス、この事件はあなたのせいじゃないわ」マリーが言った。「わたしたちに連絡しようとしたのは立派な対応よ。それこそ、まさにするべきことだったのよ！　それに、あなたがオクサといっしょに残っていたら、マックグローが何をしたかわからないわ。あいつはおそらく、あなたを取引きの道具くらいにしか思っていないわ」

「ええ、わかっています」ギュスはうなだれて答えた。

「それに、あんたがいなかったら、逃げられなかったわ。立っているのもやっとだったんだから。マックグローから逃げられたのは、あんたのおかげよ。命の恩人よ！」

オクサは力強く言った。

ギュスはとまどって赤くなり、あわてててつけ加えた。

「心配なのはクレーヴクール先生です。先生はあの場で起こったことを見てしまったし、マックグローと二人で残してきてしまった。あいつは、先生がしゃべることを許さないでしょう。あいつが姿を消すか、クレーヴクール先生がそうなるか……。そう思いませんか?」

「そのとおりだと思う」ピエールが重々しくうなずいた。

「あなたたちが帰ろうとしたときに、ボンタンピ校長を見たんだったわね? あなたたちに気づいたと思う?」と、ドラゴミラが、ピエールにたずねた。

「いいえ、もう暗かったから。それは、わたしたちには好都合だったけれど……」

65　ちょうど悪い時に悪い場所にいた

実際、ボンタンピ校長が学校の駐車場(ちゅうしゃじょう)に着いたときは、暗くて何も見えなかった。街灯は停電で消えているらしく、自分の車のヘッドライトをたよりに、クレーヴクール先生の車のとなりに駐車した。そのとき、もう一台の車に気づき、「あれ、マックグロー先生もまだいるのか」と、ひとり言を言った。

校長は、車のドアをバタンと閉めた。自宅に泥棒(どろぼう)が入ったというばかばかしい電話のせいで約束に遅れたことに、苛立っていたのだ。ロンドンの街の半分を車で走って帰ると、結局、それはいたずらだった。なんという時間のむだ！　ベネディクト・クレーヴクール先生とロマンチックな長い夜を過ごそうと思っていたのに……。

中庭から見上げると、二階の廊下に電気がついていた。クレーヴクール先生が待っているはずの校長室へ行く前に、電気を消そうと二階に上がった。

「なんてこった！　いったい何があったんだ？」

理科室は、オクサが出ていったときのまま、めちゃくちゃになっていた。ボンタンピ校長は、開けっ放しのドアに近づくにつれて強くなる酸の臭いに鼻と口を手でふさぎ、床に散乱したガラスの破片の上を用心深く歩いた。戸棚や器具はひっくり返り、水びたしだ。ものすごい竜巻が通ったあとのようだ。

校長はいぶかしく思いながら電気を切り、校長室へ向かった。大階段の踊り場で何かにつまずいた。ハンドバッグだ。だれのものかすぐに見当がついたが、中に小さな財布と口紅が入っているのを見て確信した。クレーヴクール先生のハンドバッグだ……。

「ベネディクト、そこにいるのかい？」

校長室にはだれもいなかった。職員室にも廊下にも、だれもいない。夢中で探したが見つからないので、校長は椅子にどさりとたおれこみ、クレーヴクール先生の自宅に電話したが、だれも出なかった。携帯電話に電話すると、机の上のハンドバッグから呼び出し音が聞こえてきた。いないのに、どうして車が駐車場にあるんだろう？　どうしてバッグが廊下に落ちていたんだろう？　何事もなかったらいいんだが……と、荒らされた理科室の光景を思い浮かべながら考えた。

校長は中庭に出て、手をメガホンのようにしてどなった。

「ベーネーディークートー！　どこにいるんだ？」

しかし、建物全体は耳が痛くなるような静けさに包まれている。しばらくして、その静寂は、おろおろと電話をかける声で破られた。

「もしもし、警察ですか？　聖プロクシマス中学校の校長です。学校が荒らされ……人が一人行方不明になっています……」


ベネディクト・クレーヴクールには、その声が聞こえなかった。遠くにいたわけではない。すぐ近くにいたのだ。

彼女は、六時少し前に中庭に着き、二階についている電気と叫び声に気づいた。大急ぎで階段を上がって廊下で見たものは、彼女が好きな急テンポのサスペンス映画のようだった。自分が受け持つ三年生のなかでも優秀な生徒二人、オクサ・ポロックとギュスターヴ・ベランジェが、全身びしょぬれで黄色いロープの切れ端をつけたマックグロー先生に追いかけられている！　その尋常でない様子の同僚は大声でどなっているし、オクサは血にまみれ、制服が破れ、脚に重傷を負っている。恐れおののいているギュスは、オクサを支えて逃げようとしていた。

「クレーヴクール先生、逃げて！」

その声を聞いたとき、オクサが手を前に差し出すのが見えた。同時に、マックグロー先生が二十メートルくらい後ろに吹っ飛んだ。まるで強烈なパンチを食らったように。彼はにぶい音を立てて壁にたたきつけられた。それから床にどさりと落ちて、動かなくなった。

クレーヴクール先生は、とっさにマックグローを助けようと駆け寄った。オクサたちを呼びとめようとしたが、すでに姿はなかった。彼女がマックグローを助け起こそうとすると、彼は急に目を開けてその手首をつかんだ。彼女はするどい叫び声を発した。マックグローの顔にいやらしい微笑が浮かぶのを見るとうろたえ、じわじわと恐怖がわいてきた。

「マックグロー先生、オクサ・ポロックに何をしたんですか?」

「ああ、ベネディクト……」マックグローはにぎった手にぐっと力を入れながら、うんざりしたようにため息をついた。「あなたは全部台無しにしたんですよ。みんながあんなにほめている愛すべきベネディクト・クレーヴクール、あなたがね……。オクサはわたしの鍵であり、魔法の呪文なんだ! 五十七年間も待っていたのに……」

「五十七年間? 何を言ってらっしゃるの? 頭がおかしいわ! お酒を飲んだんですか?」

マックグローは蔑むようにクレーヴクール先生を見て、またため息をついた。

「あなたに何がわかるというんだ!」

「わたしにわかっているのは、あなたがこの学校の女生徒に暴力をふるったこと。その理由が何であれ、許されない行為です。このままではすみませんよ!」

マックグローは冷笑を浮かべた。クレーヴクール先生は、手をふりほどこうともがいた。マックグローが片手を離したとき、彼女は、ふりほどいて逃げられると思った。しかし、マックグローが彼女に向けて〈クラッシュ・グラノック〉に息を吹きこんだとき、逃れる希望は失われた。優しいベネディクト・クレーヴクールは急にぐったりとして、床にたおれた。

マックグローはクレーヴクール先生の腕をつかんで、使われていない、ほこりだらけの小さな建物まで引きずっていった。そこで、先生を石の台座にもたせかけ、ギシギシいうドアをしっかりと閉め、入り口をふさぐ板を元どおりに立てかけた。それから、何食わぬ顔で狭い廊下を通り、建物を出て、駐車場まで逃げた。

「おや、あのばかなボンタンピ校長だ。こんなところで何をやってるんだろう？」彼は、車のドアを閉めている校長を見ると、顔をしかめた。「ふん……おおかた愛するクレーヴクール先生でも迎えに来たんだろう」

マックグローは、石垣のかげに隠れて校長を観察した。ボンタンピ校長は、駐車場の少し離れたところに停めてある自分の車を見ている。

マックグローは数分間待った。そのあと、闇にまぎれてこっそりと這うように自分の車のところまで行くと、体を車の下にすべり込ませてケーブルを一本引き抜いた。それから、何事もなかったように起き上がり、しっかりした足取りで中心街へ向かった。

＊＊＊

中学校の教室と事務室をすべてまわったあと、二人の警官は、めちゃくちゃになった理科室の真ん中に立って、メモをとっていた。

「学校を最後に出たのはだれですか?」

警官の一人が、ボンタンピ校長に問いただした。

「マックグロー先生です。木曜日に五時半まで授業があるのは彼だけですから。毎週、生徒が一人、理科室の片づけを手伝(てつだ)います。ふつうは十分程度しかかかりません」

「今日はだれが手伝ったんですか?」

「わかりません。先ほども言ったように、わたしはいませんでした。泥棒に入られたという電話があったので、急いで家に帰らなければならなかったのです。泥棒なんて入っていなかったのですから、まったくむだでしたがね……。悪いじょうだんですよ、きっと。ですから、学校に十八時すぎにもどってきました。マックグロー先生の車もありました。クレーヴクール先生に会う予定でした。彼女の車は駐車場に停めてあり、マックグロー先生の車もありました。そんなに遅くまで残る人はいないので、少し不思議に思いました。そのあとのことはご存知(ぞんじ)のとおりです」

「だれでも学校に入ってこられるのですか?」

「いいえ。日中は呼び鈴(よびりん)を鳴らすと、警備員が氏名や用件などをたずねてから入るのを許可します。また、生徒の出入りは監視(かんし)されています」

「今夜もですか?」

「警備員は十七時半まで常駐(じょうちゅう)しています。そのあとは、生徒はだれもいないはずです。例外は、木曜日のマックグロー先生とか、先生の手伝いをする生徒だけです。その場合は、先生がその生徒に付き添うのです。先生は全員、門を開けたり閉めたりできるICバッジを持っています」

「とすると、十七時半以降に出入りするには、そのバッジが必要なわけですね？」

「そのとおりです」と、ボンタンピ校長はうなずいた。「何も変わったことはなかったですし、バッジの紛失届けもありませんでした。しかし、不法侵入の可能性も排除できません……。わたしはクレーヴクール先生のことが非常に心配です、とても心配なんです」

「この教室で何が起きたのか、何かお考えはありますか？　だれかが荒れ狂ったのでしょうか？　めちゃくちゃですね」

三人とも、荒らされた理科室を見まわした。まだ強く残っている化学物質の臭いで目や鼻がちくちくする。二人の警官は、割れた窓ガラスや瓶の破片を音を立てて踏みながら、たおれた戸棚の間を歩いてすみずみまで丹念に見てまわった。実験台をおおっているタイルまで、破壊されていた。

警官の一人が言った。

「ボンタンピさん、最後におたずねします。マックグローさんの住所をお持ちですか？」


***

二人の警官がマックグロー家の玄関先で言った。

「マックグローさんですか？　警察です。形式的な捜査を行なっているのですが、二、三おたずねしたいことがあります」

「どうぞお入りください」

マックグローは愛想よく家の中に招き、入ってきた警官たちにたずねた。

「どういうことですか？　たいしたことでなければいいんですが……」

二人の警官はこの質問を無視し、マックグローがすすめた椅子(いす)に座った。

「今夜、何時に学校を出られましたか？」

「せいぜい十七時四十分でしょうね。三年水素組のオクサ・ポロックという生徒といっしょに理科室を片づけました。それから、門を開けてやるために校門まで同行しました。そのあと自分の車で帰ろうとしたのですが、動かないんですよ。それで、車を置いて、タクシーを拾って家に帰ることにしました。今日は疲(つか)れたので、修理業者に電話する気になれなかったのです」

「オクサ・ポロック、と言われましたね」

警官の一人が、手帳に書きなぐりながら問いただした。

「そうです」

そう答えたマックグローの額(ひたい)に、とつぜん心配そうなしわが寄った。

「学校を出る前にだれかに会われましたか？」

「いいえ、だれも」

「何か変わったことや、ふだんとちがうことに気づかれませんでしたか？」

「いいえ、何も。いつもの木曜日と同じで、校内にはだれもいませんでした。何も特別なことはありませんでしたね」

「歴史・地理の先生のクレーヴクールさんを最後に見たのは、いつですか?」

「クレーヴクール先生ですか?　えーっと……そうそう、昼食後に職員室で見かけました。午後の授業が始まる十四時ごろに廊下ですれちがったかもしれません、よく覚えていないのですが……でも、どうしてそんなことを?　彼女がどうかしたんですか?」

「その傷はどうしたんですか?」

もう一人の警官が、マックグローの顔と手についている細い引っかき傷を指差した。

「うちの猫ですよ。このごろ、あばれまわってしかたがないんですよ」

マックグローが平然と答えたちょうどそのとき、モーティマー・マックグローが、腕にあばれる猫を抱いてサロンに入ってきた。

「静かにしろ、レオ!　パパ、この猫、手に負えないよ。あっ、すみません」モーティマーは急に口をつぐんだ。「お客様がいるのを知らなかったんで……」

モーティマーは、くるりと向きを変えて廊下へ出ていくと、思いっきり猫をつねった。猫は、ミャアと鳴きながら腕から跳び出した。

「痛い!　こいつめ、引っかいたな!」

マックグローの息子は、サロンにまで聞こえるくらい大きな声で叫んだ。もし、彼が背中を向けていなかったら、その顔に浮かんだ満足そうな笑みを警官たちは見ることができたのだが……。

66

優秀(ゆうしゅう)なお針子

掃除虫(そうじむし)は、オクサの傷にすばらしい効果をもたらした。ひと晩じゅう、腐敗(ふはい)した部分を食べて化膿(かのう)した傷を丹念(たんねん)にきれいにしてくれ、その間、ドラゴミラとパヴェルが交代でオクサの枕元(まくらもと)に付き添(そ)った。オクサが目を覚ましたとき、すぐそばにいたドラゴミラは、大理石(だいりせき)でできた乳棒(にゅうぼう)で何かを調合していた。

「バーバ？」

「わたしの愛しい子(ドゥシュカ)！　気分はどう？」

キャンプ用ベッドを持ちこんで横になっていたパヴェルが、目を開けて起き上がった。黒っぽい隈(くま)のせいでよけいに不安そうに見える目を、オクサのひざに注ぐ。見た感じは、昨日(きのう)よりずっといい。いやな色が消え、皮膚(ひふ)は元どおりになりかけている。いやな臭(にお)いもあまりしない。

掃除虫は、まだのろのろと動き続けている。オクサは思わず顔をしかめた。〈内界〉の治療(ちりょう)法に慣れるのは難しい。うじ虫とか、ナメクジとか……。

「効果があったわね。ごらん、ローラーブレードでころんだ傷みたいよ。ひざを曲げられる？」

オクサは、おそるおそるひざを曲げてみた。その部分の皮膚が伸びて、うごめいているうじ虫たちがはっきりと見えた。

「痛くないわ！　サイコー、バーバ！」

オクサは、祖母の首に跳びつき、父を引き寄せ、二人を強く抱きしめた。ほっとした！　オクサは怖かったのだ！

「ひざが危機を脱したから、顔のほうを治療しましょうね」

「顔？　顔がどうかなってるの？」

オクサは指先で頬や額をさわった。理科室の窓ガラスが飛び散ったとき、顔にさわったことを思い出した。手が血だらけだったっけ！

「顔が醜くゆがんでいるの、そうでしょ？」

「いいえ、ゆがんでなんかいませんよ」ドラゴミラは、オクサを寝かせながら優しく言った。

「ガラスの破片のせいでいくつか傷があるだけよ。でも、あっという間に治してあげるわ。まずは切り傷ね、それからペーストを塗りましょう。そうすると傷跡は何も残らないの。いまにわかるわよ、すばらしいから」

「縫うの？　いやだ、バーバ。縫いたくない。針はいや！」

オクサはベッドで体をよじった。だれが傷を縫うのかわかると――クモだ！――よけいにいやがった。脚が極細の小さなクモだ……それにしても、クモには変わりない！

「ああ、ダメ、ダメ、ダメ！　それはダメよ、バーバ！　あたし、気が変になる！」

驚いたことに、パヴェルが大声で笑いだした。つられてドラゴミラも笑いだし、華奢なクモまで、彼女の手の中で小きざみに体を揺らしながら笑っている。

「見てごらん、オクサ。これは縫合グモといって、まったく害はないんだよ。しかも、すばらしいお針子なんだ」

パヴェルが説明した。トーストと湯気の立つカップを載せたトレイを持ってきたフォルダンゴも、パヴェルに加勢した。

「古いグラシューズ様のご子息様は、口に真実を持っていらっしゃいます。ある日、ニンジンを切る作業の際に、わたくしに属する指が肉切り包丁によってギロチンにかけられたとき、縫合グモがレースのような繊細さで縫ってくれました。ほら、その指が再びわたくしの手に属しているでしょう！　感覚はありませんでした、感覚はまったく不在でした。信頼を信じなければなりません。わたくしの言葉は正確です」

オクサはくちびるを噛み、観念したように目を閉じた。

「いいわ、何でも好きなようにしてちょうだい。この体を医学にささげないといけないって、前から言っといてくれたらよかったのに……。しかも、生きている間にささげるなんてね」

ドラゴミラは、手のひらの上で伸びをしている三匹のクモのうち一匹をつまんで、オクサの顔の上に置いた。オクサは少し震えながら、目をぎゅっとつむったので、額にしわが寄った。

「オクサ、リラックスして」パヴェルは娘の手を取った。「額がひきつっていると、縫合グモがしわを縫いこんでしまうよ。十三歳でしわ取りの美容整形なんて、早すぎるだろう？」

オクサは、あきれたというように目をくるりと上にまわした。

三匹の縫合グモがオクサの顔の上にのった。細い脚が動き、皮膚の上で何かしているのが感じられた。変な感じだ。すごく変だ。しかし、クモではないと思えば、いやな感じもしない。そのときまで、オクサは顔に傷があることは感じなかった。重傷のひざばかり気にしていたからだ。しかし、縫合グモが作業をしている間に前日の記憶がよみがえり、いくつかの光景が目に浮かんだ。めちゃくちゃに破壊された理科室、化学物質の胸の悪くなるような臭い、何としてでもオクサを捕まえようと怒り狂ったマックグロー、クレーヴクール先生……。

「終わったわ、わたしの愛しい子。傷はもう過去のことよ。いまからこのペーストを塗るわ。そうすれば傷跡はすべて消えて、赤ちゃんの肌みたいになるわよ」

「そんな、みずみずしいおまえに会いたがっている人がいるよ」

パヴェルがオクサの耳元でささやいた。そして立ち上がり、部屋から出た。

「マリー！　おまえの勇敢な娘に会いたいかい？」

パヴェルの声が廊下にひびきわたった。

それからしばらくして、パヴェルが妻の車椅子を押してあらわれた。マリーはオクサを見るとにっこりとほほえみ、顔がぱっと明るくなった。ただし、その目は深い不安をたたえていた。パヴェルは車椅子をオクサのベッドに寄せた。

「ママ、これ、見た？」オクサは、祖母がガラスの箱に用心深くしまっている縫合グモを目で差した。「気持ち悪いでしょ。ねえ、バーバ……どうせ気持ちの悪い話をしてるんだから、このペーストに何が入ってるのかちゃんと教えて」

「また疑っているんでしょう?」

「う~ん……そうよ!」

バーバとパヴェルはほほえんでいたが、マリーはオクサと同じように気持ち悪そうな顔をしていた。

「心配しなくてもだいじょうぶ。ノコギリソウの葉を乾燥させて粉にしたものに、ゴラノフの茎汁一滴とバラの汁を混ぜただけだから」

ドラゴミラの説明にオクサは疑り深そうにした。

「ホント?」

「本当よ!」

「いいわ、そういうことなら、医学にこの体を貸してあげてもいい。でも、貸すだけよ」

オクサは、腕を大きく広げ、まったく抵抗を放棄したようにベッドに長々と横たわった。そして、少し迷いながらたずねた。

「今日、あたし、学校に行くのよね?」

「うん」と、パヴェル。「あんなことがあった後で、またおまえに大変な努力をしてもらうことになるが、学校には行ったほうがいいと思うんだよ。少なくとも理科室荒らしについては、おそらく警察に通報されているだろう。ギュスとおまえの話を聞くと、マックグローはクレーヴクール先生を黙らせるために、するべきことをしているはずだ。彼女は知りすぎた。もし、おまえが質問されたら――必ずされるだろうがね――何もなかったように、つまり、マックグローがほかの生徒にするように、おまえを校門まで送っていったと答えないといけないよ。わかるかい？」

　オクサはうなずいた。

「おまえにとってつらいことなのは、わかっているわ。でも、昨夜起きたことをだれにも知られないようにするのが、わたしたちにとって大事なのよ」祖母が続けた。「よく観察し、周りの話を聞いてごらん。マックグローも同じように行動するはずだから。マックグローは、自分にも、わたしたちにも、疑いを抱かせるような危険を冒しはしない。たとえ、わたしたちが何も悪いことをしていなくても、もし、だれかがわたしたちの正体や能力を知ったら、とても困ったことになるということを覚えておきなさい。わたしたちがふつうの人とちがうということが、どういうことを意味するか、おまえにはもうよくわかっているわね。わたしたちを調べるためなら、スパイや政府の情報部は何でもするだろうというおまえの想像は、そんなにまちがっていなかったのよ。『調べる』というのはまったくひかえめな表現だけれど……。何も言わない、通報しない、それでこそ、わたしたちは自分を守ることができる……。今度のことはおまえの肩にかかっているのよ。そういう努力をおまえにさせるのは申し訳ないんだけれど。でも、この五十年間、そうやって秘密を守ってきたのよ」

「わかってる」オクサは、打ちひしがれたように言った。「でも、クレーヴクール先生は？」

　パヴェルがのどを締めつけられたように答えた。

「いまは何もできないんだ、何も……」

***

ピエール・ベランジェがギュスとオクサを学校の前まで送ってきたとき、三人とも、学校全体を包んでいる熱気のようなものを感じた。ピエールは励ますようなまなざしで、二人がちゃんと中庭に入るのを見届けた。

「みんな、えらく興奮しているみたいだな」

ギュスは、オクサを心配そうにちらりと見て、つぶやいた。

オクサは答えなかった。そのなめらかで青白い顔には、隠しようもない深い疲れと緊張がにじみ出ていた。二人は、騒がしくしゃべっている生徒の輪の間を通り抜けた。「警察」とか「理科室」という言葉がよく聞こえ、オクサの不安をいっそう強くした。

ロッカーの前で待っていたメルラン・ポワカセが、最初にニュースを伝えた。

「おはよう、オクサ！　おはよう、ギュス！　知ってる？　理科室がゆうべ荒らされたんだ。めちゃくちゃだって！　全部こわされたんだ、全部！　タイル貼りの実験台もだよ。すげえだろ？　警察が来たけど、だれがやったのかまったくわからないって。ウソみたいだよな？」

オクサとギュスは、懸命に驚いたふりをした……と思っていた。だが、それも長くは続かなかった。というのは、メルランが抜け目なさそうにじっと見つめながらオクサに近づき、こっそりささやいたからだ。

「何が起きたか、ぼくは知ってるよ……全部見たよ！」

血の気が引いたギュスは、よけいに驚いたというふうをよそおってメルランに近づいた。

「なに言ってんだ？」

「門が開いて、きみがクレーヴクール先生のあとについて入ったとき、ぼくはきみのあとをつけたんだ」メルランは、ギュスの反応を観察しながら言った。「なんかおかしなことが起きていると思った。オクサが、指一本触れずにマックグローを廊下の端に投げつけるのを見たよ。それに、塀を乗り越えるためにきみたちが浮くのも見たよ……」

「いいかげんなこと言うなよな」ギュスが低い声で言った。

「きみはひどい怪我をしてたじゃないか、オクサ」メルランは平然と続けた。「でも、ずいぶんよくなったみたいでうれしいよ。ひと晩で治ったんだね。まるで魔法のようだよな！」

「ばかなこと言うのはやめろ、メルラン」ギュスは青くなりながらつぶやいた。

「もういいよ、ギュス。メルランはわかってるのよ……」

「じゃあ、きみは魔法使いなのか？」

「ずいぶん前から疑ってたよね？　でも、お願いだから、何も言わないで！　何人もの人の命がかかってるから！」

オクサは、メルランを正面から見つめた。

「そうなの？」メルランはオクサの気迫に押されて、声が上ずった。

「だれにも、何も言わないと誓うんなら、全部話すって約束する」

「オクサ！」ギュスはショックを受けて叫んだ。

「しかたがないよ、ギュス……」オクサはふり向いてつぶやいた。「ここで否定したら、また嗅ぎまわるでしょ。そのほうがまずいよ。それに、彼は信用してもいいと思うの」メルランを見つめながら、力強く言った。「メルラン、そうじゃない？　もう一度言うけど、もしあんたが少しでもしゃべったら、あたしだけじゃなくて、何人もの人を危険に陥れるんだからね」

　メルランは、大いに関心があるオクサからじっと見つめられたことと、彼女のたのみの重大さに動揺し、ぶるっと震えた。

「わかったよ……ぼくを信用してくれていいよ。マックグローは？　きみみたいなの？」

「マックグロー？　もっとひどい……」

　オクサは、そのおぞましい本人が中庭に入ってくるのを見ながら答えた。

「いずれにしても、あいつをいい格好にしてやったもんだな。あの顔、見てみろよ！　まるでイバラのなかに突っこんだみたいだ！」

　マックグローは暗い目をして、顔じゅうに引っかき傷をつけてやってきた。すれちがう生徒たちはみな、好奇心丸出しで先生を見つめている。先生をちらと見て吹き出す生徒もいた。

　ギュスとオクサは、そんな陽気な気分にはなれなかった。マックグローが二人のほうにやってくるからなおさらだ。彼は二人から目を離さず、近くを通るときに歩調をゆるめた。オクサを射るように見たとき、その驚きの表情に、オクサは気づいた。おそらく、昨夜の激しい戦いの痕跡がオクサにないことがわかったからだろう。彼は背中をやや丸めながらも、キッと前を見つめて通りすぎ、廊下の向こうに消えた。

その十分後、フランス語の授業の初めに、とつぜん、げっそりした表情のボンタンピ校長が教室に入ってきた。

「クレーヴクール先生は、今日はお休みです。ですから、十時から十二時まで自習室に行ってください。それと、オクサ、ちょっといっしょに来てください。ルメール先生、すぐにオクサはもどしますから」

オクサは足を引きずらないように気をつけながら、校長のあとをついていった。ひざはもう腐ってはいなかったが、まだかなり痛かった。しっかりしないといけない、これまで以上に……。

「理科室の破損の件で刑事が捜査しているんだよ。少しきみに質問をしたいそうだが、心配しないように」

ボンタンピ校長は一本調子に言った。校長室に着くまで、それ以上ひと言も言わなかった。

オクサは同情心がわきあがってくるのを感じた。校長先生はクレーヴクール先生のことが心配でたまらないにちがいない。心配する理由があることも、オクサは知っている。

オクサは、ななめにかけたポシェットの位置を神経質に直した。おっと、身体検査をされなければいいけど。もし、〈クラッシュ・グラノック〉とか……ガナリこぼしを見つけられたら？ダメダメ、そんなことを考えちゃダメ……と、オクサは心の中で思った。ふと制服のポケットに手を突っこむと、何か変なものに触れた。見ると、祖母が新学年の初めにくれたお守りだった。

「もし緊張して胸が苦しくなったら、これを持ってそっとなでるといいわ。そしたら、空が明るくなって、道がしっかり見えてくるのよ」と、祖母が言ったのだった。「ああ、バーバ、ありがとう！」

あの日、学校に行く直前に、助けになる小さな財布のようなお守りをポケットに入れてくれた祖母の姿を思いえがきながら、オクサは思わずそうつぶやいた。おかげで、力と勇気がわいてきた。家族がいつもいっしょにいてくれる。それにギュスもいる。自分は決して一人ではない。

＊＊＊

刑事が二人、校長室で待っていた。しかし、心構えはできていたし、思ったより動揺しなかった。気づかれずに嘘(うそ)をつけるかもしれない……。

「おはようございます」

オクサは、中に入るとすぐにあいさつした。

「おはよう。きみはオクサ・ポロックさんだね？」

「はい」

「座りなさい。心配しなくていい、二、三質問したいだけだから。きみは昨夜(ゆうべ)、理科室を片づけるためにマックグロー先生といっしょに残っていたんだね？」

「はい」

ここまではだいじょうぶ……。

「片づけは何時に終わったの？　覚えている？」

この辺から慎重(しんちょう)にやらなければいけない……。

「時間は見ませんでしたが、そんなに長くはかかりませんでした。十分か十五分くらいでしょう。片づける器具はそんなになかったんです。マックグロ―は……いえ、マックグロー先生はテストをしたので」

「それから？　どうしたの？」

「それから？　えーっと……下に降りて、先生が門を開けてくれて……それから、それぞれの方向に帰りました」

「何かいつもとちがうことに気づいたかい？」

オクサは、お守りをぎゅっとにぎった。全身が真っ赤になったような気がした。

「いいえ。ただ、マックグロー先生がわたしを『オクサ』と下の名前で呼んだことくらいでしょうか。先生にはそういう習慣はないので」

オクサが、その場の雰囲気を和らげようとしてこう言うと、刑事は笑った。

「オクサ、学校を出る前にクレーヴクール先生を見たかい？」

「クレーヴクール先生？　いいえ……だれも見かけませんでした」

オクサの心がずしりと重くなった。

刑事たちは立ち上がった。質問は終わったようだ。ふう！

「ありがとう、オクサ。でも、教室に帰る前に最後の質問をしたいんだが……」

その瞬間、オクサは血の気が引いたような気がした。頭の中には嵐が吹き荒れている。お守りをさらにぎゅっとにぎり、いままでの努力がむだにならないよう、何とか平静を保とうとした。

「最後の質問？」

思ったよりもこわばった声が出た。刑事のすぐ後ろの窓を見ると、雲が黒くなり、みるみるうちに墨をこぼしたような色に変わった。ああ、ダメ！　雷はダメ！　いまはそんな場合じゃないわ……。

「きみが指揮者のレオミド・フォルテンスキーの家族かどうか知りたいんだ」

刑事の一人が、オクサをじっと見つめながらたずねた。

67　暗い思いの玉

「若いグラシューズ様は疲労におおわれた顔をしていらっしゃいます。わたくしが提案する飲み物が血管に力を分泌するでしょう。まったくの信頼をいただいてけっこうです」

フォルダンゴは、大きな丸い目でオクサをじっと見つめた。

「ありがとう、フォルダンゴ。たしかに、あたし、パンクしたタイヤみたい」

オクサは、フォルダンゴが差し出すカップを受け取った。

「ゴムパッチのジュース、パンクしたときは、これだ！」

ジェトリックスが、いつものようにおおげさに床をころげまわりながら言った。

実際、オクサはくたくただった。エネルギーはすべて吸い取られ、金曜日の夜からずっと無力感にひたっている。目はうつろで、頭は空っぽ。土曜日は一日じゅうパジャマを着て、家の中をぶらぶらしたり、だらしなく椅子に座ったりしてぼんやりと過ごした。

苦しいという感覚はなかった。あるのは、後ろ向きに引っぱられるような、計り知れない深みに引きずりこまれるような、なんとなくいやな感覚だ。恐怖でも不安でも、もちろん安堵でもなく、ひどい虚無感。不気味で強力な旋風に、逆らいもせず、無気力に巻きこまれるような感じだ……。

いままでにないオクサのこうした状態を目にして、両親は、あれこれ元気づけようとした。しかし、その思いやりのこもった言葉も、オクサの上を素通りするだけだった。耳には聞こえても、心には届かないのだ。

日曜日の朝も同じように始まった。オクサは、内に閉じこもってパジャマのまま過ごし、シャワーを浴びたり食べたりはするが、話すのを拒否しているようだった。

「どうやらナサンティアの出番のようね」

ドラゴミラが診断を下した。

マリーは首をかしげてドラゴミラを見つめたが、パヴェルはびっくりしたようだ。

「まだ持ってるんですか？　シベリアに置いてきたとばっかり思っていました」

「いいえ、まだ持っているのよ。オクサによく効くと思うわ」

マリーが、不満げに口をはさんだ。

「何のことを話しているのか、わたしに説明してくださいません？」

答える代わりに、ドラゴミラは三階に行った。しばらくすると、折りたたんだ半透明のサバイバルシートのようなものを持ってきて、テーブルの上に置いた。表面が信じられないほどやわらかくて、なめらかそうだ。

「まるで……赤ちゃんの肌みたい」

マリーは好奇心にかられて指先でさわり、夫におぞましげな視線を向けた。

「まあ！　安心して、赤ん坊の皮膚ではないから。それも少しは入っているけれど……」

「少しは入っているですって？」マリーが顔をしかめた。

「ナサンティアは実は胎盤なんだ。ただ、ふつうの胎盤とはちがう」

パヴェルが説明すると、マリーはため息をついた。

「そりゃ、そうでしょうね。ポロック家に〝ふつう〟は似合わないもの」

「あのね……」と、パヴェルは続けた。「フォルダンゴは、一生に一度しか子どもが生まれないんだ。言っとくけど、彼らの平均寿命は三百年で、妊娠期間は二年以上なんだよ。ただし、人間と同じように双子が生まれることもある。双子の胎盤はとても貴重で、精神面の治療に驚くべき効果を発揮する。ぼくは父を亡くしたときに、それを経験した。オクサにもきっと役立つと思う。お母さんはいいアイデアを出してくれた。試してみようよ」

「もちろんよ！　試してみないとね。このままにはしておけないわ！」

マリーの声は、ぴんと張りつめていた。

「そうね、試してみるしかないわ……」

ふり向くと、オクサがサロンの入り口に立っていた。彼女は母親のそばに行き、ひざまずいてひざの上に頭をのせた。

「ゾンビになったような気がするわ、ママ。自分が空っぽみたい……」


ドラゴミラはナサンティアを手に取った。広げると、半透明の薄い膜は直径一メートルほどの円形になり、それから空気に触れたためだろうか、膨張して真珠色の球体になった。内部は濃い蒸気がつまり、空気が凝縮しているように見える。

「気をつけて！　この球はとても熱いわよ……九十度くらいあるわ」

ドラゴミラが言ったので、マリーはあわてた。

「まさか、その蒸し風呂に入れるんじゃないでしょうね？」

「いいえ、マリー、心配しないで。温度はこれから下がり、三十七度で安定するの。理想的な温度ね。あと数分したらだいじょうぶよ」

ナサンティアは完全に球体になり、床から離れて浮いている。中の蒸気が消え、しずくが膜の内側に沿ってすべり落ちている。

数分すると、ドラゴミラは球体の表面をなで始めた。

「入り口を探してるんだ」パヴェルが説明した。「あっ！　ほら、見つかった」

ドラゴミラは両手を用心深く使って、長さ五十センチくらいの裂け目をつくった。

「オクサ、おいで。ナサンティアの用意ができたわよ」

オクサは立ち上がり、ドラゴミラが入り口を引っぱっている間に中に入った。予想に反して、ナサンティアはオクサの体重で変形することもなく、床の上に浮いている。ドラゴミラが押さえていた両手を離すと、入り口はふさがった。

オクサは、膜にもたれて座った。体が自然に丸くなり、適度な湿気に包みこまれる。オクサの姿勢が落ち着くと、ナサンティアは青味がかった葉脈のようなものでおおわれ、それが、まるで生き物のようにぴくぴくしている。やがてかすかに収縮して、なめらかな膜の表面が波打ち始めた。

「まるで心臓が脈打っているみたいね」

夫の腕をぎゅっとにぎりながら、マリーがつぶやいた。

オクサは、規則的な鼓動に揺られて、うとうとし始めた。抗しがたいまどろみに引きこまれながら、心をふさぐ考えや、底知れない深みに引きこまれる思いが体の外に出てナサンティアの湿気に吸い取られていくような、不思議な感じがした。

＊＊＊

目を開けると、相変わらずあごをひざにのせ、そのひざを両腕でかかえこんでいた。どれぐらい時間がたったのだろうか。一時間？　一日？　一週間……？。ひとつだけたしかなのは、この心地よい球体の中で、心が軽くなったように感じることだ。いまは不透明な灰色に変わった膜を通して、ソファに横になっている母親のシルエットが見える。その横には、ひじかけに寄りかかっている父親。紫色の大きな影は祖母だろう。三人の声に加えてアバクムの声が聞こえる。水中か、あるいは海の霧の向こうにいるかのように、ゆがんで大きくなった声が聞こえた。

とつぜん、壁面が開いて、パヴェルの顔がのぞいた。

「おい……だいじょうぶかい？」

「だいじょうぶよ、パパ。とってもいい気持ち。ちょっと狭いけどね。長いこといたの？」

「四時間ちょっとかな……」

ドラゴミラが入り口を広げた。オクサは、体をねじって腕を父親の首に巻きつけ、するりと外へすべり出た。もの問いたげな母親の前で、騒々しく伸びをしたり、あくびをしたりする。

「気分はどうなの？」マリーは、待ちきれずにたずねた。

「すっごくいい気持ち！　まるで……生まれ変わったみたい！」

抱きついてきたオクサにおおいかぶさりながら、マリーがつぶやいた。

「わたしの大好きなオクサのままだといいけど……」

「あら、それはまったく心配ないわ」と、ドラゴミラは請け合った。

フォルダンゴットが、いつも肌身離さず持っているトレイを持って、サロンにあらわれた。湯気の立つティーポットとおいしそうなお菓子が載っている。

「ナサンティアでの滞在は効用をもたらしましたか、若いグラシューズ様？　リラックスの印象がお顔に読み取れ、わたくしの気持ちもなぐさめられます」

「そのとおりよ、フォルダンゴット。前よりずっとリラックスしたような気がする。すっごいわ、このナサンティア！　こんなものがあると、心理カウンセラーの出番はないよね」

「たしかに、前と同じオクサですね」

　ほっとした笑みを浮かべて、マリーがドラゴミラを見やった。

「ほら、二人とも、あっちを見てごらん」

　ドラゴミラの指差すほうを見ると、ナサンティアのそばに立っているアバクムが、上着からマホガニーのケースを出した。中から、オクサもよく知っているものを取り出す。

「あれは魔法の杖よ！　おじさんのお母さんから受け継いだ魔法の杖なのよ」

「ああ、そうなの」マリーは驚きを隠してほほえんだ。「わたしも……魔法の杖を持っていない妖精っておかしいと思ってたのよね」

　オクサが「妖精人間」と呼ぶことにしたアバクムは、ナサンティアの中に腕を入れ、膜にわずかに触れながら杖をまわした。すると、膜は少しずつ明るい色に変わり、元の白さを取りもどした。数分たってから、アバクムは杖を外に出した。ナサンティアはしぼんでいき、薄い布のようになり、それをドラゴミラがていねいにたたんだ。

　アバクムは、オクサとマリーのところに来て魔法の杖を見せた。杖の先には、綿毛のような、黒っぽい大きな玉がついていた。家具の下にへばりつく、ほこりのかたまりに似ている。

「これって……よごれ？」オクサが顔をしかめながら言った。

「まあ、そんなようなものだな。正確に言うと、おまえの〝暗い思い〟だよ」

「何ですって？」

　オクサとマリーが声をそろえて叫んだ。

「ナサンティアは、心を苦悩から解放し、暗い深みから遠ざけるんだ。前進するために必要な苦悩もあるが、心をよごしてしまう苦悩もある。この杖の先に見えるものは、わたしたちからおまえを遠ざけ、光と希望をおまえに忘れさせる〝暗い思い〟なんだよ」

　オクサはかがんで、枝分かれした筋のようなものがからまっている玉を、じっと見つめた。

「これが全部、あたしの頭から出てきたってこと？」

「おまえの頭や体や心からだよ」

「これ……生きてるの？」

「もちろん！　おまえと同じさ。思いというのは石のようなものじゃない。わたしたちの体を動かしているメカニズムと同じように生きてるんだよ」

「これをどうするの？」

「それはね、若いグラシューズさん、秘密にさせてもらうよ……」

　アバクムは、謎めいた微笑みを浮かべて答えた。それから、ラッカー塗りの箱の上で魔法の杖をふり、中に〝暗い思い〟の玉を落とした。キャパピルケースからとり出した大きな粒を突き刺し、それも箱の中に入れた。そして、ふたを固く閉めると、魔法の杖といっしょに上着の内側にしまった。

68 地下納骨堂の囚われ人

オクサは、ナサンティアに入った不思議な経験をギュスに話したくてたまらなかったが、午前中はその機会がなかった。

昼食が終わるとすぐに、二人は友だちをまいて、以前から二人の〝秘密の場所〟になっている「石像の隠れ家」に向かった。しかし残念なことに、生徒の侵入に気づいたボンタンピ校長が、ここに二重の鍵をかけてしまっていた。二人は、新たな隠れ家を探すことにした。荒廃がひどくて生徒たちが利用していない場所が見つかった。ほんの小さな礼拝堂だ。

「オクサ、ここに入るのはやめようよ」

ななめに板を打ちつけて扉をふさいでいる戸口に立って、ギュスが言った。

「いいから来なさいよ。ここなら、じゃまされないから」

「別の場所があるかもしれないよ。礼拝堂がいいんなら、新しいほうに行けばいいじゃん」

ギュスはぼやいた。その陰気な礼拝堂に入ることに、頑固に抵抗している。

「それって、ジョーク？　学校のコーラス部の練習時間じゃない！　聞こえない？　ここまで声が聞こえるよ！」

オクサは激しい口調で言った。それから板を少し引っぱると、錆びた釘はすぐに抜け、虫に食われた板がオクサの手に残った。

「ほらね！　入れっていう印よ！」

「ふ〜ん……印ねえ……問題が起きるっていう印かもな！」

ギュスの皮肉は無視して、オクサは指先で扉を押し、頭を突っこんだ。

「異常なし。こわがりねえ。いいところじゃない！」

「不気味なところだと思うけど……」ギュスが反論した。

二人はいったん中に入ると、もう一度入り口の扉を少し開き、だれも見ていないかどうかを確認した。礼拝堂は暗くて息がつまりそうだ。充満したほこりが、長椅子や壊れた祭具の上に積もっている。太陽が雲から顔を出したのだろう、とつぜん、色つきの細い光線が、小さな祭壇の上のよごれたステンドグラスから差しこんできた。二人はこのとつぜんの光に驚いて、びくっとした。まるで長い間打ち捨てられていた礼拝堂が生き返ったかのようだ！

オクサは、すばやい反射神経で、目を細め、手を胸の前に構え、右足を前に出して直角に曲げるカンフーの攻撃の姿勢をとった。ギュスは思わずほほえんだ。

「だいじょうぶ？　何も怪しいものはなさそうか？　おまえにはいつも驚かされるよなあ」

「ギュス、何か聞こえなかった？」

オクサはギュスの腕に手を置いた。再び警戒態勢に入ったギュスは、息をつめて耳をすましたが、とくに変わったことはなさそうだった。

「幽霊がそこらへんをうろついているのかもな」ギュスは皮肉を言った。

オクサはひじ鉄を食らわせようとしたが、とちゅうでやめて感覚を研ぎ澄ました。

「〈ささやきセンサー〉か幻聴ね……」と、オクサ。

「〈ささやきセンサー〉？　すごく小さな音を聴くことができる能力のことか？」

「そのとおりよ。いまね、その能力が全開なのよ。ついてきて、何かあるわ」

ギュスは全然、行きたくはなかった。しかし、オクサに引っぱられ、奥の地下納骨堂に向かって進んだ。

「まさか、ここに下りたりしないよな？」

「ねえ、ギュス……ただの地下納骨堂じゃない！」

「ただの地下納骨堂だって？　サイコーだね！　地下納骨堂に何があるのか知ってんのか？　墓だよ、殉教者の聖遺骨だ、死人だ！　わかってんの？　死人、死体、骸骨、死骸！」

「もう、いいってば！」オクサは眉をひそめながらさえぎった。「〝死〟のついた言葉を全部並べてくれるつもり？」

「ぼくが本当にここに下りると思ってんのか？」

「怖いの？　まったく！」それでも、オクサは少し気をそがれた。「いいわ、もう行こう……あーっ、何、これ？」

地下納骨堂から、歌がはっきりと聞こえてきた。オクサはギュスの腕をつかんだ。ギュスは脚がすくみ、恐怖で全身が固まっていた。

「ここから出よう。こんなとこに入るんじゃなかった……とんでもない……こんなとこにいるべきじゃない」

「だいじょうぶ、あたしには武器があるから」

オクサは〈クラッシュ・グラノック〉を出して、毅然として地下納骨堂のほうに向けた。

生徒たちがめちゃくちゃな太鼓のような音を聞いたのは、ほぼ三時近かった。教室では、先生が生徒を静かにさせようとしたが、先生もまた、そのけたたましい音をいぶかしく思ったので、静めることはできなかった。

そして、「おお！　この鏡に映るわたしがとても美しく見える。だから、わたしは笑う！（オペラ「ファウスト」の一節）」と声をかぎりに歌う声が廊下にひびきわたると、好奇心は最高潮に達した。またたく間に十人くらいの生徒が廊下に面した窓に集まり、その騒ぎがどこからくるのかと、きょろきょろした。ボンタンピ校長が数日後のカーニバルに合わせてちょっとした催しものを準備したのかと考えた先生たちもいたし、歌声の出どころを見極めようと教室のドアを開ける先生もいた。

そのうちの一人が、廊下の奥の角を曲がっていく人影に気づいた。青い服を着た、どちらかといえば華奢な姿だ。

オクサとギュスが教室の窓に額をくっつけていたとき、メルランが叫んだ。

「おい、見ろよ！　噴水の近くにいるの、クレーヴクール先生みたいだぜ！」

メルランとオクサの目が合った。オクサはメルランにウインクし、メルランはかすかにほほえんで、共犯者めいたウインクを投げ返した。

メルランの言葉は、オクサのクラスと中庭に面した全クラスにすぐさま伝わった。勉強している生徒は一人もいないようだ。

オクサとギュスは、窓から中庭を見ようと首をよじった。今度は「泉のほとり」という歌を歌っている金切り声がはっきりと聞こえた。ギュスはオクサの腕を取り、廊下に引っぱっていった。そこからは中庭をすっかり見わたすことができた。

「先生、あそこから出られたのね。よかった……」

オクサがつぶやいた。クレーヴクール先生は――まさに彼女だったのだ――声をかぎりに歌って、解放を祝っているのだ。


オクサとギュスが地下納骨堂の暗がりでぼんやりした人影に気づいたとき、二人はあやうく気絶しそうになった。ギュスはというと、怖くて死にそうだった。

「クレーヴクール先生ですか?」

オクサは〈クラッシュ・グラノック〉を向けながら、かすれた声でたずねた。

「クレーヴクール? なんてきれいな名前! きれいな、きれいな名前……。いいえ、クレーヴクールなんて知りませんけど……」

そのあと優しく歌うような声が聞こえると、オクサとギュスは仰天して、あわてて逃げたのだった。

それから数時間後に、噴水のふちに座ったクレーヴクール先生が見つかったというわけだ。よごれた布をひもにして鍋を肩からななめにかけ、それを太鼓に見たてて狂ったようにたたき、声を枯らして童謡を歌っている。髪はぼさぼさ、顔はよごれて真っ黒で、はっとするような――「ショッキングな」という形容を避けるとすれば――見世物を披露していた。青いスーツは破れ、むき出しの脚は内出血とかさぶたでおおわれていた。

「さあ、子羊たち、小屋に帰る時間ですよ！　でないと、大きな悪いオオカミに捕まえられますよ。おいで、おいで、かわいい羊たち、優しい羊飼いといっしょに行きましょう」

クレーヴクール先生は、生徒たちが大勢群がっている窓や手すりを見上げ、大声で叫んだ。それから手笛を吹き始めたので、生徒たちは歓声をあげて応えた。

この反応に気をよくしたクレーヴクール先生は、噴水のふちに立ち上がり、両足をそろえて冷たい水の中に飛びこんだ。水にひざまでつかってうれしそうに跳ねまわり、ますます大きな声で「羊飼いの娘がいました、ロン、ロン、プチ、パタポン（フランス民謡の一節）」と歌った。

数人の先生を引き連れたボンタンピ校長がやってきて、クレーヴクール先生を腕にかかえて水から引き上げた。

「ベネディクト！　落ち着いて、もうだいじょうぶだよ！」

しかし、クレーヴクール先生は言うことを聞かない。鍋の太鼓で、助けてくれた校長の頭をたたこうとした。ベント先生が間に入らなかったら、校長は目から火花を散らしていただろう。

先生たちは、女羊飼いのあらがう悲鳴と生徒たちの大喜びの拍手に送られて、中庭から姿を消した。数分後、救急車のサイレンが校舎の壁にひびきわたると、生徒たちはすっかり白け、笑う者はいなくなった。

69　ますます事態は悪化する

「クレーヴクール先生が姿をあらわしたって？　それはたしかなことか？」

「絶対、たしか！」

オクサとギュスは、ピエール・ベランジェに付き添われて急いで帰ってきた。二人がその日の信じられないような出来事を話して聞かせたとき、ピエールは耳を疑った。ポロック家でも、そのニュースは同様の驚きで迎えられた。

「信じられないわ……」

ドラゴミラは、目もうつろに考えこんでいる。

「怖かったー。どんなスピードで礼拝堂から逃げたか、見せてあげたかった」と、オクサ。

「その人はおまえたちに感謝しなければね。もしおまえたちが見つけていなかったら、どうなっていたことか」ドラゴミラが指摘した。「でも、とても驚いたわ。てっきりオーソンは彼女を殺したと思っていたのに……」

「殺さなかったのよ、よかったわ！」オクサはほっとしている。「でも、正気を失ってた」

「精神錯乱っていうべきだな」ギュスが訂正した。「でも、あのひどい格好を見たら驚かないな。マックグローが先生に暴力をふるったにちがいない」それからドラゴミラのほうを向いてたずねた。「マックグローは先生をどうしたんだと思いますか？」

「グラノックの〈精神錯乱弾〉に似ているけれど、もっと有害なものね」

ギュスがよくわからないという顔つきをしたので、オクサが物知りぶって説明した。

「〈精神錯乱弾〉というグラノックは、せいぜい数時間だけど、頭を混乱させるの。それを受けると、おかしなことをしゃべるのよ」

「本来は、わりあい害は少ないものなのよ。でも、おまえたちが言ったことを考えると、もっと攻撃力が強いものだと思うわ」ドラゴミラがつけ加えた。

「マックグローは〈記憶混乱弾〉ってグラノックを使ったんだと思う？」

「二つを混ぜた可能性が高いわね。それに量もケチらなかったのだと思うわ。あいつなら、クレーヴクール先生にしゃべられないようにするでしょうね。彼女はいろいろ知りすぎたから。回復は無理かもしれないわ。かわいそうに……。彼女はいまどこにいるの？　知ってる？」

「救急車に乗せられて行ったわ。あとで先生たちが話しているのを聞いたんだけど、いまは病院にいるって。警察が事情を聴きたいそうだけど、先生はすごく混乱しているから、うまくいきそうにないって」

「まったく……ぼくたちは、近づいてくる人たちを幸せにしているとは言えないな」

パヴェルが妻の手をにぎりながらつぶやいた。

みんなが沈黙した。オクサとギュスは、優しくて思いやりのあったクレーヴクール先生の以前の姿と、今日のショッキングな姿を思い浮かべていた。そのそばでは、車椅子生活を余儀なくされているマリーが、マックグローが短期間にどれだけの悪事を働いたかを考えながら、オクサたちを悲しそうに見つめていた。

マリーは、完全な回復にはほど遠いが、前よりずっとよくなっていた。いまは手や腕を使うことができるし、あんなにひどかった目まいもほとんどない。歩けないことだけが心配と不安の種だ。ごくふつうに片足をもう一方の足の前に出そうとすると、溶けた金属が脚の中を流れるような激しい痛みが走る。家族の助けにもかかわらず、歩こうとするたびに耐えがたい痛みにおそわれ、失望した。それ以外のときは、両脚は脳から切り離されたように、脳の呼びかけに反応せず、動かず、医者が針を刺しても何も感じない。

顔には出さないが、マリーはいつか歩けるようになるだろうという希望は捨てていた。もうオクサの世話もできないだろうと思うと、胸がむかむかしてくる。夫や家族への強い愛情だけが、恐ろしい試練に立ち向かう原動力だ。〈逃げおおせた人〉たちの言うとおり、運命を変えることはできない。自分自身は〈逃げおおせた人〉でなくても、逃れようもなく彼らの運命に取りこまれている。彼らの仲間なのだ。それに娘は彼らの「希望の星」なのだし……。

パヴェルもまた、非常に苦しんでいた。最大の苦悩(くのう)はもちろん、情熱的に愛している妻、死ぬまでこのままだと思わなくてはならない妻のこと、そして、若いのに途方(とほう)もない責任を負っている娘のことだ。たったの十三歳(さい)だ！　賢(かしこ)く活発なオクサの強さはだれもが認めている。少し前からたびたび降りかかってくる災難にも、敢然(かんぜん)と立ち向かった。少なくとも表面的には……。今回は、ナサンティアがオクサの心の傷を消してくれた。

しかし、大きな失敗をしたとみんなが認めるべきではないだろうか。これから先も危険がないわけではない……それどころか、危険だらけだ。相手は怒(いか)り狂(くる)ったやつだ。オーソン・マックグローはあきらめはしない。やつはすでにひどいことをしてきたし、矢面(やおもて)に立たされているのはオクサだ。ほんの五ヵ月前、エデフィアへの帰還(きかん)というばかげた希望のために自分たちの人生が一変すると、だれが予想しただろうか？　もし、こうしたことすべてがみんなを破滅(はめつ)に導いているとしたら？

パヴェルには心配事が山ほどあった。さらに悪いことに、この数日間というもの、自分が無力だという苦い思いが心に巣食っていた。生来(せいらい)の心配性のせいで悲観的になっているわけではない。自分ではどうにもできない運命にオクサを引きずりこむ力というものを、いまでは十分にわかっている。反対してもむだだった。それはわかっている。あともどりをするか？　すべてやめるか？　どちらも無理だ。自分にできることはオクサを守ることだけだ。それが父親の役目だ。しかし、なんという期待はずれ……。アバクムやドラゴミラのほうが自分よりずっと役目を果たしている。何が起きても、二人は解決策を見つける。二人がいなかったら、オクサはマックグローの手にわたっていただろう。自分は何の助けにもならなかった……どんなときでも。

パヴェルは、エデフィアに本気で興味を持ったことがない。彼にとっては過去のこと、家族の昔話だ。たしかに、パヴェルにも超能力がいくつかある。空中浮遊もできるし、〈火の玉術〉や、少しは〈ノック・パンチ〉もできる。だが、そうした能力をこれまでは隠す必要があったから、何の役にも立たなかった。そんなことをしたら家族を危険にさらすだけだったから。

こうしたことを、パヴェルはいま現在まで思い悩んでいた。しかし、もはやこんな醒めた考え方をしている場合じゃない。事態は急を要している。パヴェルが最も愛し、彼を最も必要としている二人の人間、妻と娘を守るときが来たのだ。


その夜、自分のレストランのキッチンで一人、パヴェルは不安にかられながら考えた。そのうち、自分の責任と、出自と、運命から逃げる弱い男、そうありたくない男に対する怒りが爆発した。自分は〈逃げおおせた人〉の息子であり、血管に流れている血はグラシューズの血であり、一族はエデフィアから来た。そして、オクサには帰還を可能にする印があり、しかも、世界を救えといった不老妖精の予言もある。そうしたことが、まるでなかったかのようにふるまうことはできない。その段階はもう終わった。いまは正面から立ち向かうしかない!

体の奥深くに眠っていた〈内界〉が、パヴェルに冷たい身震いを起こさせた。目を薄く開け、片足を前に出して直角に曲げる。それから、床にはめこまれたテーブルに跳び乗り、包丁を二本取って胸の前で交差させた。二枚の刃が不気味な音を立ててすれ合う。片足で跳び、脚を大きく開き、床に降り立つと同時にまた跳び上がった。蹴った足の勢いに体が引っぱられ、テーブルの上、流し、調理台の上と、元武道家らしい身軽さですばやく跳びまわった。

冷蔵室の前に来ると、金属の扉に自分の姿が映っている。それを見て、彼は欲求不満と怒りの混じった、しわがれた長い雄叫びを発した。勢いをつけてタイルの壁に向かった。ここ数週間ためていた苦い思いをバネに、壁の上を走った。最後に、息切れしながらも腕を伸ばして、すべての不満を巨大な銅製のシチュー鍋に集中させた。しばらくすると、鍋はクレープのようにペチャンコになって飛んでいった。

最初の敵との戦いは始まったばかりだ。恐ろしく強力で見えない敵……それは自分自身だった。

70 記憶消しゴム

次の日、ポロック家とベランジェ家の人たちは、オクサの家のダイニングキッチンに集まっていた。だれもがみな、苦しげな表情で、言葉少なに時を過ごしている。

陰気な昼食の最中に、玄関の呼び鈴が鳴った。パヴェルが出ていき……前にオクサに質問した刑事たちを連れてもどってきた！　オクサは食べていたものをごくりと飲みこみ、背中に冷や汗が流れるのを感じた。いったい何をしようとしてるんだろう……この家で？

刑事の一人がした最後の質問が記憶によみがえる。「きみが指揮者のレオミド・フォルテンスキーの家族かどうか知りたいんだ」。もちろん、オクサは肯定した。少しいぶかしく思ったものの、これで危険な質問が終わってくれるとほっとしたのだ。あとでそのことを考えたとき、刑事たちは単に事情通の音楽好きなのかもしれないと思った。しかし心の奥では、ルーカス・ウィリアムズとピーター・カーターの事件に関係のある質問だとわかっていた。警察の論理だ！

そのときはぐったり疲れていたために、最悪の考えは頭のすみに押しやられていた。その結果がこれだ！　とうとう刑事が来てしまった。ということは、あの残虐な事件にオクサの家族が関係していることが明らかになったのか？　包囲網がせばめられ、もう否定できないということなのか？


「食事のおじゃまをして申し訳ありません」パヴェルが案内したサロンのソファに腰を下ろしながら、刑事が口を開いた。「ちょっとおたずねしたいことがありましてね」

「母のドラゴミラ・ポロック、妻のマリー、娘のオクサです……」

パヴェルはなるべくくつろいだ調子で言ったが、声は、いつもより少しとがっていた。

「こんにちは、オクサ」刑事の一人があいさつした。ほかの人たちに向かって、「聖プロクシマス中学校で前に一回会っています」と説明した。

それから刑事は、ドアがあいたままになっているキッチンのほうを見ながら言った。

「あの方たちはどなたでしょうか？」

「友人のベランジェ夫妻と彼(かれ)らの息子(むすこ)のギュスです」と、パヴェルが答えた。

「ベランジェ？　ベランジェとおっしゃいましたね？」刑事は同僚(どうりょう)を見つめながら言った。「わたしたちの訪問に関係ある方たちだ。こちらに来てくださるよう言っていただければ……」

パヴェルは動揺(どうよう)しつつ、ベランジェ一家をダイニングキッチンに呼びに行った。ギュスは、緊張(きんちょう)したまなざしをオクサにちらりと向け、彼女(かのじょ)の正面に座った。

「何をお知りになりたいんでしょうか？」

ドラゴミラが、親しげにたずねた。

「ルーカス・ウィリアムズという人を知っていらっしゃいますか？」

一同は、首をかしげながら顔を見合わせ、頭を横にふった。

「ルーカス・ウィリアムズ？　いいえ、まったく覚えがないですね」

ドラゴミラは無邪気(むじゃき)に答えた。

「うちの中学校の数学の先生じゃなかったっけ？」

オクサのこの言葉にみな驚(おどろ)いたが、顔には出さなかった。オクサは何でもないように続けた。

「その人は殺されたって、クラスメートが言ってました」

刑事たちはオクサをじっと見た。

「そのとおりだよ、よく知っているね。では、ピーター・カーターという名前については？」

「その人も殺されたのよ！」

オクサが激しい口調で答えたので、刑事たちはびっくりし、ほかの人たちはあわてた。

ギュスは再びオクサをちらと見やって、大きなため息をついた。何やってんだろう？　こいつは、もうどうしようもないな……と、心の中で思った。そして、自分は手錠をかけられて死ぬまで牢屋に入れられ、オクサや〈逃げおおせた人〉たちは、最新鋭の実験ラボに送られて解剖される光景を思い浮かべた。ブラボー、オクサ……もうだめだ！

　オクサのほうは、かなり平然としていた。自分のやっていることを完全に意識していた。ドラゴミラにはすぐにそれがわかった。

「二人の死因は同じだったんですよね。肺が溶けているって、いろんな新聞に載っていました」

「そのとおりだよ」刑事の一人がうなずいた。「それで、今日わたしたちがうかがったのは、ピーター・カーター――ご存知かもしれませんがジャーナリストです――が死ぬ数ヵ月前から、あなたたち家族について調査していたと思われる、たしかな証拠があるんですよ」

「どういうことですか？」パヴェルが眉をひそめながら口をはさんだ。

「カーターの自宅に、あなたの伯父レオミド・フォルテンスキーに関する新聞記事が数多くあったうえ、調査テーマをはっきりと示す書類が見つかったのです。その書類は、わたしたちがカーターの死体を発見した数日後に、残念ながら盗まれたんですがね。しかし、書類を見る時間はありました。それには組織図のようなものや、写真や、あなたの家族や友人についてのくわしいメモがありました。ポロックさん、あなたや友人のアバクム・オリクソンさんについてもね。あなた方は有名なハーブの店を経営されていたのでしたね？」

「はい」ドラゴミラは眉を寄せ率直に答えた。

「その書類には、ペトラス・プロコピウスという人物についての奇妙な情報もありました。職業は美術品の密売人、二年前にアメリカで仕事中に射殺された。この名前に心当たりはありませんか?」

「いいえ、ありませんけど……」ドラゴミラは、記憶のなかではなく、ゆったりとしたドレスのひだの中をこっそり探りながら答えた。「でも、その数学の先生のことと何の関係があるんです?何とおっしゃいましたか……ウィリアムズでしたかしら?」

「ルーカス・ウィリアムズです。つまり、あなたの家族——あるいは家族のうちのどなたか——がこの二人の男性の殺人と聖プロクシマス中学校の先生クレーヴクールさんの行方不明に関係があると考えられる、たしかな証拠を持っているわけです」

刑事は、そこにいる人たちを一人一人見つめながら、冷たく言い放った。

「でも、クレーヴクール先生は見つかりました!」

オクサが不満そうに声をあげた。

「たしかに」と、刑事がすぐさま答えた。「しかし、その見つかり方は非常に謎めいています。ご存知でしょうが、あのかわいそうな方は精神的に重い傷を負っています。つまりですね、あなたの家族がこれらの事件すべての共通点のように思われるので、もっとはっきりさせたいというわけなんです。ルーカス・ウィリアムズはあなた方がイギリスに引っ越してきてわずか三日後に殺されていますし、ピーター・カーターはあなた方を追ってロンドンに来て一ヵ月後に、ウィリアムズと同じ運命をたどりました。……おや、ポロックさん、何をしているんですか?」刑事はとつぜん立ち上がりながら叫んだ。「それを置いてくだ……」

言い終える時間はなかった。刑事二人は、〈クラッシュ・グラノック〉を吹いたドラゴミラのほうに大きく目を見開いたまま、へなへなとソファにたおれこんだ。

「ブラボー、バーバ！　危ないところだったわね！　この人たち全部わかってたのね！」

オクサが興奮したように叫んだ。

「そうね！」ドラゴミラは認めた。「わたしたちはまんまと罠にはまったわけよ。……さあ、急ぎましょう。一分も時間をむだにできないわ」

「何をしたんですか？」

叫びそうになって口を手でふさいでいたマリーが、心配そうにたずねた。

「心配しなくていいよ、マリー。〈記憶消しゴム〉のグラノックを使ったんだと思う」

パヴェルが安心させるように言った。

「そうよ」ドラゴミラはうなずいた。「さあ、これから、わたしたちが事件といっさい関わりがないということをこの人たちに納得させなければ。そう信じてここを出ていってもらわないとね」

「ええ、もちろん……」マリーは半信半疑だ。

「どうやってするの、バーバ？」興奮しているオクサは急きこんでたずねた。

「こうするのよ！」

ドラゴミラは、一人の刑事の頭を両手でかかえ、目をじっと見すえて、だれにも理解できない文句を激しいリズムでつぶやいた。すると、口から青味がかった煙が細い帯になって放出され、波打ちながら、身動きできない刑事の耳まで届いた。煙は耳の中に吸いこまれ、数秒たつと反対の耳から出てきて、外の空気に触れると自然に消えていった。

「それって何ですか？」ギュスが小声でたずねた。

「ドラゴミラは〈暗示術〉ができるんだ」

ピエールが小さな声で答えた。

「あたしに当てさせて」と、オクサが口をはさんだ。「催眠術の一種でしょ？ わたしたちがルーカス・ウィリアムズとピーター・カーターの事件には無関係だということを、バーバはこの人たちに吹きこんでいるのよね」

「クレーヴクール先生を忘れてるよ」と、ギュスがつけ加えた。

オクサたちがしゃべっている間に、ドラゴミラは二人目の刑事にも同じ処置をした。煙は耳の外に出ると空気中に消えていった。

「早く！ 正気にもどるわよ！ 元の場所にもどって！」ドラゴミラが注意した。

みんなは、すぐに元の席にもどった。ソファでは、二人の刑事たちがぶつぶつ言いながら軽く頭をふっている。ドラゴミラは〈クラッシュ・グラノック〉を口元に持っていき、小声でこうつぶやいた。

グラノックの力で
おまえの殻を破れ
消された記憶はほこりとなり
わたしがあたえた言葉を覚えるのだ

それから、刑事たちに向かって二度ほど〈クラッシュ・グラノック〉を吹いた。すると彼らは、中断された会話を再開した。というよりも、ドラゴミラが中断させたのだが……。

「けっこうです。わたしたちの質問に答える時間を割いていただき、ありがとうございます。いや、大変おじゃましました……」

刑事の一人が立ち上がりながら言った。ドラゴミラはにっこり笑って応じた。

「まあ、とんでもない！　お役に立ちたかったのですが……」

「そんなことはありません、奥さん。あなたがくださった情報によって、いままで考えてもみなかった捜査の手がかりを得ました。本当にありがとうございました」

オクサとギュスは目を見張り、顔を見合わせた。ドラゴミラが刑事を玄関まで送っていったすきに、ギュスはささやいた。

「おまえのおばあちゃんって、すごいな……」

「わかってる、わかってるって……。うちの家族ってそうなのよね」

オクサが楽しそうに答えた。

「でもさ、おまえが全部しゃべり始めたとき、頭がおかしくなったのかと本気で思ったよ」

「あなたのおかげでパニックになりそうだったわよ。もう終わりかと思ったわ……」

マリーもギュスに同調した。

「ちょっとは信用してもらいたいわね。あたしを信頼（しんらい）しなくっちゃ！」

オクサがいたずらっ子のように言ったとき、ドラゴミラがもどってきて、話に入った。

「わたしもオクサと同じ考えだったのよ。妖精（ようせい）もわたしたちの味方だったしね……」

「妖精が何かしてくれたの？」

オクサが興味深そうにたずねたので、ドラゴミラは笑った。

「いいえ、それはエデフィアで使う言いまわしよ、わたしの愛しい子（ドゥシュカ）」


「さて、お母さん」パヴェルが、あらたまって言った。「罪のない刑事を導く新しい手がかりというのが何なのか、教えてもらいましょうか？」

「ああ、簡単なことよ。オクサとギュスがオーソンことマックグローをスパイだと信じこんでいたのは、覚えているわね？　それを利用して、刑事たちの頭にこういう説明を吹きこんだのよ。よく聞いてちょうだい。ピーター・カーターはジャーナリストではなかった。それは隠れ蓑（かくれみの）で、本当はロシア連邦（れんぽう）保安庁ことＦＳＢ（エフエスビー）、つまり旧ＫＧＢ（ケージービー）の諜報（ちょうほう）員だった。彼は西欧（せいおう）にいるすべてのロシア離反（りはん）者を特定する任務を負っていた。あなたたちも知っているように、わたしの夫ウラジミールは偉大（いだい）なシャーマンだった。ソ連当局はそのことを知るとすぐに、夫のことを危険分子だと思ったの。彼は、反体制派というレッテルを貼(は)られて強制収容所に入れられ、数日後に脱走(だっそう)しようとして殺されたのよ。これは、残念なことに作り話ではないけれどね……」

　ドラゴミラは目をつむり、頭をふって、このぞっとする思い出をふりはらった。

「この殺害のあと、アバクムとパヴェルとわたしは、助けに来てくれたレオミドのおかげでソ連を脱出した。以来ずっと、わたしたちの家族は反体制派と見なされているのよ。わたしは、ルーカス・ウィリアムズが、実は政治的理由でソ連から逃げた偉大なロシア人生物学者ルカ・ウィレンコフだと刑事に思いこませたの。イギリスに着くと、ルーカス・ウィリアムズという名を名乗り、聖プロクシマス中学の数学の先生になった……これも隠れ蓑ね。数ヵ月前に、彼は、ロシアの大統領を失脚(しっきゃく)させるためのクーデターを計画する反体制派グループに加わるようにと、わたしたちに連絡(れんらく)してきた。彼の最大の強みは、自分が開発した物質、つまりまったく非合法につくった致命的(ちめいてき)な細菌(さいきん)兵器だった」

「〈肺溶解弾(ようかいだん)〉ね！」と、オクサが口をはさんだ。

「そうよ！　続きはもう簡単に想像できるでしょう？　ピーター・カーターは、ルーカス・ウィリアムズとわたしたちの居所(いどころ)を突(つ)きとめた。カーターは、ウィリアムズ自身が開発した細菌兵器で彼を殺し、今度はウィリアムズのグループの別のメンバーから殺される羽目(はめ)になった。そのグループには、ポロック家の人は近親者も遠戚(えんせき)も一人も関わっていない。というのは、ポロック家の人たちは、ソ連からやむなく脱出して以来、いっさい政治には関わっていないから。つまり、この事件は今後、警察の目には、ロシアの諜報員のおぞましい報復事件だとしか映らないということね。そして、わたしたちをそっとしておいてくれるように、英国当局の機密保持にもちろん期待したいわ。わたしたちはもう十分に苦しんでいるんだから。そうじゃない？」

ドラゴミラはこうしめくくった。それから一同に輝くような笑顔を向けて、

「それで？　どう思う？」

「バーバって、すっごくすてき！　ロシアのスパイ、ルーカス・ウィリアムズとピーター・カーター！　信じられない想像力ね。小説でも書けばいいのに……」と、オクサ。

「ブラボー、ドラゴミラ！　腕前は落ちていないですね。わたしだって、その話を信じこみそうになりましたよ！」と、ピエール。

「さすが……超一流だ！　少し前にイギリスの諜報部をごたつかせたロシアのスパイの毒殺事件を思い出しましたよ」

ギュスが尊敬のまなざしで見つめると、ドラゴミラは謎めいたことを言った。

「あら、ギュス、事実は小説より奇なりよ」

パヴェルとマリーだけは、こわばった表情をして黙っていた。刑事がいた間に感じた動揺と不安がまったく消えていないようだ。

「クレーヴクール先生は？　彼女も反体制派なんですか？」

パヴェルがドラゴミラを見つめて言った。ドラゴミラはほほえみながら答えた。

「それはだれにもわからないでしょうね……」

71
長寿(ちょうじゅ)の謎(なぞ)

もちろん、クレーヴクール先生は、どんな反体制派グループとも、ロシアのスパイとも無関係だ。しかも、死んではいなかったのだし……。

先生が殺されなかったことに、ドラゴミラも最初は驚(おどろ)いていた。しかし、〈逃(に)げおおせた人〉たち全員が再びビッグトウ広場のオクサの家に集まったとき、その理由が道理にかなっていることが明らかになった。それはオクサにも理解できた。

「当然ね！　もしマックグローがクレーヴクール先生を殺していたら、あたしたちだけでなく、自分も火の粉(こ)をかぶる危険性があったもんね。ルーカス・ウィリアムズとピーター・カーターのことは、バーバが警察に吹(ふ)きこんだ話で説明がつく。でも、そこにクレーヴクール先生を加えたら、筋が通らなくなるもんね！」

「おまえの言うとおりだよ、オクサ」アバクムが賛成した。「〈外の人〉に対しては、オーソン・マックグローは自分を守るために、わたしたちを守らざるをえない。その逆もだ！　わたしたちの運命はあいつにつながっている」

「あーあ、とんでもないわ……」

オクサが大きなため息をついた。

「気の毒なクレーヴクール先生のことで、ほかに何かわかったことは？」

スウェーデン人の巨漢、ナフタリが言った。

オクサとギュスは、先生の状態についてあちこち探ったり、こっそり聞き耳を立てたりして、少しだが興味深い情報を集めていた。

「警察や先生たちは、理科室を破壊したやつがクレーヴクール先生に見つかったため、まずい方向に進んだと思ってるみたい。クレーヴクール先生はちょうど間の悪いときにそこにいて、暴力をふるわれたってわけ。あと、先生は療養所に入ってるそうよ。校長先生が昨日、ベント先生にそう言ってた。校長先生は毎日お見舞いに行ってるんだけど、クレーヴクール先生は頭がまるっきり混乱してて、ひどいんですって。校長先生のことを中国の役人だと言ったり、そうかと思うと数分後にはエジプトの神官だって言ったり……」

「さすが歴史の先生だね……」パヴェルが言いかけて、はっとした。「あっ、すみません。もう言いません」

「ぼくは、ルメール先生の教材を取りに行ったとき、ボンタンピ校長とマックグローが話しているのを聞きました」今度はギュスが話し始めた。「胸が悪くなりましたよ。あの偽善者のマックグローめ、ベネディクト——名前で呼んでた、いやなやつ！——の身の上に起きたことには深く心を痛めている、なんて言ってました。それから、噴水の凍えるような水の中であんなふうに遊んでいる彼女の姿を見たとき、激しいショックを受けたとかなんとか、ぺらぺらしゃべってました。ほんと、気分悪かった！」

「授業のほうは？　今週、マックグローとはどうだったんだい？」

アバクムがたずねた。

オクサとギュスは顔を見合わせてから、声をそろえてこう答えた。

「サイコー！」

「最高？」マリーが驚いた。

「うん、つまり、あいつはあたしたちを無視したってこと」と、オクサが答えた。「あたしたち二人にとっては天国よ。これ以上望めないほどサイコー！　いじめも言いがかりもない、最高の幸せ！　あたしが机の上で踊ったとしても、何も言われなかったと思うわ」

「ほんとにそう思う？」と、ギュス。「ぼくは、ちょっとばかり疑問に思うけどな。陰険な目つきでこっそりおまえを見ていたのに、気づかなかったんだな。あの引っかき傷だらけの顔を、おまえが愉快そうにながめていたときだけどね」

「あいつだって、あたしをひどい目にあわせたじゃない」オクサは口をとがらせた。「本当は、あいつはだれにだってひどいことをするのよ」

「モーティマーは？　ゾエは？　あんたたち、この二人に会ったの？」

ドラゴミラがたずねた。

「ゾエはぼくのあとを追っかけてきたけど、話しかけたり近づいたりするな、と言って、背中を向けてやった」

「あたしにも話しかけてきたわ。説明したいことがあるって……」オクサはため息をついた。「涙を浮かべてあんまり悲しそうだったから、つい同情しそうになっちゃった。でも、結局は返事をせずに、できるだけきつくにらんで離れたけど……。あと、モーティマーがバカンスに行く島のことを自慢してた」

「島ですって?」

ドラゴミラが驚いた声をあげた。

「うん、スコットランド沖の島をお父さんが買ったって。あの自慢している様子を見せたかったな! 〝親父の島〟がこうだ、〝親父の島〟がああだって、ばかみたい。あたしに気づくと、いつものように挑発しようとした。あいつの父親がハネガエルであたしを宙づりにしたときの、あたしのあわてた顔をからかって、釣り針の先につけたミミズみたいにばたばたあばれてたって。あたしは、傷だらけの顔と丸まった背中をしたあいつの父親のほうが滑稽だって言い返してやった。そしたら、バーバのことを、ただの老いぼれだから、奇跡的な力が使えるのもそう長くはないだろうって……」

「なるほどね」ドラゴミラはうなずいた。「でも、心配しなくていいのよ。たしかに、わたしはもう若くはないけれど、けっこう抜け目ないのよ」

「〝若い〟っていえばさ……」ひざに頬づえをついたオクサが言った。「長いこと、ギュスと二人で不思議に思っていたことなんだけど……いまだったら答えてもらえるかな？」

　ドラゴミラとアバクムは、緊張して顔を見合わせた。

「バーバたちが〈外界〉に来て、氏名や戸籍のことで小さな嘘をついたのは知ってるわ。そうするしかなかったのよね。それでマックグローなんだけど、公式には一九六〇年に生まれたことになってる。でも本当は、バーバより年をとってるよね？」

　ギュスは興味深そうに耳をすまし、ソファにゆったりと座り直した。これは、少し前からギュスも気になっていた疑問だ。

　驚いたことに、返事をしたのはレオミドだった。

「オーソン……つまりマックグローは、わたしより二歳、妹のドラゴミラより七歳年上だ。だから、計算がまちがっていなければ、彼はいま七十九歳だ」

「まさか！　七十九歳だなんて！」マリーが叫んだ。

「そうなんだ、そう言われると思ってたよ」レオミドが認めた。

「でも、どうしてあんなに若く見えるのかしら？」マリーが不思議そうにつぶやいた。

「ごめんなさい」オクサがあわててさえぎった。「おじさんたちが年寄りくさいって言ってるんじゃないの。年のわりにはすっごく元気じゃない。でもマックグローは、おじさんたちよりはるかに若く見える。七十九歳だなんて、ウソみたい！　それに、本当にその年齢だったら、ずっと前に引退してるはずだよね」

「ひょっとしたら、美容整形したのかもしれないよ。それか、若返り療法とか」

ギュスが言うと、ドラゴミラとレオミドは何かひらめいたようだった。二人は、はっとしたように顔を見合わせた。

アバクムは、その問題についてはすでに十分考えていたというふうに落ち着いていた。ドラゴミラとレオミドを見つめ、「きみたちが考えているのは……」と口を開きかけると、二人は頭をかかえながら、あえぐように言った。

「まさか、信じられない……」

「そんなことはありえない……」

声が上ずりそうになるのを必死で抑(おさ)えて、オクサがたずねた。

「そんなことって、どんなことなの？」

オクサとギュスの両親たちはひと言も発せずに、その謎(なぞ)に満ちたやりとりをながめていた。しかし、ドラゴミラたち三人はそれぞれ自分の考えごとに夢中で、まわりの人たちがいぶかしそうに自分たちを見つめているのにまったく気づかなかった。ナフタリが、かがんでマリーの耳元で何事かささやくと、マリーは小声でこう答えた。

「四十五歳くらいに見えますね。絶対に七十九歳だなんてことはないです」

ナフタリがマリーの印象をブルンとメルセディカに伝えると、その三人は謎めいたひそひそ話を始めた。

「『若返り療法』って言うと、みんなこういう反応をするんだよなあ」

ギュスがオクサにささやくと、オクサは眉(まゆ)をひそめ、疑わしげに肩(かた)をすくめた。

「どっちにしても、その言葉がヒントになったみたいね。……それで、どういうことなの？」

オクサは強い口調でたずねた。

ドラゴミラが、はっとして顔を上げた。

「もしかしたら……と思い当たることはあるわ。ギュス、あなたの言った『若返り療法』に近いようなことがね……。こんなことを言う日が来るなんて夢にも思わなかったけれど、〈大カオス〉の三、四年前にエデフィアに広がった噂について考えているところよ。長寿の真珠をだれかが見つけたという噂よ」

「それは何なの？」

「そのときまで、その長寿の真珠の話は伝説だったのよ。ある妖精が、老化を遅らせる真珠がいっぱい入った貝を持っているといわれていた。でも、わたしたちよりアバクムのほうが、これについてはよく知っていると思うわ」


全員の視線を感じて、アバクムは、短く白いあごひげをなでた。

「かなり前から、オーソンの外見が若いということは気にかかっていた。だが、やっといま、ジグソーパズルのピースがすべて集まり、五十年以上も謎のままだったこの問題を明らかにできるときが来たようだ。ある事情で、わたしがいちばん多くの情報を持っていると思うから、かなりたしかな結論を引き出せるだろう」

アバクムは言葉を切った。目に強い光が宿っている。

「アバクム……言ってよ！　みんな知りたくて、うずうずしてるのよ！」

オクサは待ちきれずに急きたてた。

「妖精の母から受け継いだ〈影の本〉によると、不老妖精にみずみずしさをあたえるのは〈歌う泉〉の水なんだ。みずみずしさとは、もちろん若さのことだ。もっとわかりやすく言えば、老化を遅らせるということだ。それで、妖精たちは五百年以上も生きることができるわけだ」

「ええっ！　フォルダンゴより長生きなんだ！」オクサが叫んだ。

「オクサ、黙って聞けよ！」ギュスはオクサをひじでつついた。

「そう、フォルダンゴたちより長生きだ。……ある日、わたしの知り合いの男の子ビョルンが、数ヵ月前に恐ろしい光景を見たので、眠れないからわたしに話したいと言ってきた。彼は当時七歳か八歳で、お母さんは彼が見たことを信じてくれなかったそうだ。この子は想像力が豊かだからと言って、何もしようとはしなかった。それで、ビョルンはわたしに会いに来たというわけだ。彼は、小川のほとりの森で年老いた男を見かけた。ゴンザルという、優しい、みんなに好かれている男だった。その男は、川のほとりで泣いていた。というのは、五人目の孫が生まれたからだ。初めての女の子だったから喜んで、その子が大きくなるのを見るために長生きしたいと思って流した涙だった。彼はすでに百五十歳を過ぎていて死期が迫っていたから、悲しかったんだ。ビョルンが言うには、蛍のような光る女の人——妖精にちがいない——があらわれて、ゴンザルとしばらく話したそうだ。それから妖精は、鮮やかなピンク色の光を放つ貝をひとつ、ゴンザルにわたした。その話をビョルンから聞いたとき、わたしはすぐに〈影の本〉で読んだことを思い出した。本に書いてあった長寿の真珠の描写にぴったりだったんだ。

ビョルンは話を続けた。ゴンザルにとっては不運なことに、その様子をこっそり見ていた者がいた。その男は、妖精がいなくなるとすぐにゴンザルに跳びかかり、心臓をナイフで刺すと、服の中に石をつめて川に投げ捨てた。その前に貝を奪ったのはもちろんだ。ゴンザルの家族は、彼が行方不明になったと届け出た。捜索したが、手がかりは見つからなかった。ビョルンはおびえてしまい、何も言えなかったんだ。ゴンザルはかなり高齢だったから、一人どこかで静かに死んでいったんだろう――実際にそう言う人もいた――とみんなは思った。わたしはその当時でさえ、それはおかしいと思ったし、その後もずっとこの話を覚えていたんだ。それに、ビョルンがそのあとで言ったことは、わたしが思っていたことを裏づけてくれた。

その出来事の数日後、彼は両親といっしょに赤スグリを売りに街に来て、通りで偶然、ゴンザルを殺した男を見たんだ。ビョルンは急に怖くなったので、人に話すことにしたんだよ。その男は、ビョルンが知っている人間に箱をわたした。その人間とは、〈ポンピニャック〉の第一公僕、オシウスだった。オーソンの父親だ。それでわたしは疑いを持った。オシウスと話していた男の人相をビョルンにたずねると、それはマーペルだとすぐにわかった。首から耳にかけてツタの枝の図柄を緑色の墨で彫った刺青があった、とビョルンは話してくれたからね。その描写にぴったりなのはマーペルしかいない。そいつは、乱暴な性格と社会に順応できないことで知られていて、宝石造りの名人に強盗を働いた罪で、数ヵ月ほど自由を奪われていたこともある。わたしは、こっそりとやつの行方を探したが、どこにもいなかった。やつの友だちの何人かは、やつの失踪を

〈ポンピニャック〉の第一公僕であるオシウスに知らせた。しかし、捜査は何の手がかりも得られずに打ち切られた。すぐに打ち切られたんだとわたしは思う。こうしたことを考え合わせると、ゴンザルから長寿の真珠を盗んだマーペルからそれを手に入れたのは、オシウスだと思うな」

「すごい話！」オクサは大きく息を吐いた。「でも、その長寿の真珠について、おじさんはどんなことを知っているの？」

「わたしが知っているのは全部〈影の本〉に書いてあったことだ。長寿の真珠は〈歌う泉〉の底深くにあること。とても鮮やかなピンク色で、それを飲みこむと若さを保てること。それが不老妖精の長寿の秘密のひとつだということだ」

「それに、そのために殺人を犯す人間もいるということですね」パヴェルが指摘した。

「そう、〈外界〉より長生きするエデフィアですらね……。おそらくそれが実際に起こったことだ。ゴンザルとマーペルは、伝説の真珠を手にした代償を命ではらった。そして、最終的に手に入れたのはオシウスというわけだ」

「オシウスということは、オーソンことマックグローということね！」オクサが叫んだ。

「気球からオーソンを見たとき、わたしは肝をつぶしたよ」レオミドがうなずきながら口を開いた。「すぐに彼だとわかったが、あまりにも若いので信じられなかった。しかし、彼の息子ではありえない。細かいところまでそのままだったから、オーソン以外の人間では絶対にありえなかった。わたしは仰天したよ、本当に仰天した……」

「気がかりなことだな。そのために状況がより複雑になる」アバクムが言った。

「まるで、いままでが複雑じゃなかったみたいですね」パヴェルがぶつぶつ言った。

「たしかに複雑かもしれないけれど、夢みたいですよね！」熱狂したように叫んだギュスに、みんなはびっくりした。「長寿の真珠！　驚いたなあ！　マックグローがまだそれを持っているか、どこかに隠していると思いますか？」

「そんなに興奮しないで。単なる仮説なんだから」

ドラゴミラはギュスの腕に手を置いた。

「でも、ほかに説明のしようがないじゃないですか。まちがいありませんよ！」

ギュスは顔にかかった前髪をかきあげ、大声で言った。興奮して体を震わせている。

「可能性の高い、とても興味深い説明だということは認めるよ、ギュス。オーソンが長寿の真珠を持っている可能性は高いと思う。あるいは、もう持っていない可能性もね……。彼が何としてでもエデフィアに帰りたい理由になりうるだろうからね」

アバクムが言った。

オクサははっとして、アバクムを見つめた。

「それはすごくもっともな動機かもね！」

「うん……」アバクムはうなずいた。「だが、わたしは別の仮説も考えているんだ……」

72　エデフィアの内情

「別の仮説？」オクサが声をあげた。

「ドラゴミラが〈カメラ目〉で見せてくれたことを思い出してごらん」アバクムが続けた。「オシウスはエデフィアからの脱出を望んでいた。その動機については、グラシューズ・マロラーヌがあいまいにしていたからよくはわからない。だが、おおまかに言うと、オシウスが権力と支配という目的のために〈外界〉で自分の超能力を使おうとしていたことは知っている。ここに来てから五十七年間、わたしたちのだれでも、しようと思えばできたことだがね。でも、われわれはそうしなかった。命を代償にした一人を除いてはね……」

「美術品泥棒ね！」オクサが声を上げた。

「そうだ」と、アバクムはうなずいた。「いまわれわれが心配していることを説明するには、グラシューズ・マロラーヌが〈外界〉への〈夢飛翔〉を、まずは〈ポンピニャック〉のメンバーに、そしてエデフィアの民に見せるようになった時代にさかのぼらなければならない。〈カメラ目〉でその映像を一般の人に見せたのは、エデフィア史上初めてのことだった。それまでの歴代グラシューズはだれもしなかったことだ。ほとんどのグラシューズは、〈夢飛翔〉で見たことをひと言も語らなかったし、せいぜい、見たことを簡単にまとめて話すくらいにとどめた。それも慎重を期して、本当のことからはほど遠いことを用心深く話すようにしたんだ」

「アバクム！　どうしてそんなことを言うの？」

とつぜん、ドラゴミラが叫んだ。

「ドラゴミラ、悪いけれど、これは厳粛な事実なんだ。グラシューズたちは、〈夢飛翔〉に関してはエデフィアの民に誠実ではなかった。グラシューズたちを非難するつもりはまったくない。なぜなら、実際に見たことを隠そうとしたのは防衛本能のためだからね。〈外界〉は謎に満ちているというイメージを保つことで、エデフィアの外は危険だということを、何世紀にもわたってエデフィアの民に納得させることに成功したんだ」


「ねえ、ちょっと気になるんだけど……まるで、エデフィアの人たちが国に閉じこめられていたみたいに聞こえるけど……」オクサが口をはさんだ。

「オクサ！」ドラゴミラは明らかにショックを受けているらしく、再び声をあげた。

部屋は、ぴりぴりした雰囲気に包まれた。ドラゴミラの鼻はひくひく震え、呼吸も乱れていた。アバクムは、自分の人生をすべてささげた大切なドラゴミラと、みんなの「希望の星」であるオクサを順に見つめた。

「オクサの言うことは正しい」アバクムはドラゴミラをじっと見つめながら、言葉を選ぶようにして続けた。「エデフィアの民は〈外界〉の存在をずっと知っていた。しかし、そのなかには、真実を知らされていないと感じる者もいた。彼らは、エデフィアから出ることが可能だと考えていた。だれもおおっぴらには言わなかったが、何世紀もの間にはそういう考えが広まっていき、エデフィアに閉じこめられていると感じる人がしだいに多くなっていったんだ」

「そんなことは言わせないわ！　エデフィアは完璧になることに成功した。あれほどバランスがとれて、たがいに尊重し合う、すばらしい体制は見たことがないわ」

　ドラゴミラは目に涙をためて反論した。

「当時まだ少女だったあなたの目には、そう映っただろう。たしかにエデフィアは、〈外界〉の独裁国家や全体主義国家などとはまったくちがう。多くの人たちにとっては、実際に理想的な生活を営むことのできる、調和のとれた国だった。外の世界はすべてがひどいと代々教えられ、それが何世紀もの間に〈内の人〉の心に広がることによって国が守られてきた。もう一度言うが、それは歴代のグラシューズが民のためにそうしてきたわけだ。それは立派なことだったと、わたしは思う。しかしある人たちにとっては、エデフィアは監獄のようなものだったんだ。それは正直に認めるべきだと思う。マロラーヌが〈夢飛翔〉の映像を初めて見せたとき、問題が始まった。オシウスをはじめとする人たちが、マロラーヌ以前のグラシューズたちにだまされていたと感じたんだ。エデフィアを取り囲む世界に対してみんなが持っていた見方は、まちがっていた。わたしたちはオシウスを批判できるだろうか？　それは不公平だろう。なぜなら、歴代のグラシューズが嘘をついていたからだし、〈外界〉はそれまで教えられていたような恐ろしい世界ではなかったからだ。戦争や暴力や不正があったとしても、みんなが思いこまされていたものとはちがっていた。だから、ほんの数ヵ月の間に、〈外界〉はいろいろな誘惑に満ちた世界となり、そこに行くことができるという確信は大きくなるばかりだった」

ドラゴミラは、自分の〝守護者〟の言葉に圧倒されているようだった。こぶしを強くにぎったまま立ち上がり、嗚咽をこらえながらキッチンに駆けこんだ。

オクサはあとを追うように立ち上がり、止めようとする父の手をふりはらった。そして、ほかの人たちが当惑したように見つめるなか、しっかりした足取りでキッチンに向かった。


ドラゴミラは流しにもたれ、涙が流れるのにまかせていた。その肩をオクサは優しく抱いた。

「わたしの愛しい子……」

「気にしないで、バーバ。悲しくなるのは当たり前よ」

ドラゴミラは鼻をかみ、こわばった声で答えた。

「心の中では、アバクムの言うことが正しいのはわかっているの。ずっとそれはわかっていた。でも、その事実を認めたくないから腹が立つのよ……」

ドラゴミラはふり返ると、オクサを長い間じっと見つめ、それから、口をつぐんだまま待っている人たちのところにもどった。

ゆっくりと腰かけながら、ドラゴミラは兄のレオミドに、低くこもった声で言った。

「あなたもそう感じていたの、オシウスたちと同じように？　外の世界を見たかったの？」

レオミドはばつが悪そうだった。それからとつぜん、ブルーの目で妹の目をじっとのぞきこむと、ひきつった口から言葉がもれた。

「そうだ……わたしは〈外界〉へ行きたくてたまらなかった。砂漠や大洋を横断したり、雪を顔に感じたり、外国語を聞いたり、自分が愛する人たち以外の人たちの笑い声を聞いたりしたかった。そうだ、そうするためなら何だってしただろう」

「家族を裏切ることもかい？」アバクムが厳しい口調で問いただした。

「家族のほうがわたしを裏切ったんだ……」

オクサは、レオミドからアバクムに大急ぎで目を移した。二人は憎しみではなく、苦く悲しい思いをこめてにらみ合っていた。無言の対決からにじみ出る苦悩はとても深いように見えた。

「どういう意味だ？」アバクムがあえぐように言った。

レオミドは答える代わりに、立ち上がり、ぎこちなく部屋を出ていった。あとに残された〈逃げおおせた人〉たちは途方に暮れた。


***

「それで？　マロラーヌの〈夢飛翔〉はそれからどうなったの？」

オクサは、新たに明らかになったことをもっと知りたくて、うずうずしていた。

アバクムは押し寄せてくるいろいろな思いをふり切るように頭をふり、目をこすってから、話を続けた。

「オシウスをリーダーとする人たちが〈外の人〉たちの社会や行動を勉強するために集まった。

とくに権力の問題に興味を持っていたと言っても、だれも驚かないと思うがね……。オシウスと仲間の一人が熱心に議論しているところに、たまたま出くわしたことがある。オシウスは、石油を牛耳る者たちの強大な権力に熱中していた。わたしは、この会話を耳にして、恐怖におののいたのをよく覚えている。エデフィアとはひどくちがっていたからね。しかし不思議なことに、実際にはまったくちがうわけではないと感じた。というのは、オシウスが賞賛するような世界へとエデフィアが変わっていくこともありうると、心の底ではわかっていたからだ。わたしたちは、超能力を別にすると、〈外の人〉たちと異なるところは何もない。どちらも、良いものも悪いものもふくめて、同じさまざまな欲望によって動かされている人間であることに変わりはないんだ。なんというショック……。まもなく、オシウスとその仲間は〈外の人〉の強みや、とりわけ弱点を学んだ。そのころからオシウスは、自分の疑問に対する答えを得るために、マロラーヌに〈夢飛翔〉をするようしつこく求めた。やつは〈外界〉のすべて、完全にすべてを知りたがった。そして、理由はだれにもわからないが、マロラーヌはその要求にほぼ応えてやったんだ」

アバクムは再び口をつぐみ、ドラゴミラを優しく見つめた。彼女はくちびるをぎゅっと結び、悲しそうに目を伏せた。

「断崖山脈の岩をダイヤモンドに変える力が匠人にあるのを知っているだろう？　オシウスとその仲間は、このすばらしい能力が生み出す利益を理解すると、果てしない可能性を見出したんだ。その野心に突き動かされた彼らは、〈夢飛翔〉によって精神が〈外界〉へ行くことができるのなら、肉体もできるはずだと考え、エデフィアから脱出する方法を模索した。もちろん、肉体も出ることができる！　みんなも知っているように、それはグラシューズだけが持つ〈語られない秘密〉だ。そのころから、事態は急速に悪いほうへ向かった。ある者は、〈外界〉へ行きたいという欲望をしだいにおおっぴらに話すようになった。しかし、彼らの目的は表敬訪問ではないし、観光を振興したり、外交関係を樹立するためともほど遠い。彼らを突き動かすのは、権力とか覇権といった、わたしたちがそれまで避けていたものだった。それまでは、利益や支配といった感覚はわたしたちのなかでは発達していなかった。エデフィアの体制は、何世紀もの間そういうものとはまったく逆の原則に基づいていたから、人々の精神もそういうふうに形成されていたんだ。しかし、マロラーヌが〈夢飛翔〉を公開して以来、非常に不幸なことに、野心や権力への渇望が広がっていった。〈語られない秘密〉があばかれるとすぐに、歴代のグラシューズたちがわたしたちを一種の〝幸福な無知〟にしておいた理由が理解できた。〈外界〉に出るということは、門を開放するということだ。それはエデフィアに大きな危険をもたらす。つまり、〈外の人〉たちの侵入という、これまで経験したことのない大きな危険だ。もし〈外の人〉がエデフィアのことを知ったら、彼らは野望のためにわたしたちの土地を開拓し、戦争を起こし、ひょっとしたら破壊してしまうかもしれない。〈語られない秘密〉は、当時の多くの人が考えていたのとはちがって、〈内の人〉やグラシューズに対抗するものとして生み出されたのではなく、わたしたちの安全のためにつくられたのであり、マロラーヌ以前のグラシューズたちはまちがっていなかったのだ。エデフィアとその民の命がかかっていたんだ。ケープの儀式の際にグラシューズが誓う秘密の言葉を思い出してみるといいだろう」

グラシューズ、おまえだけが
この秘密を守りぬくのだ
おまえ以外のだれも知ることはない
なぜなら、内の人であれ、外の人であれ、
人間のなかには、善と悪があるから
秘密が失われたら
おまえの命はない

「つまり、この誓いを忘れないよう戒（いまし）めているわけね」

オクサがまとめるように言った。

「そうだ」アバクムがうなずいた。「だが、これはグラシューズにとっては残酷（ざんこく）なジレンマなんだよ。秘密、そしてエデフィアとその民を守らねばならない、でも、そのために隠したり、嘘（うそ）をついたりしなければならない。〈外界〉についてあまりしゃべらなければ〈語られない秘密〉を守ることができ、エデフィアは守られる」

「プレッシャーよ、こんにちは！」オクサが口をはさんだ。

「わたしたちは、〈外の人〉が欲しいと夢見るような能力を持っている。それは、途方もない力であると同時に大いなる弱さでもある。正体を見破られて捕らえられるのではないかと怖れながらこの世界で暮らしているわたしたち〈逃げおおせた人〉には、そのことはよくわかっているはずだ。しかも、そうした能力だけじゃなく、ダイヤモンドもある。〈外界〉では、富や権力を手に入れるためにみんなが欲しがる物質だ。オシウスが考えたのは、大量のダイヤを持って出て〈外界〉を支配すること。あるいは、少なくとも、その宝石がもたらす膨大な富を使って、ある種の権力を手に入れることだ。野心に目がくらんだあいつは、門を開くことの危険性をまったく考慮しなかった。やつは、〈外界〉へ出られるとわかったとたん、〈語られない秘密〉の滅亡とエデフィアの〈大カオス〉入りにサインしたようなものだ。しかし、やつは〈外界〉に出なかった。息子のオーソンは出た。だから、オーソンがいまエデフィアに帰りたいのは、帰ることができると知っているからだ。それが第一点。もしまったく可能性がなかったら、そんな考えや希望は捨ててしまうだろう。

第二の点は、オーソンもわたしたちと同じように脱出を経験した。真珠やダイヤは別にしても、わたしたちと同じようにエデフィアに帰りたいんだ。しかし、オーソンはわたしたちの仲間ではない。これまでも、今後もそうだ。それは、オシウスが親だからという理由だけではない。それはオーソンのせいではないし、それでも彼を仲間に迎えようとする者はいるだろう。〈外界〉では、わたしたちはみな、いわば同じ運命を背負っているのだから。だが、やつを仲間にできないのは、やつがエデフィアの敵であるうえに、〈逃げおおせた人〉の決定的な敵でもあるからだ。

わたしは、やつが〈大カオス〉のときに目の前でわたしの養父を殺したのを決して忘れないし、これまでわたしが抱いてきた恨みがどういうものか、やつは知っている」

アバクムはこう言うと、青白くなった。目に苦い影が差し、数秒間、宙をさまよった。

「あいつの動機が何なのかはわからない。たしかなことは、門を開けたいと思っていることと、そのために、わたしたちを遠ざけ、オクサ、おまえを手に入れることだ。このうえなく野心的で残忍なやつを相手にしているというわけだ」

「完全な誇大妄想狂ですね！」ギュスは怒りの声をあげた。

「たしかにそうだ」アバクムはうなずいた。

「でも、彼がエデフィアに帰りたいと思うことを非難することはできないわ。わたしたちが望むのは正当で、彼はそうではないの？　あなたたちは厳しすぎないかしら」

メルセディカが、ややとげとげしく言った。〈逃げおおせた人〉たちは、ざわついた。

「きみの寛容さにはびっくりしたな、メルセディカ」アバクムは、苛立ちを抑えきれずに言い返した。「やつのエデフィア帰還という望みに、われわれは反論しない。問題は、やつを駆り立てる理由や、ひどいやり方なんだ！　たしかに、求めているものはわれわれと同じだ。しかし、いまわれわれにとって大きな問題なのは、オーソンであって、ほかのだれでもない！」

ドラゴミラは低いうめき声をあげながら、両手に顔をうずめた。話し合いの最初から椅子にかけてうずくまっていたフォルダンゴはとび上がり、主人の肩をぽんぽんとたたいた。オクサはというと、どきどきしながら両親とギュスを順番に見つめた。すさまじい話だ！

「ひとつ、質問なんだけど……」

「なんだい、オクサ？」

「エデフィアは〈外界〉からは見えないのよね。だったら、どうやって見つけるの？」

73　究極の目印の守護者

「いい質問だね、オクサ」アバクムは、一瞬考えてから言った。「長い間わたしたちを最も苦しめている問題だ。エデフィアへの帰還を可能にするいくつかの鍵をわたしたちは持っているだけに、よけいに苦しみは大きい」

　ドラゴミラは悲しげな微笑みを浮かべ、とくにオクサとギュスを見ながら口を開いた。

「アバクムの言うとおりよ。母マロラーヌの他人を信頼しすぎる性格がエデフィアやわたしたちに災いをもたらしたけれど、幸いにも母は、脱出の前にいくつかのことをわたしに教えてくれた。そうでなければ、故郷は永久に見つけられなくなっていたわね……。あれは、わたしが新たなグラシューズになるために〈ケープの間〉に入ることになっていた日の数日前だったわ。すでに〈統治録〉が盗まれ、〈語られない秘密〉がその盗人によってあばかれていたときよ」

「それって何？　話してくれたことないわよね」

すぐにオクサがたずねた。

「〈統治録〉はグラシューズの日誌のようなものよ。不老妖精がつくり、新しいグラシューズが〈ケープの間〉に入る日にもらうの。クリスタルの紙に、芯がダイヤモンドのペンで治世下の主な出来事を記録する。〈統治録〉はすべて〈クリスタル宮〉の最上階にある〈覚書館〉に保存され、グラシューズ古文書となっているの。さっき言ったように、マロラーヌの〈統治録〉は不思議なことに〈覚書館〉からなくなった。この盗難でまず得をするのは、オシウスよね。わたしが知っているのは、オシウスにはマロラーヌに非常に近いだれかの手助けがあったということ。エデフィアを〈大カオス〉に追いやった下劣な裏切り者、そんなやつは一生呪われればいい……。脱出の数日前、母は宣誓を破って、秘密中の秘密をわたしに教えてくれた。つまり、グラシューズは〈エデフィアの門〉を開けて〈外界〉に出られるということ。それがどんなにショックだったか想像できるかしら……。そんなことは考えたこともなかった……。グラシューズの精神が〈外界〉を旅することは知っていたけれど、エデフィアから出られるなんて！　オシウスもこのことを知っているとわかったとき、〈外界〉に出られるということの重大さと、それがある人たちにとってどういうことを意味するかわかったわ。でも、この秘密の重さと母の過ちを本当に理解できたのは、〈外界〉に出てからね。オクサ、おまえの質問だけれど、〈エデフィアの門〉は、グラシューズが自分の不死鳥に門を動かすよう命じたときに開くのよ。どうやって、とおまえは言うでしょうね。グラシューズはみんな、印があらわれたときに生まれる——というか前の不死鳥の灰から生まれ変わる——自分の不死鳥を持っている。この不死鳥が、門が開くための二つの基本要素のうちのひとつなの。代々のグラシューズに受け継がれるメダルに書かれた呪文をグラシューズが唱えると同時に、不死鳥が歌うことによって門が開くのよ。簡単なことでしょう！　それから母は、〈ケープの間〉の中には宇宙の模型があると説明してくれた。惑星や恒星、彗星が縮小サイズの宇宙にあって動いているのよ。最も興味深いのは、もちろん究極の目印だわね。つまり、宇宙と地球の位置に対するエデフィアの位置。それをわたしが見られたらよかったんだけれどねえ……」

　ドラゴミラは深いため息をついた。それから口をつぐんで、目を閉じた。

　全員、ドラゴミラの言葉をひと言も聞きもらすまいと熱心に耳をかたむけていたが、続きを聞きたいという気持ちをあらわす人は、だれもいなかった。祖母の手をそっと握りしめ、まっ先に注意を引こうとしたのはやはりオクサだった。ドラゴミラは目を開け、ひたっていた思い出からようやく現実に引きもどされたようだ。

「あら、ごめんなさい。ちょっと考えごとをしていたものだから……。なに？」

「もし、エデフィアの場所を示す印が何もないとしたら、干し草の山の中から針一本を探すようなものじゃない？　見つけるのは無理だよね」

「メダルのほうは問題ないのよ」

　ドラゴミラは、金の鎖のついたペンダントをドレスの下から出した。

「えっ、それ、本物？　マロラーヌのロケットペンダントなの？」

「そうよ。母が首にかけてくれたときから、肌身離さずつけているの。〈大カオス〉の日のことを〈カメラ目〉で見せたときに、見たんじゃないかしら？」

「あっ、そっか、そうだった。すてきなロケットペンダントね、バーバ。呪文を見せてくれる？」

ドラゴミラの表情がくもり、残念そうにロケットペンダントをじっと見つめてからオクサに差し出した。

「ええっ！　何も書いてないじゃない！」

オクサは、ロケットペンダントをひっくり返しながら叫んだ。

「そうなのよ」ドラゴミラは悲しそうに言った。「でも、希望がないわけじゃないの。というのは、不死鳥があらわれたときに呪文があらわれる可能性が高いからよ。その信念にわたしたちは何とかしがみついているの……」

「でも、どうやって不死鳥を見つけるの？」

「探す必要はないのよ。不死鳥のほうがおまえのところにやってくる……それだけよ」

「不死鳥はもう生まれているの？　生まれ変わっていると言ったほうがいいのかな？」

「そうよ。おまえに印があらわれた日に、わたしの不死鳥の灰から生まれているわ」

「ということは、エデフィアには、新しいグラシューズがいることを知っている人がいるかもしれないのね？」

「それはありうるわね。いずれにしても、不老妖精は知っているわ」

その話を聞くと、オクサの心はカアッと熱くなった。自分に向かって飛んでくる不死鳥……その姿を想像するだけで身震いした。興奮して頬はトマトのように赤くなり、突飛な考えが次々とわいてきて胸が苦しくなった。

「いまから、行く?」とつぜん叫んだ。

ドラゴミラは悲しそうにほほえんで、オクサを見つめた。

「だめなのよ。行けないのよ。さっき自分で言ったじゃないの、エデフィアがどこにあるかまったくわからないって……」

その言葉は、オクサのふくらんだ期待を一気にしぼませ、〈逃げおおせた人〉たちのなかでも最も楽観的な人たちの希望の火を消した。

すると、フォルダンゴットがドラゴミラに近づいてきて、そっと肩をたたいた。

「なあに、フォルダンゴット、どうしたの?」

「グラシューズ・マロラーヌ様は人間の性質に対して無邪気な信頼を寄せられました。あなた様がおっしゃった言葉は適切です。マロラーヌ様のまちがいは、わたくしたちみんなに混沌とした結果をもたらしました」フォルダンゴットは、大きな青い目で〈逃げおおせた人〉たちをじっと見つめた。「しかし、マロラーヌ様は、備えをなされなかったわけではありません」

「何が言いたいの?」

ドラゴミラは顔をしかめながらたずねた。

「グラシューズ・マロラーヌ様は、究極の目印をある方に打ち明けられました」

〈逃げおおせた人〉たちは、思わず顔を見合わせた。

「それは……エデフィアがどこにあるか知っている人がいる、ということ?」

手で口をおおったまま、ドラゴミラがつぶやいた。

「この信念におけるわたくしの信頼は期待に満ちていますが、その期待はかんばしくないものです。わたくしに確認をあたえたのはフォルダンゴです」

アイロン台でクロック・ムッシュをつくっているフォルダンゴに、すべての視線が集まった。注目の的になっていることに気づいて、フォルダンゴは手を止め、太っちょの顔が奇妙なナス色になった。

「フォルダンゴや、こっちにおいで」ドラゴミラが呼んだ。

「はい、古いグラシューズ様」

「ひとつ、とても大事なことをたしかめたいのよ。エデフィアがどこにあるか知っている?」

ドラゴミラの声はかすれ、震えていた。息づまるような沈黙が部屋をおおった。

「エデフィアは世界のどこかにあります。目印の知識はわたくしの頭の中に正確に保存されています、古いグラシューズ様」

「まあ! それなのに、いままで何も言わなかったの?」

「必要だけが目印の指示を解放するという約束が、グラシューズ・マロラーヌ様への保証です」

「じゃあ、その必要というのは何?」

オクサは頬を真っ赤にしてうめくように言った。

フォルダンゴはオクサのほうを向き、うやうやしく頭を下げておだやかに答えた。

「必要とは、運命が決定を行なう瞬間を意味します。正しいタイミングでないときに目印をあたえることは、〈逃げおおせた人〉を誤りと失敗に導きます。この情報の受諾をなさらなければなりません。今日、目印を知ることは無益です」

「じゃあ、正しいタイミングというのはどうやってわかるの？」

「不老妖精が若いグラシューズ様を光り輝かせる合図をくださいます。妖精はすでにあなた様とコンタクトをとられました。それは真実です」

「そうね、たしかに」と、オクサは認めた。「ロケットペンダントについては、何か知ってる？」

「古いグラシューズ様の信念は正当性にひたっています。フォルダンゴはメダルが開くことに関して神秘の鍵を持っております。適切な状況になったとき、記述が言葉をあらわします」

「よく知っているのね……でも、フォルダンゴ、そういうことをどうして知っているの？」

　オクサの声は感動でかすれている。

「フォルダンゴはグラシューズ様の心の底にしまわれた秘密をすべて知っています。すべての秘密を」と、フォルダンゴは答えた。

74　五つ目の種族

この驚くべき新事実が明かされると、〈逃げおおせた人〉たちの興奮は頂点に達した。大ニュースだ！　よかった！　エデフィアをどうやって見つけるか知っている者がいた！　ドラゴミラのフォルダンゴだ！　失われた故郷に帰ることを可能にする究極の目印が、この奇妙な生き物の頭の中に隠されていたなんて、〈逃げおおせた人〉たちはだれも想像すらしなかった。これで、エデフィアへの帰還の可能性はこれまでにないほど具体性を帯びてきた。とくに、文字どおり熱に浮かされたオクサにとっては……。

「あたしは準備万端よ！　いまは、ほんとにいろんなことを知ってるもの！」

オクサは、ドラゴミラとアバクムに向かって熱心に言った。

「ええ、それは否定できないわね。おまえの気が急くのはわかっているけれど……。でも、わたしたちを見てごらんなさい。なかには年寄りもいるのよ」

「ただし、ボクシングの世界チャンピオンをたたきつぶせるお年寄りですけどね」とギュス。

「空を飛んだり、人を何メートルも吹っ飛ばしたり、すごい物質を合成できたりするお年寄りがね！　望めば世界を足元にひれ伏させることができるお年寄りだけどね！」と、オクサが同調した。

「そうよ」ドラゴミラは静かに言った。「でも、戦士でもないし、だれが来ても対抗できるための用意が体力的にも精神的にもできていない年寄りにはちがいないわ。とりわけ、相手がどういう者かをまったく知らない年寄りよ……。もう一度言うけれど、わたしたちがやろうとしていることは、安易には実行できないのよ」


「ちょっと、すまないが……」

それまで黙っていたナフタリが、とつぜん口を開いた。

視線が、この巨漢のスウェーデン人に集まった。エメラルド色の目に強い決意をにじませていた。彼は両手を組んで前に置き、緊張と後悔の混じったようなまなざしをブルンに向けた。ブルンは励ますように手を夫の腕に添え、あきらめの微笑を浮かべた。

「ちょっと、すまないが」ナフタリがもう一度言った。「新事実が次々と明らかになっているようだから、わたしもこの際、言っておきたいことがある。オーソン・マックグローに関して、みんなが知っておかなければならないことなんだ」

レオミドが苛立ってため息をもらしそうになったのを、オクサは聞き逃さなかった。やっぱり大伯父の反応は変だ……。視線を感じたレオミドは、オクサを見やり、目を伏せた。

「何を話したいんだ、ナフタリ？」

アバクムが驚いて言った。

「ミュルムの秘密結社のことだ」

ナフタリは、アバクムをじっと見つめて答えた。

「ミュルム？　ミュルムについて何を知っているんだ？」

アバクムはとまどっている。ブルンとドラゴミラも、テーブルをはさんで当惑したように顔を見合わせ、レオミドの表情は暗くなった。

オクサは両親に目顔でたずねたが、何かを知っている様子はない。ベランジェ夫妻のほうも同じく、わからないといった表情だ。テュグデュアルはというと、「秘密結社」という言葉にひどく興味を抱いたようだ。


「まずは九世紀前にさかのぼって、ミュルムと切り離せない半透明族のことを話さなければならない。その理由はすぐにわかるでしょう……」ナフタリが深く息を吸いこんでから、口をきった。

「十二世紀までは、エデフィアの種族は四つではなく、五つあった。ご存知の四つに半透明族を加えた五つだ。半透明族は、ほかの種族と離れたところに住んでいた。エデフィアのなかで最も野生的な〈近づけない土地〉からそう遠くないところだ。彼らの数は少なくて、全部でせいぜい五十人くらい。無口で非社交的なため、自分たちの規則に従って自給自足の生活を営み、無愛想だけれども平和的な隣人という見かけを装っていた。『見かけ』と言ったのは、実は恐ろしい本性を隠し持っていたからなんだ。一一四五年に、不老妖精が彼らに〈幽閉の呪い〉をかけた。つまり、人を寄せつけない非常に厳しい自然環境の土地〈網膜焼き〉に隔離したんだ。そこでは岩石があまりにも強く輝くものだから、それにさらされるとすぐに網膜をやられて盲目になってしまう。そして、そのことがまさに〈幽閉の呪い〉そのものであったわけだ。というのは、その後、半透明族は〈網膜焼き〉以外の土地では生きられなくなり、岩石の輝きが生き延びるために必要不可欠になった。つまり、そこを離れると、彼らは文字どおり消滅する危険にさらされたんだ。長年にわたる新陳代謝のおかげで、彼らは新しい生活環境に順応できるように変わっていった。体の表面はすべて厚い脂肪の層でおおわれ、強い光から表皮を守るようになり、すでに真っ白だった皮膚は半透明になり、血管や黒い心臓が透けて見えるようになった。顔はというと、ごく単純な造りになった。つまり、目をおおう膜が形成されて、とても奇妙で不透明な目つきになり、鼻はほとんど溶けて、鼻の穴の代わりに小さな二つの裂け目ができた。口は小さくなり、耳は耳介がなくなって穴だけになった」

「宇宙人を想像しちゃう」オクサは顔をゆがめた。

「うん、そんなもんだね……」ナフタリがうなずいた。

「でも、どうして〈幽閉の呪い〉をかけられたの？　罰なの？」オクサがたずねた。

「そのとおり」ナフタリはうなずいた。「男の半透明族がおぞましい悪習を持っていたんだ。彼らは、同族の人を愛することがまったくできなかったせいで、狩りの名手になった。非常に特殊な狩りだよ。〈情熱狩り〉だ」

「どういうこと？」と、オクサ。

「いちいち口をはさまずに、話を聞けよ！」ギュスが文句を言った。

「〈情熱狩り〉というのは、人を愛することができない男の半透明族たちが、他人の愛情を盗むということさ。そのために、彼らはこっそりと緑マント地方や断崖山脈、〈千の目〉に行き、老若男女を問わず愛し合う人たちを探す。そして、その人たちに催眠術をかけて愛情を吸い取るんだ。このため、彼らは『吸い取り屋』とも呼ばれていた。情熱を吸い取られた人たちはどうなるかというと、深く愛し合う仲だったのに、とつぜん何の愛情も感じなくなる。しかも、情熱は永遠に失われる！　人々はこの現象を『最愛の人への無関心』と呼んだり、『愛のペスト』と言ったりしたが、長い間、原因がわからなかった。不老妖精が介入する前の数年間は、恐怖がエデフィアじゅうに広がった。グラノック学者たちがこの恐ろしい現象を撲滅する物質を開発しようとしたが、むだだった。ところが、ある日、吸い取り屋のなかでもいちばん凶暴なコクソという男が現場を押さえられた。そいつは、数日後に結婚をひかえていた若いグラシューズの恋心を奪ったところだった。それをきっかけにすべてが明らかになり、半透明族は〈網膜焼き〉の地に隔離されることになったんだ」

「胸が悪くなるような話ね」オクサはまた顔をしかめた。

「まるで悪魔だ」テュグデュアルが言った。

「さて、ミュルムの話にもどそう」ナフタリが続けた。「すべてはテミストックルから始まった。テミストックルは一五一六年に生まれ、一六四八年にあとで話すような非業の死をとげた匠人の男だ。彼は、とりわけ岩石や鉱物の性質を研究する非常に熱心な研究者だった。鉱物療法の発展に大きな貢献をしたが、彼の研究はそれだけにとどまらなかった。化学から、まもなく錬金術に移ったんだ。とりわけ、変換錬金術にね」

「それは何ですの？」ひかえめな小声でマリーがたずねた。

「変換錬金術とは、簡単に言えば、ある物質をほかの物質に変えることですよ。〈外の人〉が最も熱を上げるのは、もちろん金属を金に変えることでしょう。だがエデフィアでは、匠人がすでにそういうことをしていた。ある種の岩石をダイヤモンドに変えることができるんですからね。錬金術師の夢のひとつである不死については、テミストックルは興味を持たなかった。彼はわれわれの国境、つまりだれも越えることができなかった光の幕に興味をひかれた。彼の究極の夢、人生の究極の目的は国境を越えることだった。常に新たな物質を研究していくなかで、彼は〈網膜焼き〉の地の輝く岩石に興味を持った。まぶしいためにそれに近づくのに苦労しているテミストックルに、ある半透明族の男がたまたま出会った。半透明族はもう四百年もほかの生き物を見ていなかったんだ！　その男は、思いがけない訪問者に恐るべき光を放つ岩の破片をあたえた。テミストックルはそれを『冷光』と名づけ、特別な物質を手に入れたと思って猛烈な研究を始めた。彼は正しかったんですよ！　半透明族のほうは、テミストックルの出現を思いがけないチャンスと考え、しばらくしてから、とうてい断われないような取引を持ち出してきた。一人の若者の恋心と引き替えに物質の変換に関する秘密を教えてくれるというものだった。そこで、テミストックルは急いで断崖山脈に行き、婚約間近の若者に睡眠薬を飲ませて〈網膜焼き〉の地まで連れてきた。その若者から吸い取り屋が恋心を盗み、その代わりに半透明族の秘密をテミストックルにあたえたわけだ。例のコクソが、物体を粒子に変化させるという想像を絶する方法を開発していたんだ。テミストックルがどんなに喜んだか、それはあなたたちの想像にまかせよう。長年の苦労の末、自分の研究が急激に進歩したのだからね……」

「はったりではなかったということ？　その方法は実際にあるの？」オクサは驚いてたずねた。

「そうだよ、オクサ」ナフタリは簡潔に答えた。

「ひょっとしてその方法を知っているの？」と、オクサ。

「うん……」と、ナフタリは口ごもった。


ドラゴミラは驚きの声を抑えられなかった。ほかの〈逃げおおせた人〉たちも、この新事実の暴露にうろたえると同時に、もっとくわしく知りたくてたまらないというふうにざわついた。

「その半透明族がテミストックルに教えた方法は不完全だった。何世紀もの間に記憶が薄れていたからだ。二つの材料についてはたしかだった。一辺が三センチの立方体の冷光と本人の血が八分の一リットル、つまり百二十五ミリリットル。三つ目の材料はあまりはっきりしない。それは根と軸と葉を粉にしなければならない植物で、最初の二つの材料の触媒のような役割を果たす。そして半透明族は、四つ目の材料をテミストックルにあたえた。計り知れない価値のある小瓶だ」

「それは何だったの？」オクサは息をのんだ。

「男の半透明族が何の罪もない人たちの愛情を鼻で吸いこむと、しばらくの間、陶酔感にひたるんだ。おかしなことに、その陶酔状態にある間、彼らの鼻の名残(なごり)である穴から黒くてねばねばした液体が流れる。テミストックルがもらった小瓶には、四百年前にコクソの鼻から流れたその液を集めたものが入っていたんだよ」

「うぇっ、気持ち悪い！」オクサが叫(さけ)んだ。

「すげえ……」テュグデュアルが言った。

「げぇっ、きたない！『愛のホルモン』を連想させるよ！」ギュスも続いて言った。

「それって、なに？」

オクサが眉(まゆ)をひそめてギュスを見つめたので、ギュスは説明した。

「科学者が熱心に研究しているものさ。恋に落ちると、ある種のハードドラッグに近い、人を興奮させるホルモンが分泌(ぶんぴつ)されるんだって。そのホルモンに中毒症状のようになる人もいるらしい。半透明族が陶酔状態になるのと似てないか？　すごいのは、人間がそのホルモンを嗅覚(きゅうかく)で察知することができるってことだよ！」

「すっごい！」オクサは感心した。

「そのとおり。よく知ってるね、ギュス。半透明族は人間の愛のホルモンの中毒なんだ」

「どうして、コクソの〝それ〟の価値は計り知れないの？　ほかの半透明族のとは何かちがうの？」と、オクサはたずねた。

「コクソは天才的な発明家だった」と、ナフタリが答えた。

「頭のおかしい魔法使いでしょ！」ドラゴミラが口をはさんだ。「〈覚書館(おぼえがき)〉で彼についての記事をいくつか読んだわ。良心のかけらもない、底なしに残酷なやつだったのよ！」

「たしかに……」ナフタリは言い訳するように言った。「わたしが天才といったのは、ほかのだれもが失敗したことに、彼だけが成功したというだけのことだよ。卑しむべきやつだった。かばいはしない。だが、彼は変換術に熟練した最初の人だった。テミストックルが四百年後にその跡を継いだとき、自分の目的に到達するのに数年間の粘り強い研究が必要だったんだ」

「彼は、足りなかった材料を見つけたの？　ゴラノフだったんじゃないかな？」

　オクサが口をはさんだ。

「どうして知ってるんだよ？」と、ギュス。

「触媒になる植物でしょ、ギュス、ほら……」

「そっか、そうだよな！」

「そのとおりだよ、オクサ。ゴラノフだったんだ」ナフタリがうなずいた。

「でも、それって生贄でしょ！　許せない……かわいそうなゴラノフ！　テミストックルはゴラノフをたくさん殺したの？」

「そうだろうね。自分の秘薬の成分を完全に把握するまではね。その薬は、石や木や金属といった固い材質を通過するために、人体を粒子に分解させる働きを持っている」

「その秘薬を使えば、人間が壁を通り抜けられるということ？」

　オクサは仰天した。

「そのとおり」

ナフタリがそう答えると、驚きの声があちこちからあがった。

「壁抜けか……」ギュスがつぶやいた。「それができたら、強力な武器ですよね？」

「そうだよ、ギュス。非常に大きな能力だ」ナフタリはうなずいた。「だが、テミストックルは、それだけでは満足しなかった。壁や、ガラスや、金属板や、石の壁を通り抜けるのに見事に成功したあと、エデフィアの光の幕を通り抜けようとした。それが彼の当初からの目的だったからね。しかし、まさに文字どおり、壁にぶち当たった。その光の壁に対しては、強力な秘薬でも水くらいの値打ちしかなかった。彼にとってはひどい落胆であり、失望に打ちのめされた。しかし彼は、希望を捨てずに、自分を滅ぼすことになる最後の手段を試みた。それは〈ケープの間〉に忍びこんで解決策を見つけることだ。彼はもちろん〈語られない秘密〉のことは知らなかったが、そこで役に立つヒントが見つかるだろうと本能的に思ったわけだ。ある夜、彼は〈クリスタル宮〉に忍びこみ、その秘薬のおかげで番人の裏をかき、〈ケープの間〉に入った。そこに何があったか？それはだれにもわからない。なぜなら、彼は精神が空っぽになって出てきたからだ。肉体だけが恐ろしく変形して出てきた。テミストックルは死んだ。それから数ヵ月後、彼の晩年の研究に付き添った一人息子がミュルムの秘密結社を非合法に設立し、その後もずっと続いた。その結社のもと、〈網膜焼き〉の地下に、長いガウンと目だけを出した覆面に身を包んだエデフィアの偉大な化学者たちが集まった。みな、光の幕を通り抜けたいという固い意思を持っていた。化学者といっても、その共通の目的を実現させるために錬金術師になった人たちだがね。オクサ、テミストックルがもらった小瓶についてのさっきのきみの質問に答えると、コクソは自分の体を実験台にして無数の実験をしたために、DNAがかなり乱されていたんだ。それに、彼が変身の父だったと言えば、半透明族がテミストックルにわたしした小瓶が特別な価値を持っていることがわかるだろう」

ナフタリは、ここでいったん口をつぐんだ。部屋は重い沈黙に包まれた。

「ウソみたい」いつも反応のいちばん早いオクサが、まっさきに口を開いた。「じゃあ、あたしがちゃんと理解できてればの話だけど、ミュルムたちは吸い取り屋の黒い鼻汁を使って壁を通り抜けた……でもテミストックルだけは、コクソの鼻汁で変身に成功した、そういうこと？」

「まったくそのとおりだよ、オクサ。テミストックルとその子孫はね……」

「ナフタリ、わたしたちのなかには、ミュルムの話の概要を知っている者がいる」アバクムの顔は深刻そのものだ。「だが、いまの話は、エデフィアの古文書には載っていないし、ほかのどこにも書いてないと思う。気を悪くしないでもらいたいんだが、どうしてこういうことを知っているんだい？」

「ミュルムについてはいろいろな噂があったのは知っているし、さっき、ミュルムという言葉を口にしたときのあなたたちの反応で、何人かは噂以上のことを知っているとわかったよ。だが、わたしがいま言った話はだれも知らなかったはずだ。わたしはそれを、ミュルムの秘密結社から改悛した母から聞いたんだ」

「ということは……」

ドラゴミラは口を開きかけたが、決定的な質問をする勇気はなかった。ナフタリは、緑色の目でドラゴミラをじっと見つめ、打ちのめされたような声でやっと答えた。

「そうなんだ、ドラゴミラ。残念なことに、わたしの母はミュルムだったんだ」

ドラゴミラは叫び声をあげ、みな、驚きと恐怖の混じった視線をナフタリに向けた。彼の顔は悲しそうにかげった。

「母は化学者だったんだ。ある日、母にミュルムから連絡があったらしい。母は、いつかエデフィアを出られるという考えにひかれて、その秘密結社に入った。秘薬を飲み、ほかのメンバーといっしょにテミストックルがやりかけた研究を進めた。しかし、ミュルムの首領は研究の成功が近づいたと考えて、より多くの秘薬をつくろうとした。そのためには、あの黒い鼻汁が大量に必要になる。そこで、半透明族が彼らの祖先の悪習を再開しなければならなくなった。たくさんの人が深く愛していた人からとつぜん遠ざかり、当時――二十世紀の初めのことだが――国民のあいだに不安が広がった。吸い取り屋の半透明族の話はもう忘れ去られていた。なにしろ八世紀も前のことだからね。しかし、人々はその理由を探し求めていた。恐ろしい仮説がいくつか、エデフィアじゅうに疑いと不安を広げていった。エデフィア滅亡の兆しだと言う者もいれば、不老妖精が呪いをかけたんだと言う者もいた。母は、ミュルムの残忍さと半透明族とのつながりに耐えられなくなって、秘密結社をやめた。そのとき、結社のことをひと言でもしゃべると家族全員を殺すという脅迫を受けた。不幸なことに、それはわたしが生まれたあとだった……」

「どうして、不幸なことに、なのさ？」すぐにテュグデュアルが問い返した。

「ＤＮＡのせいじゃない？」オクサが言った。

「そう、ＤＮＡのためだ。その秘薬を飲むと、それは何代も先の子孫に伝わるんだ……」

ナフタリが認めた。

「ちょっと待ってよ」テュグデュアルがさえぎった。「ということは、じいちゃんもミュルムっていうこと？」

全員の顔に悲しみの色が浮かんだ。アバクムは考えごとをするかのように目を閉じ、ドラゴミラは両手で顔をおおった。

「わたしの血にはミュルムの遺伝子が混じっている。それを残念に思っている」

ナフタリが言った。テュグデュアルは椅子に座り直しながら、目を輝かせた。

「じゃあ、おれもミュルムだ！　ウッソー！」

「そうだ」ナフタリは、打ちひしがれた様子で認めた。「秘密結社のメンバーの子孫と同様に、われわれはミュルムの遺伝子を持っている」

「まあ！」ドラゴミラが声をあげた。「でも、ナフタリ、祖先の誤りのせいであなたを恨むなんてことはだれにもできないわ。あなたは何より〈逃げおおせた人〉の仲間であって、だれもそれに反論することはできない！　ずっと仲間に忠実だったことは十分にわかっているわ」

「ありがとう、ドラゴミラ」ナフタリがつぶやいた。

「ところで、さっき、オーソン・マックグローのことで新事実があると言ってたわね？　この話と何か関係があるのかしら?」

ドラゴミラが不安そうにたずねた。

「関係というのはね、ドラゴミラ、ミュルムの最後の首領はオシウスなんだ。だから、オーソンもミュルムなんだ。しかも、変身の創始者かつ発明者であるテミストックルの子孫なんだよ」

75 とげとげしい言葉と胸の内

オクサとギュスは、なおも話を続けている大人たちを残して、そっとサロンを出た。さまざまな感情で心がはちきれそうになりながら、二人は、この日に明らかになった新事実についてしゃべり続けていた。

「いちばんびっくりしたのがどれだったか、わからなくなったよ。〈記憶(きおく)消しゴム〉、〈暗示術〉、長寿(ちょうじゅ)の真珠(しんじゅ)、吸い取り屋の半透明(とうめい)族、ミュルム……。ありすぎだよな!」

ギュスはオクサのベッドに横になり、オクサは、体を軸(じく)にして回転しながら、前に伸(の)ばした手をゆっくりと動かすカンフーのポーズをとっていた。

「入ってもいい?」

テュグデュアルが、半開きのドアから顔をのぞかせた。興味深そうにオクサを見つめていた。

「何してんだい、我らが尊敬すべきちっちゃなグラシューズさん？」

オクサはテュグデュアルのほうに脚を伸ばし、わき腹を蹴るまねをした。彼はよけるふりをして、片目をつぶってみせた。それから、ベッドにいるギュスのところに来た。

「で、今日一日のことをどう思う？　圧倒されたよな！」

オクサは、大きなソファにどさりと腰を下ろし、Tシャツの袖を人差し指に巻きつけながら二人の少年を見つめた。ずっと友だちのギュス。長所も欠点もいっぱいある、なくてはならない親友……。そのとなりには、変わっていて暗い影をやどしたテュグデュアル。会うたびにどきどきさせられ、ひきつけられていく……。

「それを話していたところへ、いきなりきみが入ってきたんだよ」

ギュスのとげとげしい口調に、オクサは妙な、ざわざわした気持ちにおそわれた。テュグデュアルはひじをついて体を起こし、灰色がかったブルーの目でオクサをじっと見つめていた。

「おれがぶっとんだのはフォルダンゴの情報だな。エデフィアを見つける方法を知ってたなんてね。あのひかえめさったら、すごいよな」

「その点なら、きみのおじいさんのナフタリだって負けてないぜ。自分の出自を話すのを五十年以上も待ってたなんて、超ひかえめだよな！」

ギュスは天井をにらんだままだ。

「まあ、だれだって守るべきものを守るのさ」

「何を言いたいんだよ？」

「もしオクサにあの印があらわれなかったら、きみの両親は自分たちの過去を話したと思うかい？」テュグデュアルは冷たく言い放った。

アイタッ！　痛いところを突かれちゃったね、ギュス……と、オクサは思った。でも、ギュスが挑発したんだからしかたがない。どうしちゃったんだろう？

「どっちにしろ、犠牲になったゴラノフや人生を台無しにされた人たちのホルモンが血の中に流れているよりは、ましさ……。家族の秘密に関してはおあいこだな」とギュス。

「まあ、そうだな……」テュグデュアルはため息をついた。「自分の生まれをコントロールできるやつなんて、この世にいない……。ちっちゃなグラシューズさん、おまえは今日のことをどう思う？」

「あたし？」

とっさのことに、オクサはあわてふためいた。頬が熱い。墓地でテュグデュアルと話したときのように、自分が完全にばかになったような気がした。しっかりしなくっちゃ！

「フォルダンゴは、見かけよりずっとたくさんのことを知ってると思う。でも、あたしは信頼してる。秘密を話すいいタイミングをつかむことにかけては、フォルダンゴはだれよりも優れていると思うから。準備が整わないうちは、だれにも、何も言わないでしょうね」

「そうだろうな……。でも、もしフォルダンゴが死んだら、どうなるんだろう？」

「あんまりじゃない、テュグデュアル？　縁起でもないことを言わないで！」

「もちろん、死んでほしくないよ。ちょっとからかっただけさ」

「妙なユーモアのセンスだな……」

ギュスがぼそりと言った。

「ともかく、いろんな新事実のおかげで、〈逃げおおせた人〉たちがオーソンことマックグローのことを真剣に考えるようになった。みんな、あいつを見くびっていたような気がするよ」

「あたしを筆頭にね。本当にマックグローは変身できると思う？」

「できたらすごいよな！」と、ギュス。

「もしそうだったら、おれたちよりずっと優位な立場にいることになるな！」そう言ってテュグデュアルは続けた。「さっき、じいちゃんとも話してたんだけど、じいちゃんは、変身のメカニズムはテミストックル以降は失われたと思ってる。でも、どうしてわかる？　オーソン・マックグローなら何をやらかすかわからないぜ。とくに最悪のことをな」

「安心させてくれてありがとう！」

ギュスは思わず言い返していた。

「どういたしまして、当然のことさ！」

テュグデュアルも噛みつくように言った。


また、いがみ合っている。オクサは気をまぎらわせようと、机の上のソーダ入りのコップを引き寄せた。コップは浮いたままギュスの目の前を横切ったが、彼はいらついて、それを楽しむ気になれないようだった。しかも、テュグデュアルがベッドに座ったまま、窓ぎわのろうそくに指先で火をつけたものだから、ギュスはよけいに苛立った。共犯者めいたテュグデュアルの視線と、途方に暮れたギュスの視線が、オクサに向けられた。

気まずさをふりはらおうとして、オクサはテュグデュアルにたずねた。

「ミュルムだってわかって、どんな感じ？」

「いまのところは、なんとも……。さっき、キッチンで壁を通りぬけようとしていたところを、じいちゃんに見つかったんだ。ばかにされちまったよ」

「どうして？」

「壁で鼻の頭をこすっただけだったからさ」

「じゃあ、きみはミュルムじゃないんだよ」と、ギュス。

「いや、訓練しなきゃいけないだけさ」テュグデュアルは反論した。「そのことは、オクサのほうがおれよりよくわかってるよ。しょせん能力は能力。準備をちゃんとしないとな。材料はあってもレシピがないのといっしょ。だから、おれは訓練する。このことはまた今度話そうぜ」

「早く見たいな」オクサが言った。

「おれもさ、ちっちゃなグラシューズさん。おれもだよ！」テュグデュアルは大きな伸びをして立ち上がった。「じゃましたな、じゃあ、またな……」

「バイバイ、テュグデュアル」

オクサは答えたが、ギュスはテュグデュアルの足音が階段に消えるまで、むっつりしていた。

「ちっちゃなグラシューズさん……だって。あいつの言い方、むかつくな」

ギュスは、こぶしをにぎってぶつくさ言った。

「あたしは気に入ってるけどな」

オクサは、ぼんやりしながらつぶやいた。

76 危険に満ちた招待

「いったいどうしたの、フォルダンゴ、フォルダンゴット? 顔色がおかしいよ」

オクサは、父親に付き添(そ)われて学校から帰ってきたばかりだった。父親は、すぐにレストランに引き返した。母親は、サロンで居眠(いねむ)りをしていた。オクサは母親を起こさないよう忍(しの)び足で階段に向かい、祖母の部屋に上がっていった。そこで、うろたえ、文字どおり色を失ったフォルダンゴたちに会った。

彼らは、ほとんど半透明(とうめい)になり、充血した目が独楽(こま)のようにくるくるまわっていた。フォルダンゴットが何か言おうとして、ふらふらしながらオクサに近づいてきた。と思うと、とつぜん気を失ってたおれた。ふだんならすかさずからかうはずのジェトリックスが、何も言わずに駆(か)け寄った。どうもおかしい……。

オクサは、フォルダンゴットのそばにひざまずき、そっと頭を持ち上げて自分のひざの上にのせた。見まわすと、生き物たちはみな部屋のすみに縮こまっている。ゴラノフはというと、嵐のあとのようにぶるぶる震えている。このきわめてデリケートな植物は、しばらく感情の高まりと闘っていたが、葉は弱々しく垂れ下がり、茎もへなへなと曲がってしまった。

「何かあったのね？　話して！　それに、バーバはどこなの？」

オクサは、突っ立っているフォルダンゴと、そばにいるジェトリックスに言った。

「バーバに何かあったの？　ちょっと、何とか言ってよ！」

フォルダンゴがうめき声をあげ、それからため息をついて話し始めた。

「若いグラシューズ様、秘密は頭の中にしまい、忠実の無口を守らなければならないのですが、事態の重大さはわたくしどもの習慣である慎みを上まわっています。古いグラシューズ様に大きな危険が迫っています。グラシューズ様の力は大きいですが、反逆者は策略を持っています。策略は膨大な危険の道具です。古いグラシューズ様はこのことをご存知です。しかしわたくしどもは、不十分さのために戦慄する偉大な恐怖を持っています、戦慄する恐怖を……」

オクサは眉をひそめた。

「バーバが危険だと言いたいの？　反逆者って、だれのこと？」

「反逆者オーソン・マックグローが、古いグラシューズ様を招待しました。若いグラシューズ様がお着きになる一時間前に、反逆者が電話で通信しました。あなた様の召使いであるわたくしどもと生き物たちは、聞き耳を立てました。反逆者（フェロン）が言ったことは理解できました」

　フォルダンゴは、しわくちゃの耳をしきりにねじりながら説明した。

「マックグローがバーバに電話した？　どうして？」

「それは真実です！　反逆者（フェロン）オーソン・マックグローは、古いグラシューズ様にお兄様の秘密を話したいと言いました」

「なんで、レオミドおじさんが関係あるの？」

「反逆者（フェロン）オーソンことマックグローは、詳細をおこたりました。古いグラシューズ様のお兄様（にい）に関係があることと、重油でいっぱいの出来事だと強調しました」

「重油でいっぱい？　どういうこと？」

「〝重要〟でいっぱいと言いたいんだろ？　〝重油〟でいっぱいじゃないよ、こののろま！」

　ジェトリックスが興奮してどなった。

「からかいは不要に満ちています」

　気を悪くしたフォルダンゴが言い返し、ジェトリックスの顔の真ん中にげんこつを食らわせたので、ジェトリックスは気を失ってたおれた。オクサは、ジェトリックスを抱（だ）き起こしながら、たしなめるように言った。

「ちょっと、けんかしてる場合じゃないでしょ？　フォルダンゴ、まとめてみるから、ちがってたら言ってね。……バーバにマックグローから電話があった。あいつは、レオミドおじさんのことで教えたいことがあるから会いに来るようにと言った。そういうこと？」

「まったく正確です、若いグラシューズ様。古いグラシューズ様は、フォルダンゴがグラシューズ様のあらゆる秘密を知っていることを忘却されています。申請をされましたら、わたくしが兄妹の秘密をお話ししましたのに！　しかし、古いグラシューズ様は反逆者の口から、その秘密を聞かれることを望まれました。わたくしどもの心配は大量であり、それはたしかです。〈内界〉におけるオーソンを知っておりますが、その思い出は大いに最悪です」

「わかるわ……でも、何とかしないと！　あんたたちはここにいて。おたがいに気をつけて、けんかしないのよ！」オクサは時計を見ながら命じた。「それから、これはとても大事なことよ。もし、バーバとあたしが夜の八時までに帰ってこなかったら、フォルダンゴ、ママに知らせて。おまえがいまあたしに言ったことを話すのよ。わかった？」

　フォルダンゴは頭を激しく縦にふり、サロペットのポケットから小さく折りたたんだ紙を出して、オクサにわたした。

「反逆者オーソンの位置です。オーソンは電話のとき、家の位置をあたえました。古いグラシューズ様はそこにおられます」

「ありがとう、フォルダンゴ！」

　オクサは彼の頭をぽんとたたき、携帯電話を手に階段を駆け下りた。

「ギュス、すぐに来て！　大事件なの！」

「ぼくらがこっそり外出したと知ったら、親たちにどなられるぜ。大騒ぎになるぞ」

ギュスは、緊張した面持ちでつぶやいた。

「だいじょうぶよ。どっちにしても、ほかに方法がないんだから。バーバをマックグローと二人っきりにはできない」

「だれにも言わずにあいつの家に行くなんて、正気とは思えないよ」

「いいから来て！　時間をむだにできないの！」

「おまえのお母さんに何て言うんだ？」

答える代わりに、オクサはギュスをサロンに連れていった。マリーは目覚めていた。

「ママ、ギュスとあたしは、授業の発表の準備をしないといけないの。ちょっと時間がかかると思う」

「わかったわ。じゃましないようにするわ」

オクサはギュスの腕をつかみ、息を殺しながら玄関のドアを開けた。それから一目散に、最寄りの地下鉄の駅に走っていった。

「ヤバいよ。お母さんにウソつくなんて、よくないよ」

「正当な理由ありよ、ギュス。バーバが危険なのよ、わかってるでしょ！」

二十分後、汗びっしょりで息を切らした二人は、車のかげに隠れ、通りの向かいにある立派な家を観察していた。ロンドンの中心街から数キロ離れた、静かな地区だ。

「たしかにあの家なんだな？」

「うん、見てよ、十二番地よ」

その家は三階建てだった。通りに並んでいるほかの家と同じ様式の、古い大きな家だ。地面から一階の窓までの壁は砂岩仕上げになっており、床は地面よりやや高く、窓には紫色の重そうなカーテンがかかっている。鉄格子の門の向こうには、芝生が帯状に植えてある。とちゅうによく繁った低木が一本あって、その近くに、柱に支えられた庇つきの玄関が見えた。

「なんかいい考えあるのか？」

「うん……まず、これから始めるのよ」

オクサは、ななめがけにしたポシェットに手を突っこんだ。

「若いご主人様、調査ですか？　任務ですか？　どうぞお申しつけください」

ガナリこぼしがオクサの手のひらにのぼってきて、頭を軽くゆすりながら言った。

「ガナリこぼし、あの家の玄関まで行って、鍵がかかっているかどうか調べてきてくれる？」

「オーケー、了解です」

ガナリこぼしは意気ごんで、大きな蜂のように飛んでいった。そして数秒後には、またオクサの手のひらにもどってきた。

「報告します。あの家のドアは、内側から二重に鍵をまわしてあり、錠は二つ。シリンダーとデッドボルトは焼き入れスチール、安全装置つきの留め金です」

ギュスは感心し、ピューと口笛を鳴らした。

「内側から閉めてあると言ったわね？　どうしてわかるの？」

「鍵が鍵穴に差されています、若いグラシューズ様。ほかにご用命はありませんか？」

「ううん、だいじょうぶよ、ガナリこぼし」

「ということは、家の中に人がいるんだな。でも、だからって、あの家が本当にマックグローの家なのかどうかは、わからないじゃないか」

「ちょっと待って」

オクサは〈クラッシュ・グラノック〉を取り出した。息を吹きこんで〈拡大泡〉を出す。

「見て！」

オクサは、〈拡大泡〉を郵便受けのほうに向けた。たしかに「マックグロー」と書いてある。

「どこから入れるか、ちょっと見てみようよ」

〈拡大泡〉を通して家の正面をくまなく調べたあと、二人は危険な結論に達した。まず、オクサがちゃんと閉まっていないらしい三階の窓から入る。それからこっそりと一階に降り、ギュスが入れるように内側から玄関のドアを開ける……。ギュスは、学校の地下納骨堂のことを思い出した。マックグローの家にも入りたくなかった。

「そんな顔しないでよ、ほかに方法がないんだから……。心配しないで。あたしの〈クラッシュ・グラノック〉には弾がいっぱい入っているから。それに、これ、忘れてるでしょ！」

オクサはウインクして、十センチほど浮いて見せた。

「こんな街の真ん中で〈浮遊術〉をやるのか？　ちょっとは遠慮しろよ！」

「ほら、大病には荒療治って言うじゃない！　マックグローには大仕掛け！」

「でも、気をつけろよ。おまえが浮上している間、見張りをしててやるよ」

　日が暮れてきた。オクサは、たそがれどきの空の暗さにまぎれて、決然とした足取りで通りをわたった。鉄格子の門を押すとギシギシ音を立てたため、少しだけ決心がゆるぎそうになった。心の底ではギュスに言ったほどの自信はなかったが、とにかく前に進んだ。がんばれ、オクサ、行け！　おまえは忍者だ。それを忘れるな！　空手の練習をしているときに父がときどき言った言葉が、タイミングよく頭に浮かんだ。「オクサ、できると思ったらできるんだよ。そうじゃなかったら、やめるんだ」。

　石造りの家の正面に沿って浮き上がる前に、オクサは目の前の壁をじっと見つめた。両手を胸の前に構え、左足を後ろに伸ばすカンフーの構えをしてみる。それを遠目に見たギュスは、「治らない、こいつは絶対に治らないやつだ」と、あきれながらつぶやいた。

　しばらくすると、オクサは三階の窓のふちにしゃがんでいた。窓枠を押すと、やはりしっかり閉まっていなかったらしく、すんなりと開いた。オクサは家の中に呑みこまれた。まるで、闇に呑みこまれるように。

「いったい何やってんだろう？　マックグローの部屋で眠っちゃったんじゃないだろうな？」

　ギュスは、苛立ちと不安とで足を踏み鳴らした。オクサが三階の窓から中に入るとすぐに、ギュスは通りを横切って石塀の前にしゃがみ、そのまま玄関のドアをじっと見つめていた。オクサがやっと中からドアを開けてくれるまで、何時間も待ったような気がした。

「時間がかかったなあ……」ギュスは急いで入りながら、ぶつぶつ言った。

「せっかくだから、家の中を見て歩いたのよ。こっちに来て！」

「あいつの家にいるなんて、変な気持ちだな」

「ほんと。想像していたのとちがうね」

「ベッドの代わりに棺があると思ったのかい？　黒いろうそくを立てた燭台とか、骸骨の形をした花瓶とかさ……そうだろ？」

ギュスは、オクサをひじでつつきながらささやいた。もしそういう想像をしていたとしたら、オクサはがっかりしただろう。なぜなら、玄関ホールとサロンの見える部分は明るい色で統一されていたからだ。家具や白い壁は冷たい感じではなく、とても簡素な印象を受けた。

二人はサロンに入った。細いストライプの入ったベージュのソファ二つにはさまれて、円テーブルがあり、染みひとつないテーブルクロスがかけられていた。壁には、明るい色の木製の小テーブルが造りつけられていて、水晶の飾りのついたランプや石膏像が置いてあった。

ギュスは、壁にかけてある額縁に目を留め、小声でオクサを呼んだ。

「見ろよ、野蛮人のモーティマーが話していた島じゃないか？」

二人は額に入った写真をじっと見た。たしかに島のようだ。沿岸は切り立ち、いくつもある入り江に荒波が立っている。丘の向こうには、赤と黄色の灯台と、石造りの灰色の大きな建物が見える。

しかし、家の見学は、地下室のほうから聞こえてくる押し殺した声で、とつぜん中断された。オクサは〈クラッシュ・グラノック〉を片手に持ち、もう一方の手は自然とギュスの腕に添えた。二人は、階段の下にある小さな扉に向かった。

「ほんとにここから聞こえてくるんだと思う？」

ギュスはどきどきし、顔は青ざめ、なるべくなら下りていきたくなさそうだった。

「家じゅうをまわってみたけど、だれもいないみたい。あとは地下室ね。地下室への入り口は、ふつう階段の下にあるのよ」

オクサは正しかった。その扉を開けたとたん、物音や声が前よりずっとはっきり聞こえた。二人がよく知っている、あのマックグローとドラゴミラの声だった。

77　ドラゴミラの隠れた一面？

オクサとギュスは背中を壁につけ、息を止めて、そうっと最初の数段を下りた。地下室から、ほのかな明かりがもれていた。階段がじゃまになって地下室全体は見えないが、その代わり、二人の姿も隠されていた。

とつぜん、ものすごい物音がして、抑えた叫び声が続いた。オクサはギュスの腕をぎゅっとにぎり、その顔を心配そうに見上げた。二人はじっと待った。ひどく長い時間そうしていたように感じられたが、ついに声が聞こえてきた。

「さて、どう思う？　わたしは長年、自分の能力をみがいてきたんだ。そうは思わないか？」

マックグローの声だ。オクサは時間をかけてやっと一段下りた。そしてもう一段。息が切れ、心臓は激しく打っている。後ろにいるギュスは、足がふらつき、気力がなえていくのを感じた。マックグローの地下室に下りていくなんて、まるで地獄に落ちていくみたいだ……。

「その話からすると、あなたは怪物ね」ドラゴミラが言い返した。「残念だわ……エデフィアにいたときのあなたは好きだったのに。立派な人になれたはずなのに……お父さんのオシウスのようになってしまったわね」

「父の話はするな！」マックグローが叫んだ。「高潔なわれらのマロラーヌも同じようなもんだ。だが、ほら、おまえにちょっとしたプレゼントがあるんだよ。再会を祝うプレゼントだ。これを使う日が来るとは思ってもいなかったが、いま、まさに、絶好の機会がやってきたわけだ」

大きな物音が壁を震わせ、まるで地震が起きたように揺れた。家全体がとどろいているかのようだ。続いて、身の毛もよだつような叫び声がひびいた。物がこわれるような音も聞こえた。オクサは、うろたえてギュスを見た。もしバーバが怪我をしていたら？　あるいはもっと悪いことになっていたら？

ギュスはオクサの腕を引っぱって、階段の上のほうに連れていこうとした。数メートル先でいま起こっていることは、どうもおだやかな再会とは言えそうにない。オクサの祖母は大好きだが、ここにいるのはよくない。中に入っていくなんて、とんでもない！　この悪夢のような家を離れて、ほかの人に知らせるべきだ。

しかしオクサは、ギュスとは別のことを考えていた。〈クラッシュ・グラノック〉をいつでも使えるように構え、ギュスを下へ引っぱっていく。何が待っているかわからない地下室へ。早鐘のように打つ心臓を抑えながら、ギュスはしかたなくついていった。

階段を数段下りるか下りないかのうちに、足音が近づいてきた。息づかいも聞こえてきた。二人はそれ以上下りることも逃げることもできず、その場に固まってしまった。床に人影が映り、階段をのぼり始めた。すぐに影は肉体をもった人間に変わり……オクサは恐怖にかられて、甲高い叫び声をあげた。ギュスは、死ぬんだという恐ろしい思いで目まいがした。そこにいるのがドラゴミラかどうか、確率は二つに一つだ。

「まあ、ここで何をしているの？」

ふうっ、幸運だった！　眉をひそめ、両手を腰に当てて目の前にいるのは、バーバ・ポロックだった！　オクサは祖母の首に跳びついた。

「バーバ！　バーバにグラノックを発射するところだったわ！　いままでこんなに怖かったことないわ」

「おまえたち、ここで何をしているの？」

ドラゴミラはオクサの手をふりほどきながら、再びたずねた。とまどっているようだ。

「叱らないでね。マックグローがバーバに電話をしてきて、あいつの家に行ったって、フォルダンゴが言ったの。すごく心配してたよ。もちろん、あたしも。だから、ギュスといっしょに駆けつけたの。でも、遅かったみたい。助けなんていらなかったのよね、バーバって強い！」

「おまえたちがここにいるのを、だれか知ってるの？」

「えーっと……だれも……」オクサは、自分の足の先を見ながら、急に声をひそめた。

「だれも？」ドラゴミラはびっくりしたようだ。しばらく口をつぐんでから、二人を厳しく見つめた。「おまえたちがしたことは、本当に不用心だわ。怪我をしたかもしれないのよ。でも、いいわ。予想外だったけれど、まったくありがたいことだわ……」

ドラゴミラの表情がふっと変わり、満足げな笑みが走った。オクサに近づいて威圧的に肩に手を置くと、ギュスのほうをふり返った。

「オクサについてきてくれてありがとう。もう帰っていいわ。ご両親が心配しているでしょう。わたしは、オクサとちょっとすることがあるの」

思いがけずそっけない調子に、ギュスはおやっと思った。ドラゴミラは、ギュスを手で押して地下室から――あるいは家からと言うべきか――出るようにうながしたが、そんなふうにギュスを追いはらったことはこれまでない。ギュスはますます驚きながら、オクサにちらりと目をやった。マックグローとの荒々しい再会に少し混乱しているのにちがいない。

ドラゴミラは、早く出ていくようにと再びギュスをうながした。どうすることもできない。ギュスはなぜか心が重くなり、オクサをじっと見つめながら、階段を後ろ向きに上がった。

「じゃあ……あとでね、オクサ。電話するよ」

しかしギュスは、玄関に来ると、ドアを開け、できるだけ大きな音をさせて内側から閉めた。そして、音を立てずに開けっ放しの地下室の入り口までもどり、そっと階段を下りた。

＊＊＊

玄関ドアの閉まる音を聞くと、オクサはふり返った。

「マックグローはどこ、バーバ？　あいつの頭を吹っ飛ばしたんでしょ？」

ドラゴミラはかすかに笑いながら答えた。

「そうすればよかったんでしょう？　ほら、あそこに、犬みたいに寝っころがっているわ」

ドラゴミラは、地下室に続く暗い小部屋のほうを指差した。ガラクタでいっぱいの真っ暗な物置の奥に、苦痛でねじれた体が横たわっていた。のどの奥から絞り出すようなうめき声が聞こえ、オクサはぶるっと震えた。

「おまえが言ったように頭は吹っ飛ばしていないけれど、おまえが望むなら、かなえてあげるわよ、かわいいオクサ」

「ううん、本気で言ったんじゃない……」

実際にそんな場面を目にするかもしれないと思うと、たとえそれが下劣なマックグローであっても、オクサはぞっとした。

「それが終わったら、ここから出ましょうか。そのほうが、ずっと簡単だわね！」

ドラゴミラは、オクサの言葉を無視してしゃべり続けた。

オクサは、あっけにとられて祖母を見つめた。〈精神混乱弾〉のグラノックでも受けてしまったにちがいない。どうもおかしい。たしかに、そろそろ帰る時間だ。祖母の頭がちゃんとするように、秘蔵の煎じ薬を飲んでもらわないと……。

マックグローのうめき声が気になって、オクサは、暗闇のなかを見ようと目を細めた。永遠の敵の体が怒りに燃えてもだえている様子に、ひどくとまどった。完全な静けさを破る奇妙な物音、押し殺したような怒りの声がする。ドラゴミラはオクサを階段のほうへ押しやった。

「ここでちょっと待ってなさい。すぐすむから……」

ドラゴミラは小さな物置の入り口に立って、軽蔑をこめてマックグローに言った。

「ほら、ごらんのとおり、オクサはわたしのそばにいるわ。これが運命なのよ、これで終わったのよ。そうでしょ？　オクサがわたしをエデフィアまで連れていってくれるわ。五十年以上、この瞬間を待っていた……。何？　何を言ってるの？　あなたも？　そうかもしれないけれど、あなたの計画は、わたしの計画の規模にはとうていおよばないわね。でも、わたしの孫娘と永久に出発する前に、地獄の断片をちょっと見せてあげるわね」

ドラゴミラは胸の前に片腕を伸ばし、手を広げて指の間を開いた。オクサがいるところから、光る細い閃光がジージーと音を立てながら放たれるのが見え、続いて、天井にたたきつけられるマックグローの体がほんの一瞬、目に入った。それから、床にどさりと落ちてきたいやな衝撃音としゃがれたうめき声が聞こえ、オクサは顔をしかめた。

ドラゴミラはこわばった微笑(ほほえ)みを口元に浮かべ、ふり向いてオクサを見つめ、また同じ攻撃(こうげき)を繰(く)り返した。マックグローの叫び声は、さらに悲痛に聞こえた。氷のように冷たい汗(あせ)が背中に流れるのを感じながら、オクサは弱々しいつぶやきを聞いたような気がした。その声はほとんど聞き取れないぐらいだったが、たしかに、あえぐように「わたしの愛しい子(ドウシュカ)」と言った。こんなひどいときに、あたしの想像力が悪ふざけをするなんて！ オクサは頭をふって階段のほうにあとずさり、ドラゴミラは勝ち誇(ほこ)ったようにマックグローに向かって叫んだ。

「さあ、おまえの横柄(おうへい)さはどこにいったんだい？」

オクサは、ぼうぜんとして祖母を見た。ハエ一匹(ぴき)殺さない、あらゆる生き物の尊重を唱える祖母が、こんなに喜んで人を苦しませることができるのだろうか？ オクサはこれまで、こんな祖母を見たことがなかった。うれしくない一面だ……。そればかりか、キュルビッタ・ペトが手首の周りをしきりにうごめくので、よけいに不快感が増した……。

オクサは混乱した。というのも、キュルビッタ・ペトは、オクサを不安にさせようと一生懸命(けんめい)に動いているからだ。心配する理由はまったくないのに……いつもとは逆だ。たしかに、オクサはマックグローの家にいる。しかし、祖母のほうが勝ったのだ。完全に！ オクサが祖母といっしょにいる間は何の心配もいらないのだ。たとえ、祖母がオクサの想像もしなかった面を見せてはいても。でも、それならなぜ、キュルビッタ・ペトはこんなに動きまわるのだろうか？

そのうち、ガナリこぼしも動きだした！ オクサのポシェットから姿をあらわし、耳元まで飛んできて何か言った。

「何て言ったの？　わからなかった」

オクサは疑り深そうにガナリこぼしを見ながら、ささやいた。

「祖母というものは、それらしく見える人たちではない……」

ガナリこぼしが繰り返した。

「心理分析なんてやってる場合じゃないでしょ。非常事態なんだから」

オクサは小声で言い返した。

「オクサ！　ちょっと……オクサ……」

オクサはさっとふり返った。ギュスだ！　青白い顔をしてあえぎながら、階段のいちばん下からオクサを見つめていた。おびえてはいるが、オクサのそばにいようと決心したらしい。

「ギュス！　あんたがいてくれてうれしい！」

オクサは、まだ物置の入り口で動きまわっている祖母のほうに心配そうな視線を向けた。

「何か、おかしいよな！」

ギュスがうめくように言った。

「ほんと！　あそこに行ってみないと……」

オクサは明らかに危険な状況を理解したようだ。ギュスのうろたえた目を見つめる。

「しかたがないわ！　あんたも行ける？」

「正直いうと、死ぬほどこわい。だけど、おまえの言うとおりだよ。あの物置にいるのがだれなのか、見に行かないと。ほら、早く！」

ギュスを後ろに従えて、オクサは音を立てないようにドラゴミラに近づいた。真っ暗な物置の入り口の近くまで来ると、〈クラッシュ・グラノック〉を出して、心の中でこう唱えた。

グラノックの力で
殻を破れ
わたしは発光ダコを呼ぶ
吸盤で照らしておくれ

すぐに、オレンジがかった小さなタコが〈クラッシュ・グラノック〉から出てきて宙に浮かび上がり、地下室に強烈な光を投げかけた。とっさのことに、ドラゴミラとギュスは目がくらんだ。オクサは目の上に手をかざし、前に進み出て物置をちらっと見た。恐ろしい予感が本当になった。

「バーバ⁉」

オクサは仰天して叫んだ。物置の奥にたおれていたのは、ドラゴミラなのだ。二人目のドラゴミラ！　その体はずたずたに痛めつけられ、顔は血だらけだった。

78

地下室からの救出

物置の奥にいるドラゴミラはすさまじい状態だった。オクサを見ると、壁を背にいっそう縮こまり、血とほこりでよごれた頬に、涙が筋になって流れ始めた。その哀願するようなまなざしににじむ苦痛と悲しみに、オクサはショックを受け、身震いした。

「あらあら、オーソンが策略をめぐらそうとしているわね。抜け目のないこと。お見事！」

一人目のドラゴミラがオクサの肩をしっかりと抱き、自分に引き寄せた。オクサは、途方に暮れて目を上げ、威圧的に自分を抱いている老女を見つめた。守ってくれようとしているのだろうか？　二人目の老女はと見ると、気を失わないよう必死で耐えている。

「どういうこと？」

とまどうオクサに、一人目のドラゴミラが言った。

「かわいいおまえ、オーソンは単に変身の術を使って、いま、この瞬間、わたしのふりをしているだけよ！」

「変身術？　じゃあ、それって本当に使えるのね！」

「もちろん、使えるわ。すばらしいでしょ？　たとえ、親愛なるオーソンがおまえの同情を引くために演技をしているとしてもね……。オーソン、血まで流す必要があるのかしら？」

一人目のドラゴミラは、いかにもうんざりといった様子だ。それからオクサの目をじっと見つめ、厳しい調子でこう言った。

「かわいいおまえ、感情に流されてはいけないよ。変身術は人をだますためにあるんだからね。涙にうるんだ目にだまされちゃいけないよ。この男にふさわしい仕打ちなんだから。エデフィアはわたしたちのもの、わたしたちだけのものなんだ。だれにも、じゃまをさせやしない！　いいかい、あいつかわたしか、二つに一つよ。あいつがわたしの立場だったら、さっさと決着をつけていたでしょうね。そうじゃないかしら、オーソン？」

「オクサ、わたしの愛しい子、お願いだから、そいつの言うことなんか聞かないでおくれ。よく見れば、わたしのほうが本物だってわかるでしょ」

二人目のドラゴミラが弱々しい声で訴えた。

「黙りなさい！　わたしたちをだますことなんかできないわよ！　わたしが唯一、本物のドラゴミラ・ポロックよ！」

「それが本当だという証拠はあるんですか？」

後ろから不安そうな声が聞こえた。一人目のドラゴミラはオクサを腕にかかえたまま、さっとふり返り、暗がりに目をこらした。声の主が、反対側の角で〝I〟の字のようにまっすぐ、しかし恐怖に震えて立っているのが見えた。

「おお、ギュス！」一人目のドラゴミラは、苛立たしげに近づいた。「言うことを聞かなかったばかりか、悪に味方しようというの？　この二重のミスは、わたしたちのほうにつけば帳消しにしてあげる。まだ間に合うわ。ほら、おまえの友だちのほうにおいで！」

「オクサ！　危ない！」

ギュスは、古ぼけた仕事台の下にもぐりこみながらどなった。物置の入り口に、二人目のドラゴミラが頭から血を流しながら、ふらふらとあらわれたのだ。

一人目のドラゴミラは、オクサをかかえたまま、とちゅうにあるじゃまものをすべて指から発する稲妻でひっくり返しながら、二人目のドラゴミラのほうに進んでいった。瓶の入った木箱が飛んでいき、中身のワインを壁にひっかけ、割れた瓶が床に飛び散った。天井からぶらさがった電球が激しく揺れ、その明かりが大きく揺れた。うろたえたオクサは、ますます強く抱きかかえる一人目のドラゴミラから逃れようとした。

見極めるための方法を見つけなければならない。目の前にはドラゴミラが二人いるが、どう考えても、ドラゴミラは一人のはずだ！　二人のうちどちらが本物だろう？　オクサの頭は興奮してこんがらがり、肝心なときに働かない。ギュスが意味のわからない合図をオクサに送っているが、集中できない。

考えるよりも、オクサは本能的に行動を起こした。ものすごい速さで浮遊するという、お気に入りの術を使った。つかまれた腕をふりほどきながら勢いをつけて天井に向かって飛び、後ろに回転して奥のテーブルの上に降り立った。

「バーバ！　お願い、あたしに教えて！　あたしを助けて！」

オクサは泣きつくように叫(さけ)んだ。

「オクサ、わたしよ、わたしがおまえのおばあちゃんのドラゴミラだよ。信頼(しんらい)してちょうだい」

一人目のドラゴミラは、すがるような目でオクサのほうにゆっくりと近づいてきた。

「このペテン師を信じちゃいけないわ、わたしの愛し い子(ドゥシュカ)。わたしが、おまえを愛しているバーバ、いつまでもおまえを愛するバーバよ」

背中を丸め、震えている二人目のドラゴミラが言った。


二人のドラゴミラは、たがいに〈クラッシュ・グラノック〉を構えている。オクサは、二人から目を離(はな)さずにポシェットの中を探った。頭のてっぺんからつま先まで二人はまったく同じだ。この変身術はすばらしい！　同じ顔、三つ編みを頭の周りに留めた同じ髪形(かみがた)、同じ服……。見分けることは不可能だ。唯一(ゆいいつ)のちがいは、一人がひどく打ちのめされ、血を流していることだけだ。彼女(かのじょ)が受けた激しい攻撃(こうげき)を考えると、驚(おどろ)くには当たらない。まだ立っていられるのが不思議なぐらいだ。

オクサはキャパピルケースを開け、頭の働きがよくなることを期待して、頭脳向上キャパピルをひと粒(つぶ)飲みこんだ。直感だけでは本物とにせものを見分けることができない。気持ちは二人目のドラゴミラにかたむいているが、たしかな証拠(しょうこ)があるわけではない。地下室に入って以来、オクサは一人目のドラゴミラのことをおかしいと思っていた。その態度や言葉は、オクサのよく知っている大好きな祖母とはちがっている。しかし、こういう異常な状況では、いくらしっかりした祖母でも動揺するだろう……。痛みに震え、憔悴した二人目のドラゴミラの哀れな様子も、オクサの感情に影響をおよぼしていた。あんなにカンフーを熱心にやったのに、心の冷静さを保つことができないなんて……。

一人目のドラゴミラが本物だとすると、苦痛にのたうちまわっている人をなおも攻める執拗さはひどすぎると、オクサは思う。マックグローがオクサの家族と〈逃げおおせた人〉たちとエデフィアにとって永遠の敵であっても、やつを無力にする別の方法があるはずだ。戦いは卑怯で、不公平だった！　これからは、バーバを前と同じようには見られない……。

しかし、こんなことを考えている場合ではない。二人のうちどちらが本物のドラゴミラか見きわめ、この窮地から生きて脱出することが先決だ……。

「バーバ、おじいちゃんの名前は何？」

オクサは、柱に寄りかかっている二人目のドラゴミラに、そっけなくたずねた。

「ウラジミール・ポロックよ、わたしの愛しい子。でも、オーソンも知っていると思うわ。わたしの答えをたよりにしてはいけないわ」

「じゃあ、あなた！」オクサは一人目のドラゴミラを指差した。「ジャンヌ・ベランジェの両親はどこで死んだ？」

「チェコスロバキアよ、わたしの愛しい子。一九六八年のプラハの事件でね。ソ連の兵隊に殺されたの。これもオーソンが知っていると思うわ」

「オクサ、あいつの言うことを聞いてはだめよ！」二人目のドラゴミラがかすれ声で叫んだ。

「そんなことはオーソンもよく知ってるわ。長い間、わたしたちを監視してたんだから。リストのこと覚えているでしょ?」

「お黙り!」一人目のドラゴミラが、〈クラッシュ・グラノック〉をふりまわしながら言い返した。「おまえの家族は混乱の種をまくことしかしなかった。そのせいで、わたしは両親と離れ離れになったのよ! でも、今日は、おまえの家族がしたことの償いをしてもらうわよ」

「やめて!」

オクサがどなった。もう、わけがわからない。

オクサは、さっきから何かを知らせようとしているギュスに、困りきったまなざしを向けた。彼は、右手の中指を左手でにぎっている。動作は目立たないが、何かを告げている……やっとわかった。指輪だ!

二人のドラゴミラの手に目をやった。新学年の初日にマックグローがはめていた指輪は、ねじれたシルバーに反射光が揺れる黒っぽい石だった。それは一人目のドラゴミラの指にある! しかし、そうと言い切れるだろうか? マックグローが自分の指輪を本物のドラゴミラの指にはめさせて、オクサを混乱させようとしたのかもしれないではないか?

二人のドラゴミラは向き合って、じっとにらみ合っている。オクサは途方に暮れ、またギュスに目を向けた。するとギュスは、両手を筒のように丸めて息を吹きこむ仕草をした。どういうことだろう? オクサはもう一度よく見て……理解した。〈クラッシュ・グラノック〉だ! アバクムは〈クラッシュ・グラノック〉について何と言ったっけ? 思い出さないと……〈クラッシユ・グラノック〉はそれぞれ異なり、その人だけのものだ。他人のものを使うことはできない。そうだ、ひとつひとつちがうんだ！　それが解決策だ！

　オクサは、二人のドラゴミラの〈クラッシュ・グラノック〉を観察した。一人目は、細い銀糸の溝がついた黒っぽいべっ甲のような〈クラッシュ・グラノック〉を持っている。二人目のは、かすかにピンクがかった白っぽい明るい色で、金と宝石の細かい破片が埋めこまれたものだ。祖母の〈クラッシュ・グラノック〉を見たことがあるだろうか？　オクサは全神経を集中させた。忍者のオクサよ、バーバの〈クラッシュ・グラノック〉を思い出せ。そんなに難しいことじゃないはずよ！

　とつぜん、記憶のなかから、ひとつの光景がくっきりと浮かび上がった。大伯父の家のキッチンで数ヵ月前にあったことだ。ドラゴミラは、〈拡大泡〉の働きを見せるために、自分の〈クラッシュ・グラノック〉を取り出した。きらきら光る、ほとんど白い〈クラッシュ・グラノック〉だった！　そうだ！　しかし、問題は指輪の場合と同じだ。マックグローは〈クラッシュ・グラノック〉を取りかえるほど細かいところに気を配っただろうか？　そう考えるときりがない。しかも、答えが出ない……。

　そのとき、背中の曲がったやせた生き物が、とつぜん地下室の奥から出てきて、二人目のドラゴミラの背中に跳び乗った。

「おいぼれた腐れ者め！　おまえのようなメス豚は、こうしてのどをかき切ってやる！」

それがアボミナリだということがわかると、オクサは急いで片手を伸ばし、強力な〈ノック・パンチ〉で地下室の反対側に吹っ飛ばした。しかし、そのおぞましい生き物は、とほうもない抵抗力と執念を持っていた。すぐに立ち上がり、再び二人目のドラゴミラめがけて向かっていった。

「ろくでなし！　おまえはこの地下室でくたばって、永遠にかびが生えたままになるんだ！」

アボミナリがきたならしい爪で二人目のドラゴミラの上半身を乱暴に引っかき、階段を上がって逃げ出すのを、オクサは止める間がなかった。引っかかれたドラゴミラは、痛みのあまり叫び声をあげ、ドレスが破れて強い光を放つペンダントが見えた。マロラーヌのロケットペンダントだ！

オクサはもう一片の疑いもなく〈クラッシュ・グラノック〉を構え、呪文を頭の中で唱えてから吹いた。すると、たちまち、一人目のドラゴミラはねばねばしたツタにしばりあげられた。

「何てことするの、このばか！　頭がおかしくなったの？」

傷で顔のゆがんだ二人目のドラゴミラが近づいてきて、オクサを優しく抱きしめた。

「わたしの愛しい子……」

「バーバ……」オクサはほっとした。「ひどい傷ね！　ここを出て、傷の手当をしなくちゃ」

ギュスもやってきた。

「ありがとう、ギュス。あんたはサイコーだったわ！」

「たいしたことないよ。それより、早くここから出よう。おばあさんの傷はひどい……」

バーバ・ポロックは、オクサとギュスにしっかり支えられながら、たおれないように必死で踏ん張った。目の前では、一人目のドラゴミラが、元の姿――オーソン・マックグローの姿――にもどろうとしている。少しずつ、にせの外見が消えていく。顔は、オクサとギュスがよく知っている、厳しくて残忍な顔にもどっていた。変身術の効果が消えたマックグローの憤怒の目つきと引きつった顔に、オクサの背筋がぞくっとした。

「あんたはほんとの怪物だわ！」

オクサは、ついさっきこの男に哀れみを感じたことを後悔しながら叫んだ。だが、こんな下劣なやつを哀れむ必要はない。そういう情けをかけたことが〈逃げおおせた人〉たちを苦境に追い込んだのだ……。

「あんたはバーバを殺そうとした！　ママを病気にした！　あんたを憎むわ！　心底、憎むわ！」

同情のかけらさえ消えて、オクサはどなった。

ドラゴミラは目を閉じ、オクサとギュスに支えられて〈クラッシュ・グラノック〉を口元に構えた。マックグローと視線が合ったとき、まさに筒に息を吹きこもうとしていた。しかし、良心につき動かされ、手を下ろした。

「できない……わたしには殺せない……」

ドラゴミラは壁にもたれながらつぶやいた。

「バーバ！」

オクサは、すっかり力を失ったドラゴミラのそばにひざまずいた。

「どうする、ギュス？」

「わからない……オクサ」ギュスはとぎれとぎれに答え、階段のほうを向いた。「どうにかしないと……早く……」

オクサがギュスの視線を追うと、真っ黒な影(かげ)が階段を下りてくるのが見えた。

「あれは何だ？」ギュスはぎょっとして叫んだ。

「アバクム、来てくれたのね……」ドラゴミラが弱々しい声で言った。

「おまえのおばあちゃん、頭がおかしくなり始めたよ。もうだめだ！」ギュスはおろおろした。

その影は階段をなめらかに下りてきて、三人に近づいた。ギュスは、はっと口を押(お)さえ、血の気が引いていくのを感じた。影には何もついていない。人間の体も、物も、生き物も何もついていない！　叫んだ言葉はもつれていた。

「ちくしょう、死がぼくたちのほうに近づいてくる！」

オクサの放った〈ツタ網弾(あみだん)〉で身動きできないマックグローは、その不思議な影をにらんでいた。影は立ち止まり、絹ずれのようなかすかな音を立てて本来の姿をあらわした。その姿がだれかわかると、マックグローはしばられたまま、狂(くる)ったようにあがいた。

「アバクム！　おじさんなのね！」オクサはあっけにとられた。

「わたしだよ、オクサ」と、アバクムが答えた。

「でも、あの影は……」ギュスがつぶやいた。

「妖精(ようせい)人間、影人間……わたしはおまえたちを見守っているんだ。フォルダンゴがすべて話してくれたよ」アバクムは、悲しそうにドラゴミラを見つめた。「おまえができないことを、わたしがしよう」

アバクムはドラゴミラのそばに来て、そっと肩にさわった。苦悩に満ち、涙のたまった目をドラゴミラに向けると、何も言わずに〈クラッシュ・グラノック〉を取り出し、マックグローに向けて吹いた。

マックグローは大きく目を見開いたまま、そのグラノックをまともに浴びた。すると、彼の頭上に黒っぽい渦巻きがあらわれ、信じられないほどの速さでまわりだした。マックグローは、オクサとギュスが熱心に見つめているものを見ようと首をねじった。そして、頭の数センチ上でまわっている渦巻きのほんの一部を目にしたとき、青ざめ、うめき、体をしばっているツタから逃れようともがいた。だが、むだだった……。渦巻きは止まりつつあり、それから、ゆっくりと、不気味な黒い穴のようになって、マックグローの頭に近づいていった。そして頭に触れると、マックグローは吹き飛んだ！

黒っぽい無数の粒子がツタの網を通して噴き出し、黒い穴に吸いこまれた。数秒後にはマックグローは跡形もなくなっていた。あるのは、床に散らばった黄色いツタの破片と天井すれすれに浮いている黒い雲だけだ。

「あれは何なの？」オクサはぞっとしながら、たずねた。

「〈まっ消弾〉よ、オクサ。究極の黒血球グラノック……」ドラゴミラがかすれた声でつぶやいた。

オクサの体に氷のように冷たい震えが走った。これが恐ろしい〈まっ消弾〉か！　オクサと同じようにショックを受けたギュスは、ふらふらしながら、何とか立っていた。アバクムはというと、自分の〈クラッシュ・グラノック〉をていねいにしまい、ドラゴミラを抱き上げて腕にかかえた。この呪われた家を一刻も早く立ち去ろうと、四人は階段を上がり、静かな通りに出た。

「さあ、家に帰ろう」

＊＊＊

アバクムが冷たい雨の降る街へ車を走らせていたころ、モーティマー・マックグローが呪われた地下室に入っていったのを、だれも知らない。四人がビッグトウ広場の家に着いたころ、モーティマーは涙を流しながら、怒りと狂おしいほどの希望を胸に、黒い粒子がつまった小瓶を手ににぎりしめていた。それこそ、彼の父、反逆者オーソン・マックグローなのだ……。

訳者あとがき

もうすぐ十三歳になるオクサ・ポロックは空手を習い、忍者にあこがれる、ごく普通の中学生の女の子。ところが、父親の仕事の都合でフランスのパリからイギリスのロンドンに引っ越してきたとたん、その身に次々と不思議なことが起こるようになり、やがて、オクサは自分が地球上にある目に見えない国「エデフィア」の君主になる運命であることを知る。

エデフィア帰還の期待を背負った「希望の星」オクサとその家族や仲間にさまざまな事件がふりかかってくる。恐ろしい敵の出現、超能力の技が飛びかう戦い――普通の中学生生活を送りながらも、いろいろな冒険に挑んでいくオクサたち……。

日常生活では超能力を隠さないといけないのに、怒りっぽくてつい暴走してしまうが、勇敢で行動力のあるオクサ、親友をせいいっぱい守ろうとするギュス、何でも知っていて頼れる祖母ドラゴミラ、彼女に仕えるへんてこなしゃべり方をするフォルダンゴや、それぞれ独特のキャラクターを持つ生き物たち、愛着のわく登場人物……どきどきする冒険は読み始めるととまらない。

この作品の作者はストラスブールの図書館司書、アンヌ・プリショタさんとサンドリーヌ・ヴォルフさんの女性コンビ。有名出版社から断られて自費出版し、自ら街の本屋に配って回った本が地元の中高生から口コミで広まり、大勢の「オクサ・マニア」が誕生。彼らが出版社に「この本を出版しないなんておかしい！」と抗議の手紙を送ったおかげで、二〇一〇年にパリのＸＯエディションン社から出版することになったという、本の誕生のいきさつもユニークだ。オクサ・マニアたちの運動はフランスの有名なニュース週刊誌にも取り上げられたほどで、じわじわと全国に浸透し、二〇一二年にはフランス西部の都市レンヌ市のティーンエージャー文学賞を受賞する大ヒット作品になった。作者のサイン会にはいつも、オクサ・マニアの長い列ができ、熱気でいっぱいだ。

フランスではすでにシリーズ第五作目まで出ており（全部で六作の予定で、さらに外伝が続く！）、来年の映画化、コミック化も決まっている。オクサたちは果たしてエデフィアに帰還できるのか……エデフィアはどうなっているのか、暗い魅力を秘めた少年テュグデュアルと、優しいギュスとの間で揺れるオクサの心は？　第二作、第三作と読み進むごとにどんどん引き込まれていって、次作が待ち遠しくてたまらない私も立派なオクサ・マニアかも。

最後に、翻訳原稿をすべて読んでいただき、多くの貴重なアドバイスをいただいた末松氷海子先生とお孫さんの海帆さんに心からお礼を申し上げます。また、校正刷りを読んで温かい感想を寄せてくださった佐藤清子さんとその教え子のみなさん、福島奈々さんにも励まされました。ありがとうございます。

二〇一二年十一月、パリ郊外にて

児玉しおり

『オクサ・ポロック② 迷いの森（仮題）』あらすじ

ギュスが消えた！ オクサの親友ギュスはロンドンにある聖プロクシマス中学校のどこかで、ある朝こつぜんと姿を消した。教室の床に携帯電話だけが残っていた。

携帯電話には、ぼやけた写真が写っている。その人はだれなのか？ ギュスはどうなったのだろうか？ そのときはまだ、オクサは知らなかった。しかし、真実を探っていく過程で、それまで巧みに隠されていた家族の危険な秘密をオクサは暴くことになる。親友を救うため、オクサはパラレルワールドに迷いもなく入っていく。その世界は魔法と恐怖に満ち、死と隣り合わせの数々の試練が〈逃げおおせた人〉たちを待っていた。

フォルダンゴや寒がりのドヴィナイイユに助けられながら、若いグラシューズ、オクサは「迷いの森」の出口を見つけられるのだろうか？

「オクサ・ポロック」シリーズ　全6巻＋外伝

1 希望の星
2 迷いの森（仮題）
2013年初夏刊行予定
3 ふたつの世界（仮題）
2013年秋刊行予定
4 秘密の絆（仮題）
5 最後の衝突（仮題）
6 シリーズ最終巻

他、外伝刊行予定

アンヌとサンドリーヌより

温かさの詰まった感謝の気持ちの受理をしていただけますか？
以下のみなさん！

オクサ・マニアのみなさん

まったくでたらめな順序ですが、「マジックブログ」ことアシル、ミスティア、エルフィック、メグ、リック、「パイプをふかす船長」ことフラグルロック、エンディミオン、Coco6888、エウィラン、ギュス＋オクサ、シーンドロス、アシュラン、ポロック 67、オクサ・グラシューズ、レコ、マルチヌー、ジュリー、マラキス、ジョアンヌ、サトリコット、ミス・パガイユ、ノーシッカ、ヴォルスプリット、グラノックエクスプロジヴ、フォルダンゴット 67、マルモット・サングレ、流れ星、テミストックル卿、黒い反逆者、女反逆者 27、ヴァルフェオール、フランシーヌ F、幸福、泡の涙、トラスブルー、エステル、シャムロック、古いグラシューズ、オクサを好きなアンヌ、マロラーヌ、ナフタリ、バッドアインシュタインほか、みなさんがもれなく、オクサと〈逃げおおせた人〉たちへの常なる支援を供給してくれたことによって至福に包まれますように。

ベルナール・フィクソ、XO エディション社社長

挑戦に愛情をそそぎ、さまざまな計画を別の次元に発展させる「不可能を可能にする男」。もし、男のグラシューズがいたとしたら、それは彼です。

キャロリーヌ・レペ

幸運な嗅覚と研ぎ澄まされた好奇心によってオクサの運命に回り道と美化を与えてくれた、われらが編集者。

モンパルナスタワーにいるエディット、カトリーヌ、ヴァレリー、ジャン＝ポール、グエナエルならびに XO エディション社のチーム

彼らに出会った喜びは膨大さに出会いました。

わたしたちの飛翔の維持を生じさせたフレデリック、クロエならびにすべての書店さん

「小さなエルフマジック」ことゾエ

偉大な我慢強さの模範を示しながらも、多数の不平不満を表現してくれた。

ローラ・クサジャジ

オクサの顔の授与を行った、そのグラフィックの才能に。

★
★ ★

アンヌはサンドリーヌに対し、その好戦性と完璧な確信の詰まった希望ゆえに、特別な謝意をおくることに固執します。

サンドリーヌはアンヌに対し、フォルダンゴットのような忠実さに加え、まさにサンドリーヌのものであるヤクタタズの精神を解読したがゆえに、特別な謝意の授与をします。

アンヌ・プリショタ　Anne Plichota
フランス、ディジョン生まれ。中国語・中国文明を専攻したのち、中国と韓国に数年間滞在する。中国語教師、介護士、代筆家、図書館司書などをへて、現在は執筆業に専念。英米文学と18～19世紀のゴシック小説の愛好家。一人娘とともにストラスブール在住。

サンドリーヌ・ヴォルフ　Cendrine Wolf
フランス、コルマール生まれ。スポーツを専攻し、社会的に恵まれない地域で福祉文化分野の仕事に就く。体育教師をへて、現在は図書館司書。独学でイラストを学び、児童書のさし絵も手がける。ファンタジー小説の愛好家。ストラスブール在住。

児玉しおり（こだま・しおり）
1959年広島県生まれ。神戸市外国語大学英米学科卒業。1989年渡仏し、パリ第3大学現代フランス文学修士課程修了。フリーライター・翻訳家。おもな訳書に『おおかみのおいしゃさん』（岩波書店）、『ぼくはここで、大きくなった』（小社刊）ほか。パリ郊外在住。

オクサ・ポロック1 希望の星
2012年12月13日　初版第1刷発行

著者＊アンヌ・プリショタ／サンドリーヌ・ヴォルフ
訳者＊児玉しおり
発行者＊西村正徳
発行所＊西村書店 東京出版編集部
〒102-0071 東京都千代田区富士見2-4-6
TEL 03-3239-7671　FAX 03-3239-7622
www.nishimurashoten.co.jp
装画＊ローラ・クサジャジ
印刷・製本＊中央精版印刷株式会社
ISBN978-4-89013-684-1　C0097　NDC953